CHARLATANS

Robin Cook

CHARLATANS

ROMAN

Traduit de l'américain
par Pierre Reignier

Albin Michel

Ce livre est un ouvrage de fiction. Toute référence à des événements historiques, à des personnes ou à des lieux réels est utilisée à des fins fictives. Les autres noms, personnages, lieux et événements sont le fruit de l'imagination de l'auteur et toute ressemblance à des faits réels, des lieux existants ou des personnes réelles, vivantes ou décédées, serait purement fortuite.

À toute ma famille et à mes amis

Prologue

Du fait de l'inclinaison de l'axe de la Terre, qui est responsable du cycle des saisons, le jour se leva promptement sur la ville de Boston, Massachusetts, ce 27 juin. Le contraste avec les aurores prolongées de l'hiver, où la course du soleil reste basse dans le ciel, fut frappant : à partir de quatre heures vingt-quatre, une lumière d'intensité croissante envahit tour à tour les rues du quartier italien de North End, les venelles pentues de l'élégante Beacon Hill et les larges boulevards du prestigieux quartier de Back Bay. Puis à cinq heures neuf tapantes, le disque solaire surgit à l'horizon, au-dessus de l'océan Atlantique, pour entamer son ascension dans un ciel matinal sans nuages.

De tous les faîtes des nombreux bâtiments du Boston Memorial Hospital – le BMH, pour les habitués –, le premier touché par les rayons dorés du soleil fut celui, au centre du complexe, de la tour Stanhope. Bijou d'architecture moderne, cette tour de vingt et un étages gainée de verre, qui n'avait pas encore dix ans, tranchait de façon saisissante avec les silhouettes trapues et la brique rouge de la plupart des immeubles anciens – construits cent cinquante ans plus tôt – qui composaient le célèbre centre hospitalier, rattaché à l'université Harvard, en bordure du port de Boston.

La tour Stanhope possédait toutes les installations de l'hôpital du xxie siècle, dont un ensemble de vingt-quatre salles d'opération dernier cri, appelées « salles d'opération hybrides du futur », qui semblaient sorties d'un épisode de *Star Trek*. Elles se divisaient en deux ensembles circulaires de douze salles disposées comme les rayons d'une roue autour d'un « moyeu », le poste central, d'où les chefs de bloc pouvaient suivre ce qui se passait dans chaque salle soit par les douze fenêtres panoramiques de son pourtour, soit sur des moniteurs connectés à des caméras de surveillance.

Dans chacune de ces salles hybrides, à même d'accueillir un très large éventail d'interventions – de neurochirurgie aussi bien que de chirurgie cardiaque en passant par les opérations de routine comme l'appendicectomie ou le remplacement du genou –, on trouvait plusieurs bras articulés géants, suspendus au plafond, au bout desquels étaient fixés différents équipements médicaux de haute technologie. La très grande maniabilité de ces bras permettait de disposer au mieux des appareils nécessaires au cours des interventions tout en gardant l'espace au sol dégagé, optimisant la circulation des personnels et les transitions entre les opérations. L'un de ces bras soutenait la station d'anesthésie, un autre la machine de circulation extracorporelle, un autre encore le microscope opératoire. Sur le plus volumineux, en forme de C, un système de radiographie numérique biplan associait infrarouges et rayons X pour livrer en temps réel des images tridimensionnelles des structures internes du corps humain. Chaque salle hybride recélait aussi plusieurs banques d'écrans vidéo haute définition connectés au serveur de l'hôpital, de telle sorte que les données des patients et toute l'imagerie médicale réalisée (radiographies, échographies, scanners…) pouvaient y être affichées sans délai par commande vocale.

Cet équipement ultra-sophistiqué et excessivement coûteux se justifiait par la nécessité d'améliorer la qualité et l'efficacité des opérations chirurgicales – ainsi que la sécurité des patients. En cette belle journée de fin juin, toutes ces merveilles de planification et de technologie moderne ne devaient pourtant guère peser face aux faiblesses humaines et aux impondérables de la vie. En dépit des bonnes intentions et du dévouement sans faille du personnel soignant du BMH, une catastrophe se profilait dans la salle d'opération numéro huit.

Vers cinq heures et demie, alors que la lumière du soleil levant inondait l'ensemble du centre hospitalier, voitures particulières et taxis commencèrent à défiler sous l'auvent de l'entrée principale de la tour Stanhope. Il en descendait de futurs patients qui tenaient à la main un sac ou une petite valise pour la durée de leur séjour. Parlant peu avec les amis ou les membres de leur famille qui les accompagnaient, ils franchissaient rapidement la porte à tambour, traversaient le hall et prenaient l'ascenseur pour gagner le bureau des admissions au troisième étage. Quelques années auparavant, les personnes qui devaient subir une opération de chirurgie élective, c'est-à-dire non urgente et programmée, étaient encore admises la veille. Mais, pour la plupart d'entre elles, ce privilège était passé à la trappe à cause des diktats des compagnies d'assurances. La nuit d'hospitalisation préalable était jugée trop coûteuse.

Cet afflux très matinal de patients était celui de la première tranche du programme du bloc opératoire. Les patients ultérieurs – les « à suivre », disaient entre eux les employés du BMH – recevaient pour instruction de se présenter aux admissions deux heures avant l'heure estimée de leur opération. Si la durée moyenne de chaque intervention était à peu près connue, bien des facteurs étaient susceptibles de faire varier ce paramètre, donc de chambouler le planning du bloc opératoire. Et bien sûr, les changements d'organisation se faisaient toujours au détriment des patients, jamais de l'hôpital. Du coup, il y avait parfois des retards qui obligeaient des patients à attendre de longs moments aux admissions ou en salle de préparation, ce qui pouvait se révéler pénible pour certains d'entre eux dans la mesure où tous les futurs opérés avaient pour consigne de ne rien avaler, hormis de petites quantités d'eau, à partir de minuit la veille au soir.

Parmi les cas « à suivre » de ce 27 juin, il y avait une réparation de hernie inguinale droite sur un homme de quarante-quatre ans, intelligent, sociable et en bonne santé, du nom de Bruce Vincent. L'opération devant commencer vers dix heures et quart, il lui avait été demandé de se présenter aux admissions à huit heures et quart. Contrairement à bien des patients qui arrivaient à l'hôpital ce lundi matin, Bruce n'était pas du tout inquiet à l'idée de passer sur le billard. Mais sa tranquillité d'esprit, pour ne pas dire sa décontraction, il ne la devait pas seulement au fait que l'opération de sa hernie inguinale était relativement simple : elle tenait bien plutôt à la connaissance intime qu'il avait du BMH. Aux yeux de Bruce Vincent, en effet, ce grand hôpital n'était pas l'espèce de monde parallèle, mystérieux et effrayant qu'il était pour bien des gens, car il le fréquentait tous les jours ou presque depuis vingt-six ans. Natif du quartier de Charlestown où il avait acquis une certaine célébrité, à l'adolescence, dans l'équipe sportive de son lycée, il avait été recruté par le service de sécurité du BMH dès ses dix-huit ans – suivant les traces de sa famille, pour ainsi dire, puisque sa mère avait fait toute sa carrière à l'hôpital, en tant qu'aide-soignante, et que sa sœur aînée y était infirmière.

Son job au BMH et sa grande connaissance de l'univers hospitalier ne suffisaient pas à expliquer entièrement, toutefois, que Bruce fasse preuve de davantage de sang-froid que la plupart des autres patients. S'il était si calme ce matin, c'était surtout parce qu'il s'était lié d'amitié, au fil de sa longue carrière, avec l'immense majorité des employés de la maison : les praticiens et internes de toutes les spécialités imaginables, mais également les infirmières et autres membres du personnel soignant, sans oublier les membres de l'administration et les agents des autres départements. Avec le temps, par une sorte d'osmose, il avait aussi appris pas mal de choses sur la médecine, en particulier la médecine hospitalière bien sûr, au point que certains soignants disaient en plaisantant que Bruce Vincent était diplômé honoraire du BMH. De fait, il était capable de discuter techniques opératoires avec les chirurgiens orthopédiques, litiges pour faute médicale avec les administrateurs ou problèmes de planning avec les infirmières – ce qu'il faisait presque quotidiennement.

Quand Bruce s'était entendu dire qu'il aurait droit à une rachianesthésie pour la réparation de sa hernie inguinale (une opération qui ne devait pas durer plus d'une heure), il savait déjà très bien ce qu'était la rachianesthésie, ou anesthésie spinale, et pour quelles raisons elle était plus sûre que l'anesthésie générale. Rien de mystérieux pour lui, donc, de ce côté-là. De plus, il avait confiance à deux cents pour cent en son chirurgien, le Dr William Mason. Ce praticien, un homme certes assez lunatique et soupe au lait – au point qu'on le surnommait derrière son dos « Wild Bill », Bill le Sauvage – était l'un des piliers du BMH. Il veillait d'ailleurs à entretenir sa réputation : personne ne devait ignorer que les patients affluaient du monde entier, chaque semaine, pour profiter de ses mains expertes et de ses taux de réussite insurpassables. Le Dr Mason était professeur de chirurgie à Harvard, responsable de l'unité de chirurgie digestive au BMH et codirecteur adjoint du très réputé programme de l'internat de chirurgie de cet hôpital. Sa principale spécialité était la très exigeante chirurgie du pancréas, un organe niché à l'arrière de l'abdomen et notoirement difficile à opérer du fait de cet emplacement, de sa consistance particulière et de son rôle dans la digestion.

Quand Bruce avait annoncé qu'il devait être opéré de sa hernie par le Dr Mason, il avait sidéré ses interlocuteurs. Tout le monde savait très bien que l'illustre chirurgien n'avait presque jamais réparé de hernie depuis son internat, trente ans auparavant. Il s'enorgueillissait de ne réaliser que les interventions les plus complexes et les plus difficiles, une majorité d'entre elles touchant au pancréas. Perplexes, certaines personnes avaient carrément demandé à Bruce comment il avait réalisé l'exploit de convaincre Mason de se charger d'une mission qu'il considérait à coup sûr comme insignifiante, indigne de lui, tout juste bonne pour un néophyte en chirurgie. Et Bruce n'avait pas demandé mieux que de s'expliquer.

Sympathique, travailleur et dévoué au BMH comme il l'était, Bruce avait régulièrement gravi les échelons du service de sécurité au fil des années. Il adorait son boulot, il avait le contact facile et il connaissait presque chaque membre du personnel de l'hôpital par son nom. En retour, tout le monde adorait Bruce Vincent. On appréciait également le fait qu'il était père de famille et avait épousé une employée du BMH, elle aussi très estimée, qui travaillait au service de restauration. La famille Vincent comptait quatre enfants dont le dernier était encore bébé, et comme ses photos ornaient sans discontinuer, depuis près de deux décennies, le tableau d'affichage de la cafétéria, elle était devenue une sorte de mascotte de l'hôpital.

Si Bruce avait été bien noté dès qu'il avait commencé au BMH, sa cote de popularité avait grimpé dans la stratosphère quand il s'était vu confier la direction du service du stationnement – une mission qui était a priori tout sauf une sinécure. Grâce à lui, les problèmes apparemment insurmontables de ce rouage de l'hôpital avaient fondu comme neige au soleil, surtout après qu'il avait réussi à convaincre le conseil d'administration de construire un troisième parking à plusieurs niveaux, dans le cadre du projet Stanhope, pour les médecins et les infirmières. De plus, Bruce n'était pas du genre à rester planqué dans son bureau de responsable du stationnement. Au contraire, il était toujours disponible, toujours sur le terrain, allant du matin au soir au-devant des problèmes – le sourire aux lèvres et un petit mot gentil pour chacun de ses interlocuteurs. Inspirés par son exemple, tous les employés du service du stationnement étaient consciencieux et avenants. Et c'était donc grâce à ce rôle de chef de terrain que Bruce avait pu s'attirer la sympathie du grand praticien hospitalier, d'ordinaire plutôt hautain, qu'était William Mason.

Quand le Dr Mason avait acheté sa Ferrari rouge quatre ans plus tôt, les cancans étaient allés bon train. Pour beaucoup de gens, c'était clair, il faisait sa crise de la cinquantaine. La preuve, non content de circuler dans cette voiture de sport tape-à-l'œil, il avait aussi commencé à draguer outrageusement plusieurs jeunes femmes du bloc opératoire – des infirmières, surtout, mais également une chirurgienne. Bruce avait entendu bien des commentaires sur l'attitude et les propos salaces du Dr Mason, mais il avait mis tout cela sur le compte de la jalousie. Et concernant la Ferrari, au lieu de la juger déplacée au milieu des traditionnelles, ou plus sobres, Volvo, Lexus, BMW et autres Mercedes du parking, il avait couvert le chirurgien de louanges pour son choix. Il avait aussi proposé de la garer lui-même, tous les jours, dans un emplacement à l'abri des coups de portière de ses voisines. Aussi, lorsque Bruce avait appris par son généraliste de Charlestown qu'il devait se résoudre à faire opérer sa hernie inguinale (elle l'enquiquinait depuis déjà un moment et lui causait de temps en temps de vrais soucis, surtout pendant la digestion), il lui avait paru assez naturel de demander au Dr Mason s'il voulait bien s'en occuper. Il avait posé la question sans y réfléchir, un matin, avant de monter dans la Ferrari pour la garer. Et à la surprise de tout le monde – y compris de Bruce, à vrai dire, comme il l'avait admis depuis –, le Dr Mason avait accepté sur-le-champ et promis de lui trouver une place dans son agenda bourré à craquer de célébrités, de chefs de grandes entreprises, d'aristocrates européens et de cheiks arabes !

L'opération prévue ce matin n'avait pas dissuadé Bruce d'arriver à son bureau à cinq heures comme pour une journée de travail ordinaire. Selon l'habitude qui était la sienne depuis des années, il avait aussi personnellement accueilli les différents membres du personnel soignant à leur arrivée. Il avait même garé la Ferrari du Dr Mason. Celui-ci, surpris de le trouver dans le parking, s'était demandé à voix haute si sa mémoire lui jouait des tours.

– Mon opération est une « à suivre », avait expliqué Bruce. Je ne dois être aux admissions qu'à huit heures et quart.

La très grande conscience professionnelle de Bruce Vincent ne devait cependant pas être sans conséquence. Confronté à l'absence imprévue d'un subalterne qui n'avait pas daigné prévenir, il s'appliqua à régler le problème que cette défection posait au service du stationnement. Et pour finir, il se présenta très en retard au bureau des admissions au troisième étage de la tour Stanhope.

– Bruce ! s'exclama Martha Stanley d'un air anxieux. Ça fait près de trois quarts d'heure que je vous attends !

Martha était la responsable des admissions. En général, elle ne s'occupait pas de l'accueil des patients, mais elle avait guetté l'arrivée de Bruce qu'elle connaissait de longue date.

– Vous deviez être ici à huit heures et quart. Le bloc a déjà appelé pour demander où vous étiez passé !

– Désolé, madame Stanley, dit Bruce, penaud. J'ai été retenu par un souci, à cause d'un de mes gars…

– Non, non ! coupa Martha. Ce n'est pas une excuse. Ce matin vous auriez pu vous passer de travailler !

Elle aussi, en arrivant au volant de sa voiture, avait été surprise de le trouver dans le parking – et en uniforme, par-dessus le marché –, car elle savait qu'il était inscrit sur le planning du bloc.

Secouant la tête, elle ouvrit à l'ordinateur son DME, ou dossier médical électronique, pour s'assurer que le bilan préopératoire s'y trouvait bien, avec notamment un ECG et des examens sanguins très récents.

– Au cas où vous l'ignoreriez, Bruce, reprit-elle, le Dr Mason n'est pas du tout commode quand on le fait lambiner. Et il a deux autres cas ce matin. Des cancers du pancréas. Deux patients qui sont des VIP.

Une expression peinée tordit le visage de Bruce.

– Je suis tellement désolé ! En effet, je suis sûr que le Dr Mason a horreur d'attendre. Peut-être peut-on accélérer un peu la procédure d'admission ? Mon opération, ce n'est rien du tout. Juste une petite hernie à supprimer.

– Chaque opération est importante. Il faut faire les choses dans les règles, marmonna Martha en lançant l'impression de la feuille de circulation du patient, puis elle soupira doucement avant d'ajouter : Mais c'est vrai qu'il faut vous envoyer au bloc sans traîner. Vous êtes à jeun, bien sûr ?

– On doit me faire une rachianesthésie ! dit Bruce. L'assistant du Dr Mason, le Dr Kolganov, m'a assuré qu'on me ferait une rachianesthésie, quand il m'a examiné pour le bilan préopératoire.

– Peu importe le type d'anesthésie qui est prévue. Avez-vous mangé quoi que ce soit aujourd'hui ? On vous a bien prévenu de ne rien avaler après minuit, hein ?! C'est comme ça pour tout le monde.

– Non, c'est bon. Allons-y !

Bruce consulta sa montre avec anxiété. Il craignait tout à coup que le Dr Mason change d'avis et refuse finalement de l'opérer. Ce ne serait pas drôle du tout.

– D'accord, dit Martha d'un ton résigné. On y va. D'après l'assistant du Dr Mason, votre bilan préopératoire est bon. Donc nous pouvons peut-être nous passer de l'examen d'admission par le petit interne de chirurgie qui devrait théoriquement revoir tout ça et y mettre son grain de sel. De toute façon, depuis une demi-heure, c'est un peu la cohue, ici, et je sais qu'il est débordé. Ça signifie qu'il ne pourrait pas vous voir avant... avant un moment ! De quel côté, votre hernie ?

– À droite, répondit Bruce.

– Êtes-vous allergique à quelque chose ?

– Non, je n'ai aucune allergie.

– Avez-vous déjà été mis sous anesthésie ?

– Non. Je n'ai même jamais été hospitalisé.

– Parfait.

Martha contourna le comptoir des admissions en faisant signe à Bruce de la suivre. Ils s'engagèrent dans un couloir et entrèrent bientôt dans une pièce où s'alignaient plusieurs brancards séparés par des rideaux. Après avoir ordonné à Bruce de se déshabiller et d'enfiler une chemise d'hôpital, Martha lui souhaita bon courage et accrocha sa feuille de circulation au bout du brancard en disant :

– La prochaine fois, arrivez à l'heure !

Bruce leva le pouce avec un sourire gêné avant qu'elle ressorte en fermant la porte.

Après avoir retiré ses vêtements et s'être bagarré avec les cordons de la chemise d'hôpital pour réussir à les attacher derrière son dos, il s'assit sur le brancard en se demandant s'il devait se coucher sous le drap. Une infirmière en tenue blanche entra alors dans la salle et se présenta : elle s'appelait Helen Moran, c'était l'une des rares employées de l'hôpital qu'il ne connaissait pas. Après lui avoir posé les mêmes questions que Martha, notamment concernant le côté où il devait être opéré, elle sortit un marqueur noir de sa poche de tunique pour tracer un X sur la hanche droite de Bruce.

— On m'a chargée d'accélérer votre transfert au bloc, précisa-t-elle. Allongez-vous, je préviens l'anesthésie que vous êtes en route. On vous cherchait partout, vous savez !

Bruce hocha la tête, mais l'infirmière tournait déjà les talons pour s'éloigner. Il était au comble de l'embarras d'être arrivé en retard aux admissions. Et doublement reconnaissant d'être si bien traité malgré tout. C'était sans doute dû au fait qu'il devait être opéré par le Dr Mason. Un brancardier apparut moins d'une minute plus tard. Il déverrouilla le brancard et commença aussitôt à le pousser vers le couloir. D'après son insigne de poitrine, il s'appelait Calvin Wiley. Il semblait connaître Bruce qui ne l'avait pourtant jamais vu.

— Vous êtes un VIP, monsieur Vincent, dit-il pendant qu'il le poussait vers le bloc opératoire. On m'a dit que vous êtes un patient du Dr Mason et que je devais vous emmener dare-dare en salle de prépa.

— Pas vraiment un VIP, marmonna Bruce.

Mais il était plutôt content. Comme il l'avait supposé, avoir le Dr Mason pour chirurgien était un gros plus. Il espérait juste que son retard ne créerait aucun problème.

Peu après, il se retrouva dans un box, là encore délimité par des rideaux, de la salle de préparation. Calvin s'était à peine éclipsé lorsque deux infirmières firent leur apparition : Connie Marchand et Gloria Perkins. Bruce les connaissait bien, car toutes deux venaient au BMH en voiture. Après qu'ils eurent un peu bavardé – au sujet des enfants de Bruce pour l'essentiel –, Gloria ressortit. Connie vérifia le X tracé sur sa hanche, puis ouvrit son DME sur une tablette et lui reposa les mêmes questions que Martha et Helen. Satisfaite de constater que tout était en ordre, elle lui tapota affectueusement le bras en l'informant qu'elle prévenait la salle d'opération numéro huit qu'il était prêt.

— Votre anesthésiste ne devrait pas tarder, précisa-t-elle. On nous a déjà demandé plusieurs fois où vous étiez. Le Dr Mason n'aime pas attendre.

— Il paraît, dit Bruce, de nouveau très gêné. Désolé, c'est ma faute ! Je me suis présenté en retard aux admissions. Ça ira quand même ?

— Ça devrait aller, assura Connie avec un sourire rassurant, puis elle s'éloigna.

Quelques minutes plus tard, le rideau fut tiré par une jeune femme aux yeux bleu glacier et au visage bronzé. Elle portait un pyjama de bloc bleu avec une coiffe qui dissimulait complètement sa chevelure. Son sourire était agréable et franc. Elle expliqua qu'elle était la Dr Ava London, anesthésiste et praticienne au BMH, puis ajouta :

— C'est moi qui vais aider le Dr Mason ce matin, monsieur Vincent, pendant qu'il opérera votre hernie. Je suis contente de faire votre connaissance, vous savez, parce que j'ai entendu dire beaucoup de bien sur vous. Et il paraît que les charmants enfants en photo sur le tableau de la cafétéria sont les vôtres, c'est bien cela ?

— Je suis responsable du stationnement dans le centre médical, expliqua Bruce qui appréciait déjà cette anesthésiste aussi séduisante que sympathique. Mais je suis étonné de ne vous avoir jamais rencontrée. Vous êtes nouvelle, dans l'équipe ?

— Relativement nouvelle, dit Ava avec une petite moue amusée. Il y a bientôt cinq ans que je suis ici.

— Oh non, vous n'êtes pas nouvelle du tout ! s'exclama Bruce, un poil chagriné car il s'enorgueillissait de connaître à peu près tous les praticiens du BMH. Je suppose que vous n'utilisez pas le parking des médecins ?

– Voilà. Je n'en ai pas besoin, car j'ai la chance de pouvoir venir
à pied au travail, dit Ava en attrapant la feuille de circulation de
Bruce au bout du brancard. Je vis tout près d'ici, à Beacon Hill.

Constatant qu'il n'y avait pas de feuille d'examen de contrôle
signée par l'interne de chirurgie des admissions, elle demanda à
Bruce s'il savait pourquoi elle manquait.

– Martha Stanley a jugé que ce n'était pas la peine d'attendre
l'interne. D'autant que l'assistant du Dr Mason a fait le bilan
préopératoire tout récemment. Mais pour ne rien vous cacher, c'est
ma faute. Je suis arrivé en retard, alors on a décidé de m'amener
ici le plus vite possible.

Ava hocha la tête. L'assistant du Dr Mason, du fait qu'il avait
terminé l'internat de chirurgie, était certainement plus qualifié que
l'interne de première ou de deuxième année chargé d'examiner les
patients aux admissions. Elle ouvrit le DME de Bruce Vincent sur
sa tablette et examina son bilan préopératoire. Il n'avait aucun
antécédent médical. Aucune pathologie non plus à l'exception de
cette hernie inguinale tout à fait banale. Satisfaite, elle remit la
feuille de circulation sous sa pince et leva les yeux vers Bruce en
disant :

– Vous êtes en bonne santé, j'ai l'impression ?

– Je pense, oui. Pouvons-nous nous dépêcher ? Je ne voudrais pas
que le Dr Mason s'impatiente à cause de mon petit retard.

– Il faut tout de même faire les choses correctement. Je dois vous
poser quelques questions. Vous n'avez donc jamais eu de problème
de santé, en particulier au niveau du cœur et des poumons… ?

– Non.

– Et vous n'avez jamais été mis sous anesthésie ?

– Non plus.

– Et vous n'avez rien mangé depuis minuit ?

— L'assistant du Dr Mason m'a dit qu'on me ferait une rachianesthésie.

— En effet. La secrétaire du Dr Mason nous a bien spécifié que
le chirurgien voulait une rachianesthésie. Cela vous convient-il ?
Vous savez ce que c'est ?

— Oui. Vous savez, je connais la plupart des anesthésistes et
des infirmières anesthésistes de la maison. Depuis toujours, ils me
racontent des tas de choses sur votre métier.

— Un patient qui s'y connaît ! À la bonne heure, dit poliment
Ava. Alors vous êtes au courant que nous devons avoir votre accord
pour recourir à l'anesthésie générale au cas où il y aurait un souci
avec la rachianesthésie ?

— Ah bon ? Quel genre de souci ?

— Le risque de pépin est infime, mais nous devons être prêts à
tout. Par exemple, si l'opération prend plus de temps que prévu et si,
par conséquent, l'effet de la rachianesthésie commence à s'estomper,
nous pourrions être obligés de vous placer sous anesthésie générale.
Voilà pourquoi nous avons besoin de votre consentement. Il faut
juste tout prévoir. C'est aussi la raison pour laquelle nous devons
savoir si vos poumons sont en bon état.

— Mes poumons vont très bien.

— Des soucis de reflux gastro-œsophagien ?

— Je vais très bien ! Sérieux, je suis en forme. Vous êtes sûre que
nous n'allons pas retarder le Dr Mason ?

— Il n'y a pas à craindre de retarder le Dr Mason, croyez-moi.
Maintenant, parlons de la rachianesthésie. Vous a-t-on expliqué
qu'il fallait vous insérer une aiguille dans le dos pour l'injection
de l'agent anesthésiant ?

— Je sais. L'assistant du Dr Mason m'a tout raconté en détail. Et
il m'a assuré que je ne sentirais rien.

— C'est bien cela. Vous ne ressentirez aucune douleur pendant l'opération. Je vous le garantis. Mais dites-moi : avez-vous des problèmes de dos ? Il vaut mieux que je sois prévenue…

— Non, fit Bruce avec un haussement d'épaules. Mon dos va bien.

— Super ! Voilà ce qui va se passer quand nous vous conduirons en salle d'opération. En premier lieu, nous vous demanderons de vous asseoir sur la table, tourné sur le côté, avec la tête et le visage en appui sur un support. Vous éprouverez une petite sensation de pincement au bas de votre dos quand je mettrai un anesthésique local sur votre peau avant d'insérer l'aiguille de la rachianesthésie. Quand le produit se répandra dans votre colonne vertébrale, nous vous aiderons à vous allonger sur la table. Maintenant j'ai une autre question : pendant l'opération, souhaitez-vous être réveillé — et peut-être voir ce qui se passe au niveau de votre ventre si le Dr Mason est d'accord — ou préférez-vous dormir ? Dans un cas comme dans l'autre, vous n'éprouverez absolument aucune douleur et je resterai avec vous tout au long de l'opération.

— Je veux dormir ! répondit Bruce avec emphase. Voir ce qui se passe ? Non merci !

Aussi confiant pût-il être à l'idée de subir cette intervention, il n'avait pas pour autant envie d'observer le toubib lui fourrager dans les entrailles.

— D'accord, dit Ava. Vous dormirez donc. Revenons à la question à laquelle vous n'avez pas répondu : avez-vous mangé quoi que ce soit depuis hier ? À minuit au plus tard ?

— Non.

— Et à votre connaissance, vous n'êtes allergique à aucun médicament ?

— Je ne suis allergique à rien.

— Et vous ne prenez aucun médicament ? Prescrit ou non ?

— Je ne prends aucun médicament, affirma Bruce.

– Parfait ! Maintenant, je vais vous poser une intraveineuse avant de vous emmener en salle d'opération. On m'a prévenue que le Dr Mason est presque prêt à s'occuper de vous. Avez-vous des questions ?

– Heu… Je ne vois pas, marmonna Bruce.

Tout à coup, il éprouvait une légère anxiété. Il avait même un peu la chair de poule. La réalité de l'événement qu'il s'apprêtait à vivre s'imposait à lui : il devait s'abandonner aux mains de l'équipe chirurgicale et accepter de ne plus avoir aucun contrôle sur le cours des choses.

La Dr London posa l'intraveineuse si vite, et avec tant de dextérité, que Bruce fut étonné quand ce fut terminé. Aussi à l'aise fût-il dans l'environnement hospitalier, il était tout prêt à reconnaître qu'il n'aimait pas beaucoup les aiguilles et les prises de sang. Il détournait toujours les yeux quand un toubib travaillait sur son bras.

– Ouah ! fit-il, ébahi. J'ai à peine senti ce que vous faisiez. Vous avez dû en poser, des intraveineuses !

– Quelques-unes, en effet, acquiesça Ava en souriant.

Elle savait qu'elle effectuait bien ce geste – qu'elle était, plus généralement, une anesthésiste très compétente. Elle savait aussi être attentive aux états émotionnels de ses patients et elle percevait un léger changement, depuis quelques instants, dans le comportement de M. Vincent.

– Comment vous sentez-vous ? Êtes-vous anxieux ?

– Je… je suis un peu nerveux, j'avoue, répondit Bruce d'une voix mal assurée.

– Je peux vous donner quelque chose pour vous détendre, si vous voulez ? proposa gentiment Ava.

– Ah oui ? Eh bien… volontiers.

Avec la seringue et la fiole qu'elle avait justement dans une poche de sa blouse pour cette éventualité, Ava lui injecta quatre milligrammes de midazolam, la substance de pré-anesthésie qu'elle préférait. Aussitôt après, elle jeta les emballages du matériel de perfusion dans un conteneur, puis libéra le frein du brancard pour pousser celui-ci dans le couloir en direction des salles d'opération.

– Je sens déjà les effets de votre produit, dit Bruce en observant les lumières du plafond défiler au-dessus de lui.

L'angoisse qui l'avait assailli un petit moment plus tôt se dissipait comme par miracle. Maintenant il éprouvait le besoin de parler.

– Vais-je bientôt voir le Dr Mason ?

– Oui, répondit Ava. Il paraît qu'il nous attend. C'est pour cela que nous y allons sans attendre l'aide d'un brancardier.

Si quelqu'un lui avait posé la question au moment où il entrait dans la salle d'opération numéro huit, Bruce aurait dit qu'il se sentait un petit peu pompette. Il regarda sereinement autour de lui. Près d'un an auparavant, quand l'installation du nouveau complexe de salles hybrides avait été achevée, il avait eu droit à une petite visite des lieux. Il connaissait donc déjà les différents bras articulés couleur crème suspendus au plafond, les rangées de moniteurs vidéo et la fenêtre panoramique donnant sur le bureau central. Pendant que la Dr London poussait le brancard contre la table d'opération, il remarqua que l'infirmière instrumentiste, en tenue de bloc intégrale avec coiffe sur les cheveux, masque sur la bouche et le nez, et lunettes de protection, était en train de préparer son matériel. Comme il ne voyait que ses yeux, et d'ailleurs pas très bien, il ne put l'identifier. Par contre, il reconnut l'infirmière circulante, une grande femme qui s'appelait Dawn Williams – elle conduisait une Ford Fusion blanche –, lorsqu'elle s'approcha pour aider l'anesthésiste à le transférer sur la table d'opération.

– Bienvenue, monsieur Vincent ! dit-elle d'un ton enjoué. Aujourd'hui nous allons bien nous occuper de vous. Exactement comme vous vous occupez bien de nos voitures.

Elle pouffa de rire derrière son masque chirurgical.

– Merci, dit Bruce.

Lorsque la Dr London l'invita à s'asseoir sur la table d'opération, les pieds dans le vide, devant le support en forme de beignet pour sa tête, il balaya une nouvelle fois la salle du regard et demanda :

– Où est le Dr Mason ?

– Il arrivera dès que nous le préviendrons que vous êtes prêt pour lui, répondit Dawn.

– Est-il encore sur son premier cas ? demanda Ava tout en aidant Bruce à positionner correctement sa tête sur le support.

De manière générale, il était entendu qu'on ne devait pas entamer l'anesthésie tant que le chirurgien n'était pas présent dans la salle pour le petit briefing préopératoire qui lui permettait, à lui ainsi qu'à l'anesthésiste et à l'infirmière circulante, de revoir rapidement le programme de l'intervention et d'avoir la certitude que toute l'équipe était sur la même longueur d'onde. Ce briefing, hélas, n'était pas toujours faisable avec le Dr Mason et quelques autres grands pontes de la chirurgie n'hésitant pas à s'asseoir sur certaines règles afin de maximiser leur productivité. Problème : personne ne leur tapait jamais sur les doigts.

– Oui, il est encore en salle d'op quatorze, répondit Dawn. Mais d'après la chef de bloc, il veut que nous démarrions pour que M. Vincent soit prêt quand il arrivera.

– D'accord, dit Ava avec résignation.

Elle enfila des gants stériles pour préparer le bas du dos de Bruce. Elle n'était pas ravie de lancer la procédure avant d'avoir vu Mason, mais ce n'était pas la première fois qu'elle se retrouvait par sa faute dans cette position inconfortable. À cinq reprises, déjà, il avait insisté pour qu'elle commence l'anesthésie alors qu'il était occupé ailleurs et n'avait même pas mis le pied dans la salle d'opération. Ava aimait faire les choses dans les règles pour la simple raison qu'elle pensait avant tout à la sécurité des patients. Démarrer l'anesthésie avant que le chirurgien soit là, ce n'était pas du tout l'idée qu'elle se faisait de la bonne pratique médicale.

En vérité, Ava n'aimait pas travailler avec cet homme égocentrique qu'était le Dr Mason. Elle était gênée de le voir s'arroger tous les droits au bloc opératoire sous prétexte qu'il était une superstar de la chirurgie. Son petit doigt lui disait aussi que, si jamais un problème survenait un jour ou l'autre pendant une opération, il refuserait tout net d'en assumer sa part de responsabilité. Elle l'imaginait bien se débrouiller pour lui faire porter le chapeau à *elle*, la jeunette de l'anesthésie qui n'avait encore que quelques petites années de carrière au BMH. Mais ce n'était pas la seule raison pour laquelle Ava n'aimait pas beaucoup côtoyer Mason. Comme elle comptait parmi les rares femmes célibataires du service d'anesthésie, sinon du bloc opératoire, Mason avait déjà plus d'une fois essayé de lui faire du gringue. En deux occasions, il lui avait même téléphoné à son domicile, soi-disant pour parler boulot, en proposant de « faire un saut » chez elle puisqu'il passait « par hasard » dans le quartier. Elle avait poliment refusé. Bien que consternée, elle ne lui avait pas dit tout net ce qu'elle pensait de son attitude, de peur de s'en faire un ennemi. Elle n'avait rien dit non plus au chef du service d'anesthésie, le Dr Madhu Kumar, un titan dans son domaine lui aussi, car les deux hommes étaient très copains. C'était d'ailleurs bien souvent le Dr Kumar qui assurait les anesthésies des riches patients du Dr Mason venus des quatre coins du monde. Comme il le faisait en ce moment même dans une autre salle d'opération. Pour le tout-venant, par contre – c'est-à-dire pour les patients indignes de la considération du Dr Kumar, par exemple Bruce Vincent –, Mason demandait assez fréquemment à avoir Ava comme anesthésiste.

Dès qu'elle eut préparé la région lombaire de Bruce à la solution iodée, Ava créa un bouton intradermique, avec un anesthésique local, à l'endroit où elle devait placer l'aiguille spinale. Après s'être assurée que le stylet était bien en place et fonctionnel, elle commença à enfoncer l'aiguille dans le dos de Bruce.

– Vous devriez maintenant avoir une légère sensation de pression, l'informa-t-elle.

Elle perçut sous ses doigts un premier relâchement de résistance signifiant que l'aiguille pénétrait le ligament jaune, puis, un instant plus tard, un second relâchement indiquant que l'aiguille passait la dure-mère entourant le canal rachidien. Quand elle eut la certitude que l'aiguille était correctement positionnée, elle injecta la bupivacaïne – un agent courant pour la rachianesthésie. Comme d'habitude pour ce qui la concernait, tout s'était passé à la perfection et le patient n'avait absolument pas souffert.

Quelques instants plus tard, Dawn et Ava aidèrent Bruce à s'allonger sur la table d'opération.

– Je sens toujours mes jambes, dit-il d'un air inquiet, comme s'il craignait que l'anesthésie ne fonctionne pas sur lui.

– Il faut quelques minutes pour que ça agisse, expliqua Ava tandis qu'elle commençait à le brancher aux divers appareils de monitorage nécessaires pour l'opération.

Quand ce travail fut terminé et qu'elle eut constaté que tous les paramètres étaient normaux, notamment l'ECG, la fréquence respiratoire et la profondeur de l'anesthésie, elle injecta une dose d'agent hypnotique – du propofol – dans la perfusion de Bruce. À neuf heures cinquante-huit exactement, il perdit conscience et s'endormit. Ava scruta l'écran de la station d'anesthésie où s'affichaient les valeurs de ses signes vitaux. Ils étaient tous stables. Elle pouvait maintenant se détendre. Le début de la procédure d'anesthésie était toujours pour elle un moment particulièrement anxiogène.

Quarante minutes plus tard, Ava était très mécontente, pour ne pas dire exaspérée. Alors qu'elle avait demandé plusieurs fois au bureau central du bloc opératoire où était passé le Dr Mason, et qu'elle s'était systématiquement entendue répondre qu'il devait arriver d'un instant à l'autre, il n'était toujours pas là. Le temps passant, elle se reprochait d'avoir démarré la rachianesthésie trop tôt. Certes, la dose de bupivacaïne qu'elle avait donnée à Bruce Vincent devait encore agir environ deux heures, ce qui était amplement suffisant pour une simple réparation de hernie inguinale, mais le chirurgien aurait quand même dû être là depuis longtemps : c'était manquer d'égards envers le patient que le faire attendre de la sorte.

– Dawn ! s'exclama-t-elle enfin, à bout de patience. Je vous en prie, allez voir au poste central et exigez de savoir exactement ce qui se passe et quand le Dr Mason va daigner nous faire grâce de sa présence ! Voyez ça avec Janet Spaulding, s'il vous plaît, personne d'autre. Rappelez-lui que l'aiguille spinale du patient est en place depuis trois quarts d'heure.

Janet Spaulding, la chef de bloc, avait du caractère et ne se laissait marcher sur les pieds par personne. Si quelqu'un pouvait faire bouger les choses, c'était elle.

Ava échangea un regard courroucé avec Betsy Halloway, l'infirmière instrumentiste, qui était contrainte de rester immobile, ses mains gantées de latex relevées contre sa poitrine. Tous ses outils étaient sortis sur un plateau et recouverts par un tissu stérile. Elle était prête depuis encore plus longtemps qu'Ava.

Scrutant les données du monitorage de Bruce, Ava put constater que toutes étaient satisfaisantes, y compris sa température corporelle. Elle avait demandé à Dawn d'étaler une couverture sur lui quand il était devenu évident que Mason tarderait à se pointer.

L'infirmière circulante revint une minute plus tard pour annoncer :

– Bonne nouvelle ! Wild Bill arrive. Il vient de sortir de la salle d'op quatorze. Il paraît qu'il est tombé sur une espèce d'anomalie congénitale imprévue dans les voies biliaires de son premier patient. C'est pour ça qu'il a été très long.

– Ah, mince, marmonna Ava.

Elle jeta un coup d'œil vers la fenêtre de communication pour voir si Mason était au lavabo de désinfection, mais il n'y avait personne.

– Il est où, maintenant, bon sang ? lança-t-elle.

– Il est allé en salle seize où sa deuxième équipe est en train d'ouvrir son second cancer du pancréas de la matinée.

– Ah oui ? fit Ava d'un ton ironique. Ça signifie qu'il a trois patients anesthésiés en même temps sous sa responsabilité.

– Janet promet qu'il sera là dans dix secondes, précisa Dawn.

– Le Dr Kumar, où est-il ?

– Aucune idée. Sans doute fait-il la navette entre les deux salles d'op des pancréas. Ça lui arrive souvent.

– Vous m'en direz tant, grommela Ava, et elle songea pour elle-même qu'il était heureux que le grand public ignore que ce genre de chose se produisait au BMH et dans d'autres centres hospitaliers universitaires très réputés.

Elle se tournait vers la station d'anesthésie, lorsqu'elle aperçut un mouvement, derrière la vitre, du côté de la salle de désinfection : le Dr Mason était là, enfin, mais il n'avait pas l'air franchement pressé. Il attachait les lanières de son masque chirurgical derrière sa nuque en bavardant et en rigolant avec un autre homme, plus jeune que lui, qu'Ava ne connaissait pas. Elle inspira profondément en s'ordonnant de rester calme.

Cinq bonnes minutes plus tard, le chirurgien fit son entrée dans la salle, les mains levées devant la poitrine, et lança à la cantonade :

– Bonjour tout le monde ! Je vous présente le Dr Sid Andrews à qui je vous demande de faire bon accueil. Il sera mon nouvel assistant à partir du 1er juillet, mais il a eu la générosité de proposer de me donner un coup de main pour cette hernie. Vu qu'il y a un bail que je n'ai pas réparé de hernie, j'ai pensé que ça ne ferait pas de mal de l'avoir avec nous.

Il s'esclaffa comme si l'idée qu'il pût avoir besoin d'aide pour opérer était délicieusement absurde.

Le Dr Andrews, entré à la suite de Mason, gardait lui aussi les mains en l'air après se les être désinfectées au lavabo. Il salua les diverses personnes présentes dans la salle en agitant les doigts de la main droite. C'était un trentenaire plutôt grand et très mince, au visage aussi bronzé que celui d'Ava. Excepté pour la taille, il se différenciait nettement du Dr Mason qui était trapu, avait un cou de taureau, de puissants avant-bras et des mains immenses aux doigts épais – bref, davantage l'allure d'un méchant bûcheron, à vrai dire, que d'un chirurgien renommé. Mason, qui était deux fois plus âgé qu'Andrews, avait en outre un peu de bedaine.

– Sid nous arrive d'Australie, reprit-il tandis que Betsy l'aidait à enfiler des gants, et il jeta un coup d'œil vers Ava pour demander : Déjà visité les antipodes, ma jolie ? Je vous vois bien en bikini sur la barrière de corail...

– Je connais, oui, l'interrompit sèchement Ava, agacée par le « ma jolie » et l'allusion grivoise de Mason. Savez-vous que la rachianesthésie est en place depuis déjà plus d'une heure ?

Elle n'était d'humeur ni pour un échange salace, si c'était ce que Mason avait en tête, ni, de toute façon, pour parler tourisme.

– Ah ! Le travail d'abord, comme toujours ! fit Mason, narquois. Sid, je te présente l'une des toutes meilleures anesthésistes que nous avons la chance d'avoir au BMH. La plus sexy, aussi. Même dans ce pyjama de bloc pas franchement seyant, comme tu peux voir.

Il rit de nouveau et croisa les mains pour ajuster les gants entre ses doigts.

— Enchanté, dit le Dr Andrews à Ava pendant que Betsy lui tendait un premier gant à enfiler.

— De même, répondit Ava. On peut commencer ?

— Tu vois ?! Elle ne fait pas de cadeau, dit Mason à Andrews en gloussant comme si Ava n'était pas là pour l'entendre.

Quand tout le monde fut prêt, le chirurgien se plaça du côté droit de la table d'opération pour regarder les infirmières préparer l'aine de Bruce. Andrews prit position en face de lui et ils se lancèrent dans une conversation animée sur les merveilles de la Grande Barrière de corail. Lorsque le champ opératoire fut disposé sur le patient, Ava en saisit le bord le plus proche de la tête de Bruce et l'attacha à l'arc d'anesthésie avec des pinces. Elle ignorait les tentatives répétées de Mason pour l'inciter à se joindre à la conversation.

Quand l'intervention démarra pour de bon, avec l'incision, Ava laissa échapper un petit soupir de soulagement et s'assit sur son tabouret en regardant l'heure. La rachianesthésie était en place depuis une heure et douze minutes. D'après les paramètres de monitorage, le patient n'avait pas réagi lorsque le scalpel avait tranché la peau de son aine. Ava n'était pas surprise, mais elle était tout de même contente de constater que l'anesthésie jouait parfaitement bien son rôle. Elle espérait maintenant que l'opération se passerait vite et sans anicroche. Hélas, il ne devait pas en être ainsi.

Le premier signe que quelque chose ne tournait pas rond fut un éclat de voix du Dr Mason à la trentième minute :

— Merde, merde, merde ! grogna-t-il, agacé. C'est invraisemblable, ce truc !

Les deux chirurgiens n'avaient jusqu'alors rien dit qui pût indiquer qu'ils avaient un problème. Ava se redressa pour regarder la table d'opération par-dessus l'arc d'anesthésie. De l'endroit où elle se tenait, elle ne distinguait pas la fenêtre du champ opératoire, mais il était clair, vu les gestes du Dr Mason, qu'il était confronté à une difficulté.

– Essaie de libérer cette foutue tripe de ton côté, tu veux ? dit-il à Andrews.

L'Australien inclina le buste au-dessus du patient pour glisser un doigt dans l'incision. Ava comprit qu'il était perplexe, lui aussi, et tâtonnait – au sens propre – dans l'aine de Bruce Vincent.

– Il y a un souci ? demanda-t-elle.

– Manifestement ! rétorqua le Dr Mason comme si elle avait posé une question stupide.

– Non, je n'y arrive pas, dit le Dr Andrews en retirant sa main de la plaie.

– OK, c'est bon ! s'exclama le Dr Mason d'un ton dégoûté en levant les mains en l'air. Vous essayez de rendre service aux gens, nom de Dieu, et ils vous balancent leur poing à la gueule.

Ava regarda Betsy. Elles levèrent les yeux au ciel car elles comprenaient le sous-entendu de Mason : s'il y avait un pépin, quel qu'il soit, c'était forcément de la faute du patient.

– Nous sommes obligés d'entrer dans l'abdomen, dit Mason à Ava. Il va donc nous falloir une relaxation digne de ce nom.

Une voix féminine jaillit tout à coup du haut-parleur de l'interphone au-dessus de leurs têtes :

– Docteur Mason, désolée de vous interrompre ! Ici Janet au poste central. Les deux chefs internes de vos pancréas demandent que vous veniez dans leurs salles d'op respectives pour voir les patients. Je leur réponds quoi ?

– Putain de merde ! se récria Mason, puis il ajouta un ton plus bas en levant le nez vers le plafond : Dites-leur de veiller au grain. J'arrive dès que possible !

– Bien reçu, acquiesça Janet Spaulding.

– Si vous ouvrez l'abdomen, nous devons mettre le patient sous anesthésie générale, dit Ava.

Elle n'était pas mécontente, d'une certaine façon, car elle craignait que la rachianesthésie ne fasse bientôt plus effet. Les chiffres du monitorage du patient, notamment celui de sa respiration, commençaient à indiquer que l'anesthésie n'était plus aussi profonde qu'avant. Elle venait de lui donner une nouvelle dose de propofol par l'intraveineuse, et elle surveillait désormais de très près le rythme et le volume de sa respiration.

– Peu importe. À vous de voir, grogna Mason. C'est vous la marchande de sable.

– L'anesthésiste, corrigea Ava du tac au tac.

Elle savait que dans le système de valeurs de Mason, « marchande de sable » était une autre façon de dévaluer son travail et sa personne – une autre façon de l'appeler « ma jolie ».

– Quel est le problème ? demanda-t-elle. Pouvez-vous m'expliquer ça ?

– Le problème, c'est que nous n'arrivons pas à réduire cet emmerdant petit morceau de tripe coincé dans la hernie ! répondit le chirurgien avec irritation. Donc, il faut entrer dans l'abdomen. Nous devons libérer le boyau et il n'y a qu'une seule façon d'y parvenir. De toute façon, vu les troubles gastro-intestinaux du patient, vous auriez sans doute dû opter d'entrée de jeu pour l'anesthésie générale.

– Votre bureau a spécifiquement requis une rachianesthésie, répliqua Ava pour que la chose soit bien entendue.

Première étape pour passer le patient sous anesthésie générale, elle saisit le masque à oxygène noir qu'elle gardait toujours à portée de main et le posa sur le visage de Bruce après avoir ouvert l'alimentation en oxygène. Quand il serait hyperoxygéné pendant cinq bonnes minutes, le moment viendrait de lui donner un relaxant musculaire. Elle opterait sans doute pour la succinylcholine, un agent paralysant qui avait le mérite d'agir vite, mais sur une durée relativement brève. Pour la prise en charge des voies respiratoires du patient, ensuite, Ava hésitait encore entre le masque laryngé et la sonde d'intubation endotrachéale. Elle pesait le pour et le contre de ces deux solutions, lorsque son esprit tiqua tout à coup sur la fin de la dernière tirade de Mason – la partie de sa phrase où il avait parlé de troubles gastro-intestinaux. Autant qu'elle se souvînt, le dossier du patient ne contenait aucune référence à ce genre de problème. Et Vincent lui-même n'avait rien dit de tel quand elle l'avait interrogé. Intriguée, elle activa d'une main sa tablette électronique, tout en tenant le masque à oxygène de l'autre sur le visage du patient, pour ouvrir la page du bilan préopératoire du DME de Bruce Vincent. Un examen rapide du document lui confirma que sa mémoire ne la trompait pas : il n'était mentionné nulle part que cet homme souffrait de troubles gastro-intestinaux. Dans le cas contraire, en effet, elle aurait jugé préférable d'opter dès le départ pour une anesthésie générale.

– Le bilan préopératoire ne parle absolument pas de troubles gastro-intestinaux, déclara-t-elle.

Les chirurgiens, qui s'étaient remis à discuter – et évoquaient à présent leurs voyages au cœur de l'Australie –, tournèrent la tête dans sa direction.

– Mais si, forcément ! rétorqua Mason. C'est même pour cette raison que le généraliste de cet homme lui a recommandé de se faire opérer.

– Je viens de reconsulter le dossier, dit Ava. Il n'y a rien à ce sujet dans le bilan qui nous est arrivé de votre bureau.

– Et l'examen de l'interne des admissions ? Vous avez regardé sa note, ma grande ?

– Il n'y a pas de note de l'interne des admissions.

– Et pourquoi, nom de Dieu ? Il y a toujours une note de l'interne des admissions !

– Pas pour ce patient. C'est sans doute parce qu'il s'est présenté en retard aux admissions. Comme votre assistant avait fait le bilan préopératoire très récemment, je crois que les gens des admissions ont jugé que cela suffisait. Peut-être qu'ils étaient débordés, je ne suis pas au courant de tous les détails. Je sais juste ce que le patient m'a dit. Votre assistant lui avait aussi prévu une rachianesthésie.

– Peu importe, répliqua Mason d'un ton dédaigneux. Ne faisons pas de ce changement d'anesthésie l'œuvre de votre vie, voulez-vous ? Auriez-vous l'obligeance de basculer en vitesse vers l'anes-thésie générale pour que nous puissions continuer à travailler ? Vous avez entendu Janet, je suis attendu ailleurs pour deux vraies opé-rations de chirurgie.

– Si vous aviez été là pour le briefing préopératoire, nous aurions pu éviter ce problème, dit Ava à mi-voix.

– Je vous demande pardon ?! s'exclama Mason. Vous me faites la leçon, maintenant ? Vous oubliez qui je suis !

– C'est juste une remarque, marmonna Ava, embarrassée. Le briefing préopératoire sert à éviter ce genre de situation.

– Ah tiens ? fit Mason, narquois. Merci d'éclairer ma lanterne, gentille petite anesthésiste. Moi qui me suis toujours demandé à quoi servait ce foutu briefing alors que je suis l'un de ceux qui en ont eu l'idée il y a déjà bien des années ! Mais dites-moi, combien de temps devrons-nous encore attendre avant de pouvoir opérer ce patient ?

– Encore une minute avec l'oxygène pur.

Ava était heureuse de changer de sujet. Elle s'en voulait d'avoir provoqué Mason. Pourquoi avait-elle réagi de cette façon ? Elle prit une grande inspiration et se força à se concentrer sur la situation à laquelle elle était confrontée. Elle devait songer en particulier au problème des voies aériennes du patient. Dans l'anesthésie générale, la ventilation était une donnée critique. Le masque laryngé était plus facile et plus rapide à poser, mais pas aussi sûr. Écoutant son intuition, elle décida d'opter pour l'intubation endotrachéale qui offrait un niveau de sécurité supérieur. Plus tard, elle se verrait contrainte de douter de la justesse de cette décision.

Continuant de maintenir le masque noir sur le visage de Bruce, elle sortit d'un tiroir une sonde d'intubation endotrachéale de taille appropriée, puis le laryngoscope dont elle aurait besoin pour la poser. Elle vérifia que la ligne d'aspiration de la sonde fonctionnait bien, au cas où elle serait nécessaire. De la station d'anesthésie s'éleva à ce moment-là le signal d'alarme à volume réduit, mais très aigu, qu'elle attendait : l'oxymètre de pouls l'informait que le patient était parfaitement oxygéné. Elle regarda l'heure. Les cinq minutes étaient écoulées. Le Dr Mason, par chance, semblait avoir déjà oublié leur petite prise de bec au sujet du bilan préopératoire. Le Dr Andrews et lui avaient repris leurs bavardages – pour désormais s'extasier sur les merveilles de la plongée sous-marine.

Ayant posé le masque à oxygène de côté, Ava injecta cent milligrammes de succinylcholine au patient en intraveineuse. De légères convulsions agitèrent bientôt les muscles de son visage, mais ce phénomène n'avait rien d'anormal. Plus important était le fait que son pouls et sa pression artérielle ne changeaient pas. Après lui avoir renversé la tête en arrière, Ava inséra son pouce droit dans la bouche de Bruce pour soulever sa mâchoire inférieure tout en glissant la lame du laryngoscope, de la main gauche, sous et derrière sa langue. Libérant alors sa main droite, elle saisit son deuxième instrument : la sonde endotrachéale.

Ava avait utilisé le laryngoscope et posé des sondes endotrachéales des milliers de fois, mais elle ne se lassait pas de ce geste, l'intubation, qui lui procurait toujours un petit frisson et lui rappelait pourquoi elle aimait tant son métier d'anesthésiste – même si, dans la pratique, une bonne partie du boulot était assez routinière.

Elle éprouvait la même sensation que la fois où elle s'était laissé convaincre de sauter en parachute. Elle avait les idées très claires, tous les sens en alerte, et son rythme cardiaque s'accélérait. Si le patient était plus que convenablement oxygéné, dans l'immédiat, après avoir reçu de l'oxygène pur pendant plusieurs minutes, il n'était par contre plus capable de respirer seul puisqu'il était paralysé par le relaxant musculaire. Il n'y avait donc pas de temps à perdre. Elle avait entre six et huit minutes pour commencer à le ventiler avant que le surcroît d'oxygène qu'il avait absorbé ne soit dépensé. Avant qu'il ne commence à s'asphyxier.

Elle enfonça habilement la lame du laryngoscope dans la cavité située au-dessus de l'épiglotte de Bruce, puis souleva en douceur le laryngoscope vers le plafond pour faire avancer sa mandibule et sa langue. Elle fut alors récompensée par une vue dégagée sur ses cordes vocales et l'ouverture de sa trachée. Sans quitter sa cible des yeux, elle commençait à introduire la sonde endotrachéale dans la gorge de Bruce, lorsque tout à coup, vision d'horreur, un magma infâme de liquide et d'aliments non digérés jaillit de sa trachée et lui remplit la bouche.

– Non ! s'écria-t-elle, catastrophée.

L'homme était en train de régurgiter le contenu d'un estomac apparemment bien plein, chose qui n'était pas censée se produire puisqu'il avait reçu pour consigne de ne rien avaler après minuit à part de petites quantités d'eau. De toute évidence, il avait ignoré cet avertissement – et s'était fabriqué une situation d'urgence gravissime. Ava n'avait jamais été confrontée à une complication d'une telle ampleur, c'est-à-dire avec une telle quantité de vomi, sur un patient vivant, mais elle s'était heureusement préparée un grand nombre de fois à cette éventualité sur le simulateur. Par conséquent, elle savait très bien ce qu'elle devait faire. Elle pencha tout d'abord la tête de Bruce sur le côté, pour évacuer au mieux ce qui sortait de sa bouche, et actionna le mécanisme de bascule de la table d'opération afin que sa tête soit plus basse que ses pieds. Aussitôt après, elle saisit l'embout de succion et aspira rapidement ce qui restait de vomi dans le pharynx de Bruce. Ce qui l'inquiétait le plus, dans l'immédiat, c'était qu'une importante quantité de ce vomi ne soit descendue dans sa trachée.

— Hé, quoi encore ? s'exclama Mason, surpris de voir la table s'incliner.

Il contourna le montant de l'arc d'anesthésie qui isolait la tête du patient et fusilla Ava du regard. Dawn, l'infirmière circulante, quitta son tabouret dans l'angle de la salle pour accourir par l'autre côté.

Ava les ignora. Elle avait trop à faire. Récupérant le laryngoscope et la sonde endotrachéale, elle répéta la manœuvre qu'elle avait faite quelques instants plus tôt et réussit à intuber le patient. Quand la sonde fut en place et bien calée, elle y glissa une ligne d'aspiration étroite et flexible pour aspirer autant de vomi que possible en descendant petit à petit dans sa poitrine. C'est alors que le signal d'alarme de l'électrocardiographe retentit. Un coup d'œil à son tracé, sur l'écran de la station d'anesthésie, informa Ava que le cœur de Bruce était en fibrillation, c'est-à-dire qu'il ne faisait plus son travail de pompe régulière pour la circulation sanguine. Un instant plus tard, une autre alarme se déclencha pour indiquer que la pression artérielle était en chute libre. Puis la tonalité du signal de l'oxymètre commença à descendre : la saturation en oxygène dégringolait elle aussi.

— Code bleu ! cria Ava à Dawn. Il nous faut de l'aide !

Betsy étala une serviette stérile sur le site d'incision tandis que Mason et Andrews détachaient le champ de l'arc d'anesthésie, puis retiraient celui-ci, pour avoir un accès dégagé au thorax du patient. Aussitôt qu'Andrews eut relevé la chemise d'hôpital de Bruce jusqu'à son cou, Mason le frappa au niveau du sternum avec la paume – assez fort pour que la secousse ébranle son corps tout entier. Tout le monde regarda l'ECG à l'écran, avec l'espoir de voir réapparaître un tracé normal. Mais il n'y eut aucun changement. Ava continua d'aspirer tout le vomi qu'elle put. Mais celui-ci était descendu par la trachée de Bruce, elle en était maintenant certaine, jusque dans ses poumons. Mason frappa de nouveau sur sa poitrine, cette fois avec le poing, sans plus de résultat. Andrews se pencha alors sur le patient pour commencer les compressions thoraciques.

La porte de la salle d'opération s'ouvrit tout à coup sur deux internes d'anesthésie de cinquième année, le Dr David Wiley et le Dr Harry Chung, qui apportaient le défibrillateur. Ava leur confirma que le cœur du patient était en fibrillation. Le Dr Mason et le Dr Andrews s'écartèrent de la table tandis que les nouveaux arrivants se mettaient au travail. Quand ils choquèrent Bruce, un rythme sinusal normal reparut aussitôt à l'ECG au soulagement de tout le monde. La tonalité de l'alarme de l'oxymètre redevint aussi plus aiguë, signe que le niveau de la saturation en oxygène remontait. En même temps, l'alarme de la pression artérielle se tut bien que la pression de Bruce ne fût remontée qu'à quatre-vingt-dix sur cinquante.

Satisfaits de leur succès, Wiley et Chung poussèrent de côté le chariot du défibrillateur et rejoignirent Ava au bout de la table. Gardant un œil sur le tracé de l'ECG pour être sûre que le cœur tenait bon, elle leur expliqua ce qui s'était passé :

– Il y a eu régurgitation massive et aspiration dans les poumons quand j'ai essayé d'intuber le patient. C'est clair qu'il a avalé un petit-déjeuner complet ce matin. Il a pourtant affirmé n'avoir rien mangé quand il est arrivé ici. Donc il nous a carrément menti, à moi et à l'infirmière des admissions ! Comme vous le voyez dans le bocal, j'ai aspiré plus de trois cents millilitres de liquide et de nourriture non digérée, dont des fragments de bacon et d'autres aliments mal mastiqués.

Elle retira le cathéter d'aspiration, attacha à la sonde endotrachéale un insufflateur Ambu qu'elle avait branché à l'arrivée d'oxygène pur, puis essaya de ventiler Bruce en comprimant et en relâchant le ballon.

– Quel merdier, grogna le Dr Mason. Tout ça pour une hernie à deux balles !

Le Dr Harry Chung, qui étudiait l'enregistrement de la station d'anesthésie, ignora cette sortie et demanda à Ava :

– Il y a environ huit minutes que vous avez injecté le relaxant musculaire, c'est ça ?

– À peu près. J'espère que nous n'aurons pas de soucis de ce côté-là. Je lui ai donné cinq minutes d'oxygène pur avant la succinylcholine.

– Quel genre de résistance vous sentez dans le ballon ? demanda David.

– Elle n'est pas bonne du tout, admit Ava.

Une seconde avant que David ne pose la question, elle avait pris conscience de la résistance accrue, par rapport à ce qu'elle attendait, qu'elle percevait sous ses doigts. C'était très subtil, mais immanquable. Grâce à l'expérience qu'elle avait acquise au fil des années en ventilant des milliers de patients dans toutes les situations possibles, elle savait que quelque chose clochait. Avec la succinylcholine que le patient avait dans le corps, ses poumons auraient dû se gonfler avec une résistance minimale.

– Tenez, dit Ava. Vérifiez vous-même pendant que j'écoute sa poitrine.

David la remplaça à l'insufflateur pendant qu'elle se penchait sur Bruce avec son stéthoscope.

– Les bruits pulmonaires sont affreux, dit-elle ensuite. Des deux côtés.

– Et je suis d'accord que la résistance est trop forte, dit David. Les bronches doivent être encombrées de vomi et sérieusement obstruées. Je crois que nous n'avons pas le choix. Il va falloir l'aspirer au fibroscope.

Comme pour confirmer que le sang recevait trop peu d'oxygène, à cause du blocage des bronches, malgré les efforts de David sur l'insufflateur, la tonalité du signal de l'oxymètre de pouls redevint tout à coup plus grave.

La porte de la salle d'opération s'ouvrit au même instant sur le Dr Noah Rothauser, un interne de chirurgie de cinquième année qui devait accéder dans quelques jours, le 1er juillet, au poste de « superchef » des internes de chirurgie du BMH. Il marchait en attachant les liens de son masque chirurgical derrière sa nuque. Tout le monde ou presque le connaissait. De l'avis général, il était le meilleur interne de chirurgie que le BMH eût jamais produit. Quelques collègues jaloux se demandaient parfois à haute voix s'il n'était pas un peu trop bon, car il obtenait invariablement les notes les plus élevées recensées aux examens semestriels de l'Association américaine de certification des chirurgiens, mais ces mauvaises langues ne pouvaient salir sa réputation. Noah était connu pour être infatigable à la tâche, extraordinairement savant pour un interne, très sûr de lui, très déterminé – et remarquablement sympathique, en outre, pour un chirurgien. Illustration typique de son sens du devoir, à l'instant où il avait entendu par le haut-parleur de la salle de détente, où il était alors en train de boire un café, qu'il y avait un code bleu en salle d'op numéro huit, il s'était levé et avait accouru pour voir s'il pouvait donner un coup de main à ses collègues.

La scène que découvrit Noah n'était pas du tout rassurante. Les deux chirurgiens se tenaient à l'écart de la table d'opération, mains levées au niveau de leur poitrine, et la table était renversée en position « tête en bas ». Le patient avait le torse à l'air, sa chemise d'hôpital remontée et fourrée sous le menton. Sa peau avait une teinte bleu ardoise très préoccupante et sa poitrine semblait immobile. Trois anesthésistes étaient regroupés autour de sa tête et l'un des deux hommes, celui qui tenait l'insufflateur Ambu, hurlait à cet instant à l'infirmière circulante d'aller chercher dare-dare un fibroscope.

– Qu'est-ce qui se passe ? demanda Noah tandis que Dawn se précipitait vers la porte pour remplir sa mission.

La tonalité du signal de l'oxymètre devenait de plus en plus grave. Avant qu'il n'obtienne une réponse, l'alarme de la pression artérielle se mit à retentir. Son instinct, nourri par l'expérience déjà considérable qu'il avait acquise au fil de ses longues années d'études, lui murmurait que la situation était critique et que la vie du patient ne tenait déjà plus qu'à un fil. Comme pour confirmer cette impression, Ava cria :

– C'est une urgence critique ! Le patient a aspiré une tonne de contenu gastrique et fait un arrêt cardio-respiratoire. Ses bronches sont méchamment encombrées. Il ne reçoit pas assez d'oxygène. Son cœur a déjà flanché une fois.

Noah regarda tour à tour Ava, les deux autres anesthésistes, puis Mason et Andrews, avant de fixer le patient dont la coloration empirait de seconde en seconde.

– Pas le temps pour la fibroscopie, affirma-t-il.

Ses réflexes de chirurgien hypercompétent et efficace guidaient à présent son comportement. Alors qu'il n'était qu'un simple interne en présence d'un célèbre praticien du BMH opérant un patient à titre privé, il prit le contrôle des opérations. La première chose à faire était de lancer un autre appel à l'aide avant qu'un nouvel arrêt cardiaque, qu'il jugeait imminent, ne frappe le patient. Se tournant vers la fenêtre de communication avec le poste central, il cria à pleins poumons « Urgence vitale ! », deux fois de suite, puis ajouta :

— Nous avons besoin d'un cardiologue, d'un perfusionniste et d'un nécessaire à thoracotomie. Immédiatement !

Sans la moindre hésitation et sans se préoccuper du fait qu'il ne portait pas de gants, il saisit ensuite des ciseaux sur le plateau à instruments stériles pour découper la chemise du patient remontée autour de son cou.

— Donnez-lui de l'héparine tant que son cœur bat encore ! dit-il aux anesthésistes. Nous devons le mettre en circulation extracorporelle.

Toujours sans gants — il n'avait pas le temps d'en enfiler —, il commença à préparer le torse de Bruce avec de l'antiseptique. Il le badigeonna si précipitamment de solution que celle-ci goutta sur la table, de chaque côté, et jusque sur le sol.

Après un instant d'hésitation, Ava et ses deux collègues se mirent au travail. Bien sûr, le Dr Rothauser avait raison. Leur seule chance de sauver le patient était de le raccorder à la « pompe ». Il avait besoin d'oxygène plus que de tout autre chose — et très, très vite car sa saturation en oxygène était déjà à moins de quarante pour cent et en chute constante. La fibroscopie devrait attendre.

Quelques secondes plus tard, Dawn revint dans la salle suivie d'une autre infirmière, qui apportait le matériel de thoracotomie, et de Peter Rangeley, un perfusionniste qui allait s'occuper de la machine cœur-poumon. Dans les nouvelles salles d'opération hybrides, par chance, celle-ci était toujours à disposition sur l'un des bras articulés suspendus au plafond. Peter devait d'abord amorcer le système avec une solution de cardioplégie cristalloïde et s'assurer qu'il n'y avait pas d'air dans les cathéters artériels.

Dès que Betsy eut ouvert le nécessaire de thoracotomie, Noah agit sans attendre l'arrivée du cardiologue. Toujours sans gants, il saisit le scalpel que lui tendait l'infirmière et pratiqua une incision verticale sur le sternum du patient, en tranchant directement jusqu'à l'os pour gagner du temps. La pression artérielle de Bruce étant catastrophiquement basse, il saigna très peu. Noah attrapa ensuite la scie de sternotomie pneumatique pour découper le sternum dans le sens vertical, du haut vers le bas. Fragments de chair et gouttelettes de sang giclèrent sur sa tenue. Il avait presque terminé avec la bruyante scie lorsque l'alarme de l'ECG se déclencha.

— Fibrillation ventriculaire ! cria Ava.

— La solution de cardioplégie va agir sur la fibrillation, répondit Noah. Comme il ne respire pas, nous ne pouvons pas prendre le temps de le défibriller.

Il posa l'écarteur sternal dans l'ouverture ménagée par la scie. Pendant qu'il commençait à en ouvrir les lames, il leva le menton vers l'interphone du plafond pour crier :

— Vous nous avez trouvé un cardiologue ?!

— Avec la fibrillation, je ne suis pas sûre que l'héparine agisse comme il faut, dit Ava.

— Le Dr Stevens arrive ! répondit une voix dans le haut-parleur.

— Dites-lui d'oublier le lavabo de désinfection ou il sera trop tard ! hurla Noah. Je suis dans le thorax et je vois déjà le cœur !

Il ne lui avait pas fallu deux minutes pour ouvrir la poitrine. Le cœur était agité de spasmes irréguliers.

— Dawn, apportez-moi de la solution froide ! Pour la fibrillation ça suffira peut-être en attendant que la pompe soit prête. Dans combien de temps, la machine, Peter ?

Tout en parlant, Noah glissa la main droite dans la poitrine du patient pour pratiquer un massage cardiaque interne consistant à comprimer et à relâcher tour à tour l'organe humide et glissant entre ses doigts. Il valait le coup d'exploiter l'oxygène qui restait peut-être encore disponible dans le sang du patient. Le cerveau était affreusement sensible au manque d'oxygène.

– Je suis presque paré, répondit Peter.

Assisté par un collègue qui l'avait rejoint, il s'efforçait d'amorcer aussi vite que possible la machine cœur-poumon. Les deux hommes étaient bien conscients que chaque seconde gagnée pouvait sauver le patient, mais ils essayaient tout de même de réaliser en quelques minutes une opération qui prenait d'ordinaire toute une heure.

– Vous m'avez entendue, pour l'héparine ? demanda Ava.

– Oui ! répondit Noah. On n'y peut rien. Espérons que ça ira.

Dawn reparut avec un flacon d'un litre de la solution saline froide que Noah lui avait demandée. Lorsqu'il l'invita à la verser elle-même pendant qu'il continuait le massage, elle commença par faire couler un filet de liquide au-dessus de l'organe.

– Balancez tout ! Allez-y franco ! l'encouragea-t-il. Plus vite le cœur refroidit, plus vite la fibrillation cessera.

Dawn renversa le flacon les yeux écarquillés. Elle était infirmière depuis près de vingt ans, mais asperger directement un cœur avec de la solution froide dans un thorax ouvert, c'était une expérience inédite.

– Ça marche, dit Noah.

Il n'avait même pas besoin de lever les yeux pour regarder le tracé de l'ECG : il sentait la fibrillation s'apaiser sous ses doigts.

La porte de la salle d'opération s'ouvrit tout à coup sur le Dr Adam Stevens, un cardiologue, qui resta quelques instants en arrêt devant la scène stupéfiante qu'il découvrait : un patient à la poitrine ouverte à l'écarteur, un interne qui lui massait le cœur à mains nues et une infirmière qui versait de la solution saline sur la plaie béante. Betsy, qui s'était levée de son tabouret à l'instant où Stevens était apparu, tendit une casaque ouverte devant sa poitrine : il fourra les mains dans les emmanchures tout en demandant des explications à l'équipe. L'interne, Noah Rothauser, et l'anesthésiste, Ava London, lui décrivirent rapidement ce qui s'était passé pendant que Betsy l'aidait à enfiler des gants stériles.

— Très bien, dit-il alors. Branchons-le sur la pompe. Peter, vous êtes prêt ?

— Je pense que c'est bon, répondit Rangeley.

— Merci d'être venu, Adam, dit alors le Dr Mason. Je suis désolé que l'anesthésie ait fabriqué ce bordel. Malheureusement, on m'attend ailleurs. Sinon, je resterais pour t'aider. Le Dr Andrews ici présent te donnera un coup de main si nécessaire. Bonne chance !

Après avoir jeté un regard noir à Ava, il sortit. Seul Sid Andrews le salua d'un petit geste de la main. Les autres personnes présentes dans la salle étaient trop occupées. Mais sa méchante remarque sur l'« anesthésie » avait été entendue.

— Laissez tomber le massage, dit Stevens à Noah. Ça ne sert sûrement plus à rien. La saturation en oxygène est trop basse. À propos, la solution froide était une excellente idée. Non seulement pour arrêter la fibrillation, mais aussi pour laver la plaie. Maintenant, mettez une casaque et des gants ! Je vais poser des draps stériles.

Deux minutes plus tard, Noah était équipé. Il reprit position en face de Stevens et à côté d'Andrews. Le cardiologue et l'assistant de Mason avaient déjà approché les deux canules artérielles, ainsi qu'une canule veineuse, du champ opératoire. Stevens s'apprêtait à les poser. Il commença par les deux canules artérielles : la première alla dans l'aorte, laquelle fut alors clampée, et la seconde alla dans le cœur pour la solution de cardioplégie qui empêcherait l'organe de battre et abaisserait ses besoins en oxygène. La dernière canule, veineuse, alla dans la veine principale menant au cœur. Quelques instants après, quand Bruce fut complètement pris en charge par la machine de circulation extracorporelle, les valeurs de l'oxygénation de son sang et de sa pression sanguine s'élevèrent sans délai.

— Je veux que sa température tombe à trente-deux degrés sinon moins, dit Stevens à Peter.

Rangeley répondit que ce chiffre serait bientôt atteint : le patient était déjà à trente-cinq degrés pour la température corporelle, tandis que son cœur était à quatre degrés.

— Prévenez-nous dès que nous pouvons lui aspirer les bronches, dit Ava à Stevens.

Les deux internes d'anesthésie qui avaient apporté le défibrillateur étaient repartis. Ils savaient que la praticienne expérimentée qu'était la Dr London n'avait plus besoin d'eux. À leur place était arrivé un pneumologue, le Dr Carl White, qui devait se charger de la fibroscopie.

— Allez-y, nettoyez-lui les poumons, répondit Stevens. Plus vite ce sera fait, mieux cela vaudra. Il est préférable qu'il reste branché à la pompe le moins longtemps possible.

La fibroscopie bronchique se passa bien. Il fut vite déterminé que les deux poumons étaient presque totalement obstrués par une bonne quantité de mie de pain que le fibroscope permit de visualiser et aspirer. Une fois ce problème réglé, Ava put ventiler Bruce sans difficulté avec l'insufflateur. Ses poumons se gonflaient et se vidaient sans résistance.

— De mon côté, ça va bien, dit-elle à ses collègues.

Elle était contente. Les signes vitaux étaient stables, à présent, comme le niveau d'acide du sang. Elle avait rassemblé une importante quantité de sang compatible avec celui du patient, mais elle doutait de devoir l'utiliser car il avait très peu saigné.

L'atmosphère jusqu'alors tendue de la salle d'opération changea. Stevens et Noah se préparaient à débrancher Bruce de la machine cœur-poumon après l'y avoir laissé une dizaine de minutes seulement. Ava ventilait le patient avec de l'oxygène pur et tous les paramètres paraissaient excellents, y compris les électrolytes, l'équilibre acido-basique, les signes vitaux. La première chose à faire était de réchauffer le cœur et d'évacuer la solution qui l'empêchait de battre. Pour cela, il fallait y renvoyer du sang à température corporelle normale. Stevens relâcha lentement la pince qu'il avait posée sur l'aorte pour augmenter le débit de sang dans les artères coronaires. Il s'attendait alors à voir l'organe se remettre à palpiter de lui-même, tout bêtement, comme cela se produisait chez la plupart des patients branchés pendant un moment à la machine de circulation extracorporelle. Hélas, ce petit miracle ne survint pas. Pas découragé pour autant, Stevens donna plusieurs chocs au cœur inerte pour le relancer. Sans résultat. Il essaya alors un stimulateur cardiaque interne, mais cette solution ne fonctionna pas davantage.

— Qu'est-ce qui coince, à votre avis ? demanda Noah qui voyait le cardiologue perplexe.

— Je ne sais pas. Je n'ai jamais vu de cœur ne pas réagir au stimulateur après avoir été réchauffé. Ce n'est pas bon signe, ça c'est sûr !

— Il n'y a eu que quelques minutes entre l'injection de l'héparine et la fibrillation, observa Noah. Peut-être le patient n'était-il pas complètement anticoagulé. Ça pourrait être ça, le problème ?

— Je présume que c'est possible, convint Stevens, et il regarda Ava pour ajouter : Vérifions encore une fois les électrolytes !

De fait, il se sentait horriblement frustré. Il avait déjà essayé tous les tours qu'il avait dans son chapeau, y compris en demandant à l'anesthésiste d'administrer divers stimulants cardiaques au patient — même de la lidocaïne en intraveineuse.

Ava fit un nouveau prélèvement sanguin que Dawn emporta au labo.

— Ça ne me plaît pas du tout, dit Stevens dix minutes plus tard. J'ai un mauvais pressentiment. Le cœur doit être en super mauvais état. Combien de temps a-t-il été en fibrillation, Noah, quand vous avez ouvert le thorax ?

— Pas plus de quelques instants. La solution froide l'a arrêté presque aussitôt.

— Et le premier épisode de fibrillation ? demanda Stevens à Ava. Combien de temps il a duré, lui ?

— Je dirais... deux à trois minutes. Le temps que le chariot d'urgence arrive.

Elle consulta l'enregistrement des données sur la station d'anesthésie et dit :

— En fait, ça a duré moins de deux minutes. L'épisode a été très court parce que la cardioversion est venue dès le premier choc.

— Ça ne fait vraiment pas beaucoup de temps dans les deux cas, dit Stevens. Je suis dans le brouillard. Pour ne même pas réagir au stimulateur interne, le cœur doit avoir subi de sérieux dégâts d'une façon ou d'une autre. Mais nous sommes à court d'options. Et puis il faut aussi que je retourne dans ma salle d'opération, parce que j'ai un patient sur la table.

Personne ne répondit. Tout le monde comprenait le message implicite de Stevens : il était sans doute temps de renoncer. Le patient ne pouvait pas rester indéfiniment branché sur la machine de circulation extracorporelle.

La voix d'une infirmière jaillit du haut-parleur du plafond :

— J'ai les résultats des électrolytes.

Elle lut les chiffres livrés par l'analyse. Ils étaient relativement normaux. Et identiques à ceux du premier prélèvement.

— Bon, ce n'est pas les électrolytes, dit Stevens. Très bien. Il faut quand même retenter le coup.

Pendant l'heure qui suivit, Stevens réessaya toutes les solutions, toutes les astuces qu'il connaissait. Sans succès.

— Jamais je n'ai vu un cœur rester aussi insensible au stimulateur après une circulation extracorporelle. Nous n'avons même pas vu la plus petite oscillation sur l'ECG !

— Et si on le transplantait ? suggéra Noah. Il est relativement jeune et en bonne santé. Nous pourrions le mettre sous oxygénation par membrane extracorporelle pour l'aider à tenir le coup.

— Ce n'est pas une solution durable, dit Stevens. Et il faut bien se rendre compte que trois mille personnes attendent chaque jour un cœur pour être greffées. La durée d'attente moyenne est de quatre mois. Ça varie selon les groupes sanguins. Quel est celui de cet homme, Ava ?

— B moins.

— Ben voilà, dit Stevens d'un ton fataliste. Rien que ce facteur, ça limite encore plus les chances de trouver un donneur. En plus, vu que notre tentative de réanimation héroïque a démarré avec une stérilité compromise, les risques d'infection postopératoire sont moins que négligeables. Nous avons tout donné, mais je crains qu'il ne soit temps de regarder les choses en face. Arrêtez la pompe, Peter ! Nous avons terminé.

Stevens s'écarta de la table d'opération en retirant ses gants, puis sa casaque.

— Merci à tous. On s'est bien amusé.

Sa remarque ironique fut suivie d'un grand soupir puis il salua ses collègues de la main et quitta la salle d'opération.

Pendant quelques secondes, personne ne fit le moindre geste. On n'entendait que l'alarme de l'oxymètre et le respirateur.

— Bon, dit enfin Peter. C'est fini, je suppose...

Il coupa la machine cœur-poumon, comme le Dr Stevens lui en avait donné l'ordre, et commença à ranger son matériel.

Ava éteignit le respirateur, puis détacha les capteurs de monitorage sur le corps de Bruce.

Noah contemplait le cœur inerte qui avait trahi tout le monde, et surtout le patient. Bien sûr, il ne remettait pas du tout en cause la décision de Stevens ; il était effectivement temps d'arrêter. Mais il regrettait, non seulement pour le patient mais aussi pour sa propre tranquillité d'esprit, qu'ils n'aient pas eu d'autres solutions à mettre en œuvre pour que l'affaire se termine autrement. Car son intuition lui murmurait avec insistance que ce regrettable décès lui causerait de vrais soucis quand il prendrait ses fonctions de « superchef » des internes de chirurgie dans quelques jours. En effet, il ferait alors partie de ses attributions d'enquêter sur l'incident qui venait de survenir dans cette salle, puis de le présenter à la Revue de mortalité et de morbidité bimensuelle – où il déclencherait à coup sûr un débat houleux. D'après les quelques infos qu'il tenait de la Dr London, le patient avait commis une faute en mentant sur le fait qu'il avait avalé un petit-déjeuner complet alors qu'il avait reçu la consigne de ne rien manger à partir de minuit la veille. Ensuite, il y avait aussi faute du côté du Dr William Mason qui n'avait pas communiqué certaines informations essentielles sur le patient – en partie au moins, semblait-il, parce qu'il menait simultanément deux autres opérations dans d'autres salles...

Du point de vue de Noah, la situation était inquiétante à cause de deux facteurs très ennuyeux. D'abord, le bien nommé « Wild Bill » était connu pour être un homme hyperégocentrique, qui protégeait farouchement sa réputation et pouvait se montrer très vindicatif envers ceux qu'il prenait en grippe. Or, il était évident qu'il n'apprécierait pas du tout que son rôle dans cette triste affaire soit mis sur la place publique. Il se chercherait donc des boucs émissaires et Noah lui offrirait une cible toute trouvée. Ensuite, Mason était l'un des rares mandarins du service de chirurgie qui n'était pas impressionné par Noah. Il était à vrai dire le seul qui avait pour lui une franche antipathie. Il ne le cachait pas. En tant que directeur adjoint du programme de l'internat de chirurgie, il avait même carrément essayé de faire renvoyer Noah du BMH, un an plus tôt, après qu'ils avaient eu une sérieuse prise de bec.

Noah tourna la tête vers la Dr London. Elle le regarda au même instant. La maigre partie de son visage habituellement bronzé qu'il voyait entre la coiffe et le masque facial était livide. Ses yeux étaient écarquillés et fixes. Noah eut le sentiment qu'elle était aussi déboussolée que lui. Les décès accidentels en salle d'opération étaient difficiles à encaisser. Surtout quand ils touchaient un patient en bonne santé venu au bloc pour une simple opération de chirurgie élective.

— Je suis désolé, dit-il.

Il ne savait pas très bien pourquoi il s'excusait, mais il éprouvait le besoin de dire quelque chose.

— Nous avons fait un bel effort, répondit la Dr London. Merci d'avoir essayé. C'est une tragédie qui n'aurait pas dû se produire.

Noah hocha la tête en baissant les yeux, puis sortit à son tour de la salle d'opération.

LIVRE PREMIER

1

Le réveil du smartphone de Noah Rothauser sonna à cinq heures moins le quart, comme tous les jours sauf le dimanche depuis cinq ans qu'il était interne en chirurgie au BMH. Dans la chambre de son petit deux-pièces chichement meublé de Revere Street, au cœur du quartier de Beacon Hill à Boston, il s'assit au bord du lit et s'accorda quelques instants pour achever de se réveiller. Durant l'hiver, la pièce était glaciale car le chauffage collectif ne démarrait qu'à sept heures. Et puis il faisait encore nuit noire dehors. En été, il était bien plus facile de se lever. La douce lumière de l'aube filtrait par les deux fenêtres donnant sur l'arrière de l'immeuble et la température était agréable grâce au bruyant climatiseur installé à l'une d'elles.

Noah se mit debout en s'étirant, puis, nu comme un ver, traîna les pieds en direction de sa minuscule salle de bains. Quelques années auparavant, il portait encore des pyjamas ; une habitude qu'il avait depuis l'enfance. Mais il y avait renoncé quand il avait pris conscience que ces pyjamas grossissaient la pile de ses vêtements à nettoyer. Or, il n'était pas très fan de cette activité barbante qui consistait à se rendre à la laverie automatique du bout de la rue avec son baluchon de linge, puis à se tourner les pouces en attendant que la machine et le séchoir aient fait leur truc. Archi-dévoué à sa mission d'interne de chirurgie, Noah acceptait volontiers d'avoir à peu près zéro temps pour quoi que ce soit d'autre, y compris certaines nécessités de la vie quotidienne.

Le miroir du lavabo lui confirma, comme il le pressentait, qu'il n'avait pas l'air frais. La faute aux trois ou quatre verres d'alcool qu'il avait bus la veille au soir – un écart de conduite heureusement très rare chez lui. Il se palpa les joues pour voir s'il pouvait se passer de rasage dans l'immédiat. Souvent, il attendait la fin de sa première opération, en milieu de matinée, et se rasait dans les vestiaires, car cela lui permettait de se préparer plus vite au réveil et d'arriver à l'hôpital d'encore plus bonne heure. Mais il se souvint alors qu'aujourd'hui n'était pas un jour normal et qu'il n'avait guère de raison de se dépêcher. Non seulement c'était samedi, jour de la semaine où le programme du service de chirurgie était allégé, mais c'était aussi et surtout le 1er juillet, c'est-à-dire le premier jour de l'année universitaire à l'hôpital, baptisé Jour d'intégration. Ce matin, une nouvelle fournée d'étudiants fraîchement diplômés de la fac de médecine entamait l'internat de chirurgie, tandis que les internes déjà en place grimpaient d'un échelon dans le programme. Pour les internes de cinquième année, dits « chefs internes », c'était une autre histoire : ils avaient terminé leurs études, bouclé la boucle, et ils devaient maintenant passer à la nouvelle phase de leur carrière médicale. Sauf Noah. Lui, il avait l'immense fierté d'avoir été sélectionné par la faculté pour faire une année supplémentaire en tant que « superchef » des internes de chirurgie. Dans la plupart des autres centres hospitaliers universitaires, les différents chefs internes de cinquième année assumaient à tour de rôle cette mission de superchef consistant à organiser le fonctionnement quotidien du service. Au BMH le système était différent : le poste de super-chef demandait une année de présence et de dur labeur en plus. Assisté par la gestionnaire du programme de l'internat, Marjorie O'Connor, qui avait elle-même deux collaboratrices sous ses ordres, Noah devrait assumer tout un éventail de tâches pour l'ensemble des internes – dont la programmation de leurs stages dans les diverses sous-spécialités de la chirurgie, leur répartition au bloc opératoire, leurs séances de formation au centre de simulation et l'organisation de leurs gardes. Il serait aussi responsable des visites auprès des malades, des visites du chef de service, ainsi que de toutes les réunions et conférences hebdomadaires, bimensuelles et mensuelles du programme d'enseignement des cinq années de l'internat. Sorte de mère poule des internes, il devrait enfin veiller à ce que tous remplissent convenablement leurs fonctions en salle d'opération et à la consultation chirurgicale, assistent dûment à leurs cours – et ne craquent pas sous leur charge de travail.

Comme il ne se sentait pas obligé de partir dare-dare à l'hôpital, Noah sortit mousse à raser et rasoir de la petite armoire au-dessus du lavabo. Il se surprit à sourire pendant qu'il étalait de la mousse sur ses joues. La charge de travail à son nouveau poste semblait énorme – d'autant qu'il aurait en même temps ses propres patients à voir et ses propres opérations à assurer au bloc. Mais il savait qu'il allait adorer cette nouvelle année. L'hôpital, c'était son monde. Il s'y sentait chez lui. Et en tant que superchef, il serait pour ainsi dire le mâle alpha des internes de chirurgie. C'était un honneur et un privilège que d'avoir été élu à ce poste. Sans oublier que, selon la tradition du BMH, Noah était assuré, au terme de cette année supplémentaire, de se voir offrir un poste de praticien hospitalier et de titulaire au sein de la faculté. Et quelle belle perspective c'était ! Pour Noah, cette promesse de faire carrière dans l'un des tout premiers centres hospitaliers universitaires du monde était une colossale, une magnifique cerise sur le gâteau. D'aussi loin qu'il se souvienne, il n'avait eu que cet objectif-là en tête. Enfin, tout le travail accompli, tous les efforts qu'il avait fournis, les sacrifices, les combats qu'il avait menés d'abord en fac préparatoire, puis en fac de médecine, puis pendant ses cinq années d'internat, allaient lui permettre de décrocher la timbale.

Après s'être débarrassé de son léger chaume de barbe en quelques coups de rasoir rapides et efficaces, il entra dans la cabine de douche et ouvrit le jet en grand. Trois minutes plus tard, il se séchait vigoureusement. Sûr, cette année s'annonçait très, très chargée pour lui. Mais, côté positif, il n'aurait pas de gardes de nuit – pas officiellement, en tout cas : se connaissant, il savait qu'il passerait de toute façon la plupart de ses soirées à l'hôpital. Et le truc vraiment génial, c'était qu'il s'organiserait comme il le souhaiterait et s'occuperait de patients intéressants qu'il choisirait lui-même. Autre avantage très important, il n'aurait plus à perdre son temps avec les petites tâches ingrates qui empoisonnaient le quotidien des internes, surtout en chirurgie où il y avait toujours un pansement à changer, un drain à surveiller ou une plaie à débrider. Il confierait toutes ces corvées à d'autres et, ainsi libéré, il pourrait se consacrer à accumuler toujours plus de connaissances.

Seule ombre au tableau – et source d'inquiétude bien emmerdante à vrai dire –, à partir d'aujourd'hui il devenait aussi responsable de cette fichue réunion bimensuelle qui portait le nom, officiellement, de Revue de mortalité et de morbidité, mais que tout le personnel de l'hôpital appelait par plaisanterie « le M&M ». Or, le prochain M&M ne serait assurément pas une friandise pour lui, puisqu'il faisait désormais partie de ses attributions de superchef d'enquêter sur tous les événements indésirables survenus au bloc opératoire et en particulier ceux qui se soldaient par la mort du patient – afin de les présenter, justement, à la Revue de mortalité et de morbidité.

Son anxiété était fondée. Le M&M étant consacré aux interventions qui avaient mal tourné – et ces incidents étant en général les conséquences d'erreurs humaines et de lacunes chez les uns ou les autres –, il était courant que l'atmosphère soit extrêmement tendue et que les reproches et les accusations fusent. C'était même souvent le grand déballage des récriminations. Comme beaucoup de chirurgiens avaient un caractère passablement égocentrique et agressif, la discussion pouvait vite devenir ingérable et susciter pas mal de ressentiment chez les uns et les autres, au point de créer des inimitiés durables. À moins qu'un sous-fifre ne soit disponible pour servir de bouc émissaire. En cinq ans d'internat, Noah avait vu la chose se produire bien des fois. Et le bouc émissaire n'était souvent nul autre que le porteur de mauvaise nouvelle – c'est-à-dire le superchef qui présentait le cas problématique. Il redoutait donc de connaître le même sort, à la fois de manière générale et en particulier depuis le drame de l'opération de Bruce Vincent. Cette affaire allait lui jouer des tours, c'était certain, d'autant qu'il y était personnellement mêlé. S'il ne doutait pas une seconde du bien-fondé de sa décision de mettre le patient en circulation extra-corporelle, il savait que certaines personnes risquaient de critiquer ce choix par calcul ou par pure malveillance.

Autre source d'inquiétude pour Noah, la mort du très aimé responsable des parkings avait soulevé une grande vague d'émotion dans le BMH et les cancans allaient bon train. Lui-même n'avait pas connu Bruce Vincent, puisqu'il ne possédait pas de voiture et n'avait donc aucune raison d'utiliser les parkings de l'hôpital. Il se rendait au boulot à pied. Quand la météo était mauvaise, il passait la nuit dans l'une des chambres de garde – elles étaient plus accueillantes, de toute façon, que son propre appartement. Il avait bien vu les photos des gamins épinglées sur le tableau d'affichage de la cafétéria, mais sans savoir de qui il s'agissait. Renseignements pris, il comprenait maintenant qu'il faisait partie de la très petite minorité de gens qui n'avaient pas compté parmi les fans de Bruce Vincent. Et toutes ces choses signifiaient que la salle serait bourrée à craquer lors de la prochaine Revue de mortalité et de morbidité.

La principale cause du stress de Noah, néanmoins, c'était que le Dr William Mason était mêlé à l'affaire. Or, Mason n'était pas seulement un affreux bonhomme, égotiste et hargneux, qui rejetait toujours sur les autres tout ce qui pouvait lui être reproché. Il critiquait aussi sans relâche Noah. Au cours des dix-huit derniers mois, Noah s'était efforcé de l'éviter autant que possible. Mais maintenant, avec le prochain M&M prévu dans moins de quinze jours, leurs trajectoires étaient aussi sûres de se croiser que celles d'un certain paquebot et d'un certain iceberg géant égaré. Quelles que soient les découvertes que Noah ferait pendant son enquête sur cet incident mortel, il savait qu'il allait vivre un véritable cauchemar. D'après les bribes d'informations que l'anesthésiste avait livrées sur le moment, il avait la nette impression que la responsabilité du drame pesait en grande partie sur les épaules du Dr Mason, parce que celui-ci menait ce matin-là deux autres opérations en parallèle de celle de Vincent. Or, la pratique des opérations simultanées était une question très controversée, qui échauffait vite les esprits dans le service de chirurgie.

De retour dans sa chambre, Noah prit des chaussettes et un boxer dans un tiroir de la commode. La pièce ne contenait que trois meubles : cette commode, un lit double et une table de chevet solitaire sur laquelle étaient posées une lampe et une petite pile de revues médicales. Il n'y avait ni photos, ni tableaux, aucune décoration sur les murs. Pas de rideaux aux fenêtres. Pas de tapis sur le parquet non plus. Si quelqu'un avait demandé à Noah de décrire son intérieur, il l'aurait qualifié d'« austère ». Mais personne ne risquait de lui poser cette question. Il ne recevait jamais de visites et ne passait lui-même que très peu de temps dans cet appart. Cela expliquait sans doute, d'ailleurs, qu'il ait été cambriolé plusieurs fois depuis le départ de Leslie. Au début, ces événements l'avaient perturbé ; il avait eu le sentiment d'être atteint dans son intimité. Et puis, comme il n'avait aucun objet de valeur, ou qu'il craignait réellement de perdre, il avait fini par accepter la chose comme faisant partie des aléas de la vie dans une ville habitée par une quantité d'étudiants fauchés – dont un certain nombre rendait régulièrement visite aux locataires des appartements situés au-dessus du sien. De plus, il ne voulait ni gaspiller son temps, ni faire l'effort de se trouver un nouveau logement. De toute façon il ne se sentait absolument pas « chez lui » dans ce deux-pièces ; c'était juste un endroit où pioncer pendant cinq ou six heures quelques nuits par semaine.

À une époque, quelques années plus tôt, Noah avait eu une autre vision des choses. L'appartement était alors chaleureux, confortable et rempli de machins sympas comme des tapis et des plaids, des reproductions de toiles célèbres sur les murs, des rideaux aux fenêtres. Il y avait aussi un petit secrétaire sur lequel se trouvait tout un tas de photos encadrées. Et une seconde table de chevet dans la chambre. Mais toutes ces choses plaisantes avaient appartenu à Leslie Brooks, la fille qui était devenue sa compagne pendant qu'ils étaient tous deux en fac préparatoire à New York. Plus tard, après qu'ils avaient bouclé leurs études à Columbia – lui en médecine, elle en économie –, elle l'avait suivi à Boston pour entrer à la Harvard Business School tandis qu'il entamait l'internat au BMH. Elle avait vécu ici avec lui jusqu'à ce qu'elle ait fini son MBA, deux ans plus tôt, et puis... Et puis elle était repartie à New York, avec toutes ses jolies affaires, pour entamer une carrière dans la finance.

Noah avait été surpris qu'elle veuille le quitter. Mais voilà : au fil des trois années qu'ils avaient passées à Boston, lui avait-elle expliqué, elle avait compris qu'il s'investissait de façon tellement absolue dans sa formation de chirurgien qu'il n'avait pas vraiment de place pour elle et pour leur couple dans sa vie. En général, les internes de chirurgie constataient qu'ils avaient de plus en plus de temps libre à mesure qu'ils gravissaient les échelons de leur formation. Pas Noah. Chaque année, il empilait davantage d'heures dans son programme hebdomadaire. Parce qu'il le voulait. Parce qu'il adorait cela. Quand elle était partie, ils n'avaient éprouvé aucune rancœur l'un contre l'autre. Noah avait été bouleversé par leur séparation, bien sûr, d'autant qu'il avait bêtement supposé, dans son aveuglement, qu'ils se marieraient un jour ou l'autre. Mais il n'avait pas tardé à se rendre compte que Leslie avait raison : il donnait tout à l'hôpital et il avait été bien peu généreux et attentif envers elle depuis trois ans. Il passait trop peu de temps en sa compagnie et dans l'appartement. Mais il ne voyait pas comment faire autrement. Jusqu'à la fin de ses études au moins – ses études qui l'occupaient sept jours par semaine et de l'aube jusque très tard le soir –, il était pour ainsi dire marié à la médecine.

De temps en temps, Leslie lui manquait. Il attendait toujours avec une certaine impatience la discussion FaceTime qu'ils avaient une fois par mois – une habitude que son ex avait la gentillesse d'entretenir. Ils se considéraient désormais comme des amis intimes. Leslie était fiancée, aujourd'hui, et cette idée procurait un petit pincement douloureux au cœur de Noah quand il y songeait. En même temps, il était heureux pour son ex qu'elle ait écouté ses propres désirs – et soulagé de ne plus avoir la responsabilité de les satisfaire. Il savait qu'il ne pouvait pas résister à cette maîtresse suprêmement exigeante qu'était pour lui la médecine. Au bout du compte, il souhaitait tout le bonheur possible à Leslie.

Noah attrapa une chemise blanche et une cravate dans la penderie, puis retourna à la salle de bains pour les enfiler. Quand il jugea son nœud de cravate satisfaisant – il devait parfois le recommencer deux ou trois fois –, il régla la question de ses épais cheveux châtain clair, qu'il gardait toujours coupés court, en y traçant une raie du côté gauche avant de les balayer énergiquement vers la droite sans laisser de mèche rebelle sur son front. Autrefois, quand il était un adolescent typique, il avait porté une attention excessivement narcissique à sa personne et s'était beaucoup soucié de son look. Il s'était aussi laissé persuader par quelques filles qu'il était un mec « canon ». Très franchement, il n'était pas tout à fait sûr de savoir ce qu'elles voulaient dire, mais à l'époque il avait pris la chose pour un super compliment. Désormais, il voulait juste avoir l'air d'un médecin digne de ce nom, ce qui signifiait pour lui être raisonnablement soigné et toujours, toujours porter des vêtements propres et bien repassés. Il détestait les internes qui semblaient se faire un devoir d'arborer des fringues froissées et tachées, surtout quand ils étaient en pyjama de bloc, pour prouver qu'ils travaillaient dur.

Noah mesurait un mètre quatre-vingt-quatre et avait encore une silhouette d'athlète en dépit du fait qu'il n'avait plus guère de temps pour le sport depuis qu'il avait commencé ses études de médecine. Il pesait même ses soixante-quinze kilos de jadis, bien qu'il ne fît presque jamais d'exercice intensif, alors que certains de ses collègues s'empâtaient d'année en année. Il attribuait sa chance à deux facteurs principaux : il prenait rarement le temps de manger et il devait avoir quelques bons gènes – sans doute, soit dit en passant, la seule chose positive qu'il avait héritée de son père. Quant à son physique, il était aussi plutôt fier de son nez fin et joliment dessiné, ainsi que de ses yeux vert émeraude – un cadeau de sa mère qui était rousse.

Pour conclure sa séance d'habillage avant de quitter l'appartement, il enfila une veste et un pantalon blancs de l'hôpital. Le Dr Noah Rothauser était connu pour changer jusqu'à deux fois par jour de pantalon et de veste. Il pouvait bien se le permettre, puisque le BMH se chargeait de laver et de repasser ces vêtements. Ayant glissé sa tablette de l'hôpital dans une poche de la veste, il se regarda dans le miroir en pied qui occupait un angle du séjour. Cet objet avait également appartenu à Leslie ; elle n'avait jamais expliqué pourquoi elle l'avait laissé et Noah n'avait jamais posé la question. Par ailleurs, le séjour était presque aussi dépouillé que la chambre. Son mobilier se composait d'un petit canapé élimé, d'une table basse, d'une lampe sur pied, d'une petite table pliante accompagnée de deux chaises, pliantes elles aussi, et enfin d'une bibliothèque basse à trois étagères. Sur la table pliante se trouvait un vieil ordinateur portable – un vestige de la passion que Noah avait eue jadis pour les jeux vidéo. La pièce ne comportait qu'un seul élément décoratif : une fausse cheminée en briques blanches. Les fenêtres, nues comme celles de la chambre, donnaient sur Revere Street et les immeubles en briques rouges, typiques de Beacon Hill, de l'autre côté de l'étroite rue.

Il était cinq heures et quelques quand Noah sortit de son immeuble. Les jours « normaux », quand il ne prenait pas le temps de se raser, sa routine matinale bien rodée lui permettait d'être dehors avant cinq heures. En ce 1er juillet, la température était agréable et il faisait déjà presque complètement jour bien que le soleil ne fût pas encore levé. En hiver, c'était une autre histoire, surtout les matins où il neigeait. Noah aimait marcher jusqu'à l'hôpital en toute saison, cependant, car cette petite balade lui donnait le temps de réfléchir à son programme de la journée.

Suivant son parcours le plus classique, il prit à gauche pour grimper Revere Street vers le sommet de Beacon Hill – comme son nom l'indiquait, le quartier couvrait une véritable colline. Au premier croisement, celui de Grove Street, il tourna à droite pour rejoindre Myrtle Street qui gravissait la pente parallèlement à

Revere Street. Comme d'habitude, il ne vit à peu près aucun autre piéton jusqu'en haut de la colline et puis, tout à coup, des gens se matérialisèrent comme par magie autour de lui – des joggeurs et des retraités qui promenaient leurs chiens, pour l'essentiel, mais il y avait aussi quelques personnes qui étaient manifestement en route pour le travail. Quand il parvint à hauteur du terrain de jeux de Myrtle Street, une joyeuse bande-son estivale lui envahit les oreilles. Bien que ce jardin public se trouvât au cœur d'une grande métropole, il était en effet habité par quantité d'oiseaux de diverses espèces qui rivalisaient de pépiements, de trilles, de gazouillis et de roucoulements.

Poursuivant son chemin, Noah ne put s'empêcher de repenser à ce maudit M&M qu'il allait devoir préparer d'ici quinze jours. Son grand problème, c'était qu'il avait une peur tenace des figures d'autorité : les directeurs d'école, les doyens de fac, les grands professeurs, et bien sûr les puissants mandarins du service de chirurgie. En bref, quiconque avait le pouvoir de faire dérailler son projet de devenir le chirurgien talentueux et passionné qu'il rêvait d'être. Il se rendait bien compte que sa phobie n'était pas vraiment rationnelle, puisqu'il s'était toujours classé, depuis le lycée, parmi les meilleurs étudiants de sa promotion. Mais cela ne l'aidait guère à contenir son anxiété. Sa peur des figures d'autorité s'était même *aggravée* au fil du temps, en particulier depuis le jour, en seconde année d'internat, où il avait eu une très désagréable aventure.

L'étrange ironie de la situation que Noah avait alors connue, c'était que son dévouement absolu, à cent dix pour cent, à l'internat de chirurgie lui avait valu des difficultés à l'hôpital. À la fin de la première année, en effet, il avait découvert avec stupéfaction que certains praticiens hospitaliers, en particulier parmi les chirurgiens les plus ouvertement égocentriques comme le Dr Mason, le jugeaient trop zélé ! Le superchef de l'époque, Dan Workman, l'avait pris à part pour lui expliquer qu'il valait peut-être mieux qu'il modère d'une façon ou d'une autre son ardeur au travail. Sans citer aucun nom, il avait précisé que plusieurs membres de la faculté estimaient que Noah était un peu trop doué, un peu trop ambitieux, qu'il recevait trop de louanges et avait peut-être besoin d'une petite leçon d'humilité.

Noah avait bientôt compris l'origine de cette animosité à son égard. Alors qu'il n'était qu'interne de première année, sa méticulosité et son très grand niveau d'exigence l'avaient obligé à contredire, un peu par hasard et bien malgré lui, les bilans préopératoires de plusieurs patients de certains chirurgiens de l'hôpital. Il n'y pouvait rien : il avait une capacité presque surnaturelle à repérer certains problèmes, certaines petites choses, qui ne sautaient pas forcément aux yeux des autres internes et des praticiens. Or, ses découvertes avaient eu pour conséquence de faire annuler plusieurs opérations et d'obliger les chirurgiens concernés à reconnaître que les examens préopératoires des patients avaient été incomplets ou bâclés. Évidemment, ces chirurgiens n'avaient pas été contents du tout. Et ils ne l'avaient pas caché. Par bien des aspects, c'était encore une de ces situations où la faute retombait sur le porteur de mauvaises nouvelles.

Au début, Noah avait seulement haussé les épaules. De son point de vue, il n'avait pas commis d'erreur pour la simple raison qu'il plaçait les besoins des patients avant toute autre considération, comme devait le faire tout bon médecin. Les critiques qu'il avait reçues l'avaient même incité à bosser encore plus dur. Jusqu'à ce qu'il finisse par se faire réellement taper sur les doigts. Car il avait un tel désir d'excellence, il était tellement dévoué aux patients et il investissait tant d'énergie dans tous les aspects de son travail qu'il passait beaucoup trop de temps à l'hôpital. Il était toujours là, toujours disponible – même quand il n'était pas de garde. Si un collègue interne lui demandait de le remplacer, il ne refusait jamais. Depuis son arrivée au BMH, il n'avait même pas pris un seul jour de vacances – il ne le ferait que lorsque le superchef le lui ordonnerait impérativement.

Noah savait très bien que son comportement contrevenait aux limitations sur le temps de travail définies par le Conseil d'accréditation des programmes de formation des médecins. Mais il jugeait que le raisonnement à l'origine de ces limitations, considérées comme nécessaire pour la sécurité des patients, ne s'appliquait pas à son cas. En effet, il avait besoin de très peu de sommeil, il se sentait rarement fatigué, et contrairement à plus de la moitié des autres internes, il n'était pas marié et n'avait pas d'enfants. À ce moment-là, en outre, il croyait encore que Leslie le comprenait et soutenait ses choix.

Un jour, pour finir, quelqu'un avait parlé de la déontologie très personnelle de Noah au Dr Edward Cantor, le directeur du programme de l'internat de chirurgie. Le Dr Cantor l'avait alors pris à part et lui avait donné un avertissement verbal qui avait eu un certain effet... pendant quelques jours. Noah n'avait pas tardé à retrouver son emploi du temps hyperchargé. Et c'était là que, comme il le disait lui-même, c'était parti en sucette. À deux reprises, il avait été convoqué devant le Comité consultatif de l'internat de chirurgie. C'était très embarrassant dans la mesure où, Noah étant lui-même membre de ce comité, il avait dû se récuser. La première fois, il avait juste reçu un nouvel avertissement et s'était entendu dire que son attitude risquait de causer du tort à l'ensemble du programme académique du BMH si jamais les médias en entendaient parler.

Noah avait essayé de se refréner. De travailler moins. Mais c'était trop difficile. Pour lui, l'hôpital était une sorte de drogue. Il n'arrivait pas à décrocher. Trois semaines plus tard, il se tenait de nouveau devant le Comité consultatif de l'internat de chirurgie. Les mandarins de la faculté qui en faisaient partie étaient furax. Avec horreur, il s'était entendu menacer d'être purement et simplement mis à la porte de l'hôpital. Et on l'avait prévenu qu'il était désormais sous surveillance : s'il ne changeait pas d'attitude et s'il devait y avoir un troisième avertissement, il recevrait son congé sans autre forme de procès.

Il avait bien retenu la leçon. À partir de ce jour-là, il avait agi avec la plus grande prudence et inventé toutes sortes de stratégies créatives – du genre signer sa sortie de l'hôpital et quitter le bâtiment par une porte pour y revenir aussitôt par une autre – afin de ne plus jamais se faire prendre. Le temps passant, la menace de renvoi qui pesait sur lui avait paru s'éloigner, peut-être même être oubliée. Au bout de la troisième année, enfin, il avait pu renoncer à ses divers stratagèmes car il était désormais un interne chevronné. Et les internes chevronnés n'étaient pas suivis d'aussi près que les jeunots, en particulier ceux de première ou de deuxième année. Quant aux vacances, il n'en avait jamais pris qu'un seul jour en tout et pour tout, et personne n'avait semblé le remarquer.

Il était cinq heures vingt-six quand Noah parvint à l'entrée principale de la tour Stanhope. Comme tous les matins, il éprouva un frisson d'excitation en pénétrant dans le hall. Chaque jour, il vivait de nouvelles expériences, chaque jour il découvrait quelque chose qu'il n'avait jamais vu auparavant, chaque jour il apprenait un geste, un savoir quelconque qui faisait de lui un meilleur médecin. Pour Noah Rothauser, entrer à l'hôpital, c'était revenir à la maison.

2

Noah prit l'ascenseur pour se rendre à l'unité de soins intensifs de chirurgie située, comme le bloc opératoire, au troisième étage de la tour Stanhope. La visite de cet endroit venait toujours en tête de son emploi du temps de la journée – qu'il ait dormi chez lui ou dans l'une des chambres de garde du service, qui se trouvaient, elles aussi, au troisième étage. Pour des raisons évidentes, les patients des soins intensifs étaient particulièrement mal en point et avaient besoin d'être suivis de très près.

Comme les salles d'opération du bloc, les box individuels de l'unité de soins intensifs étaient disposés en rayons, dans un vaste espace circulaire, autour d'un poste de soins central d'où l'infirmière en chef pouvait facilement voir chaque lit entre les cloisons de verre qui le séparaient de ses voisins. De service cette nuit là, Carol Jensen était une vraie pro et, comme toutes les infirmières en chef, n'était pas du genre à tergiverser et à gaspiller son énergie pour des riens – surtout quand elle était fatiguée. Et vers la fin de leur garde, les infirmières des soins intensifs étaient toujours fatiguées. Elles avaient un des boulots les plus éprouvants de l'hôpital.

– Vous êtes un vrai rayon de soleil, docteur Rothauser, dit Carol lorsque Noah entra dans le poste de soins circulaire.

– C'est toujours agréable de faire bonne impression, répondit-il avec un sourire en s'asseyant sur une chaise pivotante.

Il savait très bien ce que Carol avait réellement voulu dire : elle était contente de le voir débarquer, car cela signifiait que sa garde était presque terminée et qu'elle rentrerait bientôt chez elle. En même temps, il ne doutait pas que sa remarque soit une sorte de compliment. Il avait plus d'une fois entendu dire qu'il était l'un des internes préférés du personnel soignant de l'hôpital. Carol elle-même lui avait expliqué que tout le monde était reconnaissant au Dr Rothauser de se rendre toujours très vite disponible pour les uns ou les autres, quelle que soit l'heure du jour ou de la nuit, et d'avoir toujours l'air de bonne humeur – ce qui n'était vraiment pas le cas pour certains internes et praticiens qui avaient tendance à se montrer assez revêches, surtout s'ils étaient tendus ou fatigués. Noah, c'était connu, ne refusait jamais de donner un coup de main : même quand il était en salle d'opération, penché sur un patient, on pouvait le consulter par l'interphone si on avait besoin d'un avis urgent sur un point précis. Pour les infirmières, en particulier celles des soins intensifs comme Carol, il était extrêmement important de pouvoir joindre les chirurgiens, car il se présentait parfois certains problèmes exigeant des décisions rapides et critiques pour le bien-être ou même la survie des patients. Ce que Carol ne lui avait jamais dit, par contre – et qu'il ne soupçonnait heureusement pas –, c'était que la plupart des infirmières et des aides-soignantes le trouvaient un petit peu mystérieux en tant qu'homme. Alors qu'il comptait parmi les internes célibataires les plus séduisants de la maison, il ne flirtait jamais avec aucune d'entre elles. Dans ses conversations, aucune allusion à connotation sexuelle, chose relativement courante dans la culture hospitalière.

Noah balaya la salle du regard en faisant lentement pivoter sa chaise sur trois cent soixante degrés. Tous les lits étaient occupés. Dans chaque box se trouvaient une ou deux infirmières qui semblaient bien occupées. Tous les patients installés ici étaient extrêmement fragiles, beaucoup ne survivaient que grâce aux respirateurs et aux autres appareils auxquels ils étaient branchés. Du point de vue de Noah, néanmoins, le fait qu'aucun médecin ne fût présent dans la pièce en ce moment était à la fois rassurant et significatif.

— Vous avez la situation bien en main, observa-t-il. C'est super.

Autre raison pour laquelle les infirmières aimaient Noah, il se rendait pleinement compte du rôle qu'elles jouaient et du travail qu'elles fournissaient. Il disait d'ailleurs souvent qu'elles faisaient les neuf dixièmes du boulot et que les internes n'étaient là que pour leur donner un coup de main.

— La nuit a été plus facile que d'habitude, dit Carol.

— Des soucis dont il faut que j'aie connaissance ?

En posant cette question, Noah reporta son attention sur la chef et fut surpris de constater qu'elle le considérait d'un air un peu perplexe.

— Humm, non, dit-elle. Je peux vous poser une question ? Comment vous faites pour que votre veste et votre pantalon blancs soient toujours si propres et si bien repassés ?

— C'est simple, dit-il en riant doucement. J'en change souvent.

— Ah. Et pourquoi ?

— Je crois que les patients aiment ça. C'est ce que je penserais, en tout cas, si j'étais à leur place.

— Curieux, dit Carol, et elle haussa les épaules. Vous avez peut-être raison.

— Aujourd'hui, enchaîna Noah, vous allez recevoir plusieurs nouveaux internes de chirurgie.

– Oh, ne m'en parlez pas !

Pour les infirmières, le 1ᵉʳ juillet marquait en général le début d'une période un peu difficile – surtout dans les unités de soins intensifs où la courbe d'apprentissage était particulièrement raide et ardue pour les internes de première année. Pendant une bonne quinzaine de jours, disait le personnel soignant en plaisantant, il fallait autant veiller sur les internes que sur les patients pour être sûr que les premiers ne tuent pas accidentellement les seconds.

– Prévenez-moi s'il y a le moindre problème, dit Noah.

Carol pouffa de rire. Des problèmes, il y en aurait forcément. Comme toujours.

– Je veux dire le moindre problème en plus des trucs habituels, précisa Noah, amusé.

Il avait actuellement dans la salle deux de ses propres patients : un homme et une femme qui avaient été opérés une première fois dans des petits hôpitaux ruraux, et qu'il avait dû complètement réopérer. Tous deux avaient été amenés au BMH, par hélicoptère, dans un état critique. Ils étaient sauvés, à présent, mais ils auraient besoin d'être surveillés de très près pendant encore quelques jours. Noah se leva pour aller parler aux infirmières qui étaient à leur chevet, puis examiner lui-même leurs sutures et leurs drains. Vérifier aussi leurs paramètres de monitorage sur les écrans fixés au-dessus des têtes de lit. Il fit tout cela rapidement, mais avec une attention soutenue pour être certain de ne rien manquer d'important. Pendant qu'il était auprès du second patient, deux internes de chirurgie qui travaillaient aux soins intensifs depuis un mois entrèrent dans la salle. La fatigue de leur longue nuit de garde se lisait sur leurs visages.

L'unité de soins intensifs accueillait des internes de première et de deuxième année de différentes spécialités. La réanimation étant une spécialité à part entière, elle avait son propre programme d'internat dont l'unité de soins intensifs était bien sûr le pôle majeur. En même temps, il était logique de faire passer ici les jeunes internes de chirurgie ou d'anesthésie, par exemple, afin qu'ils acquièrent une expérience très importante pour leur formation et la suite de leur carrière. Noah était conscient qu'il devrait désormais faire preuve d'un certain tact, en tant que superchef, quand il se trouvait dans cette salle, car il n'avait techniquement aucun ascendant sur les internes des autres spécialités que la chirurgie.

Les deux internes qui venaient d'entrer étaient la Dr Lorraine Stetson et la Dr Dorothy Klim. Elles vinrent vers Noah aussitôt qu'elles l'aperçurent. Si le nombre de femmes qui choisissaient de devenir chirurgiennes avait beaucoup augmenté au cours des dix dernières années, il était tout de même rare que les *deux* internes du stage de soins intensifs soient des femmes. Lorraine était une interne de première année qui venait miraculeusement de se transformer dans la nuit, 1er juillet oblige, en interne de deuxième année. De la même façon, Dorothy était, à partir d'aujourd'hui, interne de troisième année. Noah s'entendait bien avec elles en dépit du fait que Dorothy le mettait souvent un peu mal à l'aise. Il ne savait pas très bien pourquoi, mais il supposait que c'était à cause de son physique exceptionnel. Elle était tellement belle qu'il avait parfois l'impression d'avoir devant lui une actrice hollywoodienne dans le rôle d'une toubib de choc – même s'il se rendait tout à fait compte, bien sûr, que cette idée n'était qu'un préjugé sexiste.

– Je suis vraiment désolée que nous n'ayons pas été là pour t'accueillir, dit Dorothy.

Sa collègue hocha la tête.

– Pas grave, dit Noah en souriant. Tout baigne, d'après ce que je vois, et la visite de l'unité de soins intensifs ne commence qu'à six heures.

– N'empêche, je pense que nous aurions dû être disponibles quand tu es arrivé.

– Ne vous tracassez pas, je vous dis ! Ce qui compte, pour vous deux, c'est que vous devez passer le relais, ici, à une interne de première année toute fraîche qui s'appelle Lynn Pierce. Et il y a aussi Ted Aronson que vous connaissez déjà. Je veux que vous m'avertissiez s'il y a le moindre pépin, en particulier avec Lynn Pierce.

Pour les internes de chirurgie de première année, commencer d'entrée de jeu par un stage aux soins intensifs, avant d'avoir pu prendre leurs marques dans l'hôpital, pouvait être assez stressant.

– Nous avons rencontré Lynn hier à la soirée d'intégration, dit Lorraine. Je pense que ça va bien se passer. Elle est très enthousiaste, en fait, de se jeter tout de suite dans le grand bain. C'est ce qu'elle nous a dit. Elle estime qu'elle a de la chance.

La célèbre soirée d'intégration des internes de chirurgie était un événement annuel organisé le 30 juin, quel que soit le jour de la semaine, au Marriott Long Wharf, un hôtel proche de l'hôpital. Elle servait aussi à dire adieu aux internes de cinquième année. Diverses animations la ponctuaient, dans le but de distraire et de faire beaucoup rire tout le monde, dont la diffusion d'un certain nombre de vidéos maison *évidemment* irrévérencieuses vis-à-vis des praticiens du BMH – mais qui en réalité leur rendaient hommage, bien sûr, ainsi qu'à l'institution qu'ils servaient. Noah y avait participé comme il le faisait tous les ans depuis son arrivée à Boston, mais plus par devoir que par réelle envie ; ce genre de grande fête bruyante n'était pas trop son truc. Pour se détendre et s'efforcer de paraître sociable, il avait bu quelques verres qui, ce matin, lui valaient de se sentir moins qu'au top de sa forme.

Si la soirée d'intégration permettait de saluer les internes sur le départ, elle existait avant tout pour accueillir les vingt-quatre internes de première année qui rejoignaient la famille BMH. Dans ce groupe, cette année, seuls huit individus avaient choisi la chirurgie générale à laquelle ils allaient donc consacrer leurs cinq années d'internat. Les seize autres prévoyaient de ne faire qu'une ou deux années de formation généraliste avant de s'orienter vers diverses sous-spécialités comme la chirurgie orthopédique ou la neurochirurgie.

Bien qu'assez mal à l'aise, comme toujours dans ces grands événements sociaux bondés, Noah avait pris la peine de bavarder avec quelques-uns des nouveaux arrivants au fil de la soirée. Il en avait déjà rencontré certains lorsqu'ils étaient venus passer leurs entretiens pour être acceptés par le programme de l'internat de chirurgie du BMH. Parmi eux Lynn Pierce, qui l'avait beaucoup impressionné car elle avait des compétences et une motivation extraordinaires. Et puis il devait reconnaître qu'elle avait eu sur lui le même genre d'effet que Dorothy : elle était tellement jolie, elle aussi, qu'il s'était presque demandé si le physique était en train de devenir un critère de recrutement dans son hôpital.

— Tu restes pour la visite des soins intensifs ? demanda Dorothy.

— Non. Visiblement ce n'est pas la peine, et j'ai beaucoup de choses à faire avant la cérémonie de bienvenue de tout à l'heure. Vous y serez, j'espère ? N'oubliez pas que tout le monde est censé y participer.

— Nous ne manquerions ça pour rien au monde, dit Dorothy en souriant, et Lorraine hocha de nouveau la tête. À moins que le plafond, ici, ne nous tombe sur la tête.

— N'y comptez pas, dit Noah. Venez sans faute !

La cérémonie de bienvenue était un rituel aussi important que la soirée d'intégration, mais beaucoup moins drôle. Elle servait à accueillir officiellement, en ce 1er juillet, tous les internes de chirurgie, et en particulier bien sûr ceux de première année, mais Noah y voyait surtout un machin barbant qui permettait aux grands pontes du service de faire de longs discours… pontifiants à souhait. Au fil des années, en outre, il avait découvert que les directeurs des principaux programmes de formation à la chirurgie appréciaient de bomber le torse, jouer des coudes, s'échanger des coups tordus – et que ceux du BMH ne faisaient pas exception à la règle. La compétition régnait dans le monde universitaire médical, tout particulièrement en chirurgie, et cela semblait ne jamais devoir cesser. Par chance, Noah se considérait comme doué pour la compétition.

Comme lors des quatre dernières cérémonies de bienvenue auxquelles il avait participé, Noah n'avait aucune hâte d'assister à celle d'aujourd'hui. Pour la toute première, bien sûr, il avait été content, et même hyper-enthousiaste : il entamait l'internat ! Il se souvenait qu'il avait eu tellement hâte d'entrer au BMH que les dernières semaines du mois de juin de cette année-là lui avaient paru presque insupportables. Alors qu'il avait été bien occupé, avec Leslie, à déménager de New York et à trouver l'appartement de Revere Street à Boston, les jours s'étaient écoulés à une lenteur exaspérante entre la cérémonie de remise des diplômes de médecine à Columbia et celle de bienvenue au BMH.

Cette année, en outre, la cérémonie serait forcément plus éprouvante pour lui que d'habitude. Il n'aurait pas la possibilité de s'asseoir peinard dans son fauteuil et d'avoir juste à s'armer de patience jusqu'à la fin des discours. En tant que nouveau superchef des internes de chirurgie, il se verrait en effet inviter par le Dr Carmen Hernandez, le patron du service de chirurgie, à dire quelques mots au micro. Histoire d'aggraver les choses, cela ne se produirait pas avant que le Dr Hernandez d'abord, puis le Dr Edward Cantor, directeur du programme de l'internat de chirurgie, n'aient épuisé tout le monde avec d'interminables harangues sur l'histoire et l'importance, non seulement de la chirurgie, mais aussi du BMH, dans le développement de la médecine moderne. Noah savait qu'au moment où il prendrait la parole, l'auditoire serait comateux.

Bien sûr, il était logique qu'il parle devant les internes : à partir d'aujourd'hui, il était leur capitaine au BMH. La structure du programme de l'internat de chirurgie était d'une simplicité médiévale. Les internes débutants étaient des serfs ou, dans le jargon de la maison, des « fantassins » ; Noah était leur suzerain, Hernandez le roi. Et chaque année, les internes grimpaient les échelons selon un programme codifié au cours duquel ils acquéraient davantage de privilèges et de responsabilités.

Noah n'avait jamais beaucoup aimé parler en public. Surtout dans un cadre plus ou moins officiel. Il s'en tirait assez bien, et parfois même avec un certain brio, dans les situations informelles – les réunions de service par exemple –, d'autant qu'il avait une exceptionnelle maîtrise de la littérature médicale pour illustrer et soutenir ses explications. De fait, c'était justement à cause de son goût de l'excellence académique qu'il n'aimait pas parler devant une foule de gens : il craignait toujours d'avoir un énorme blanc, ou bien de sortir par mégarde une grosse ânerie. Ce n'était pas une inquiétude très rationnelle, il le savait bien, mais elle n'en était pas moins réelle. Elle allait de pair avec son côté solitaire et sa peur des activités sociales comme la soirée d'intégration. Petit détail, aussi, qui accentuait son anxiété ce matin, il avait été tellement occupé, depuis quelques semaines, à se préparer à endosser le rôle de superchef qu'il n'avait pas préparé son discours. Il devrait donc improviser, risquant d'autant plus de lâcher une bourde ou de froisser les mandarins de la chirurgie et de l'hôpital qui assisteraient à l'événement.

Quittant l'unité de soins intensifs, Noah prit l'ascenseur pour monter au service de chirurgie générale au septième étage. Il n'était pas encore six heures du matin et la visite des malades avec les internes de tous niveaux ne commençait qu'à six heures et demie. Il avait donc le temps d'aller papoter avec l'interne de garde de la nuit, Bert Shriver, un type compétent et fiable qui, comme tout le monde, avait pris du galon grâce au coup de baguette magique du passage du dernier jour de juin au premier jour de juillet : il était désormais interne de cinquième année. Bert lui fit un topo aussi rapide que précis. Il y avait eu deux opérations : des appendicectomies pour une ado et un homme dans la vingtaine qui s'étaient présentés aux urgences vers minuit ou une heure du matin ; ils se portaient maintenant très bien. Du côté des patients occupant les lits du service, aucun problème de toute la nuit. Enfin, Bert avait été appelé par le service de médecine interne pour réaliser une perfusion sur une patiente qui avait besoin d'une voie intraveineuse mais n'avait pas de veines superficielles.

– Tu viens à la cérémonie de bienvenue, bien sûr ? demanda Noah.

En tant que nouveau superchef, il était aussi responsable, désormais, des absences de ses ouailles.

– Je ne manquerais un tel événement pour rien au monde ! répondit Bert avec un grand sourire. Et puis j'ai trop hâte d'entendre les perles de sagesse que tu nous mijotes.

Noah fit la grimace, puis sourit avant de s'éloigner. Comme il lui restait un moment avant la visite des malades, il appela le bloc du poste infirmier. Il voulait savoir si le planning avait été modifié sans qu'il n'ait été prévenu. Quand il avait vérifié la veille, avant la soirée d'intégration, on lui avait dit qu'aucune opération ne devait démarrer avant dix heures et demie ce matin. Si des interventions avaient, pour une raison ou une autre, finalement lieu, il fallait des internes pour opérer ou pour assister les chirurgiens – et ces internes, c'était maintenant à lui de les fournir. Il fut satisfait d'apprendre qu'aucune opération supplémentaire n'avait été programmée. Cette année, pour une fois, l'information avait correctement circulé et l'ensemble du personnel de la chirurgie serait en mesure d'assister à la cérémonie de bienvenue. Noah était content, bien sûr, mais si tout le monde était prévenu, la fréquentation de cette petite sauterie risquait d'être encore plus forte que d'habitude. Maintenant, il flippait pour de bon à l'idée de prendre le micro !

Sa conversation téléphonique terminée, il passa voir l'un après l'autre les trois patients qu'il avait tout récemment opérés. Il lui paraissait important de faire cela au moins deux fois par jour, pour avoir des échanges spontanés et personnalisés avec chacun d'eux. Bien sûr, il pouvait leur parler pendant la visite des malades, mais l'ambiance était alors bien différente puisqu'il était accompagné de toute une équipe d'internes. Pour sa part, Noah n'avait jamais été hospitalisé, mais il était convaincu que s'il devait un jour se retrouver alité à la suite d'une intervention un peu lourde, il apprécierait d'avoir chaque jour quelques minutes en tête à tête avec son chirurgien. L'importance qu'il accordait à ces rapports était une des raisons pour lesquelles il était tellement apprécié au BMH.

Deux des trois patients dormaient encore quand il entra dans leurs chambres. Il dut les réveiller. Pendant ses deux premières années d'internat, il n'avait pas osé déranger les malades ; il croyait leur rendre service en les laissant roupiller. Il avait changé d'avis après s'être fait passer un savon à ce sujet par l'un d'eux. C'était bien simple, les patients aimaient tellement ces moments d'échange privilégié avec leur chirurgien qu'ils préféraient qu'on les réveille.

Tous trois se portaient bien. Noah passa un peu plus de temps au chevet du dernier, qui devait être libéré dans l'après-midi, pour lui expliquer ce qu'il avait le droit de faire et ce qu'il devait éviter à son domicile. Il lui promit aussi de le revoir personnellement pour la consultation de suivi. L'homme fréquentait le BMH depuis des années et connaissait la musique. Comme les internes tournaient entre les étages et les services à la faveur de leurs différents stages, ils n'avaient pas toujours l'occasion de s'occuper dans la durée de leurs patients. Noah veillait à ce que cela ne lui arrive pas. C'était l'un des avantages de passer tant d'heures chaque semaine à l'hôpital : il pouvait prendre le temps de bien suivre et accompagner ses malades. Ça ne l'ennuyait pas de faire des efforts supplémentaires – il jugeait même que c'était bon pour lui. Les internes qui avaient un conjoint et des enfants ne pouvaient bien sûr pas en faire autant.

La visite des malades, à six heures et demie, se passa particulièrement bien pour diverses raisons. D'abord, ce matin le service n'avait aucun cas difficile nécessitant de longues discussions. Ensuite, on était samedi, jour où il était rare que le praticien hospitalier de garde débarque à l'improviste dans les chambres et essaie de transformer cette simple visite en une sorte de visite de chef de service, c'est-à-dire de s'écouter pérorer sur tel ou tel point de détail sous prétexte d'éduquer les internes. Les visites des malades devaient juste servir à écouter leurs plaintes du moment, à examiner les mesures déjà prises et à déterminer ce qui pouvait être fait le jour même et dans un proche avenir. Et puis on passait vite et bien au patient suivant.

Dernière raison pour laquelle la visite alla bon train, les internes débutants qui se chargèrent de présenter les patients étaient tous, désormais, des internes de deuxième année : ils avaient déjà vu du pays. La présentation de cas était une aptitude qui s'apprenait, et tous les internes qui accompagnaient Noah ce matin semblaient bien la maîtriser. Tous sauf Mark Donaldson – soit parce qu'il ne s'était pas préparé, soit parce qu'il n'avait pas pigé, au cours de l'année passée, ce qu'il importait de dire et ce qu'il convenait de laisser de côté dans cet exercice. Pour ne pas l'humilier, Noah évita de lui remonter les bretelles sur-le-champ : une solution classique, lors des visites des malades en chirurgie, qui était considérée par beaucoup comme une méthode d'enseignement en soi, et dont certains praticiens profitaient pour se livrer à de véritables séances de torture. Noah avait eu horreur de cette pratique quand il avait commencé l'internat, même s'il en avait rarement été victime, et il s'était promis d'agir autrement quand il superviserait lui-même les visites. Convaincu que la persuasion était une pédagogie bien supérieure à la honte, il prévoyait de prendre Mark à part au moment opportun, sans doute plus tard dans la journée, pour avoir une bonne discussion avec lui.

Comme c'était samedi et qu'il n'y avait pas de visite du chef de service, Noah avait du temps libre devant lui. La cérémonie de bienvenue ne devait commencer qu'à huit heures et demie et il était à présent un peu plus de sept heures. Après avoir rappelé à tous les internes qui l'accompagnaient de ne pas manquer la cérémonie, il nota quelques observations sur ses trois patients dans leur DME, puis prit l'ascenseur pour descendre au deuxième étage où se trouvait l'administration.

En sortant de la cabine, il découvrit des couloirs déserts et silencieux. Partout ailleurs dans l'hôpital, qui tournait bien sûr vingt-quatre heures sur vingt-quatre tous les jours de l'année, on trouvait toujours des gens, de l'animation. Mais le samedi matin à l'administration, il n'y avait pour ainsi dire personne.

Noah se dirigea vers le bureau de l'internat de chirurgie, qui se trouvait tout au bout d'un long couloir bordé par les bureaux des programmes d'enseignement des différentes spécialités médicales. Parvenu à destination, il tira de sa poche la clé que lui avait remise deux jours plus tôt la superchef de l'année passée, Claire Thomas, une chirurgienne brillante qui avait pulvérisé à elle seule deux lourds plafonds de verre : après avoir été la première Afro-Américaine à devenir superchef des internes de chirurgie du BMH, elle était depuis ce matin la première Afro-Américaine à faire partie de sa faculté de chirurgie. Noah savait qu'il aurait du mal à l'égaler en tant que superchef, car tout le monde aimait et respectait Claire – y compris le Dr Mason. De plus, jamais elle ne s'était fait houspiller devant le Comité consultatif de l'internat par le directeur du programme, le Dr Cantor.

Noah glissa la clé dans la serrure et ouvrit la porte. La pièce était divisée en cinq espaces de travail. Un pour Marjorie O'Connor, la gestionnaire du programme de l'internat de chirurgie – elle s'occupait de tous ses aspects administratifs. Un autre, un peu plus petit, pour la coordinatrice, Shirley Berensen : son domaine de compétence à elle, c'était le suivi des règles nationales d'évaluation et de certification des chirurgiens, afin que le programme de formation du BMH conserve son accréditation et que les internes passent par tous les jalons requis. Dans un troisième espace, il y avait la table de Candy Wong : elle avait elle aussi le titre de coordinatrice et supervisait la question tout aussi compliquée des emplois du temps des internes et du programme des gardes. Au début de son internat, Noah avait tout fait pour échapper à l'attention de Mme Wong, après avoir été menacé d'être renvoyé du BMH parce qu'il y passait trop de temps. Il était assez ironique qu'il se retrouve aujourd'hui à collaborer étroitement avec elle.

Il y avait deux autres tables, plus petites encore que celles des coordinatrices : une pour la secrétaire, Gail Yeager, l'autre pour Noah. Il ne put que sourire en les regardant. L'ironie, ici, était que la secrétaire et lui-même avaient les espaces de travail les plus modestes alors qu'ils étaient sans doute les deux membres les plus surchargés de boulot du bureau de l'internat de chirurgie. Le pire, de son point de vue, n'était cependant pas la taille de sa table, qui ne lui importait guère, mais le fait que cette table se trouvait dans la même pièce que les quatre autres : c'est-à-dire qu'il n'avait aucun moyen de s'isoler pour accomplir ses tâches administratives, sauf bien sûr s'il venait après les heures de travail de ses collègues et les week-ends. Pour certaines choses comme la conversation qu'il devait avoir avec Mark Donaldson, cette situation n'était pas du tout satisfaisante. Noah devrait donc improviser au coup par coup.

Deux jours plus tôt, après que Claire lui avait donné la clé, il avait apporté quelques fournitures et une jolie quantité de paperasse. Dont ses notes préliminaires pour les vingt-quatre tuteurs qu'il devait sélectionner parmi les membres de la faculté pour les nouveaux internes. Chaque interne de première année se voyait assigner un tuteur qui devait le suivre tout au long de sa formation. Même si Noah n'avait jamais eu besoin du sien – il avait juste partagé quelques dîners plutôt agréables au domicile du praticien en question –, cet aspect du programme lui paraissait tout de même avoir un certain mérite. Il y avait toujours une poignée d'individus, chez les internes débutants, pour qui l'adaptation au fonctionnement du service de chirurgie posait un vrai défi. L'internat et l'apprentissage d'une spécialité, c'était un tout autre univers que la fac de médecine.

Bien content de pouvoir tirer parti de la tranquillité absolue, presque irréelle, du bureau désert, Noah s'assit à sa table et posa devant lui la liste des internes de première année et la liste des membres de la faculté volontaires pour le programme de tutorat. Quand il commença à essayer d'associer les uns aux autres, il se rendit vite compte qu'il devait beaucoup trop jouer aux devinettes à son goût – pour la simple raison qu'il ne connaissait pas, ou si peu, les nouveaux arrivants. Que savait-il vraiment à leur sujet ? Leur sexe et la fac de médecine dont ils arrivaient – voilà tout. En revanche, il connaissait plutôt bien les tuteurs. Peut-être même trop bien pour certains d'entre eux.

Après avoir rempli sa mission le mieux possible, il décida de s'attaquer au très gros morceau qu'était l'organisation des innombrables réunions et cours magistraux qui ponctuaient l'année. Dans l'immédiat, il se faisait surtout du souci pour la conférence hebdomadaire de sciences fondamentales. Elle avait lieu chaque vendredi à sept heures et demie le matin. La première qu'il devait prévoir dans son nouveau rôle de superchef approchait à grands pas, mais il n'avait pas encore de sujet, et encore moins de conférencier. Ce qu'il n'osait pas s'avouer, c'était que cette question lui permettait d'éviter de penser au problème encore plus inquiétant que lui posait la Revue de mortalité et de morbidité – le M&M – à venir.

Absorbé dans son travail, Noah ne vit pas le temps passer et sursauta quand la fonction réveil de son téléphone se déclencha à huit heures et quart. Il l'avait programmée au cas, assez peu probable, où il ne recevrait ni appel ni message lui demandant de se rendre quelque part dans l'hôpital pour régler un problème. En début de matinée, en général, il se produisait toujours un truc qui réclamait son attention. Serait-il resté à l'étage de la chirurgie, il aurait sans doute été submergé de requêtes. Mais ici, au calme, il n'avait pas été dérangé et avait bien avancé dans son travail : il avait défini les sujets des trois premières conférences de sciences fondamentales et envoyé des mails aux spécialistes concernés pour leur demander de les assurer.

Noah rangea rapidement ses documents, puis quitta le bureau. Sa prochaine destination était l'amphithéâtre Fagan dans le bâtiment Wilson. Celui-ci était voisin de la tour Stanhope et on y accédait par une passerelle piétonne au premier étage.

3

– Merci à tous, et bienvenue dans le meilleur programme d'internat de chirurgie au monde ! conclut le Dr Cantor.

Affichant un petit sourire ironique pour signifier que, bien sûr, il exagérait peut-être un peu, il rassembla ses notes sur le pupitre avant d'aller se rasseoir sur la chaise qu'il avait quittée vingt minutes plus tôt. C'était un homme de grande taille, à la silhouette mince et anguleuse, qui respirait l'intelligence.

Cinq sièges étaient disposés ce matin sur l'estrade de l'amphithéâtre Fagan : auprès du Dr Cantor se trouvaient les Drs William Mason et Akira Hiroshi, tous deux directeurs adjoints du programme de l'internat de chirurgie du BMH, et le Dr Carmen Hernandez qui était le chef du service de chirurgie. Une chaise restait singulièrement inoccupée.

La cérémonie de bienvenue avait commencé comme prévu à huit heures trente tapantes. Quand Noah était entré dans l'amphithéâtre, quelques minutes auparavant, par une porte du premier étage, le Dr Hernandez se tenait déjà devant le pupitre, prêt à prendre la parole. Tout le monde savait que le patron de la chirurgie était assez pointilleux, en particulier sur les horaires. La vaste salle se présentait comme un hémicycle classique d'école de médecine – ou de la Grèce antique –, avec de nombreuses rangées de gradins divisés en trois blocs par des escaliers. Des portes latérales, situées au rez-de-chaussée du bâtiment, permettaient d'accéder à l'estrade et aux gradins du bas. En haut, les portes donnaient sur une sorte de balcon surplombant les gradins supérieurs. Ce samedi matin, presque tous les fauteuils étaient occupés. Les vingt-quatre nouveaux internes du programme, enthousiastes et curieux bien entendu, occupaient les premières rangées des gradins du milieu, juste en face du pupitre. Noah avait souri en constatant qu'ils portaient tous une blouse blanche immaculée. Un bruyant bourdonnement de conversations emplissait la salle, attestant de son excellente acoustique.

Noah commençait à descendre l'un des deux escaliers assez raides de l'amphi, lorsque le Dr Hernandez, au pupitre, l'avait salué de la main et lui avait fait signe de prendre place sur la dernière chaise vide de l'estrade. Il avait répondu d'un geste qu'il aimait autant s'asseoir au milieu de ses collègues internes – une décision impulsive, mais sans doute motivée par le fait que la chaise libre en question était voisine de celle du Dr Mason. Nerveux comme il l'était à l'idée de parler en public, Noah n'avait aucune envie de passer la cérémonie à côté du praticien hospitalier qu'il aimait le moins. Cela aurait été beaucoup trop anxiogène. Il avait donc pris un siège proche de l'escalier au douzième rang. De l'autre côté de la chaise vide, en outre, c'était le Dr Cantor qui était assis. Or, Noah n'avait jamais été très à l'aise en présence de cet homme depuis qu'il avait menacé de le virer de l'internat, pendant sa première année, pour excès de zèle.

La cérémonie s'était déroulée de façon prévisible. Le Dr Hernandez avait d'abord blablaté pendant près d'une demi-heure. Noah avait vite décroché, laissant son cerveau ruminer les nouvelles responsabilités qui étaient désormais les siennes. Il avait notamment pensé à cette fichue Revue de mortalité et de morbidité. Incapable de ne pas observer Mason sur l'estrade – le bonhomme affichait la grimace de bouledogue qu'il avait dès que son entourage ne s'intéressait pas à lui –, il avait de nouveau été rongé par l'inquiétude que lui inspirait le prochain M&M. Depuis le début de la journée, il avait à peu près réussi à éviter d'y songer, mais la présence de Mason le contraignait à se demander comment il allait se tirer de ce bourbier.

Après le patron de la chirurgie, le directeur du programme de l'internat avait pris le micro pour se lancer dans un autre discours attendu et lénifiant à souhait. Noah s'émerveillait que personne, dans le public, ne se soit mis à ronfler bruyamment. Sans doute le Dr Mason ne jugeait-il pas la séance très stimulante, lui non plus, car il gigotait beaucoup sur sa chaise, croisant et décroisant régulièrement ses épaisses cuisses.

Dès que le Dr Cantor eut regagné sa place, le Dr Hernandez se leva pour retourner au pupitre. Il saisit la tige flexible du micro pour la baisser à hauteur de ses lèvres, s'éclaircit la voix, puis tendit un bras en direction de Noah en déclarant d'un ton enjoué :

– Et maintenant, je voudrais vous présenter notre tout nouveau superchef des internes, le Dr Noah Rothauser !

Des applaudissements s'élevèrent çà et là dans la salle, ainsi que quelques sifflements taquins et quelques rires. Quittant son siège, Noah sentit ses cheveux se hérisser sur sa nuque. Son cœur commença à cogner dans sa poitrine. Il savait que ces rires, ces sifflements étaient là pour l'encourager. Certes, tous ses collègues internes l'appréciaient. Mais cela ne l'empêchait pas de paniquer maintenant que le moment tant redouté était arrivé.

Gardant les yeux baissés, il fit attention à descendre l'escalier sans se casser la figure – cette catastrophe, si elle survenait, le poursuivrait à coup sûr jusqu'à la fin des temps. En plus d'être étonnamment raides, les marches de cet amphithéâtre étaient dépourvues de rampe. Parvenu à l'estrade, il alla droit au pupitre avec l'impression d'avoir les joues en feu. Le Dr Hernandez était déjà retourné à sa place.

Noah remonta le micro, s'arma de courage, puis leva les yeux pour regarder les vingt-quatre nouveaux internes sagement alignés devant lui au milieu des gradins. Quand il essaya de parler, un croassement pitoyable franchit ses lèvres. Il se racla la gorge avant de se relancer : sa voix lui parut alors à peu près normale et il commença à reprendre confiance en lui.

— Tout d'abord, je voudrais moi aussi vous souhaiter la bienvenue à toutes et à tous, dit-il en s'appliquant à fixer les nouveaux internes, l'un après l'autre, droit dans les yeux. Bon, à part ça... j'avais prévu de prononcer un long discours circonstancié sur l'histoire de la chirurgie, mais je crois que cette mission a été parfaitement remplie par nos estimés professeurs, qui sont des géants dans leurs spécialités respectives.

Pendant qu'une vague de rires contenus traversait le public, Noah se tourna un instant pour saluer du menton Hernandez et Cantor. L'un et l'autre souriaient d'un air satisfait. Il évita, en revanche, de regarder les Drs Mason et Hiroshi – quoiqu'il n'eût rien à reprocher au second qu'il ne connaissait pas bien.

— À la place, poursuivit-il, je veux juste vous dire que vous démarrez aujourd'hui la période la plus excitante et la plus exigeante de votre longue formation, et... voilà, c'est tout ! J'ajoute quand même que j'aimerais pouvoir signaler que la porte de mon bureau vous est toujours ouverte, quelle que soit la raison que vous puissiez avoir de me rendre visite mais, malheureusement, je n'ai pas de bureau.

Cette fois, toute la salle explosa de rire – sans doute moins pour la drôlerie somme toute relative de sa petite plaisanterie, qu'à cause du contraste entre ses propos et la solennité barbante des discours précédents. Noah ne put s'empêcher de sourire, mais il craignait en même temps que son humour n'ait vexé le Dr Hernandez. Un rapide coup d'œil vers la rangée de chaises le rassura : le chef du service de chirurgie paraissait s'amuser.

– Bureau ou pas, reprit-il, je suis toujours disponible, quel que soit le motif pour lequel vous puissiez avoir besoin de moi. Ne faites pas les timides ! Je suis facile à trouver. Au BMH, la chirurgie est un travail d'équipe. Et nous voulons que tout le monde ait l'esprit d'équipe. Vous avez déjà tous vos attributions de stage, donc aussitôt après le café et les beignets qui nous attendent à côté dans le Broomfield Hall, c'est parti ! Nous allons passer une année géniale. Merci !

Noah se tourna vers le Dr Hernandez, qui s'était levé. C'était un homme trapu, assez semblable au Dr Mason par certains aspects, mais plus petit, et avec des cheveux bruns plus foncés et plus épais. Il avait aussi le teint olivâtre et une épaisse moustache. Contrairement à Mason, qui était irascible et semblait incapable d'ouvrir la bouche sans chercher à se mettre en valeur, Hernandez était un homme paisible, qui donnait une impression de grande confiance en lui et ne perdait jamais son calme quel que fût le problème auquel il était confronté – en salle d'opération comme en conseil d'administration.

– J'espère que vous n'avez pas pris ma petite blague pour un reproche, dit Noah.

– Pas du tout, dit le Dr Hernandez. C'était inattendu, donc assez drôle. Mais, tout de même, vous avez un bureau, non… ?

– Une table, l'interrompit Noah. Pas un vrai bureau.

– Je vois, dit le Dr Hernandez – et la conversation s'arrêta là car un collègue chirurgien l'aborda à cet instant pour le prendre à part.

Noah s'aperçut que plusieurs des nouveaux internes, dont Lynn Pierce, venaient dans sa direction sur l'estrade. Il ne put s'empêcher de remarquer que, sous sa blouse blanche déboutonnée, elle portait une robe d'été jaune tout à fait seyante. Tout à coup pris de panique, il lorgna vers la porte avec l'intention de fuir. Hélas, à cet instant quelqu'un lui tapota l'épaule. Faisant volte-face, il se trouva nez à nez avec une infirmière qu'il connaissait de vue mais avec qui il n'avait pas souvenir d'avoir jamais parlé.

— Docteur Rothauser, dit-elle. Je m'appelle Helen Moran.

— Bonjour, Helen.

— Je ne vais pas vous retenir longtemps, je sais que vous êtes très occupé, mais je voulais vous dire quelques mots au sujet du cas Bruce Vincent. Je faisais partie des rares personnes qui ne le connaissaient pas personnellement, mais je me suis occupée de son admission le jour où il a été opéré. D'après les rumeurs qui courent, il a été victime du système des opérations simultanées. Est-ce que c'est vrai ?

Noah prit une grande inspiration pour se donner le temps de mettre de l'ordre dans ses pensées et de décider quoi répondre. En vérité, il ne voulait pas mettre cette question sur le tapis. Ne s'efforçait-il pas, depuis plusieurs jours, de ne pas penser à Bruce Vincent ? Mais Helen Moran n'avait pas tourné autour du pot et ses yeux disaient toute l'indignation que lui inspirait l'hypothèse qu'elle évoquait. Il n'avait pas le choix. Les médias avaient récemment parlé en termes assez négatifs de la pratique, instaurée dans certains hôpitaux dont le BMH, qui consistait pour un chirurgien à mener simultanément plusieurs interventions dans différentes salles d'opération.

— Je n'ai pas encore eu l'occasion d'enquêter sur ce cas, répondit-il évasivement.

— J'espère qu'il sera présenté au prochain M&M, dit Helen Moran comme si elle ne pouvait même pas envisager le contraire.

— Bien sûr. C'est une tragédie dont nous devons parler tous ensemble pour essayer de trouver des solutions et éviter qu'elle ne se reproduise.

— Le Dr Mason n'avait-il pas deux autres opérations en cours au même moment ? C'est ce que j'ai entendu dire.

— Il faudra que je vérifie ça...

— J'espère bien. En fait, je sais que c'est ce qui s'est passé. Personnellement, je pense que le système des opérations simultanées ne devrait pas exister. Ni dans notre hôpital ni ailleurs. Je le dis tout net. De nos jours, c'est inacceptable.

— Je ne suis pas très partisan de cette formule, moi non plus, dit poliment Noah. Maintenant excusez-moi, je dois aller au Broomfield Hall.

Pendant qu'il parlait avec Helen Moran, la petite troupe d'internes de première année qu'il avait vue approcher s'était rassemblée autour d'eux. À l'instant où l'infirmière tourna les talons, plusieurs voulurent le questionner en même temps sur le programme des gardes. Noah sourit et leva les mains comme s'il parait une attaque, puis pointa un doigt vers la sortie.

— Et si nous allions tous à côté boire un café et grignoter un morceau ? proposa-t-il. Je vous promets de répondre à toutes vos questions.

Les internes emboîtèrent docilement le pas à Helen Moran. Noah les regardait s'éloigner lorsqu'une autre main lui tapa sur l'épaule — mais cette fois avec une telle brusquerie qu'il dut faire un pas en avant pour ne pas trébucher. Il se retourna pour protester et dut aussitôt ravaler sa colère : son agresseur était le Dr Mason. Et il avait l'air de très mauvais poil.

– J'ai entendu ce que vous avez dit à cette femme, grogna le chirurgien. Écoutez-moi bien, mon ami ! Vous avez intérêt à marcher sur des œufs, avec ce cas Vincent, sinon vous risquez d'avoir de sérieux ennuis.

Pour souligner son propos, Mason planta trois fois de suite l'index boudiné de sa main droite dans la poitrine de Noah.

– Pardon ? fit celui-ci pour se donner le temps d'assimiler la menace qu'il venait d'entendre. Vous disiez… ?

– Vous m'avez très bien compris, monsieur le petit saint. N'allez surtout pas, je dis bien *surtout pas*, transformer ce merdier Bruce Vincent en procès contre la pratique des opérations simultanées. Sinon, vous aurez contre vous les chirurgiens les plus puissants du BMH. Des chirurgiens qui sont obligés de se dédoubler en salle d'op pour donner satisfaction à tous les patients qui réclament leurs services. Vous me suivez, là ? Et un petit rappel pour que tout soit bien clair : la direction de l'hôpital nous soutient à fond, dans cette histoire, pour la simple raison que c'est nous qui rapportons le fric qui fait tourner la boutique. Vous avez pigé ?

– Je vous entends bien, marmonna Noah.

Mason le toisait, sans cligner des yeux, le menton rentré entre les épaules comme un boxeur.

– J'examinerai le cas avec le plus grand soin et je présenterai les faits tels qu'ils sont, ajouta Noah. C'est la seule solution.

– Arrêtez vos conneries, mon ami, et ne me prenez pas pour un imbécile ! Les faits, vous pouvez les présenter comme ça vous arrange. Mais je vous préviens. La chirurgie n'a aucune responsabilité dans cette affaire. C'est l'anesthésie qui a merdé en choisissant la mauvaise option pour le patient, point barre. Le patient a lui-même aggravé la situation, bien sûr, et ça c'est une chose qui aurait dû être découverte à l'admission. N'allez pas chercher plus loin, sinon croyez-moi, vous pourrez aussi vous mettre à chercher du boulot.

– Je présenterai les faits tels qu'ils sont, répéta Noah.

Il reprenait un peu confiance en lui et il estimait que Mason allait dans la mauvaise direction en essayant de lui dicter ce qu'il devait dire au M&M. En même temps, il était assez réaliste pour se rendre compte que cette affaire était bel et bien le méchant bourbier qu'il avait craint.

– Tiens donc ? répliqua Mason d'un air narquois. Alors permettez-moi de vous en donner un, de fait. Bruce Vincent était vivant quand vous avez débarqué dans la salle d'op pour jouer au héros en lui découpant la poitrine. Mais manque de pot, vous avez tué le patient. Ça, c'est un fait !

Noah eut tout à coup la bouche sèche. Il y avait une part de vérité dans ce que disait Mason, bien sûr – sauf que s'il n'était pas intervenu pour « découper » la poitrine de Bruce Vincent, celui-ci aurait rendu l'âme trois ou quatre minutes après tout au plus. En décidant de le brancher à la machine de circulation extracorporelle, il avait pris un risque nécessaire… qui n'avait hélas pas payé. Cependant, il n'était pas impossible que quelqu'un défende l'idée que le Dr Rothauser avait été imprudent et qu'il aurait suffi, pour sauver le patient, de le défibriller extérieurement et de réaliser la fibroscopie bronchique.

– Vous feriez bien d'y réfléchir très sérieusement ! asséna Mason.

Il planta une fois de plus son index dans la poitrine de Noah, assez fort pour l'obliger à reculer d'un pas, puis il tourna les talons vers la sortie et traversa l'estrade encore bien peuplée comme un hors-bord agressif une baie encombrée de voiliers de plaisance.

4

Dans une rue éclairée par de rares réverbères d'un quartier pavil-
lonnaire de Middletown, Connecticut, une camionnette Ford noire
– un modèle récent à capot court et phares profilés – se rangea
au bord du trottoir. Immatriculée dans le Maryland, elle avait l'air
d'un banal véhicule utilitaire sans aucune inscription sur ses flancs.
Ses phares s'éteignirent, mais le moteur continua de tourner pour la
climatisation. Une pluie fine tombait du ciel nocturne. Il n'y avait
qu'une seule personne en vue : un type qui promenait un petit
chien, assez loin devant, et il ne tarda pas à disparaître dans un
jardin. La lumière brillait encore dans nombre des maisons plutôt
modestes bordant cette rue tranquille, mais le plus souvent à l'étage
car, pour la plupart des gens, l'heure de dormir approchait.

Deux hommes occupaient les confortables sièges en cuir de la
camionnette. Ils portaient l'un et l'autre un costume d'été avec
une cravate noire : celui de George Marlowe était gris clair, celui
de Keyon Dexter noir. Proches de la quarantaine, ils étaient bâtis
comme des athlètes, avec des cheveux coupés en brosse et un
visage glabre. Anciens Marines, ils se connaissaient depuis l'Irak

où ils avaient travaillé ensemble dans une unité spécialisée dans la guerre cybernétique. Keyon était un Noir au teint relativement clair. George, le Blanc, avait les cheveux blonds. Ils observaient à travers le pare-brise, de l'autre côté de la chaussée et à une cinquantaine de mètres de l'endroit où ils étaient garés, une maison de style Craftsman précédée d'un porche au toit à deux pans, soutenu par deux fines colonnes. La lumière brillait à plusieurs fenêtres du rez-de-chaussée, mais pas à l'étage.

— Regarde s'il est sur Internet en ce moment, dit Keyon, assis au volant. Et pendant que tu y es, vérifie encore une fois les coordonnées GPS. Il ne faudrait pas se tromper de lascar !

La plaisanterie les fit tous deux s'esclaffer tandis que George ouvrait un ordinateur portable sur ses genoux pour y entrer habilement quelques commandes.

— Ouais, il est connecté, dit-il une minute après. Sans doute pour faire le troll, comme d'habitude, et pourrir la vie des gens. Je te confirme aussi que c'est la bonne maison.

Il rabattit le couvercle de l'ordinateur et se retourna pour poser l'appareil sur la banquette arrière de l'habitacle. Au-delà des sièges, la camionnette était remplie d'ordinateurs et d'appareils de surveillance sophistiqués.

— Le moment est donc venu de faire connaissance avec Savageboy69, dit Keyon.

— Ouais, dit George. Mais je crois qu'il ne faut pas s'attendre à un play-boy. Dix contre un que c'est un pauvre mec proche de la cinquantaine comme il y en a tant : laid comme un pou et chiant à mourir.

— T'as sans doute raison, convint Keyon. Et on peut être sûr que malgré son profil Internet, c'est juste une couille molle.

Ils s'esclaffèrent de nouveau. Ils savaient que dans le jargon de la « culture connectée » du monde des ados greffés à leurs smartphones, comme dans les paroles de certaines chansons de rap, *Savage boy* était à peu près équivalent à *Fuck boy*. Une expression qu'aucun des deux hommes n'aurait pu définir précisément, mais dont la signification allait de soi – un peu comme le concept de pornographie, qu'ils avaient aussi du mal à expliquer mais qu'ils savaient reconnaître quand ils tombaient dessus. Mais bon : s'il fallait vraiment mettre des mots là-dessus, le *Fuck boy*, c'était le connard de chez connard qui faisait vraiment chier son monde, surtout les filles, et le *Savage boy*, c'était le même en pire parce qu'il se prenait en plus pour un dur.

– J'espère qu'il est seul chez lui, dit Keyon. Ça nous facilitera la tâche et le travail sera plus propre.

Ils avaient passé l'adresse de la maison dans plusieurs bases de données pour dégoter un certain nombre de renseignements sur son propriétaire. L'homme s'appelait Gary Sheffield. Quarante-huit ans, divorcé depuis cinq, il travaillait comme statisticien dans une compagnie d'assurances. Il n'avait pas de casier judiciaire et pas d'enfant.

– T'es prêt ? demanda George.

– Vois pas comment je pourrais être plus prêt, répondit Keyon en coupant le moteur.

Quand ils ouvrirent leurs portières, ils furent frappés par le chant des grillons. C'était une chaude nuit d'été. La pluie venait de cesser. Des pavillons les plus proches leur parvenaient aussi les ronronnements des climatiseurs.

Ils marchèrent d'un bon pas, mais sans hâte particulière, jusqu'à la maison de Gary Sheffield, grimpèrent les trois marches du perron et prirent position de part et d'autre de la porte. Ils connaissaient leur métier ; ils avaient fait cette manœuvre bien des fois. George appuya sur le bouton de la sonnette. Un carillon retentit à l'intérieur du pavillon.

Ils patientèrent. À l'instant où George retendait le doigt vers la sonnette, la lumière du perron s'alluma. Puis la porte s'entrouvrit et un œil inquiet apparut dans l'embrasure.

— C'est à quel sujet ? demanda une voix masculine.

— Bonsoir, répondit Keyon. Êtes-vous monsieur Gary Sheffield ?

— C'est bien moi. Et vous, qui êtes-vous ?

— Je suis l'agent spécial Dexter, du FBI, et voici l'agent spécial Marlowe.

Keyon présenta son insigne à Gary. Marlowe en fit autant et dit :

— Nous avons quelques questions à vous poser.

Gary Sheffield ouvrit la porte en grand. Le sang avait reflué de son visage.

— À propos de quoi ?

— Nous travaillons à la cyber-division du FBI. Il a été porté à la connaissance de nos services que certaines activités criminelles ont été perpétrées sur Internet depuis votre adresse. Nous sommes chargés de l'enquête.

— Des activités criminelles ? répéta Gary d'une voix entrecoupée. Mais... quel genre, ces activités criminelles ?

Comme l'avaient supposé ses interlocuteurs, l'homme était de taille moyenne, en surpoids sans être obèse, avec les cheveux clair-semés et la peau marbrée. Pas un play-boy, en effet.

— C'est bien ce dont nous devons vous parler, dit Keyon. Alors voilà : soit nous vous arrêtons et nous vous conduisons à nos bureaux, soit vous nous laissez entrer, vous répondez à nos questions et peut-être que nous réussirons à éclaircir cette histoire ce soir. À vous de décider, monsieur.

Gary recula, la main sur la poignée de la porte, invitant du menton Keyon et George à pénétrer dans le hall de la maison. Quand il referma le battant, il tremblait de manière manifeste.

– Nous pouvons nous asseoir dans le séjour, bafouilla-t-il en tendant le bras vers sa gauche.

– Vous, vous allez vous asseoir, ordonna George d'un ton agréable. Mon collègue et moi allons rester debout.

Il désigna le canapé de la pièce sinistre où ils venaient d'entrer. Un ordinateur portable était ouvert sur la table basse – avec la photo d'un spectaculaire paysage de montagne en fond d'écran. Une bouteille de bière décapsulée se trouvait à côté.

Gary obtempéra. Et rabattit l'écran du portable.

– Tout d'abord, êtes-vous seul dans la maison en ce moment ? demanda George.

– Oui, je suis seul, répondit Gary comme si la question lui paraissait absurde.

– OK, parfait. Maintenant, j'aimerais savoir si vous connaissez les sanctions prévues par la loi, dans l'État du Connecticut, pour les actes de cybercriminalité ?

Gary fit non de la tête et déglutit.

– Ce sont des crimes considérés comme très graves, dit George. Ils peuvent vous valoir jusqu'à vingt ans de prison.

Gary écarquilla les yeux. Ses doigts trituraient ses cuisses.

– Y a-t-il un autre ordinateur que celui-ci dans la maison ? demanda Keyon. Portable ou de bureau ?

– Non.

– Bien ! Sachez que nous allons peut-être devoir confisquer cette machine, car d'après nos informations elle a servi à commettre des actes de traque, de harcèlement et de menaces en ligne à l'encontre d'une jeune fille de treize ans qui s'appelle Teresa Puksar. Ce nom vous dit-il quelque chose ?

– Je... Sans doute, convint Gary dans un murmure rauque.

Keyon et George échangèrent un regard entendu.

– Ces activités sont apparemment menées par un individu qui a pris pour nom d'utilisateur, sur certains réseaux sociaux, Savage-boy69, poursuivit Keyon. Sur Facebook, il se fait aussi appeler Marvin Hard. Ces pseudonymes vous sont-ils connus ?

De plus en plus blême, Gary hocha la tête.

– D'accord, dit Keyon. Parfait. Nous allons dans la bonne direction, c'est encourageant.

– Ces deux identités numériques sont donc les vôtres ? demanda George.

Gary hocha de nouveau la tête.

– En avez-vous d'autres ? Quels sont les autres pseudos que vous utilisez ? relança George.

– Heu, il y avait aussi Barbara Easy, marmonna Gary. Mais c'est fini. Je ne m'en suis pas servi depuis longtemps.

– Intéressant, commenta George avec un sourire ironique. C'est assez futé, de se faire passer pour une fille pour voir ce que ça donne. Expérience concluante ?

Gary ne répondit pas.

– Maintenant, soyons un peu plus précis, enchaîna Keyon. Caché derrière le pseudonyme de Marvin Hard, vous avez réussi à repérer l'adresse IP de l'ordinateur de Teresa Puksar, et à partir de là vous vous êtes débrouillé pour trouver son adresse postale. Puis vous avez décidé de la menacer de faire débarquer la police chez elle si elle ne vous envoyait pas des photos érotiques d'elle. Cette description de vos activités vous paraît-elle correcte ?

– J'ai peut-être besoin d'un avocat ? demanda Gary d'un air hésitant.

– À vous de voir, monsieur Sheffield, dit Keyon avec un haussement d'épaules. Mais si vous souhaitez convoquer un avocat à ce stade préliminaire de notre enquête, nous serons obligés de vous arrêter, de confisquer cet ordinateur et de vous conduire à notre bureau régional. Là-bas, vous serez autorisé à passer un appel télé-phonique à votre avocat, si vous en avez un, dans les vingt-quatre à quarante-huit heures suivantes. Préférez-vous procéder de cette façon ? C'est votre choix.

— Je ne sais pas, admit Gary.

Il ne comprenait pas bien les intentions de ces deux agents. Pour le moment, il sentait juste qu'il était dans de sales draps.

— Comme je vous l'ai dit à notre arrivée, continua Keyon, nous aimerions tirer cette affaire au clair et en rester là. Vous arrêter, ça nous obligerait à remplir des tonnes de paperasse. Autant évi-ter, non ? Nous devons boucler notre travail d'enquête et avoir la certitude que vous mesurez pleinement les risques que vous prenez si vous harcelez et faites du chantage à des adolescentes. Naturel-lement, nous devons aussi être sûrs que vous allez changer d'atti-tude. En votre faveur, je dois préciser que vous n'avez pas cherché à rencontrer cette jeune mineure. Tant mieux. Mais les menaces que vous lui avez adressées sont inacceptables. Et puis la question de savoir ce que vous comptiez faire de ces photos érotiques que vous lui avez réclamées, bon... c'est un tout autre problème. À ce stade de l'enquête, nous pouvons peut-être laisser de côté l'aspect pornographie infantile de votre démarche. Mais nous avons besoin de savoir certaines choses.

— De quel genre ? demanda Gary.

— Un point essentiel, tout d'abord. Agissez-vous seul ou avec quelqu'un ? Et avez-vous communiqué à quiconque les informations que vous avez pu glaner au sujet de Teresa Puksar au fil de vos échanges de messages avec elle ? Un renseignement particulier, par exemple, qu'elle vous a révélé ou que vous avez réussi à découvrir ?

— Non ! affirma Gary. Mes activités sur Internet ne concernent que moi. Je ne partage rien du tout, avec personne.

– Vu certains messages de votre part que j'ai pu lire, je vous félicite de votre sagesse, monsieur Sheffield, souligna Keyon avec une pointe de sévérité dans la voix. Vous avez affirmé à Mlle Puksar que vous aviez vingt ans et que vous étiez à la fac. Mais vous me paraissez encore plus immature qu'elle. Pour le moment, quoi qu'il en soit, nous avons besoin que vous répondiez à cette question essentielle : avez-vous communiqué à quiconque soit l'adresse Internet, soit l'adresse personnelle de Mlle Puksar ? Attention, réfléchissez bien ! Je veux que vous preniez quelques instants, car c'est un point très important. Avez-vous transmis à quelqu'un les identifiants de Mlle Puksar ou l'adresse de son domicile ?

– C'est tout réfléchi, dit Gary sur le ton de l'évidence. Je ne parle de tout ça à absolument personne.

– Avez-vous écrit les coordonnées de Mlle Puksar quelque part ? Les avez-vous copiées sur un quelconque support de stockage ? Les avez-vous enregistrées dans vos contacts ? Réfléchissez, monsieur Sheffield !

– Tout ce que je sais à son sujet est là, dans le portable, affirma Gary en désignant l'ordinateur sur la table basse. Je n'ai rien copié ou écrit nulle part ailleurs.

– Et votre smartphone ? relança Keyon.

– Je n'ai aucune adresse enregistrée dans mon téléphone, dit tranquillement Gary. Il y a juste son numéro.

Il commençait à reprendre du poil de la bête, car il sentait qu'il donnait satisfaction aux enquêteurs et que cet épisode très désagréable s'achèverait sans doute bientôt.

– Montrez-moi ça ! ordonna Keyon.

Gary tendit la jambe droite pour extirper son smartphone de la poche avant de son pantalon. Il ouvrit le répertoire et fit apparaître la fiche de Teresa Puksar : elle ne contenait qu'un numéro de téléphone, en effet, commençant par le code régional 617 – celui de

Boston et de sa banlieue. Keyon hocha la tête après avoir examiné l'écran qu'il lui présentait.

George et Keyon échangèrent un regard – la question étant de savoir si l'interrogatoire était arrivé à son terme –, puis hochèrent légèrement la tête. Ils avaient tout ce qu'ils étaient venus chercher et pouvaient conclure. De la main droite, Keyon forma un pistolet, avec son index tendu et son pouce, qu'il pointa sur George.

Sans un instant d'hésitation, celui-ci tira le Smith & Wesson .38 Special qu'il portait dans un holster d'épaule, sous sa veste, et en pointa le canon sur le front de Gary. La détonation parut bruyante dans la petite pièce aux murs et au plafond de plâtre nu. La balle à tête creuse, pénétrant juste au-dessus du nez de Gary, projeta son crâne en arrière et dispersa éclaboussures de sang et fragments de cerveau derrière le canapé.

Après avoir agité la main pour disperser l'odeur de cordite, George saisit l'ordinateur et le smartphone sur la table basse.

– Dépêchons-nous ! dit-il. On emporte quelques merdes, en plus du matos électronique, pour donner l'impression d'un cambriolage qui a mal tourné.

– Carrément ! dit Keyon qui enfilait déjà des gants en latex.

Il fit basculer le cadavre de Gary Sheffield sur le canapé pour tirer son portefeuille de sa poche de derrière. Il embarqua aussi la Rolex qu'il portait au poignet.

5

Noah franchit le sourire aux lèvres la double porte battante qui séparait le bloc opératoire proprement dit du couloir menant à la salle de détente. Il était d'humeur plutôt joyeuse, car il venait de visiter chaque salle d'opération l'une après l'autre pour voir comment les différents internes qui s'y trouvaient ce matin, et en particulier ceux de première année, assuraient leur rôle d'assistant auprès des praticiens hospitaliers. Il était déjà à peu près sûr, avant de venir, que tout allait bien – il n'avait entendu aucune plainte, ni de la part des chirurgiens ni de la part du personnel infirmier, tout au long de sa première semaine en tant que superchef –, mais il préférait vérifier par lui-même qu'il n'y avait aucun souci nulle part. Il était important qu'il sache s'il avait réparti correctement les internes au planning du bloc. Rien ne valait de débarquer dans une salle d'opération à l'improviste pour écouter les conversations entre praticiens, internes et infirmières, et se faire une idée de l'humeur générale. En restant quelques minutes sur place, Noah pouvait observer pas mal de choses qu'il confirmait ensuite – ou pas – en discutant avec l'infirmière circulante. Quelques chirurgiens le reconnaissaient, s'ils le voyaient du coin de l'œil entrer dans la salle, mais beaucoup ne le remarquaient même pas. Il avait ainsi l'impression d'être un petit agent secret hospitalier.

Il se sentait assez tranquille pour prendre le temps de se préparer un bon café dans la salle de détente. Il le but lentement en observant l'animation dans la rade de Boston par la fenêtre : il y avait surtout des navires de commerce, comme d'habitude, mais un certain nombre de plaisanciers étaient aussi sur l'eau pour profiter du soleil estival. Pendant quelques instants, Noah se demanda ce que deviendrait sa vie, dans moins d'un an désormais, lorsqu'il aurait terminé cette très longue et très difficile formation à laquelle il se serait donné corps et âme – lorsqu'il aurait enfin atteint le but qu'il visait depuis tant et tant d'années. Il adorait la chirurgie, il adorait l'internat, mais il était bien conscient que, depuis cinq ans, il se cloîtrait dans l'hôpital. Le départ regrettable, mais bien compréhensible, de Leslie l'avait obligé à regarder cette réalité en face. En dehors du BMH, c'était bien simple, il n'avait pas de vie. Il savait qu'il était devenu une sorte de reclus. Quand tout serait fini, réussirait-il à se réadapter à un minimum de vie sociale – et à prendre du bon temps comme ces gens, là, qui bronzaient sur les ponts de leurs bateaux ? Ou bien était-il condamné à toujours trimer comme un fou furieux de la médecine ? Il ne savait pas. Mais il se rendait compte qu'il lui faudrait produire de vrais efforts pour se réformer. Avoir sans doute aussi un peu de chance. Ainsi, il rencontrerait peut-être une femme qui ne prendrait pas mal de partager la vie d'un homme totalement dévoué à son métier de chirurgien...

Noah soupira et tourna le dos au port pour regarder la salle de détente et les gens qui peuplaient sa réalité quotidienne. N'ayant aucune opération programmée, il pouvait prendre encore un moment pour examiner cette nouvelle journée dans le monde clos qui était le sien. Sur le plan professionnel, les choses se passaient remarquablement bien. La matinée avait été chargée, comme d'habitude, depuis qu'il était arrivé à l'hôpital à cinq heures et quart, mais il n'était survenu aucun incident ou problème particulier. L'unité de soins intensifs était calme et Carol Jensen ne tarissait pas d'éloges au sujet de Lynn Pierce, l'interne de première année. L'interne chevronné qui avait été de garde au service de chirurgie pendant la nuit n'avait eu aucune critique à faire sur les novices placés sous sa responsabilité. La visite des patients s'était bien passée et les présentations de cas par les première année avaient été étonnamment cohérentes et percutantes – petite preuve supplémentaire que la commission de recrutement du programme de l'internat du BMH avait fait un sacré bon boulot. Même la première conférence de sciences fondamentales, ce matin, à sept heures et demie, avait été très réussie, d'après les échos que Noah avait pu en avoir. Et cerise sur le gâteau, la visite du chef de service s'était mieux passée qu'il n'aurait pu l'imaginer. Le Dr Hernandez lui avait même donné une tape sur l'épaule, à la fin, qui constituait une marque d'approbation d'autant plus appréciable qu'elle était rare.

Noah décida de s'offrir un second café. Il n'aurait pu rêver d'une matinée plus sympa – d'une *première semaine*, à vrai dire, plus sympa. Et tant pis s'il n'était pas retourné à son appartement depuis six jours. Pour les fausses notes, s'il fallait en citer, quelques bizarreries s'étaient révélées dans le planning toujours compliqué des gardes, mais Noah avait réussi, avec l'aide de Candy Wong, à tout arranger de façon satisfaisante pour tout le monde. Au fil des jours, il avait même eu la possibilité de parler un moment en tête à tête avec chacun des vingt-quatre internes de première année. Cet exercice lui avait permis de bien mémoriser leurs noms à tous, de découvrir leurs aspirations et leurs centres d'intérêt, et de leur assigner ensuite les tuteurs qui leur convenaient sans doute le mieux parmi les membres de la faculté. Cette corvée-là était donc elle aussi réglée.

Son mug vidé, il se dirigea vers l'évier pour le laver. Cette accalmie un peu inattendue dans le déluge de ses obligations était bien appréciable. Il prévoyait maintenant de continuer à en profiter en allant à la bibliothèque, après avoir laissé son pyjama de bloc au vestiaire, pour lire les articles de revues spécialisées qu'il avait sélectionnés en vue de la réunion de mardi du Journal club.

Mais les choses ne devaient finalement pas se passer ainsi. Noah fermait le robinet et posait le mug sur le séchoir, lorsqu'il sentit tout à coup une présence derrière lui. Jetant un coup d'œil par-dessus son épaule, il aperçut Dawn Williams, l'infirmière circulante de l'opération Bruce Vincent. Elle s'était approchée sans bruit et semblait attendre qu'il ait terminé sa vaisselle. Il se retourna sans hâte. Avec son mètre soixante-seize et ses quelques kilos en trop, Dawn ne passait pas vraiment inaperçue – surtout lorsque son nez, comme tout de suite, se trouvait à une trentaine de centimètres du visage de Noah. Il ne la connaissait pas très bien, mais il savait que c'était une infirmière travailleuse, aux opinions bien arrêtées, qui n'avait pas sa langue dans sa poche.

– Auriez-vous quelques instants, docteur Rothauser ? demanda-t-elle à mi-voix.

Son ton indiquait qu'elle n'attendait pas une réponse négative. Noah réprima un soupir et embrassa la salle de détente du regard. Il y avait pas mal de monde, mais ce n'était pas non plus un moment de grande affluence. L'infirmière le dévisageait sans cligner des yeux.

– Oui. Je vous écoute, répondit-il poliment.

– Je voulais vous donner mon point de vue sur le cas Bruce Vincent.

– Allons quelque part où nous serons plus tranquilles, si vous voulez ?

Un frisson désagréable parcourut Noah. Le cas Bruce Vincent. Là, c'était typiquement le genre de situation où il regrettait de ne pas avoir de bureau personnel. Il était clair que Dawn s'apprêtait à lui dire des choses qu'il devait, de préférence, être seul à entendre.

— Ce n'est pas la peine, dit-elle. Personne ne fait attention à nous.

— D'accord. De quoi s'agit-il ?

— Puisque vous devez présenter le cas au M&M de la semaine prochaine, je voudrais m'assurer que vous avez été bien informé que le Dr Mason n'est arrivé en salle d'op qu'une heure après le début de l'anesthésie. Comme il était très en retard, en plus, il n'y a pas eu de briefing préopératoire. Tout le monde sait que les choses ne doivent pas se passer de cette façon. Si le chirurgien avait été là au moment voulu, ou en tout cas beaucoup plus tôt, cette histoire aurait sans doute pu se terminer bien différemment.

— Je suis au courant qu'il y a eu un certain retard, dit Noah avec tact.

— Il avait trois patients sous anesthésie en même temps !

Se rendant compte qu'elle avait presque crié, Dawn porta une main devant sa bouche et regarda autour d'elle. Heureusement, personne dans la salle ne semblait broncher.

— Désolée, dit-elle.

— Ne vous tracassez pas. Je n'ai pas terminé ma petite enquête sur ce cas et je compte bien parler avec toutes les personnes qui y sont associées. Y compris avec vous, si vous avez quelque chose à ajouter ultérieurement. Et je vous remercie d'être venue me voir.

— Je sais que le système des opérations simultanées divise beaucoup le personnel du bloc, reprit Dawn à voix basse. Mais cette histoire, la mort de Bruce Vincent, est inacceptable. Je voulais être sûre que vous sachiez ce qui s'était passé. Je crois qu'il faudra en parler au M&M.

— Je suis content de connaître votre opinion. N'ayez crainte, je me pencherai sur tous les aspects de cette affaire. Y compris le fait que l'intervention a démarré beaucoup plus tard qu'elle n'aurait dû.

— Merci d'avoir pris le temps de m'écouter. Bruce Vincent était un homme adorable. Sa disparition est une tragédie qui n'aurait jamais dû se produire. C'est ce que je pense, en tout cas. Il me manque chaque matin quand j'arrive au parking de l'hôpital. Enfin voilà. Merci encore et bonne chance. À cause de cette histoire, vous savez, beaucoup de gens sont très remontés.

— Et c'est bien compréhensible. La mort d'un patient en salle d'opération, c'est toujours un drame. Surtout un patient qui était jeune, en bonne santé, et très apprécié par toute la communauté du BMH. Merci encore d'être venue me voir.

— Je vous en prie, dit Dawn avec un petit hochement de tête.

Noah soupira profondément tandis qu'elle s'éloignait. Il était irrité, à présent, mais pas contre l'infirmière : contre lui-même. Car il savait que, toute la semaine passée, il n'avait cessé de remettre à plus tard le boulot qu'il devait fournir sur le cas Vincent. Il avait aussi raconté un bobard à Dawn en disant qu'il n'avait pas terminé son enquête. En vérité, il n'avait pas avancé d'un pouce. Son petit accrochage avec le Dr Mason, dans l'amphithéâtre Fagan, aurait dû le décider à agir. Mais il avait préféré faire l'autruche et enfoncer la tête bien profond dans le sable en espérant bêtement que ce petit cauchemar disparaîtrait comme par miracle. Maintenant, il devait se secouer un bon coup, car le M&M arrivait à grands pas : mercredi prochain, dans seulement quatre jours !

Se résignant à abandonner l'idée de travailler à la bibliothèque, Noah renonça aussi à remettre ses vêtements de ville. Il passa aux vestiaires juste le temps de récupérer sa blouse et de l'enfiler par-dessus son pyjama de bloc, puis il descendit au deuxième étage de la tour Stanhope afin de gagner le bureau qu'il partageait – hélas – avec quatre autres personnes. Tant pis pour l'idée de profiter de son moment de tranquillité pour préparer la réunion du Journal club. Le temps libre était décidément une denrée rare pour Noah Rothauser. Mais tant mieux aussi, en un sens : cette discussion inattendue avec Dawn avait été le rappel à l'ordre dont il avait besoin.

Il avait certes commencé à préparer le M&M, après son troublant échange avec le Dr Mason, en dressant la liste de toutes les personnes associées au cas Vincent – qu'il pensât avoir besoin de les interviewer ou pas. Mais cette tâche n'avait été qu'une solution temporaire, au fond, pour endiguer sa colère et son anxiété. Il avait fourré cette liste dans un tiroir de sa table, puis il l'avait oubliée sans aucune difficulté car il avait été submergé, dans son nouveau rôle de superchef des internes, par un tsunami d'obligations plus pressantes.

Il entra dans le bureau de l'internat de chirurgie, salua rapidement tout le monde, s'assit à sa place et sortit la liste de sa planque pour la poser devant lui. Le stylo en main, il réfléchit quelques instants. Il pouvait sans doute biffer les noms de Dawn Williams et d'Helen Moran, car il n'aurait a priori pas besoin de leur reparler. Il restait donc : Martha Stanley, Connie Marchand, Gloria Perkins, Janet Spaulding, Betsy Halloway, ainsi que les Drs Ava London, David Wiley, Harry Chung, Sid Andrews, Carl White et William Mason. Il mit un point d'interrogation après Wiley, Chung, Andrews et White : ces quatre médecins n'avaient été que des auxiliaires ; les interroger n'apporterait sans doute rien de déterminant à l'examen de l'aspect central du drame, à savoir l'épisode de régurgitation qui avait été fatal au patient.

La liste comportait un autre nom qui n'était pas celui d'une personne, mais d'une organisation. Noah songeait à contacter l'Institut médico-légal. Le patient étant décédé au cours d'une opération chirurgicale, son corps devait être examiné par un médecin légiste. C'était la loi. Il espérait que l'IML saurait expliquer pour quelle foutue raison le cœur de cet homme n'était pas reparti, même avec un stimulateur interne, après avoir été branché un petit moment à la machine de circulation extracorporelle. Il devait absolument avoir une réponse à cette question, à vrai dire, car il était certain qu'elle se poserait lors du M&M si le coléreux Dr Mason cherchait à faire de lui un bouc émissaire.

Noah activa l'écran de l'ordinateur installé à l'angle de la table et tira le clavier vers lui. Ayant accédé au serveur de l'hôpital avec son mot de passe, il fit apparaître le dossier médical de Bruce Vincent. Celui-ci n'était pas bien épais : outre les informations personnelles du patient, il ne contenait que les données relatives à sa fatidique opération.

Et parmi elles, le bilan préopératoire réalisé juste avant l'intervention par l'assistant du Dr Mason, le Dr Kolganov – un type que Noah avait rencontré une poignée de fois. De manière générale, il évitait autant que possible le Dr Mason. Cependant, comme il désirait maîtriser à la perfection la chirurgie du pancréas, il était bien obligé de se faire violence de temps en temps car Mason était tout simplement le meilleur dans ce domaine au BMH. À plusieurs reprises, donc, il s'était contraint à côtoyer le célèbre et talentueux praticien en salle d'opération afin d'apprendre sa technique. Or, travailler avec Mason signifiait aussi – jusqu'à la semaine passée – travailler avec son assistant, un Kazakh qui s'appelait Aibek Kolganov. Pour diverses raisons, Noah n'avait jamais été épaté par les compétences de cet homme, et maintenant qu'il examinait le compte rendu du bilan préopératoire de Bruce Vincent, il l'était encore moins. Il avait sous les yeux, en guise de notes, ce qui s'apparentait à des copier-coller de formules toutes faites – comme n'importe qui pouvait en récolter en explorant des sites Internet de médecine.

Après avoir scanné une longue liste d'absence d'antécédents dans le passage en revue des systèmes corporels, il eut la surprise de tomber sur la mention de deux problèmes particuliers dans le cadre consacré à l'appareil digestif. Primo, il était dit que le patient souffrait modérément de reflux gastro-œsophagien. Secundo, il avait aussi de légers symptômes de ballonnement et de constipation. Ces informations elles-mêmes n'émouvaient guère Noah. Ce qui le faisait tiquer, c'était qu'elles étaient inscrites dans une police de caractères différente de celle de toutes les autres entrées du document. Et quand il examina la chose d'un peu plus près, il s'aperçut qu'elles avaient été ajoutées *après* l'intervention.

Noah se redressa contre le dossier de sa chaise et regarda dehors par la fenêtre pour assimiler cette découverte. Modifier un dossier médical après qu'un événement indésirable était survenu en salle d'opération, c'était une bêtise monstrueuse. Sur le plan juridique, les conséquences d'un tel bidouillage pouvaient être énormes !

– Pas cool, murmura-t-il, et un petit rire sans joie jaillit d'entre ses lèvres.

– Ça ne va pas ? demanda gentiment Gail Yeager, la secrétaire, en relevant la tête.

C'était une femme sensible et généreuse – et sa table faisait face à celle de Noah. Il y avait entre eux un mètre cinquante à tout casser.

– Je ne sais pas, répondit-il, reportant son attention sur l'ordinateur. Merci de poser la question, en tout cas…

De fait, non, ça n'allait pas. Il avait bel et bien un problème. Ou plus exactement, l'hôpital avait un problème qui pouvait lui valoir un procès à plusieurs millions de dollars. Quant à lui, Noah… Là encore, il aurait le rôle du porteur de mauvaises nouvelles s'il en parlait. C'était un truc de plus qui risquait de lui péter à la figure, comme tant d'autres aspects de cette affaire.

Il chercha dans le dossier Vincent le compte rendu de l'interne des admissions chargé de la prise en charge des patients – il voulait voir si le reflux et le ballonnement y étaient mentionnés. Mais ce compte rendu était absent du dossier. Noah poussa un gros soupir. Encore un problème de plus. Pourquoi Bruce Vincent n'avait-il pas été examiné à son arrivée à l'hôpital par l'interne de première ou de deuxième année chargé de ce travail ce jour-là ?

Il cliqua sur le volet « Anesthésie » de l'intervention et découvrit d'abord le rapport automatique de la station d'anesthésie. Il examina les enregistrements des signes vitaux et de l'électrocardiogramme. Tout était normal jusqu'au premier épisode de fibrillation ventriculaire. Sur l'ECG, l'instant du choc du défibrillateur était bien visible. Le cœur reprenait alors un rythme normal jusqu'au second épisode de fibrillation. Un peu plus loin sur le tracé, Noah vit le moment où la fibrillation cessait, suivi de l'arrêt complet de l'activité électrique lorsque la solution saline avait été versée sur l'organe palpitant.

Après le rapport de la station, il tomba sur plusieurs paragraphes rédigés par la Dr Ava London. L'anesthésiste avait un style intéressant. Elle employait de nombreux superlatifs, mais aucun acronyme et aucune contraction d'expressions médicales. Sa première entrée, antérieure à l'épisode de régurgitation fatal, précisait que le patient était en excellente santé : il n'avait aucun problème d'aucune sorte à part la hernie pour laquelle il était opéré, aucune allergie connue, il ne prenait aucun médicament de façon régulière, il était à jeun depuis minuit, il n'avait jamais subi d'anesthésie et... Les yeux de Noah s'arrondirent. Il venait de tomber sur une absence d'antécédent particulièrement frappante, puisque l'anesthésiste précisait que le patient, avant son opération, n'avait jamais souffert d'aucun problème du système digestif du genre reflux ou brûlures d'estomac. Cela signifiait que la Dr London avait interrogé Bruce Vincent sur d'éventuels symptômes de ce type – et qu'il avait répondu par la négative. De même qu'il avait nié avoir petit-déjeuné alors qu'il avait de toute évidence fait le contraire...

Noah savait que ces informations étaient très importantes et, n'en déplaise au Dr Mason, disculpaient sans doute l'anesthésie. Le patient aurait-il répondu honnêtement, à son arrivée à l'hôpital, au sujet de ces deux choses, il ne serait certainement pas mort sur la table d'opération. Tout cela rendait encore plus étrange, par ailleurs, l'entrée ajoutée *après les faits* par l'assistant de Mason dans le bilan préopératoire. Noah étouffa un grognement de dépit. Comment allait-il parler de ces choses-là sans se mettre le Dr Mason complètement à dos ? Hélas, il n'en avait aucune idée.

Remontant à la toute première entrée de la Dr London, il lut que Bruce Vincent s'était déclaré quelque peu anxieux – parce que étant arrivé en retard aux admissions, semblait-il, il craignait que le Dr Mason ne soit fâché de devoir l'attendre au bloc. Drôle d'ironie quand on savait que Mason avait finalement fait attendre le patient anesthésié, et toute l'équipe, pendant plus d'une heure.

À la suite de cette première entrée, l'anesthésiste livrait de simples précisions sur le dosage de midazolam qu'elle avait donné à Vincent pour son anxiété, puis sur le lancement de la rachianesthésie à la bupivacaïne, qui n'avait posé aucun problème, avant qu'elle n'endorme finalement le patient avec du propofol.

La seconde entrée de la Dr London, encore plus concise et technique, portait sur les événements survenus au moment du passage de la rachianesthésie à l'anesthésie générale : la régurgitation massive du patient, le début d'aspiration de ses voies aériennes juste après, puis son brutal arrêt cardiaque pendant la pose de la sonde d'intubation endotrachéale. Venaient ensuite la défibrillation, l'administration d'héparine pour fluidifier le sang, le branchement du patient sur la machine de circulation extracorporelle, et enfin la fibroscopie. La Dr London avait aussi dressé la liste de toutes les substances qui avaient été essayées, sans succès, pour inciter le cœur à se remettre à battre. Dans sa dernière phrase, elle citait l'heure à laquelle la machine cœur-poumon avait été éteinte et le patient déclaré décédé.

Noah prit une grande inspiration. La lecture de ces notes ravivait dans son esprit un souvenir très vivace de la scène – la partie à laquelle il avait assisté, du moins. L'épisode avait été très perturbant pour tout le monde.

Cliquant sur les notes des infirmières, il découvrit d'abord ce que Martha Stanley, une femme qu'il connaissait depuis sa première année d'internat, avait écrit aux admissions. Dans une prose qui utilisait tous les acronymes et les raccourcis verbaux de sa profession, Martha disait simplement que tout était en ordre pour ce qui concernait le bilan préopératoire, l'ECG et les analyses sanguines de Bruce Vincent. Elle précisait qu'il n'avait aucune allergie connue, ne prenait aucun médicament de façon régulière, n'avait jamais été anesthésié et était à jeun depuis minuit. Et sa hernie était du côté droit. Elle ne parlait pas de reflux gastro-œsophagien.

Il y avait aussi les notes des autres infirmières impliquées dans le processus d'admission de Vincent : Helen Moran et Connie Marchand. Noah put constater que ces deux femmes lui avaient posé les mêmes questions que Martha Stanley – et avaient obtenu les mêmes réponses, notamment quand elles s'étaient assurées qu'il était à jeun depuis la veille. En outre, elles ne parlaient pas non plus d'un quelconque souci de reflux gastro-œsophagien. Un seul détail différenciait la note d'Helen Moran de celle de sa collègue : elle précisait avoir tracé un X au marqueur noir sur la hanche droite de Bruce Vincent, comme il était d'usage pour avoir la certitude que le chirurgien opère au bon endroit.

Noah se pencha ensuite sur les comptes rendus opératoires. Il y en avait quatre. Le premier, dicté par le Dr Sid Andrews, décrivait la réparation de la hernie inguinale, qui avait été banale jusqu'à ce que les chirurgiens rencontrent un bout d'intestin coincé dans la hernie et échouent à le déloger de l'extérieur. Le second, dicté par le Dr Adam Stevens, portait sur l'opération consistant à mettre le patient en circulation extracorporelle. Rien de compliqué ici non plus. Le troisième document était celui que Noah avait lui-même dicté au sujet de l'ouverture de la poitrine de Vincent – il n'avait pas besoin de le relire. Le dernier, enfin, était celui du pneumologue, le Dr White, qui décrivait le travail réalisé avec le fibroscope pour aspirer les débris logés dans les poumons du patient.

Pour conclure cet examen approfondi du dossier médical de Bruce Vincent, Noah jeta un œil sur les analyses sanguines, en particulier les valeurs des électrolytes. Tout était normal, y compris les résultats du sang prélevé sur le patient après qu'il avait été branché sur la machine cœur-poumon. Normal, mais contrariant dans la mesure où Noah ignorait toujours pourquoi le cœur avait refusé de se remettre à battre après la fibroscopie. Sur le moment, il avait espéré qu'il s'agissait d'un problème de potassium, qui aurait été à peu près logique et que l'équipe aurait pu essayer de régler. Ne sachant pas ce qui avait cloché, hélas, il ignorait aussi s'il y avait quelque chose qu'ils auraient dû faire différemment.

Noah lâcha la souris et se cala de nouveau contre le dossier de sa chaise. Maintenant, comment procéder et à qui parler en premier ? Difficile à dire, mais il savait tout de même qui il verrait *en dernier* : le Dr Mason. Comme il pouvait être sûr que la conversation avec ce bonhomme tournerait illico à l'affrontement, il fallait qu'il arrive bien armé. D'après ce que Mason lui avait dit sur l'estrade de l'amphithéâtre Fagan, il était malheureusement clair qu'il refusait d'admettre avoir commis la moindre erreur et cherchait à rejeter la faute ailleurs, c'est-à-dire sur l'anesthésie, les admissions et le patient lui-même. Cette idée à l'esprit, Noah décida qu'il valait mieux que la Dr Ava London soit l'avant-dernière personne à qui il s'adresserait. Il ne la connaissait pas vraiment. Elle lui avait toujours paru à peu près cordiale, mais réservée – pour ne pas dire plutôt distante. Sachant que le Dr Mason avait l'intention de faire d'elle un bouc émissaire, Noah aurait sans doute à peu près autant de difficulté à s'entretenir avec cette anesthésiste qu'avec le chirurgien – d'autant qu'elle lui avait déjà fait savoir que Mason était en grande partie responsable, à son avis, de tout ce qui était arrivé. La perspective de se retrouver pris entre les feux croisés de deux praticiens du BMH ne l'enthousiasmait pas du tout.

Prenant subitement la décision de démarrer là où tout avait commencé en ce jour fatidique, c'est-à-dire au bureau des admissions, Noah se leva avec l'intention de monter voir Martha Stanley au troisième étage. Il préférait se présenter simplement à elle que lui téléphoner. Au même instant, son smartphone vibra dans sa poche – et son programme fut chamboulé. L'appel provenait d'Arnold Wells, un interne de chirurgie de quatrième année qui travaillait en ce moment aux urgences.

– Noah ! Dieu merci, tu réponds ! Je suis complètement dépassé, là, avec un volet costal et un énorme trauma crânien dus à une collision frontale. C'est la cata. J'ai besoin d'aide !

– J'arrive ! cria Noah, faisant sursauter les quatre femmes qui travaillaient autour de lui dans le bureau.

Le plus rapide, pour atteindre les urgences au rez-de-chaussée, était de prendre l'escalier. Il dévala les marches deux à deux, parfois trois à trois, en agitant les mains pour retenir son stéthoscope, sa tablette, ses stylos et tous les autres trucs dans ses poches. Le trajet fut relativement bref, mais Noah déboula à bout de souffle aux urgences. Une infirmière, au poste de soins, lui désigna du doigt la salle de déchocage numéro quatre. Il s'y précipita et manqua de se heurter à deux ambulanciers qui sortaient à cet instant de la pièce.

Le patient était dans un sale état. Ses vêtements avaient été découpés par le devant et écartés de part et d'autre de son corps. Il gesticulait dans tous les sens. On lui avait posé une perfusion grande gauge. Sa plus grosse blessure visible était au visage : son orbite droite était vide et ensanglantée, et il avait une entaille monstrueuse, qui exposait l'os de son crâne, de l'arcade sourcilière jusqu'à la racine de ses cheveux. On y voyait aussi des coulures jaunâtres qui étaient peut-être de la matière cérébrale. Arnold essayait d'utiliser un insufflateur manuel pour le ventiler, mais le centre de sa poitrine, contusionné, présentait des mouvements paradoxaux.

– Mince, murmura Noah.

Déjà son esprit se mobilisait pour réagir au mieux à ce qui était de toute évidence une situation critique.

6

Pour la seconde fois de la journée, Noah franchit la double porte battante du bloc opératoire donnant sur le couloir de la salle de détente et des vestiaires. La première fois, au milieu de la matinée, il venait de faire sa discrète ronde d'inspection des internes de première année qui assistaient les chirurgiens en salle d'opération. Il se souvenait d'avoir été très satisfait, car il avait pu constater que tout se passait bien. À cet instant, il était encore plus content, en dépit du fait qu'il devait avoir l'air vanné et que sa tenue de bloc était couverte de sang, car il savourait le plaisir unique que la chirurgie, et à son humble avis la chirurgie *seule*, pouvait procurer à un professionnel de la médecine. Le cas de John Horton, un homme de quarante-trois ans arrivé aux urgences quasi moribond après une collision frontale sur l'autoroute I-93, lui avait posé un véritable défi. Éduqué et intelligent comme il l'était sans doute, puisqu'il avait un poste à responsabilité dans une grande banque d'investissement (Noah avait appris cela en salle d'opération), John aurait dû penser à attacher sa ceinture de sécurité quand il avait pris le volant de sa voiture de collection qui ne possédait pas d'airbags. Hélas, il avait oublié ce petit détail. Au moment de l'impact, survenu alors que le véhicule roulait à une centaine de kilomètres à l'heure, son corps avait heurté le volant avec une force considérable – c'était ce choc qui lui avait brisé et désarticulé le sternum –, avant d'être catapulté sur la chaussée à travers le pare-brise.

Lorsque Noah avait découvert le blessé dans la salle de déchocage, son cerveau de chirurgien hypercompétent avait pris instantanément la mesure de la situation. Suivant son instinct, il avait alors agi avec la même détermination qui lui avait permis de planter sans hésitation un scalpel dans le torse de Bruce Vincent. Blessé à la poitrine et incapable de respirer correctement, l'homme devait en tout premier lieu être ventilé pour avoir une chance de survivre. Noah avait réclamé du matériel de trachéotomie et ordonné que le patient se voie administrer du fentanyl, contre la douleur, par perfusion. Pendant qu'Arnold continuait de se débattre avec l'insufflateur alimenté en oxygène pur, Noah avait réalisé la trachéotomie d'urgence et branché la canule sur le respirateur à pression positive. Le taux d'oxygène dans le sang de John Horton remontant alors à un niveau raisonnable, Noah avait pu l'examiner avec attention et faire des radios. Bilan : le patient avait de multiples fractures de la cage thoracique, une fracture du sternum, une fracture du crâne et d'importantes lésions internes.

Après l'avoir stabilisé du mieux possible avec plusieurs unités de sang, Noah l'avait fait monter au bloc opératoire. Secondé par un chef interne de neurochirurgie qui s'était occupé de la fracture du crâne, et par un ophtalmologue qui avait retrouvé l'œil crevé de John logé dans son sinus maxillaire, Noah lui avait ouvert l'abdomen pour retirer sa rate, trop endommagée pour être sauvée, et réparer son foie. Prévenu entre-temps, le médecin généraliste du patient – qui était un homme très fortuné – avait appelé un chirurgien thoracique et un neurochirurgien qui exerçaient tous deux à titre privé au BMH. Ils venaient d'arriver pour remplacer Noah.

John Horton n'était pas encore tiré d'affaire, mais Noah était heureux de pouvoir se dire qu'Arnold et lui avaient permis à ce patient de survivre à son heure la plus critique. Posséder les connaissances et l'habileté technique nécessaires à ce genre de prouesse : voilà exactement ce qui l'avait poussé vers la médecine en général et la chirurgie en particulier. Il savait que le plaisir qu'il éprouvait en ce moment échappait, pour l'essentiel, à certaines spécialités. Il pensait à la médecine interne, par exemple, qui était parfois considérée comme une « superspécialité » du fait qu'elle recouvrait plusieurs domaines de compétence. Certes, l'interniste disposait de thérapies qui lui donnaient parfois la possibilité de sauver ses patients – mais jamais de façon aussi directe et immédiate que le chirurgien, et donc sans pouvoir réellement s'en attribuer le mérite. Il était encore difficile de dire si John Horton survivrait, car ses blessures crâniennes et abdominales étaient gravissimes, mais il avait à présent une chance raisonnable de s'en sortir. Grâce à la chirurgie. Pour Noah, c'était une satisfaction profonde, presque enivrante, qui justifiait tous les sacrifices qu'il avait faits pour arriver là où il était aujourd'hui.

Cette euphorie, hélas, il ne devait la savourer qu'un bref moment. Il revint brutalement sur terre, en ouvrant son casier aux vestiaires, lorsqu'il vit la liste des personnes à rencontrer, pour le cas Bruce Vincent, qui dépassait de la poche de sa blouse. Après l'avoir enfilée sur une tenue de bloc propre, il ressortit dans le couloir bien décidé à se remettre illico à sa petite enquête. Certes, il avait dû intervenir d'urgence au bloc – bonne excuse –, mais il n'était plus temps de tergiverser.

Il alla droit au bureau des admissions de la chirurgie, toqua à la porte du bureau de Martha et lui demanda si elle pouvait lui accorder quelques instants.

– Pour vous, docteur Rothauser, j'ai toujours du temps, répondit-elle avec un sourire.

C'était une femme au visage quelconque, d'un âge difficile à cerner, qui avait les cheveux crépus et le teint un peu rougeaud, mais elle était gentille et archicompétente. Noah appréciait qu'elle soit le plus souvent en tenue de bloc pour montrer qu'elle faisait bien partie de l'équipe de chirurgie, ce qui était absolument le cas.

– Qu'y a-t-il pour votre service ? demanda-t-elle quand il fut assis.

Il lui raconta en quelques mots ce qu'il savait sur le cas Bruce Vincent et précisa qu'il avait lu sa note dans le DME du patient. Comme il devait présenter le cas au prochain M&M, expliqua-t-il, il venait la consulter au cas où elle souhaiterait ajouter quelque chose au sujet de cette affaire.

Martha réfléchit quelques instants en jouant avec un trombone.

– Je suppose que vous voulez savoir pourquoi l'interne des admissions n'a pas examiné Bruce. C'est ça ?

– Ça me serait utile, c'est vrai. J'ai remarqué que cet examen manquait dans le DME. La question va forcément être posée au M&M.

– Juste avant que Bruce Vincent ne débarque ici, nous avons eu plusieurs admissions coup sur coup. L'interne était débordé. Vraiment très à la bourre. Et comme Bruce avait quarante minutes de retard, j'avais déjà reçu un coup de fil du bloc qui rouspétait et voulait savoir ce que nous fichions. On m'avait même laissé entendre que Wild Bill rongeait son frein. Et ça, nous savons tous ce que ça peut donner. Alors, pour accélérer les choses, j'ai fait tout de suite envoyer le patient au bloc. L'interne n'a même pas entendu parler de lui. Dans le DME, il y avait un bilan préopératoire récent, réalisé et validé par l'assistant du Dr Mason, et sur le plan réglementaire, c'est tout ce dont nous avons besoin.

— En effet, convint Noah. Mais dans la pratique, il est d'usage que l'interne des admissions fasse un examen de contrôle. Le cas Vincent prouve bien l'utilité de cette démarche.

— Je comprends. Mais vu les circonstances, j'ai pensé que c'était OK. Qu'il pouvait partir au bloc directement. Le bilan préopératoire était excellent. Bruce n'avait aucun antécédent, aucun souci d'aucune sorte...

— Je présume que vous lui avez demandé s'il était à jeun depuis la veille au soir ?

— Évidemment ! Et il m'a menti. Mais pourquoi a-t-il fait ça ? Voilà le mystère. Je veux dire... Il a fait ça sciemment. Ce n'est pas comme s'il avait juste oublié de ne pas manger. Si je devais faire une hypothèse, je dirais que Bruce croyait peut-être savoir un peu trop de choses.

— Je ne comprends pas.

— Il était assez angoissé d'être arrivé en retard. Surtout quand je lui ai rappelé que le Dr Mason pouvait devenir très grognon si on le faisait attendre. Et qu'il avait deux cas importants de cancer du pancréas, le même matin, en plus de sa hernie. Mais pour son opération proprement dite, par contre, Bruce avait l'air tout à fait tranquille. Et il savait aussi qu'il devait avoir une rachianesthésie. C'est pour ça, sans doute, qu'il a cru qu'il pouvait manger tout ce qu'il voulait le matin. À mon avis, cette histoire montre bien que connaître certaines petites choses sur un domaine dont on n'est en réalité pas du tout spécialiste, ça peut être très dangereux. Bref, j'ai l'impression que M. Vincent s'imaginait en savoir assez sur l'anesthésie pour jouer au plus rusé.

— Vous avez peut-être raison, admit Noah, hochant la tête.

Il n'avait aucune envie d'essayer de deviner ce que Bruce Vincent avait pu avoir dans la tête ce matin fatidique, mais l'interprétation de Martha paraissait juste. Il n'en restait pas moins, bien sûr, qu'avaler un repas complet avant de subir une opération chirurgicale était totalement suicidaire.

— Et le reflux gastro-œsophagien ? relança-t-il. Lui avez-vous demandé s'il avait des soucis de ce côté-là ?

— Non. En général, je n'interroge pas les patients à ce sujet. Je devrais peut-être, mais je crois que c'est plutôt à l'anesthésiste d'aborder cette question. Pour évaluer les risques le cas échéant.

— Peut-être, dit Noah d'un ton neutre.

C'était un problème auquel il n'avait jamais beaucoup réfléchi, mais il songeait à présent qu'il pourrait être utile de l'aborder au M&M pour éloigner la discussion de questions plus conflictuelles.

— Savez-vous que Bruce Vincent a travaillé au parking de l'hôpital avant son opération, ce matin-là, comme n'importe quel jour ? demanda Martha. Je l'ai vu là-bas, de mes propres yeux.

— Non, je l'ignorais.

— En fait, c'est pour ça qu'il est arrivé ici en retard. Soi-disant qu'il a eu un problème de personnel. Un employé qui ne s'est pas présenté, alors il a dû s'en occuper. Vous ne trouvez pas ça dingue, vous ?

— C'est étonnant, en effet, dit Noah, sincère.

Cette affaire devenait de plus en plus étrange. Le matin de leur opération, la plupart des patients étaient intimidés et préoccupés par l'expérience qu'ils s'apprêtaient à vivre. Et c'était bien normal. En tout cas, ils n'allaient pas au travail comme si de rien n'était !

— Bon, dit-il en se mettant debout. Merci d'avoir pris le temps de me parler. Faites-moi signe si vous pensez à autre chose d'ici mercredi, d'accord ?

— Sans faute. Et bonne chance ! J'ai l'impression que cette histoire va faire grincer des dents.

— C'est bien ce qui m'inquiète. Vous-même, pensez-vous assister au M&M ?

— Je ne manquerais ça pour rien au monde. Et je pense que vous ferez salle comble. D'après ce que j'entends dans les couloirs, en tout cas. Tout le monde est très ému. Bruce Vincent était un monsieur très apprécié.

— Super, marmonna Noah.

Quittant le bureau de Martha, il se dirigea vers la salle où les patients, après s'être présentés aux admissions, s'isolaient entre des rideaux pour quitter leurs vêtements de ville et enfiler une chemise d'hôpital. Helen Moran se trouvait là. Il s'entretint brièvement avec elle – pour ne rien apprendre de nouveau. Elle lui répéta, pour l'essentiel, qu'elle avait marqué la hanche droite de Vincent pour éviter que l'opération ne soit faite du mauvais côté. Vu la tournure que prenaient les événements, Noah commençait à se dire qu'opérer le patient du mauvais côté était bien la seule chose qui aurait pu rendre cette affaire encore plus calamiteuse.

Retournant au bloc opératoire après avoir enfilé un calot et un masque chirurgical, il chercha Gloria Perkins et Connie Marchand. Gloria était de repos ce vendredi, mais il put parler avec Connie qu'il trouva dans la salle de préparation. Elle lui expliqua qu'elle avait posé toutes les questions habituelles au patient, comme Martha et Helen, y compris celle de savoir s'il était bien à jeun depuis minuit.

— Et donc, il a nié avoir mangé ? demanda Noah.

— Voilà, acquiesça Connie.

— Y a-t-il autre chose que je devrais savoir et que vous n'avez pas noté dans son DME ?

— Humm, je ne crois pas, dit Connie, puis elle se reprit : Ah si ! Maintenant que j'y pense, je n'ai pas mis dans ma note que nous avions eu plusieurs appels de la salle d'opération qui voulait savoir où était M. Vincent. Et à chaque coup de fil, on nous rappelait gentiment que le Dr Mason n'aime pas attendre.

– Martha Stanley a reçu le même genre d'appel, elle aussi. C'est courant comme pratique ?

– Disons les choses ainsi : il n'est pas extraordinaire que les salles d'opération appellent pour savoir ce qui se passe quand un patient est sensiblement en retard, mais ça ne se produit pas souvent parce qu'il est rare que les patients soient en retard !

– Pourquoi m'en avoir parlé, alors ?

– C'est juste parce que les collègues m'ont dit que le Dr Mason avait fini par faire attendre le patient et l'équipe pendant toute une heure alors que la rachianesthésie était déjà entamée. Personnellement, je trouve que ce n'est pas correct. Et je sais que des tas d'autres gens pensent pareil. Surtout quand on sait que la salle d'opération avait appelé plusieurs fois pour réclamer après le patient !

Noah sentit son anxiété se raviver. Cette histoire se transformait de toute évidence en réquisitoire contre le système des opérations simultanées. Or, cela ne pouvait qu'exaspérer le Dr Mason et une poignée d'autres grosses pointures de la chirurgie. Et lui, Noah, il savait très bien qui allait devoir payer les pots cassés.

7

En sortant de la salle de préparation, Noah se rendit au poste central du bloc pour y consulter le moniteur sur lequel était affiché le programme des opérations de la journée. Sur la ligne de chaque opération, on pouvait lire son heure de démarrage estimée ou réelle, le nom du patient, le type d'intervention, puis les noms du chirurgien, de l'anesthésiste, de l'infirmière instrumentiste et de l'infirmière circulante. Quand le travail était terminé, la couleur de la ligne passait du bleu au jaune.

Noah souhaitait rencontrer la Dr Ava London pour lui demander un entretien. Il savait qu'elle devait terminer sa journée vers quinze heures et il voulait être sûr de ne pas la manquer. La plupart des anesthésistes passaient un moment en salle de détente, après leur service, pour bavarder avec leurs collègues, mais il n'avait jamais vu la Dr London le faire depuis cinq ans qu'il était interne – et que, d'ailleurs, elle-même avait été recrutée par le BMH. Cette femme était un peu mystérieuse. Elle se montrait toujours cordiale quand ils intervenaient ensemble en salle d'opération, ce qui avait dû arriver une cinquantaine de fois au fil des ans, mais elle parlait peu et semblait en général se tenir sur la réserve. Noah respectait cela, néanmoins, car il avait à peu près le même genre de comportement. Comme Ava, à vrai dire, et au contraire de la plupart des internes, il ne participait guère aux séances de papotage de la salle de détente. Il n'était jamais à l'aise pour parler de sa vie sociale, puisqu'il n'en avait aucune. Sans doute Ava London avait-elle d'autres raisons de se montrer discrète, de son côté, car vu son teint hâlé même au cœur de l'hiver – qu'elle refusait poliment d'expliquer et dont elle ne se vantait devant quiconque –, et vu la silhouette mince et tonique qui était la sienne, Noah imaginait qu'elle avait une vie sociale tout à fait riche et active en dehors de l'hôpital.

Il trouva son nom sur la ligne de la salle d'opération numéro huit – celle où s'était produit le drame Vincent. Elle devait « pomper du gaz », comme disaient avec humour les anesthésistes à propos de leur activité, pour une opération de chirurgie bariatrique qui avait démarré à treize heures trente. Pile à l'instant où il regardait les informations de la salle huit à l'écran, cependant, Noah eut la bonne surprise de voir leur couleur passer du bleu au jaune pour indiquer que l'intervention était terminée.

Songeant que l'anesthésiste ne tarderait sans doute pas à se rendre à la SSPI, ou salle de surveillance post-interventionnelle, il traversa le couloir et en poussa la porte. Le volume d'activité du BMH étant considérable, même un vendredi après-midi, la plupart des lits étaient occupés. Noah regardait autour de lui lorsqu'il constata avec surprise que la Dr London se trouvait déjà là. Manifestement, elle était en train de confier au personnel de la SSPI le patient qui venait d'être opéré en salle huit. Il marcha jusqu'au lit auprès duquel l'anesthésiste discutait avec une infirmière. Le patient était énorme – sans doute pesait-il plus de cent cinquante kilos. Noah avait acquis une certaine expérience, pour ce qui était de jauger le poids des gens, car il avait fait un stage de chirurgie bariatrique en cinquième année d'internat. Il savait aussi que la prise en charge de ces patients posait au personnel soignant un défi à la mesure de leur tour de taille.

Noah écoutait la Dr London donner ses dernières instructions à l'infirmière de SSPI, lorsqu'elle fit une chose qui l'étonna : elle communiqua son numéro de téléphone portable à la jeune femme en précisant qu'on pouvait l'appeler à n'importe quelle heure s'il y avait le moindre pépin. Il était impressionné. En général, les anesthésistes ne suivaient pas de si près leurs malades après les opérations.

Ayant terminé sa conversation avec l'infirmière, la Dr London tourna tout à coup les talons et faillit bousculer Noah. Pour lui, ce n'était pas de bon augure. Si elle était pressée, elle risquait de refuser de lui parler maintenant – et de reporter leur entretien à lundi. Dans la tête de la plupart des gens, Noah le savait bien, le vendredi après-midi marquait le début du week-end.

– Oh, pardonnez-moi, dit-elle.

Elle avait une voix agréable, au timbre clair, et parlait avec une pointe d'accent qu'il n'avait jamais réussi à identifier.

– C'est de ma faute. J'étais trop près et je n'aurais pas dû vous guetter comme je le faisais.

La Dr London le dévisagea de ses yeux bleu glacier, l'air quelque peu intriguée.

– Enfin non, je ne vous guettais pas vraiment, rectifia-t-il. Je suis venu vous demander si nous pouvions bavarder un petit moment.

Elle jeta un coup d'œil à sa montre – il se dit qu'elle était sans doute attendue quelque part – et lui demanda de quoi il voulait parler.

– Du cas Bruce Vincent, répondit-il. Comme vous le savez, je dois le présenter au M&M de mercredi prochain. Il est important que j'entende ce que vous avez à dire à ce sujet.

La Dr London se retourna vers l'infirmière penchée sur le patient obèse, puis son regard glissa sur les autres personnes présentes ici et là dans la SSPI. Quand ses yeux lumineux se posèrent de nouveau sur Noah, elle paraissait un peu mal à l'aise.

— Le décès de Bruce Vincent m'a bouleversée, dit-elle d'une voix assourdie qui trahissait une certaine émotion. Jamais je n'avais perdu de patient en salle d'opération. J'ai réexaminé la procédure dix fois et je n'ai rien trouvé, absolument rien, que j'aurais pu faire autrement. Enfin non, ce n'est pas tout à fait exact. J'aurais pu attendre que le Dr Mason soit arrivé dans la salle pour démarrer l'anesthésie. Mais il prétend que son retard n'a eu aucune conséquence et le Dr Kumar le soutient — en tout cas sur ce point particulier. Voilà, c'est comme ça. Donc, je ne vois bien pas ce que je pourrais ajouter. Mais je suis quand même certaine que cette catastrophe n'a aucun rapport avec ce que j'ai pu faire ou ne pas faire !

— Entendu, dit Noah d'un ton qu'il espérait apaisant.

La ferveur avec laquelle l'anesthésiste s'exprimait le troublait un peu, d'autant qu'elle continuait de le regarder droit dans les yeux comme si elle s'ouvrait complètement à lui.

— Si c'est votre premier décès en salle d'op, je comprends ce que vous pouvez ressentir, ajouta-t-il. Je suis désolé, vraiment, car je sais que ça peut être très difficile. Mais je dois vous prévenir que le Dr Mason a l'intention de rejeter la responsabilité de ce qui s'est passé sur l'anesthésie. Il me l'a dit tout net. J'aimerais éviter ce genre de chose, parce que ce serait bien sûr problématique pour vous et pour le service d'anesthésie, mais j'ai besoin de votre aide.

— Nous ne devrions pas avoir cette conversation ici, dit la Dr London en regardant de nouveau autour d'elle. Vous avez un bureau privé ?

— Non, répondit-il avec regret.

– Moi non plus. Heu… Et si nous trouvions un petit coin dans la salle de détente ? Nous pourrons au moins nous asseoir et éviter d'attirer l'attention comme ici.

– D'accord.

Il lui paraissait difficile d'avoir une discussion confidentielle en salle de détente, mais bon, on était vendredi après-midi, le moment de la semaine où elle était a priori le moins fréquentée – surtout en été où médecins et infirmières se dépêchaient de décaniller de l'hôpital, à la fin de leur service, pour partir en week-end sur la côte et dans les îles voisines de Boston.

– Je dois d'abord terminer ici, dit la Dr London. Retrouvons-nous là-bas dans une dizaine de minutes, si vous voulez bien ?

En entrant dans la salle de détente, Noah constata qu'il avait eu raison de se méfier. La pièce était à peu près entièrement réquisitionnée pour un pot organisé en l'honneur d'une infirmière du bloc qui partait en croisière. Il y avait même des banderoles décoratives « Bon Voyage » suspendues aux fenêtres. Songeant que la Dr London ne trouverait sans doute pas cet environnement plus convenable que la SSPI pour leur tête-à-tête, il tira deux chaises dans l'angle le plus éloigné du coin cuisine – c'était là-bas, près des boissons et des bricoles à grignoter disposées sur la paillasse, que la plupart des fêtards étaient regroupés.

Comme promis, l'anesthésiste ne tarda pas à apparaître à la porte. Noah vit à son expression qu'elle n'était pas ravie de découvrir la foule qui occupait la salle. Lorsqu'il agita la main, elle esquissa un sourire et vint à sa rencontre. Sa silhouette mince et sa démarche confirmaient qu'elle devait être sportive. Elle avait aussi l'allure, telle qu'il la voyait maintenant, d'une personne dont l'assurance était dépourvue d'arrogance. Cela dit, Noah ne pouvait que s'étonner du peu de choses qu'il savait à son sujet en dépit du nombre d'heures tout de même conséquent qu'ils avaient passées à travailler

ensemble. Seule certitude qu'il avait : la Dr London était une anesthésiste ultracompétente, praticienne dans l'un des tout meilleurs
centres hospitaliers universitaires du pays – ce qui voulait dire
qu'elle avait été sérieusement mise à l'épreuve par le conseil de
certification des anesthésistes et par le BMH. D'après ce qu'il avait
entendu dire, par ailleurs, personne ne la connaissait vraiment. Elle
se montrait cordiale envers tout le monde, et pouvait même paraître
tout à fait sympathique, mais il était clair qu'elle restait beaucoup
sur son quant-à-soi.

— Ce n'est pas du tout ce que j'envisageais, dit-elle quand elle
s'assit en face de Noah, et elle désigna la petite foule de l'autre
côté de la salle.

— Ils sont bien occupés, tout de même.

Pile à cet instant, hélas, la chef de bloc Janet Spaulding les
aperçut et quitta le groupe pour venir à leur rencontre.

— Ah ben ça, il faut le voir pour le croire ! Mes deux rabat-joie
préférés qui complotent ensemble ! s'exclama-t-elle, et elle pouffa de
rire. C'est sympa, dites, de vous voir papoter tous les deux comme
ça. D'habitude, on ne vous voit jamais ici, ni l'un ni l'autre. Je vous
en prie, venez boire un coup avec nous. Ne faites pas les timides.
Nous avons organisé ce pot pour Janice.

— Merci, mais malheureusement je n'ai que très peu de temps, dit
Ava London avant que Noah ait pu répondre. J'ai un rendez-vous
pour lequel je suis déjà en retard. Le Dr Rothauser et moi devons
juste parler très vite d'un patient.

— Bon... Si vous changez d'avis, nous avons plein de bonnes
choses, dit Janet en pointant du doigt les boissons et les snacks de
la kitchenette, puis elle s'éloigna en agitant la main.

Noah et l'anesthésiste se regardèrent.

— Ça ne va pas marcher, dit-elle.

Elle retira alors sa coiffe bouffante de bloc opératoire pour libérer une abondante chevelure blonde, aux mèches éclaircies, qui tomba comme une cascade soyeuse sur ses épaules.

Noah retint son souffle pour dissimuler sa surprise. Son visage ainsi dégagé, il découvrait qu'Ava London était une femme extrêmement jolie, et qui prenait de toute évidence grand soin de son apparence. Il n'avait pas pensé, auparavant, qu'elle pût être si séduisante, car il ne l'avait en fait jamais vue sans cette coiffe de bloc un peu mémère. Souvent, aussi, une grande partie de son visage était dissimulée par son masque chirurgical. S'il y avait bien quelques femmes, dans l'hôpital, qui avaient retenu son attention parce que leur physique titillait ce qu'il appelait avec humour son cerveau reptilien, ce phénomène ne s'était jamais produit avec la Dr London. Il se demandait bien pourquoi, tout à coup, car ici, dans cette salle assez sinistre et peu propice aux élans du cœur, elle lui paraissait exceptionnellement charmante. Sa couronne de cheveux blonds encadrait un visage dominé par des yeux d'un bleu intense, un petit nez retroussé de fée, des lèvres charnues et des dents d'une blancheur éclatante qui contrastaient avec sa peau hâlée et sans la moindre imperfection. Inconsciente de l'effet qu'elle produisait sur Noah, Ava glissa les doigts dans sa chevelure pour la secouer doucement, puis la balayer en arrière, en un geste tout à fait gracieux.

– Voyez-vous un autre endroit où nous pourrions aller ? demanda-t-elle.

Comme Noah ne répondait pas, elle reposa sa question d'une voix un peu plus forte.

– Pardon ! dit-il. Un autre endroit ? Heu, attendez…

– Dites-moi une chose, s'il vous plaît ! Que vous a raconté le Dr Mason à mon sujet, au juste, en rapport avec le cas Vincent ?

Noah s'efforça de reprogrammer dare-dare ses neurones pour suivre la conversation. Il était assez ennuyé de se comporter comme un adolescent intimidé qui gardait à présent les yeux baissés sur ses genoux. Il s'obligea à regarder la Dr London.

— En fait, il n'a pas parlé de vous personnellement. Il a dit que l'anesthésie avait « merdé », c'est son mot, en donnant le mauvais type d'anesthésie au patient.

— Il ne vous a pas dit que son bureau m'avait bien spécifié qu'il voulait une rachianesthésie ? Et que personne ne savait que le patient avait des troubles gastro-intestinaux peut-être associés à sa hernie ?

— Je ne crois pas, marmonna Noah.

Mais il doutait de lui. Tout de suite, en fait, il ne se souvenait plus très précisément des propos du Dr Mason. Le joli visage d'Ava London continuait de lui embrouiller les pensées.

— Je n'ai absolument pas « merdé », affirma-t-elle avec une certaine colère dans la voix. Comme je vous l'ai dit, j'ai revu le cas minute par minute. À part attendre que le Dr Mason nous ait rejoints en salle d'op, je ne vois pas ce que j'aurais pu faire différemment.

— D'après lui, le patient et les admissions ont également joué un rôle dans ce qui s'est passé, dit Noah qui retrouvait enfin la mémoire.

— Ça, c'est indiscutable quand on sait tout ce que le patient a régurgité. Il avait avalé un énorme petit-déjeuner ! dit Ava, puis elle se pencha vers Noah, approchant assez son visage du sien pour qu'il sente son parfum, avant d'ajouter : Vous savez quoi ? Je suis contente que vous ayez pris contact avec moi. Vu ce que le Dr Mason a l'air de raconter, il est certain que nous devons parler, vous et moi, car il va falloir que vous présentiez ce cas avec la plus grande prudence pour qu'il ne se transforme pas en catastrophe pour nous deux.

Noah hocha la tête. Il était étonné, mais plutôt content. Il s'était attendu à ce que l'anesthésiste se montre méfiante et garde ses distances avec lui. Au contraire, voilà qu'elle avait l'air de se placer d'emblée dans son camp et d'envisager le prochain M&M de la même façon que lui, c'est-à-dire comme un désastre en puissance.

– Cela dit, je ne pense pas que nous devrions nous montrer ensemble à l'hôpital, enchaîna-t-elle. Si on nous voit parler, des gens pourraient facilement nous accuser d'être complices, voire de mijoter quelque chose. Vous comprenez ?

– Tout à fait. J'espère que vous vous rendez compte que je suis sur la corde raide et que j'ai besoin de toute l'aide que je peux trouver.

– Telles que je vois les choses, nous sommes tous les deux sur la corde raide.

– Pourquoi, en ce qui vous concerne ? demanda Noah avec perplexité. Comme vous le disiez, vous avez examiné et réexaminé le cas, et vous agiriez exactement de la même façon si c'était à refaire. Vous êtes anesthésiste certifiée, praticienne au BMH... Le Dr Mason ne peut rien contre vous ! Moi, c'est une autre histoire. Je ne suis qu'interne, Mason m'a pris en grippe il y a déjà longtemps, et il fait partie du Comité consultatif de l'internat de chirurgie.

Ava London laissa échapper un soupir.

– Je le trouve très difficile, ce monsieur. À vrai dire, je crois qu'il a un vrai trouble de la personnalité. Mais n'entrons pas là-dedans tout de suite. Le problème, pour moi, c'est que le Dr Mason et mon patron, le Dr Kumar, sont très copains. Et histoire d'aggraver les choses, Mason a aussi une dent contre moi.

– Ah bon ? fit Noah. Pourtant, il paraît qu'il vous demande souvent au bloc pour les anesthésies de ses patients.

Elle agita la main comme pour chasser un insecte agaçant.

– Nous en reparlerons. Voilà ce que je vous propose. Êtes-vous libre ce soir ?

– Heu, sans doute, répondit Noah, surpris par la question. En tant que superchef, je ne suis jamais complètement libre. Il y a un chef interne et d'autres internes de garde ce soir, bien sûr, mais je dois rester dispo s'il arrive un gros pépin.

– OK, très bien. Je n'habite pas loin. À Beacon Hill. Louisburg Square, pour être précise.

– Oh ! Je connais bien, dit Noah en souriant. Moi aussi, j'habite le quartier. Dans Revere Street.

– Tant mieux. Nous sommes pour ainsi dire voisins, commenta Ava London, et elle se pencha encore davantage vers lui pour ajouter à voix basse : Voilà ce que nous pourrions faire. Quand vous aurez terminé ici ce soir, passez chez moi. Ma maison est au numéro seize. Là, nous pourrons parler tranquillement. Cela vous convient-il ?

Noah resta un instant bouche bée. La proposition de l'anesthésiste était vraiment inattendue. Il avait aussi remarqué qu'elle n'avait pas dit « appartement », mais « maison ». Les maisons étaient rares à Beacon Hill.

– D'accord, dit-il. Avec plaisir, je viendrai chez vous. Je vous remercie de votre invitation.

– De rien, dit d'un ton agréable la Dr London en se mettant debout. Attendez, je vous donne mon numéro de portable au cas où quelque chose vous empêcherait de venir.

Elle se dirigea vers la table où se trouvaient le téléphone de la salle de détente, un bloc et quelques stylos. Noah la regarda pendant qu'elle écrivait sur une feuille. Il était un peu ahuri. Il ne s'était pas du tout attendu à ce que leur rencontre prenne une telle tournure. Quand elle revint vers lui, il se fit de nouveau la remarque qu'elle avait une silhouette de vraie sportive. Cela se voyait même sous le pyjama de bloc un peu flottant qu'elle portait. Il n'y avait jamais fait attention avant aujourd'hui.

– À plus tard, dit-elle en lui tendant la feuille de papier. J'espère que vous pourrez venir ce soir.

Elle tourna les talons, s'éloigna, puis disparut par la porte donnant sur les vestiaires des femmes.

Noah resta quelques instants sur sa chaise, le sourire aux lèvres. Pour la première fois depuis qu'il se triturait les méninges au sujet de la prochaine Revue de mortalité et de morbidité, il entrevoyait une lueur d'espoir. Peut-être survivrait-il à cette épreuve, au bout du compte, avec un minimum de retombées négatives. Car désormais, il avait une praticienne du BMH dans son camp – peut-être même une sorte de collaboratrice qui contredirait ouvertement l'interprétation du Dr Mason et reprocherait à celui-ci, à juste titre, de mettre les vrais problèmes sous le tapis. Il se demanda confusément pourquoi elle supposait que le Dr Mason avait une dent contre elle... Bah, peut-être aurait-il la réponse à cette question dans la soirée. À condition bien sûr qu'il puisse se libérer de l'hôpital. De toute façon, elle n'habitait pas loin : si nécessaire, il pourrait y retourner d'urgence.

Après avoir regardé l'heure pour s'assurer qu'il avait encore du temps avant la visite des malades de l'après-midi, il quitta la salle de détente pour retourner au bloc. Il allait maintenant essayer de trouver les Drs Wiley et Chung, les deux internes d'anesthésie intervenus pendant l'opération de Bruce Vincent, afin de découvrir ce qui se racontait dans leur service au sujet de cette affaire. Il voulait savoir si ces internes et leurs collègues étaient d'accord avec l'interprétation de la Dr London. Dans tous les cas difficiles, surtout quand un patient était décédé, les comptes rendus officieux – oraux – qui circulaient entre les internes étaient invariablement plus proches de la vérité que l'interprétation des praticiens hospitaliers concernés.

8

Il faisait encore jour lorsque Noah ressortit de chez lui pour se
diriger vers Louisburg Square, une partie de Beacon Hill très différente, et beaucoup plus chic que les environs de Revere Street où
il habitait. Quand il avait pu enfin quitter l'hôpital, il avait décidé
de passer en vitesse à son appartement pour retirer sa tenue blanche
de médecin. Prendre une petite douche, aussi, car il y avait tout
de même quinze heures qu'il était sur le pont.

Après bien des hésitations, il avait choisi de mettre un jean et
un polo – à peu près propres – qui lui allaient bien. Au début, il
avait songé à porter une veste (la seule qu'il possédât), et même
une cravate, mais il avait vite rejeté cette idée : pas question de
se présenter devant Ava London habillé en gentil garçon un peu
ringard. Il devait bien s'avouer qu'il était à la fois enthousiaste et
nerveux à l'idée de se rendre chez elle – indépendamment de la
question de la préparation de ce fichu M&M. Elle l'avait troublé
pendant leur petit tête-à-tête dans la salle de détente, il s'en rendait bien compte et, à présent qu'il marchait vers son domicile
et s'apprêtait à la revoir, il se sentait de nouveau très émoustillé.

Au lieu d'analyser sa réaction, il se concentra sur son parcours. Depuis cinq ans qu'il était à Boston, il était passé par Louisburg Square un nombre incalculable de fois. Il s'était souvent demandé à quoi ressemblait l'intérieur des maisons de ville qui ceinturaient l'élégante place. Ce soir, il aurait une réponse. Il était également très curieux, bien sûr, de voir la Dr Ava London dans son univers personnel. Et de la connaître un peu mieux.

Il avait espéré sortir de l'hôpital beaucoup plus tôt, mais cela n'avait pas été possible et il avait commencé à craindre que l'anesthésiste fasse d'autres projets pour la soirée et ne puisse plus le recevoir. Il avait été retardé à cause d'une consultation de chirurgie, demandée par un interne de médecine interne, qui s'était mal passée. Au bout du compte l'affaire s'était résumée à un clash de personnalités, mais Noah avait mis un bon moment à calmer l'interne de médecine interne et l'interne de chirurgie consulté, puis à résoudre le problème de façon à ce que personne ne perde la face. C'était encore une expérience, de son point de vue, qui soulignait à quel point le boulot de superchef des internes exigeait doigté et diplomatie – une aptitude dont il aurait aussi grand besoin, il le savait, durant le M&M.

Alors qu'il s'engageait dans Pinckney Street pour grimper la colline, Noah retourna dans sa tête ce que les deux internes d'anesthésie, Wiley et Chung, qu'il avait finalement trouvés dans le bureau de l'anesthésie, lui avaient dit au sujet du décès de Bruce Vincent. D'après eux, cet incident faisait beaucoup jaser dans l'hôpital et tout le monde, sans exception, voyait les choses comme la Dr London. La plupart des gens rejetaient la responsabilité du drame sur l'attitude cavalière du Dr William Mason qui n'hésitait pas à avoir trois patients sous anesthésie en même temps, et à circuler d'une salle d'opération à l'autre. Noah se demandait s'il devait parler à la Dr London de sa discussion avec les deux internes. L'opinion

qu'ils exprimaient était assurément encourageante pour elle, mais...
Non, il ne valait sans doute mieux pas. Ava et lui se connaissaient
à peine. Il ne serait pas très adroit de sa part de reconnaître qu'il
avait posé des questions à son sujet derrière son dos.

Quand il parvint à l'entrée de Louisburg Square – une place
qui n'était pas carrée mais avait la forme d'un long rectangle –,
il s'immobilisa quelques instants, frappé comme à chaque fois par
la beauté de cet endroit qui était une sorte d'oasis au milieu des
immeubles de brique, des trottoirs en brique et des rues goudronnées
qui composaient le reste de Beacon Hill. Avec les splendides ormes
qui se dressaient tout autour du ruban de pelouse, ceint par une
grille en fer forgé, qui occupait son centre, Louisburg Square était
un havre de verdure et de tranquillité. Malgré l'heure déjà avancée,
quelques enfants jouaient encore sur l'herbe ; leurs cris résonnaient
entre les façades des maisons mitoyennes bordant la place.

Comme Louisburg Square s'étirait perpendiculairement au flanc
de la colline, ses deux longs côtés, séparés par la pelouse en pente
douce, n'étaient pas au même niveau. La maison du numéro seize
se trouvait sur le côté le plus bas. Les quelques marches du perron menaient à une imposante porte en bois verni foncée. Il les
grimpa puis, après avoir vainement cherché un bouton de sonnette,
constata que la porte ouvrait sur un petit vestibule et une autre
porte – où se trouvait la sonnette. Il appuya dessus puis patienta.
Après avoir attendu deux bonnes minutes, il se dit avec regret qu'il
arrivait trop tard. Ava London n'était plus disponible, mais comme
il ne lui avait pas donné son numéro de portable, elle n'avait pas
été en mesure de le prévenir. Il avait bien pensé à lui envoyer
un texto, une heure plus tôt, pour la prévenir qu'il était encore à
l'hôpital, mais il avait finalement préféré s'abstenir – en partie par
superstition, il devait le reconnaître.

La porte s'ouvrit tout à coup à la volée. Juste en face de lui, Noah aperçut d'abord un bout de hall, puis un escalier, recouvert d'un élégant tapis, au pied duquel se tenait une Ava London tout sourire... et bien différente de la personne qu'il était habitué à voir, au BMH, en pyjama de bloc informe et coiffe bouffante. Elle portait un legging de yoga noir et un débardeur de sport – noir également et tout aussi moulant. L'ensemble mettait magnifiquement en valeur sa silhouette parfaite. De peur de se ridiculiser en lorgnant malgré lui sur l'échancrure de ses seins ou sur d'autres zones joliment galbées de son anatomie, il se contraignit à fixer ses yeux bleus.

– Bienvenue, docteur Rothauser, dit-elle et, d'un geste gracieux de la main, elle désigna l'entrée en arcade d'une pièce située à sa droite. Je vous en prie !

Adieu la retenue, et même la froideur dont elle faisait preuve envers à peu près tout le monde au BMH : Noah découvrait une femme non seulement accueillante et chaleureuse, mais qui semblait aussi ne pas avoir un gramme de la condescendance dont les praticiens hospitaliers faisaient si souvent preuve envers les internes.

– Merci, docteur London, bafouilla-t-il.

Bien content d'avoir une excuse pour détacher ses yeux de son hôtesse, il pénétra dans une immense pièce à vivre, très haute de plafond, qui s'étendait depuis le large bow-window de la façade, sur la rue, jusqu'au fond de la maison où il aperçut des portes-fenêtres. La décoration intérieure était de style géorgien modernisé, avec des moulures au plafond d'époque. Tout paraissait neuf, comme si la maison venait d'être restaurée. Sur le mur faisant face à Noah se trouvaient deux cheminées en marbre noir. Quatre colonnes cannelées à chapiteau corinthien, deux près de chaque mur, divisaient la pièce en deux espaces de tailles à peu près équivalentes. Dans celui donnant sur Louisburg Square étaient disposés, de biais, deux grands canapés verts séparés par une table basse sur laquelle s'empilaient des beaux livres. Des toiles étaient suspendues aux murs : des peintures à l'huile dans des cadres dorés. Dans le second espace, au-delà des colonnes, il y avait un piano à queue. L'atmosphère était agréable, car les bouches d'aération de la climatisation silencieuse diffusaient un air frais et sec.

— D'abord le plus important, dit la Dr London qui avait rejoint Noah. Pas de formalités entre nous ! Vous dites Ava et je dis Noah, d'accord ?

— Volontiers, répondit-il.

Noah reporta son attention sur elle — et détourna aussitôt les yeux pour feindre d'admirer à nouveau son intérieur. C'était certain, il allait avoir du mal à s'habituer à cette tenue de yoga hypermoulante. À vrai dire, Ava donnait moins l'impression de porter des vêtements que d'être « habillée » avec de la peinture corporelle. Il avait soupçonné, à l'hôpital, qu'elle avait une silhouette à tomber par terre — maintenant il en avait la certitude. Le tissu du legging soulignait joliment les muscles de ses jambes. Ses épaules et ses bras nus révélaient aussi qu'elle était sportive — tout en restant très féminins et gracieux. Un mouvement attira tout à coup l'attention de Noah du côté du hall. Deux chats assez volumineux qui venaient de dévaler l'escalier firent leur entrée dans la pièce. Ils s'approchèrent avec circonspection de Noah pour lui renifler la jambe.

— Vous n'êtes pas allergique aux chats, j'espère ? demanda Ava.

— Pas du tout.

Il se baissa pour offrir sa main à sentir aux animaux. Le premier avait le poil gris-bleu et d'étonnants yeux jaunes. L'autre, rayé gris et blanc, avait les yeux bleus.

— Ils sont très beaux, observa-t-il.

– Merci ! Ce sont mes grands copains. Les yeux jaunes, c'est Oxy, comme oxygène, et les yeux bleus c'est Carbo, comme carbone.

– Bien vu. Et vous êtes copains depuis longtemps ?

– Oui, depuis un petit moment déjà. Nous avons fait connaissance dans un refuge pour chats abandonnés. Ils étaient encore chatons.

– Ils ont de la chance, alors.

– Pas autant que moi de les avoir, je crois. Je vous offre quelque chose à boire ? proposa Ava en pointant le doigt vers le fond de la vaste pièce. Il y a un bar dans la bibliothèque.

– La bibliothèque ? répéta Noah en se demandant si elle plaisantait – posséder une bibliothèque, ce n'était pas le genre de chose qui faisait partie de son vocabulaire. Vous avez une bibliothèque ?

– Mais oui. La maison est grande, vous savez, même si, vue de la façade, elle paraît assez modeste. Là-bas, côté jardin, il y a une extension. Le plan au sol fait une sorte de L, si vous voulez.

– « Modeste », ce n'est pas le qualificatif qui me viendrait immédiatement à l'esprit.

Un petit rire cristallin, charmant de spontanéité, jaillit des lèvres d'Ava.

– Merci. Tout est relatif, je suppose.

– Vous habitez dans toute la maison ?

– Comment ça ?

– Est-elle divisée en appartements, je veux dire ?

– Oh ! Je vois ! s'exclama Ava en riant de nouveau. Non, il n'y a pas d'appartements. C'est un pavillon individuel. Pour une seule famille, si vous voulez. Sauf que ma famille se compose juste de moi et de deux chats.

– Il y a combien d'étages ?

– En tout, il y a six niveaux.

— Pas mal ! Je suis très impressionné. Et j'aime bien les moulures et la déco.

La maison était donc encore beaucoup plus grande, en effet, qu'il ne l'avait cru d'après sa façade : celle-ci donnait l'impression de s'élever non pas sur six, mais sur trois niveaux, rez-de-chaussée compris. Prenant conscience que son propre appartement tenait — facile — à l'intérieur de la pièce où Ava et lui se trouvaient maintenant, il se demanda confusément ce que cela faisait de vivre dans un tel palace.

— Vous vous intéressez à l'architecture et au design ?

— Heu, oui, dit-il poliment — et il ajouta *in petto* que son propre logement en donnait d'ailleurs la preuve.

— Voulez-vous visiter la maison, alors ? Je ne demande pas mieux que de vous la montrer rapidement, si ça vous tente. J'y ai mis beaucoup d'amour. Comme j'y passe à peu près tout mon temps quand je suis à Boston, je voulais qu'elle reflète ma personnalité et mon mode de vie. Qui est à vrai dire assez casanier, précisa Ava avec une petite moue résignée. Les travaux de rénovation sont terminés depuis moins d'un an.

— J'aimerais beaucoup la visiter, répondit Noah avec sincérité.

Ils commencèrent par le niveau inférieur qui était en fait un sous-sol, par rapport à la rue, donnant sur le jardin à l'arrière de la maison. Noah y découvrit une chambre d'amis accompagnée d'une salle de douche et d'une petite cuisine, puis une salle de gym équipée de deux vélos d'appartement installés devant un écran géant, d'un tapis de course, d'une demi-douzaine d'appareils de musculation et d'un éventail complet d'haltères.

— Je suis dans cette salle de six heures et demie à sept heures et demie tous les soirs, expliqua Ava. En tout cas quand je suis en ville. Aujourd'hui, par exemple, c'est pour ça que je suis encore en tenue d'exercice. Je ne voulais pas prendre une douche et risquer de ne pas pouvoir vous accueillir si vous arriviez à ce moment-là.

– Vous quittez souvent Boston ? Pour, heu… pour voyager ?

– Oui, je pars aussi souvent que possible. Presque tous les week-ends, en fait. Je profite bien de ma liberté. C'est un des avantages du métier d'anesthésiste. Quand je ne suis pas à l'hôpital, je décroche pour de bon.

– Tant mieux. Et que deviennent les chats, alors ?

– Ma femme de ménage, Maria, vient tous les jours quand je suis absente. Elle adore Oxy et Carbo.

– Vous partez où, en général ?

– Humm… Ça dépend si c'est pour le boulot ou pour le plaisir.

– Comment ça, pour le boulot ? répéta Noah, surpris, avant d'avoir eu le temps de se demander s'il ne se montrait pas un peu trop curieux. Vous avez un poste d'anesthésiste dans un autre hôpital ?

– Pas du tout, répondit Ava. Ce serait impossible. Le Dr Kumar ne l'accepterait pas. Je suis consultante.

– Ah, d'accord. Intéressant.

Noah aurait voulu en savoir davantage, mais il avait peur de pousser le bouchon trop loin. Et puis Ava s'engageait déjà dans l'escalier pour monter au niveau supérieur : un entresol, donnant sur Louisburg Square, qui abritait une vaste cuisine moderne, une salle à manger… et un petit appartement pour un domestique.

– Non, je n'ai pas de domestique ! précisa Ava avec un petit rire quand elle vit l'expression ahurie de Noah. C'est juste que quand j'ai lancé la rénovation de la maison, j'ai autant pensé à la revendre un de ces jours qu'à mes propres besoins.

– Intéressant, répéta-t-il.

Il n'était pas qu'un peu impressionné. D'après ce qu'il savait du prix de l'immobilier dans cette partie de Boston, il doutait qu'Ava eût les moyens de s'offrir une telle résidence avec son salaire d'anes-thésiste, aussi confortable celui-ci pût-il être. Soit son activité paral-lèle de consultante lui rapportait gros, soit elle avait de l'argent de famille.

Le troisième niveau était celui qu'il avait découvert en entrant dans la maison par la porte du perron. Ils poursuivirent par l'escalier principal jusqu'à l'étage suivant. Et ce fut sans doute ici que Noah fut le plus épaté. Le corps principal de la maison, sans l'extension en L de derrière, comportait deux pièces principales. Celle don-nant sur Louisburg Square, un peu plus grande que l'autre, était un magnifique bureau à dominante vert foncé. Il comportait deux tables de travail, des rayonnages de livres sur tout un mur, un coin salon avec deux confortables fauteuils club et des poufs assortis, et une grande table basse couverte de quelques beaux livres. Sur le mur opposé à la bibliothèque, il y avait de très nombreuses photographies encadrées d'Ava se livrant à diverses activités sportives. Les vastes fenêtres, enfin, laissaient généreusement entrer la douce lumière de cette fin de journée d'été. Noah se dit qu'il aurait volontiers passé de longues heures dans une telle pièce.

– Ça vous ennuie si je regarde vos photos ? demanda-t-il.

– Au contraire, répondit Ava, et elle rit de nouveau, visiblement enchantée de l'intérêt qu'il leur portait.

Il longea lentement le mur. Chaque image était plus fascinante que l'autre. Il s'agissait de selfies, pour l'essentiel, qu'il devinait avoir été pris à bout de bras ou avec une perche à selfie. On y voyait Ava s'apprêtant à sauter à l'élastique, Ava au ski, Ava tenant la barre d'un voilier, Ava à la plage avec un bodyboard, et ainsi de suite. Quelques photos de groupe apparaissaient çà et là, mais sur la plupart des clichés elle était seule – et souriait à l'objectif l'air gai comme un pinson. Elle avait la même expression sur à peu près toutes les images, et sa chevelure était toujours impeccable. En fait, ces photos avaient quelque chose d'assez impersonnel. C'était un peu étrange.

– Je vois que vous avez l'air d'aimer le sport, observa-t-il.

– J'aime beaucoup le sport et les voyages, en effet, dit Ava, et elle désigna le palier de la main. Venez, je vous montre l'autre côté.

La pièce située à l'arrière de la maison était plongée dans la pénombre – des stores à lattes étaient baissés devant les fenêtres. Quand Ava alluma la lumière, Noah écarquilla les yeux comme un enfant qui découvre un sapin de noël décoré. Cette pièce était une salle informatique équipée d'un matériel comme il n'en avait jamais vu que dans ses rêves.

– Waouh ! fit-il. Là, je suis carrément jaloux.

Sur une vaste table, qui occupait presque toute la longueur du mur de droite, étaient installés trois grands moniteurs haut de gamme formant un triptyque – les deux écrans latéraux étaient placés légèrement de biais par rapport à celui du centre – qu'Ava pouvait facilement embrasser du regard lorsqu'elle était assise dans le confortable fauteuil de direction qui leur faisait face. Le clavier et la souris étaient entourés de documents, de fournitures diverses et de gadgets high-tech, dont des écouteurs de sport sans fil et un casque de réalité virtuelle. Il y avait aussi un ordinateur portable ultraplat qu'elle utilisait sans doute dans ses déplacements. L'unité centrale de l'ordinateur, énorme, se trouvait sur le mur voisin, au milieu d'étagères métalliques qui contenaient plusieurs autres appareils – des disques durs et un serveur, comprit Noah. Aux extrémités de la table se trouvaient des enceintes hi-fi. Levant les yeux, il vit des dalles d'isolation acoustique au plafond.

– Je pense que c'est ma pièce préférée, dit Ava avec fierté. Je passe toutes mes soirées ici quand je suis à Boston. Parfois quatre ou cinq heures d'affilée. Je ne vois pas le temps filer.

– Je comprends que ce soit votre pièce préférée ! s'exclama Noah. J'en suis baba. Vous êtes gameuse ?

– Pas autant qu'autrefois, lorsque j'étais ado. Mais je joue encore de temps en temps, tout de même. League of Legends, pour l'essentiel, malgré le machisme de ce jeu. Vu votre réaction, j'ai l'impression que vous êtes gameur, vous aussi... ?

– Autrefois, comme vous. J'ai joué à League of Legends à sa sortie, quand j'étais en fac de médecine, mais depuis que je suis interne, c'est terminé. Plus le temps.

– Je comprends. Pendant l'internat je ne jouais pas du tout, moi non plus.

– Quand on voit votre matos, on dirait que vous jouez tout de même un peu plus qu'occasionnellement. Vous êtes arrivée à quel niveau, à League of Legends ?

– Silver deux, mais je vous assure que je n'y suis plus beaucoup. À la place, je suis devenue assez accro à la réalité virtuelle, dit-elle en désignant le casque VR dernier cri que Noah avait aperçu sur la table. Je l'utilise pour me distraire, mais aussi pour le travail. Le logiciel du programme de certification continue en anesthésiologie est absolument remarquable. Je m'en sers tous les jours. Vous le connaissez ?

– J'en ai entendu parler, répondit Noah.

Les sociétés américaines des diverses spécialités médicales, dont la société des anesthésistes, demandaient à leurs membres de revalider leur certification, tous les dix ans, soit en passant un examen ponctuel, soit sous forme de contrôle continu. Tout se faisait désormais en ligne et avec des logiciels sophistiqués utilisant la réalité virtuelle. Noah savait que la plupart des médecins attendaient pour ainsi dire le dernier moment : ils cravachaient pendant trois mois, juste avant la date limite, pour passer les épreuves qualifiantes. Il était donc impressionné d'apprendre qu'Ava y travaillait tous les jours. À ses yeux, c'était une preuve supplémentaire du dévouement absolu qu'elle avait pour son métier.

– Vous faites vraiment ça tous les jours ? demanda-t-il pour être sûr d'avoir bien entendu.

– Sans faute. Même quand je voyage. Je tiens à suivre toutes les dernières études, toutes les nouveautés. C'est simple, précisa-t-elle avec un petit haussement d'épaules, je fais le maximum pour être la meilleure anesthésiste que je peux.

– Je vous comprends tout à fait. C'est pareil pour moi avec la chirurgie. Vous savez, je crois que nous nous ressemblons un peu comme deux gouttes d'eau. Je veux dire… j'ai l'impression que nous sommes complètement passionnés par nos spécialités.

Ava rit de son rire cristallin si particulier.

– Comme deux gouttes d'eau ! J'aime bien cette image. Vu votre réputation, c'est sûr que nous avons sans doute des modes de fonctionnement très similaires. Pour être tout à fait honnête, cependant, je dois préciser que je ne consacre qu'une demi-heure par jour, environ, au logiciel de certification. Le plus gros du temps que je passe sur cet ordinateur, je le donne aux réseaux sociaux. J'y suis presque tous les jours. Je sais bien que c'est un peu too much, ce matériel, juste pour les réseaux sociaux, précisa-t-elle en désignant le triptyque de moniteurs. Mais… voilà, quoi.

– Les réseaux sociaux ? répéta Noah, pas sûr de comprendre. Du genre… Facebook, vous voulez dire ?

– La totale ! Facebook, ma chaîne YouTube, Snapchat, Twitter, Instagram, Tumblr, Pinterest et ainsi de suite. Mais surtout Facebook, c'est vrai. Ce qui dit d'ailleurs sûrement quelque chose sur mon âge. Pour être franche, les réseaux sociaux sont aujourd'hui mon terrain de jeux préféré. Quand j'étais adolescente, à la fin des années quatre-vingt-dix, j'ai été accro à SixDegrees et AOL, qui étaient les ancêtres des réseaux sociaux d'aujourd'hui. À l'époque, je prenais déjà la chose très au sérieux. Je voulais maîtriser mon image et ma réputation. Enfin, je croyais le faire. Avec le recul, je sais que ç'a été un désastre complet, parce que ce truc a pris possession de ma vie de façon assez négative. Enfin bon ! Aujourd'hui, c'est tout à fait différent. Je suis accro à Facebook et aux autres réseaux sociaux pour me divertir et pour interagir agréablement avec des tas de gens. Ils me fascinent, moi aussi, comme beaucoup de monde. C'est clair qu'ils sont en train de redéfinir notre culture.

— Vous voulez dire que vous consultez votre page Facebook tous les jours ?

— Oui, bien sûr, dit Ava. Facebook et les autres réseaux. Même à l'hôpital, j'y jette un œil sur mon smartphone, entre deux opérations, pour tweeter ou répondre à des snaps. Et ici, à la maison, si je ne suis pas en bas en salle de gym, ou à la cuisine pour manger, ou alors avec le casque de VR pour travailler ma recertification en anesthésie, je suis sur les réseaux sociaux. Je suis accro, je le reconnais volontiers. Mais vous savez quoi ? Avec les réseaux sociaux, j'en ai davantage appris sur moi-même que je ne l'aurais fait si j'avais passé plusieurs années en psychanalyse.

— Ah bon ? dit Noah, dubitatif. Il faudra que vous m'expliquiez ça. Je veux dire… J'utilise Facebook et Snapchat, moi aussi, de temps en temps, mais je ne pense pas avoir appris quoi que ce soit sur moi-même avec ces machins.

— Je ne demande pas mieux que de vous en parler. Mais c'est un peu long. Je crois que dans l'immédiat, nous devrions nous en tenir au problème du M&M.

— Mais oui ! Vous avez complètement raison.

Noah sentit tout à coup son pouls s'accélérer. Distrait et impressionné comme il l'était par Ava et son extraordinaire maison, il avait oublié le problème du M&M.

— On… On s'assoit quelque part ? demanda-t-il.

– Avant de nous y mettre, voulez-vous voir ce que mon système informatique a dans le ventre ? proposa Ava. En particulier pour la réalité virtuelle ? Enfin si ça vous intéresse, bien sûr. Nous n'avons pas besoin d'y passer longtemps.

– D'accord. Bonne idée !

Après l'avoir invité à prendre place dans le fauteuil devant les trois moniteurs, Ava inclina le buste à côté de lui pour sortir la machine de l'état de veille. Il ne put s'empêcher de remarquer qu'elle avait un mot de passe incroyablement basique : elle tapota juste le chiffre 1 six fois de suite sur le pavé numérique du clavier ! D'un autre côté, il n'était guère étonné dans la mesure où il avait remarqué à la porte de la maison, à son arrivée, qu'elle possédait un système de sécurité ultrasophistiqué.

Pendant quelques minutes, il se vit offrir une démonstration de capacités graphiques et audio qui l'ébahirent.

– OK, je suis bluffé, dit-il ensuite en se mettant debout. Votre bécane est géniale et je suis carrément jaloux. Avant ma mort, c'est sûr, je veux un système du même genre chez moi.

Ava rit. Elle était ravie.

– Si vous voulez, je vous donnerai les coordonnées des gens qui ont installé tout ça ici.

– Dans un an, peut-être, dit-il en songeant qu'il ne lui était pas interdit de rêver.

– Le moment venu, d'accord, convint Ava, puis elle pointa un doigt vers le plafond. Il y a deux autres étages. Ce sont juste des chambres et des salles de bains. Rien de passionnant, mais je ne demande pas mieux que de vous y emmener si ça vous tente.

– Merci mais ça va. Je suis déjà bien assez émerveillé.

– Alors mettons-nous au travail. Et si nous allions nous installer dans le bureau ? Pour me détendre, c'est l'endroit que je préfère dans la maison.

– Parfait, acquiesça Noah.

Ils quittèrent la salle informatique pour regagner la belle pièce donnant sur Louisburg Square. À présent la nuit tombait. À travers les frondaisons des ormes, Noah vit que des lumières commençaient à briller aux fenêtres des maisons situées de l'autre côté de la place.

– Que voulez-vous boire, alors ? dit Ava, mais avant qu'il n'ait pu répondre elle s'exclama : Attendez un peu ! Comme je vous reçois mal ! Je n'ai même pas pensé à vous demander si vous aviez dîné ce soir.

– Non. Pas encore, répondit Noah.

Il lui arrivait bien souvent de se passer purement et simplement de manger quand il rentrait chez lui après sa longue journée à l'hôpital.

– Moi non plus, dit Ava. Et si nous rectifiions ça ? Vous aimez la cuisine thaïe ?

– Qui n'aime pas le thaï ? répondit-il avec le sourire.

– Vous savez quoi ? J'appelle King and I, le restau de Charles Street, pour commander à emporter. Et si ça ne vous ennuie pas d'aller chercher la commande là-bas, j'aurai le temps de me doucher et de me rendre un peu plus présentable.

– Avec plaisir, dit Noah.

Tout à coup, il découvrait qu'il mourait de faim.

9

Lorsque Noah était revenu avec la commande du restaurant thaï, Ava l'avait accueilli à la porte dans une tenue moins perturbante pour lui que son legging et son débardeur ultramoulants : elle portait un chemisier blanc ajusté et un jean délavé. Ils avaient dîné dans la cuisine, face au jardin, assis côte à côte sur les tabourets hauts de l'îlot central. Laissant temporairement le M&M de côté, ils avaient discuté des raisons pour lesquelles ils n'avaient ni l'un ni l'autre de relations sentimentales, ni même d'aventures, avec leurs collègues du BMH. Ils étaient tombés d'accord pour dire que ce genre de « consanguinité professionnelle », selon l'expression d'Ava, était par trop risqué – surtout quand on savait comment le moulin à ragots pouvait tourner à l'hôpital.

Le repas terminé, ils remontèrent au bureau et s'assirent dans les confortables fauteuils club, tendus de velours, disposés à angle droit l'un par rapport à l'autre. Ils avaient apporté leurs verres à vin, et Ava avait pris la bouteille entamée. Noah jugeait qu'il pouvait se laisser un peu aller. Il consommait très rarement de l'alcool, car il n'était jamais sûr de ne pas être appelé d'urgence par l'hôpital

– les quelques verres qu'il avait engloutis huit jours plus tôt à la soirée d'intégration avaient été exceptionnels –, mais il était quasi certain de ne pas être sollicité ce soir, car le chef interne de garde était excellent.

– Bon, dit Ava quand ils furent installés. On commence par quoi ?

– Si vous voulez bien et si je ne suis pas indiscret, j'aimerais d'abord revenir sur une remarque que vous avez faite cet après-midi. Vous avez dit que le Dr Mason ne vous aimait pas. Qu'est-ce qui vous donne cette impression ? Je sais qu'il demande régulièrement à vous avoir comme anesthésiste pour ses opérations...

– Non, vous n'êtes pas indiscret. Mais souvenez-vous, j'ai aussi dit qu'à mon avis, cet homme souffre d'un trouble de la personnalité. Pour être plus précise, je crois qu'il est terriblement, pathologiquement narcissique. En fait, j'en suis même sûre. Connaissez-vous les caractéristiques du trouble de la personnalité narcissique ?

– Humm... à peu près.

Il avait une vague idée de ce dont il s'agissait, mais son cours de psychiatrie datait tout de même de sa deuxième année de fac de médecine – quelque huit ans auparavant.

– Permettez-moi de vous rafraîchir la mémoire, dit Ava qui percevait son hésitation. Je m'y connais un peu, parce que, ayant été confrontée à des bonshommes comme Mason, j'ai été obligée de me replonger dans l'étude de ce profil psychologique. Avant d'aller plus loin, par contre, je voudrais préciser une chose. Cette conversation reste entre nous, d'accord ? J'aimerais être certaine que vous ne répéterez rien à personne, en particulier au BMH. Cela vous convient-il ?

– Bien sûr ! C'est exactement ce que je veux.

Ava London lui plaisait de plus en plus. Il était arrivé chez elle comme un guerrier solitaire et pas très bien armé qui cherchait un peu désespérément de l'aide. Il avait désormais le sentiment d'avoir une compagne d'armes d'autant plus fiable et résolue qu'elle était praticienne au BMH et jouait elle-même gros dans l'affaire qui les concernait. Et il avait la certitude qu'ils pouvaient s'entraider. Ava paraissait très intelligente, douée dans le domaine des interactions sociales, et elle était sans doute aussi dévouée à la médecine que lui. De surcroît, elle se révélait très agréable à fréquenter et elle était ravissante : il avait un réel plaisir à la regarder, surtout maintenant qu'elle portait des vêtements qui ne le plongeaient pas dans l'embarras. Il avait remarqué qu'après sa douche, elle avait aussi pris le temps de se maquiller juste ce qu'il fallait pour mettre ses yeux en valeur et faire ressortir son teint – peut-être, osait-il penser, parce qu'elle était contente de le recevoir chez elle.

– Les gens qui ont une personnalité très narcissique sont un peu comme des éléphants dans un magasin de porcelaine, dit-elle. Ils créent toutes sortes de problèmes pour la quasi-totalité des personnes de leur entourage, surtout celles qui ne comblent pas leur insatiable besoin d'être admirés, ou pire encore, qui les critiquent ou les insultent. En même temps, ils sont capables d'être très brillants et de faire de belles carrières. Le Dr Mason est un parfait exemple en la matière. C'est un chirurgien de première catégorie et son talent lui vaut une renommée complètement méritée. Mais ça ne lui suffit pas. Il n'en a jamais assez. Donc, il a beau être génial comme chirurgien du pancréas, il est aussi archi-arrogant, péremptoire, dominateur et vindicatif. Susceptible, aussi, d'exploser à la plus petite provocation.

– C'est d'ailleurs pour ça qu'il est surnommé Wild Bill.

– Exactement. Mason est une bombe à retardement.

Noah hocha la tête. Ava mettait les bons mots sur l'opinion qu'il se faisait du Dr Mason – et sur la raison pour laquelle le M&M à venir le terrifiait, car il était certain d'être dans le collimateur de cet homme ombrageux et instable.

— Malheureusement, reprit Ava, je fais partie des personnes qui ont eu le tort de l'insulter.

— L'insulter... pour de bon, vous voulez dire ? Verbalement ? demanda Noah, surpris.

— Non. Au figuré. Ou je devrais plutôt dire : de son point de vue à lui. Le truc, c'est qu'il a essayé bien des fois de me draguer. Il m'a même appelée le soir, à deux reprises, pour s'inviter ici sous prétexte qu'il était de passage dans le quartier et avait besoin de me parler d'un patient. Comme on se le disait tout à l'heure, je ne veux pas avoir de relations, amicales ou autres, avec mes collègues de l'hôpital. Alors des relations avec quelqu'un comme le Dr Mason, vous imaginez ! Sous aucun prétexte je ne le laisserais entrer chez moi. En plus, il est marié. J'ai essayé de le repousser gentiment, mais c'est difficile, parce qu'il est très culotté, hyper-insistant et incapable de s'entendre dire non. Je suis donc certaine qu'il a pris mes refus à répétition pour un affront, et qu'il m'en veut beaucoup. Surtout maintenant qu'il est un peu embêté par cette affaire Bruce Vincent et qu'il a besoin d'un bouc émissaire.

— Je suis désolé pour vous.

— Vous n'avez aucune raison d'être désolé. Ce qui est le plus inquiétant, pour moi, c'est que le Dr Mason et le Dr Kumar sont très copains. Et je ne veux pas perdre mon travail. Or, cela pourrait me pendre au nez si le Dr Mason réussissait à me faire porter le chapeau dans la mort de Vincent. Pour moi, ce serait un véritable désastre. Depuis que j'ai commencé à étudier la médecine, je n'ai jamais eu d'autre objectif que de faire partie de l'équipe du BMH.

— Je disais que je suis désolé parce que l'attitude de Mason à votre égard, c'est une forme de harcèlement sexuel.

— En effet. Merci de le reconnaître.

– Ce que je trouve assez ironique, sinon, en vous écoutant, c'est que c'est aussi pour une histoire de cœur que le Dr Mason ne m'aime pas.

Ava le dévisagea tout à coup bouche bée, l'air sidérée.

– Oh, attendez ! s'exclama Noah, levant les mains et pouffant de rire. Je me suis mal exprimé. Il ne s'agit pas du tout d'une histoire de cœur entre le Dr Mason et moi.

– Ah, d'accord, fit Ava, le sourire aux lèvres. Je ne voulais pas tirer de conclusions hâtives, mais… vous savez sans doute que certaines rumeurs courent à votre sujet à l'hôpital. Il y a des gens qui s'interrogent sur votre orientation sexuelle. Vous êtes un célibataire tout ce qu'il y a de séduisant, mais vous ne flirtez avec aucune des femmes disponibles du bloc opératoire. Et même du BMH !

– Je connais ces rumeurs et elles m'indiffèrent. Il n'y aurait rien de mal à cela le cas échéant, mais je ne suis pas gay.

– C'est noté. Selon vous, donc, le Dr Mason ne vous aime pas. Mais comment c'est possible ? Tout le monde sait que vous êtes l'un des tout meilleurs internes du BMH.

– Vous souvenez-vous d'une interne de chirurgie qui s'appelait Margery, ou Meg, Green ? Elle était encore ici il y a trois ans.

– Oui, répondit Ava, fronçant les sourcils. Mais je crois que… Elle est partie assez subitement, non ?

– En effet. Elle a été expulsée du programme de l'internat. Très peu de gens ont su qu'elle avait une liaison avec le Dr Mason. Enfin, je crois. La nature exacte de leur relation n'a jamais été éclaircie. Mais il y avait quelque chose, c'est sûr.

– Elle a été mise à la porte parce qu'elle avait une liaison avec un praticien ? C'est carrément injuste !

– Non, pas du tout. Leur liaison n'a été connue qu'après les faits. Elle a été expulsée parce qu'elle abusait des opioïdes. Et c'est moi qui en ai informé l'hôpital. Pas parce que je lui voulais du mal, bien sûr. J'ai... j'ai juste été le messager, en quelque sorte. Mais le Dr Mason ne m'a jamais pardonné. Du coup, je suis terrifié à l'idée de me retrouver une fois de plus dans le rôle du porteur de mauvaises nouvelles au prochain M&M. Dans la mesure du possible, je voudrais éviter de contrarier le Dr Mason. Mais il va me falloir un plan de bataille et beaucoup de diplomatie, parce que je crois que vous avez raison, les principaux responsables de la mort de Bruce Vincent, ce sont le Dr Mason et le patient lui-même.

– OK. Maintenant je comprends ce qui vous tracasse. En somme, Wild Bill ne nous apprécie ni l'un ni l'autre...

– Pour ce qui me concerne, je pense que son sentiment est beaucoup plus négatif. Il a vraiment une dent contre moi. Le truc très inquiétant, c'est qu'il est directeur adjoint du programme de l'internat de chirurgie. Vindicatif comme il est, je ne serais pas étonné qu'il essaie de me faire renvoyer de l'hôpital.

– Je ne pense pas que vous ayez à craindre ce genre de chose, objecta Ava. Excepté Mason, tout le monde vous apprécie et vous respecte énormément au BMH.

– Oui, en général les gens m'aiment bien, je sais. Mais cela ne me rassure pas. Malheureusement, j'ai très peur des figures d'autorité. C'est comme ça depuis toujours. Et en particulier depuis que j'ai pris la décision, à l'adolescence, de devenir chirurgien.

– À vos yeux, le Dr Mason est une figure d'autorité ?

– Sans le moindre doute.

– Si cette question ne vous ennuie pas... Avez-vous ou avez-vous eu des problèmes avec votre père ?

– Mon père est décédé quand j'étais au lycée.

– Tiens donc. Drôle de coïncidence, dit Ava, l'air étonnée. Le mien aussi.

– Désolé pour vous.

– Désolée de même.

– Revenons à nos moutons et entrons un peu plus dans les détails, si vous voulez, proposa Noah. D'abord, je dois vous informer que j'ai examiné le DME de Bruce Vincent et parlé avec toutes les personnes concernées, sauf le Dr Mason. Trouillard que je suis, j'attends le dernier moment pour m'imposer ce supplice.

– Non, vous avez bien fait. C'est même futé de votre part. Cette conversation avec Mason sera peut-être aussi difficile pour vous que le M&M lui-même.

– C'est exactement l'impression que j'ai, admit Noah. Ce sont deux épreuves pour lesquelles je dois me préparer comme il faut. De votre part, j'ai besoin de savoir tout ce qui vous paraît important. Et tout ce que mes autres sources, à votre avis, ne m'ont peut-être pas dit.

Ava réfléchit quelques instants en se mordillant la lèvre inférieure, puis demanda :

– Vous avez sans doute remarqué dans le DME qu'il n'y avait pas de note de l'interne des admissions ?

– Bien sûr. Martha Stanley m'a expliqué que l'interne était débordé au moment où M. Vincent est arrivé. Et M. Vincent avait trois quarts d'heure de retard. Donc Martha l'a envoyé au bloc sans que l'interne ne l'ait examiné.

– Vous avez aussi vu, je suppose, que le bilan préopératoire arrivé du bureau du Dr Mason ne parlait pas de reflux gastro-œsophagien ou de symptômes d'occlusion associés à la hernie ?

– Humm, ce n'est pas tout à fait exact, objecta Noah. Les deux choses apparaissent dans le bilan préopératoire.

– Non, absolument pas ! répliqua Ava avec une pointe de colère dans la voix.

– Si, elles y sont, mais… elles ont été ajoutées après coup, précisa Noah. Après le drame, je veux dire. C'est d'autant plus bizarre que ces informations sont écrites dans une police de caractères différente de celle qui est utilisée dans le reste du bilan préopératoire. C'est du travail bâclé. Comme tout le reste du bilan d'ailleurs. La plupart des notes donnent l'impression de copier-coller d'observations médicales comme on peut en trouver sur Internet.

– C'est incroyable ! Cette histoire est de plus en plus abracadabrante. Et à votre avis, c'est le Dr Mason qui a fait ça ?

– Je ne peux pas y croire. Mason est une brute, mais il n'est pas aussi stupide. Je crois que ça vient plutôt de son assistant, Aibek Kolganov. Je ne peux pas l'interroger parce qu'il vient de repartir au Kazakhstan, mais si la question est posée au M&M – et elle ne viendra pas de moi, bien sûr –, c'est lui que je rendrai responsable de la chose.

– Bonne idée, approuva Ava. C'est énorme, ce truc !

– N'est-ce pas ? En plus, ce serait un bon moyen d'éviter d'accabler Mason. Même si, au bout du compte, il est responsable du comportement de son assistant.

– Peut-être devriez-vous parler de cela dès le début de la discussion sur le cas, suggéra Ava. Comme les avocats de l'hôpital doivent vouloir mettre cette histoire sous le tapis par peur d'un procès pour faute médicale, le Dr Hernandez se rendra sans doute compte que c'est une info très dangereuse. Et il insistera pour passer vite fait bien fait au cas suivant...

– Ouais, mais la discussion ne peut pas se limiter au problème de cet ajout bizarre au bilan préopératoire. Il y a d'autres questions incontournables. Par exemple, le fait que le patient avait peut-être, justement, des soucis de reflux gastro-œsophagien. À propos, lui avez-vous posé clairement la question ?

– Bien entendu. Sinon je ne l'aurais pas mis dans le DME. Je pose systématiquement cette question aux patients. Et M. Vincent m'a menti tout net. Comme il m'a menti en affirmant n'avoir rien mangé depuis la veille au soir.

– Et l'occlusion intestinale ? Vous l'avez interrogé là-dessus ?

– Non. Le bilan préopératoire est là pour ça. Dites-moi une chose : savez-vous que le bureau du Dr Mason avait précisé que le chirurgien voulait un type bien précis d'anesthésie pour M. Vincent ?

– Oui. Une rachianesthésie. Et je sais que le patient s'était entendu confirmer la chose au téléphone la veille de l'opération.

– J'ai bien réfléchi à cette question, comme pour chaque patient, et j'ai décidé qu'il n'y avait pas de contre-indication pour la rachianesthésie. Vous savez aussi, je présume, que Mason n'a pas participé au briefing préopératoire avec l'équipe ?

– Oui. Il n'est arrivé en salle d'opération qu'une heure, à peu près, après que vous avez lancé l'anesthésie. Et vous avez fait cela parce que Janet Spaulding vous avait confirmé que le Dr Mason avait donné le feu vert pour démarrer, et promis de vous rejoindre très vite. Mais je ne vais pas parler de ces choses-là, parce que la discussion s'orienterait alors vers le problème des opérations simultanées. Or, le Dr Mason m'a clairement prévenu de ne pas aller dans cette direction.

– Vous aurez du mal à faire l'impasse sur le fait que le patient est resté une heure sous anesthésie avant l'arrivée du chirurgien, objecta Ava. Tout le monde, en salle d'op, savait très bien ce qui se passait, puisque Mason avait deux autres patients sous anesthésie au même moment. C'est comme si le bloc opératoire était une chaîne de montage tombée en partie en panne à cause de lui...

– Je sais bien, dit Noah avec un soupir. Mais cette question est vraiment casse-gueule pour moi. Je ne veux pas en parler. Peut-être que quelqu'un d'autre le fera. Quelqu'un du public, par exemple. Le messager, à ce moment-là, ce sera lui.

Ava s'avança au bord de son siège.

– Il y a une chose que je voudrais mettre au point, dit-elle sur le ton de la confidence. Sur le plan psychologique, vous savez, cette histoire m'a vraiment fichue par terre. C'est la première fois que je perdais un patient lors d'une opération. J'espère que ça ne se reproduira plus jamais.

– Perdre un patient sur la table, c'est difficile. Je sais ce que vous ressentez, parce que j'ai eu des moments pénibles, moi aussi, en première année d'internat. On ne s'y habitue pas, mais on peut apprendre à accepter que c'est un malheur susceptible de se produire à n'importe quel moment. Même si l'on fait tout parfaitement bien. C'est particulièrement vrai dans certaines spécialités comme la cancérologie.

– En tant qu'anesthésiste, je ne m'attendais pas à vivre ça. Je croyais qu'en étant hyper-attentive en salle d'op et en me tenant informée de toutes les évolutions de ma spécialité, j'étais à l'abri.

– La mort fait partie de la condition humaine. Comme de toute forme de vie.

– Humm… Pour en revenir au cas Vincent, j'ai revu chaque aspect de l'anesthésie avec plusieurs collègues praticiens, dont le Dr Kumar. Et je répète qu'à part attendre l'arrivée du Dr Mason pour entamer la rachianesthésie, je ne vois rien que j'aurais pu faire différemment.

– Je comprends très bien. Maintenant, j'aimerais aussi avoir votre avis sur mon rôle dans cette catastrophe. Après avoir réexaminé le cas comme vous l'avez fait, que pensez-vous de ma décision de mettre le patient en circulation extracorporelle ?

– Vous avez eu complètement raison, répondit Ava. C'était la seule chose à faire. Il n'y a aucun doute possible. Sans cela, le patient serait mort avant que nous ayons pu faire la fibroscopie pour lui dégager les poumons et réussir à le ventiler. Sa saturation en oxygène était catastrophique et son cœur déjà en fibrillation. Le brancher à la machine cœur-poumon, c'était une décision non seulement nécessaire, mais aussi très courageuse. Il faut vous en féliciter même si, au bout du compte, la procédure n'a pas permis de sauver le patient.

– Le Dr Mason me menace de dire publiquement que j'ai tué le patient, dit Noah avec une pointe d'émotion dans la voix.

– N'importe quoi ! C'est parce qu'il est embarrassé de n'avoir pas lui-même pris cette décision. Et d'en avoir été manifestement incapable, d'ailleurs. Je me souviens qu'il restait juste planté là, à trépigner, pendant que la saturation en oxygène du patient tombait à la verticale.

– Merci. Votre opinion me rassure beaucoup. Et elle me fait plaisir.

– Quand parlerez-vous avec le Dr Mason, alors ?

Noah haussa les épaules.

– Dès que possible, je suppose. Il a des patients hospitalisés, ces jours-ci, et dans ce cas il passe en général dans le service le samedi matin. Donc, heu… j'essaierai de rassembler mon courage pour le voir demain.

– Marchez sur des œufs, mon ami, dit Ava avec sympathie.

Un sourire désabusé plissa les lèvres de Noah.

– Marcher sur des œufs, répéta-t-il. C'est l'expression qu'a utilisée le Dr Mason quand il m'a mis en garde au sujet du M&M.

– Pardon ! Alors disons plutôt : préparez-vous bien. Pour vous aider, je propose qu'on se revoie après que vous aurez parlé avec lui. Ce week-end, je suis à Boston. Prévenez-moi si vous réussissez à le rencontrer, d'accord ? D'ici là, je continuerai de réfléchir, et vous aussi sans doute. Plus vous serez préparé, mieux cela vaudra. Qu'en dites-vous ?

– C'est parfait, soupira Noah.

– C'est une sale histoire, très perturbante pour nous deux. Mais j'apprécie beaucoup notre discussion. Merci d'avoir accepté de venir chez moi. Je suis vraiment contente que vous ayez pris contact comme vous l'avez fait. J'avais l'intention de vous parler, moi aussi, et puis… j'avais renoncé. Je ne sais pas bien pourquoi.

Elle haussa les épaules et se mit debout en disant :

— On garde le contact, d'accord ? Vous avez déjà mon numéro de portable. Vous voulez bien m'envoyer un texto, que j'aie le vôtre ? Vous êtes sur Facebook ou Snapchat ?

— J'utilise un peu plus Facebook que Snapchat, répondit Noah, et il se leva à son tour. Mais pas très souvent, pour être honnête.

— Nous pouvons communiquer par SMS ou sur la messagerie de Facebook. Mon profil est au nom de Gail Shafter.

Ava fit signe à Noah de le précéder pour sortir du bureau. Dans l'escalier, il demanda :

— Sur Facebook, vous n'utilisez pas votre vrai nom ?

— En effet. Mon vrai nom n'apparaît que sur LinkedIn, parce que c'est un réseau professionnel. Sur tous les autres réseaux sociaux, j'ai un pseudo. Je vous en parlerai davantage une autre fois, si ça vous intéresse.

— Volontiers.

— À l'hôpital, à partir de lundi quand je retournerai au travail, je ne pense pas que nous devrions être vus discutant ensemble. D'une part, ça pourrait faire tourner le moulin à ragots dont nous avons tous les deux horreur, et puis je crois qu'il vaut mieux que le Dr Mason ne sache pas que nous sommes en relation, vous et moi. Êtes-vous de cet avis ?

— Je suis bien d'accord. À supposer que je réussisse à coincer Mason demain, quand voudriez-vous qu'on se revoie ?

— Demain soir, par exemple ? Vers huit heures ? Nous pourrons même commander à manger comme aujourd'hui, si ça vous tente ?

— Parfait. Sauf catastrophe imprévue à l'hôpital, je serai là.

Ils étaient arrivés à la porte de la maison. Nul comme il était en relations sociales, Noah se sentit tout à coup très gêné : il ne s'était pas attendu à tant apprécier la compagnie d'Ava et il ne savait pas comment mettre un terme à leur agréable tête-à-tête. Devait-il lui serrer la main, la prendre dans ses bras ? Par chance, elle prit les devants et se pencha pour lui faire la bise – deux fois, une sur chaque joue. Elle était décidément beaucoup plus décontractée et avisée des choses du monde que lui.

– Merci encore d'être venu, dit-elle avec un sourire charmant. Grâce à vous, j'ai passé une bonne soirée.

– Pareil. Enchanté d'avoir passé ce moment avec vous, dit-il en espérant qu'il ne rougissait pas trop. Je, heu... J'ai une dernière question. Vous avez un accent très plaisant, mais je n'arrive pas à le situer. De quelle région êtes-vous ?

Ava pouffa de rire.

– Vous êtes trop gentil. J'ai grandi dans l'ouest du Texas. À Lubbock, pour être précise. Et vous ?

– Je suis de Scarsdale, dans l'État de New York. C'est dans le comté de Westchester.

Avec l'impression de se comporter comme un adolescent enamouré, Noah marmonna « Bonne nuit », descendit deux à deux les marches du perron, puis se retourna pour agiter la main. Ava lui rendit son salut avant de fermer la porte.

– T'es vraiment un gros nigaud, dit-il, navré d'être aussi maladroit.

Mais bon. En même temps, il se sentait super bien ! Pendant qu'il retournait vers son appartement dans la douce chaleur de la nuit d'été, il se rendit compte qu'il éprouvait une sorte d'excitation, et même d'exaltation, comme il n'en avait pas connu depuis le lycée avec son premier amour, Liz Nelson. Il venait de passer un moment formidable en compagnie d'une femme avec laquelle il se découvrait de vrais atomes crochus parce qu'ils avaient la même passion et le même dévouement absolu pour la médecine. Il avait été impressionné de l'entendre donner son numéro de portable à l'infirmière de la SSPI. Il était scié qu'elle travaille religieusement, chaque jour, sur sa recertification auprès de la société des anesthésistes. Il trouvait sympa, aussi, qu'elle ait adopté des chats dans un refuge. Et par-dessus tout, il fallait admettre qu'elle était très séduisante. Carrément magnifique. Leur amitié naissante pourrait-elle se prolonger, peut-être même s'épanouir, après le M&M ? Il n'en avait aucune idée. Si cela arrivait, en tout cas, il savait déjà qu'il n'aurait jamais à lui expliquer pourquoi il passait tant de temps à l'hôpital. Sur ce point très important au moins, Ava serait l'exact opposé de Leslie Brooks – qui ne l'avait tout simplement jamais compris. Arrivé devant son immeuble de Revere Street, il hésita quelques instants avant d'ouvrir la porte : il se demandait s'il devait faire un saut à l'hôpital pour s'assurer que tout allait bien. Non, bien sûr que non ! Il était beaucoup trop obsédé par son travail. Si le chef interne, Tom Bachman, rencontrait un pépin qu'il n'arrivait vraiment pas à gérer, il appellerait – voilà tout. Et puis débarquer dans le service à l'improviste à cette heure de la soirée risquait de donner l'impression à Tom que Noah n'avait pas confiance en lui. Il le vexerait pour rien, d'autant que Tom était archicompétent. Il mesurait là, une fois de plus, la nécessité de faire preuve de psychologie et de tact quand on était superchef des internes.

Quand il entra chez lui et referma la porte, Noah s'immobilisa quelques instants pour embrasser le séjour du regard. Comparé à la maison d'Ava, son logement était ridicule. Petit, pauvrement meublé et décoré et, plus important que tout peut-être, privé de la moindre touche personnelle. Le contraste était vraiment déprimant. Il repensa aux nombreuses photos encadrées qu'il avait découvertes dans le bureau – toutes ces images d'Ava dans divers sites sportifs, genre stations de ski et sites de plongée sous-marine. Il y en avait une où elle était sur le point de sauter en parachute d'un petit avion, et une autre où elle s'apprêtait à se jeter dans le vide au bout d'un élastique. Deux activités que, pour sa part, il trouvait parfaitement dingues. En même temps, il reconnaissait qu'elle était audacieuse. Lui-même, il aurait sans doute été bien incapable de faire toutes ces choses. Les autres nombreuses photos étaient des selfies où Ava s'était prise – tout sourire à chaque fois – devant des sites touristiques comme le Colisée de Rome ou le Taj Mahal en Inde. Il ne put s'empêcher de se demander si elle faisait ces voyages en solo. Et si elle était accompagnée, pourquoi elle apparaissait quand même seule sur ses photos.

Quant à la magnifique maison d'Ava et à l'investissement financier qu'elle supposait, Noah aurait bien aimé savoir quel genre de milieu d'affaires elle fréquentait pour entretenir un tel niveau de vie. Car il était évident que son salaire d'anesthésiste n'y suffisait pas. Elle avait dit travailler comme « consultante », mais ce terme était assez vague. Cette activité avait-elle un rapport quelconque avec son métier d'anesthésiste ? Si leur amitié s'épanouissait comme il l'espérait, il lui poserait la question. Une des qualités de cette femme qu'il appréciait beaucoup, c'était qu'elle semblait avoir une très grande confiance en elle et être capable de parler en toute franchise de la personne qu'elle était. Un domaine où il avait quant à lui de grosses faiblesses, sauf lorsqu'il s'agissait de son métier de médecin.

Pour essayer de modérer quelque peu son enthousiasme à l'idée de nouer une relation – peut-être ! – avec une femme séduisante, sexy, impressionnante par son intellect et son caractère, et qui avait des centres d'intérêt et un système de valeurs semblables aux siens, Noah s'assit à la petite table pliante du séjour et alluma son ordinateur portable HP. Comme il était très curieux au sujet d'Ava, il voulait jeter un œil sur son profil Facebook au nom de Gail Shafter. Pendant que le disque dur démarrait poussivement, il ne put que sourire du contraste qui existait entre sa machine vieillotte et le superbe équipement informatique d'Ava. Il était aussi frappant, de fait, que le contraste entre leurs logements.

La page Facebook de Gail Shafter le fascina. Elle comportait d'innombrables photos d'Ava à tous les âges ; plusieurs dataient même de sa petite enfance. Il y avait certains des selfies qu'il avait découverts dans son bureau, comme si Gail Shafter était elle aussi une globe-trotteuse. À la rubrique de ses « Amis », il fut assez impressionné de constater qu'elle en avait 641. C'était assez drôle, car sur sa propre page il devait en avoir une dizaine à tout casser. Dans la rubrique « À propos », il découvrit que Gail Shafter avait été lycéenne à Lubbock, au Texas, et travaillait aujourd'hui comme assistante dentaire dans un cabinet d'une petite ville de l'Iowa. Le truc vraiment rigolo et intéressant, dans ce profil, c'était d'essayer de démêler le vrai du faux.

Un autre détail attira son attention. Dans un encadré de la page d'accueil de Gail Shafter, il y avait un lien vers une page Facebook intitulée « Diététique, Gym et Beauté ». Cliquant dessus, il constata que celle-ci était de toute évidence animée par « Gail Shafter ». On pouvait y visionner d'innombrables vidéos dans lesquelles Ava, déguisée, livrait toutes sortes de conseils dans les domaines de la beauté, de l'exercice physique et de la santé en général. Il écarquilla les yeux de surprise en découvrant dans l'encadré de sa « communauté » que cette page était suivie par 122 363 personnes ! Avec ça, il ne fallait pas s'étonner qu'Ava passe tant de temps sur les réseaux sociaux. Elle y donnait un véritable spectacle.

Il quitta Facebook et alla sur LinkedIn, où il était lui-même inscrit, pour consulter la page de la Dr Ava London. Ici, pas de photos ni de vidéos divertissantes – rien que des infos professionnelles. Il lut avec intérêt qu'Ava avait fréquenté l'université Brazos à Lubbock, Texas, où elle avait décroché une licence de diététique avant d'entamer ses études de médecine. Une fois docteur, elle avait fait l'internat d'anesthésie au Centre médical de l'université Brazos. Il songea que c'était plutôt judicieux, pour une future médecin, de commencer par étudier la diététique en prépa, car c'était une discipline, il fallait bien le reconnaître, que la fac de médecine enseignait assez mal. Il se demanda si son activité de consultante avait quelque rapport avec cette qualification dans le domaine de la nutrition.

Noah parcourait des yeux le reste de la page, lorsqu'il éclata tout à coup de rire. Dans la section des compétences et des recommandations, il venait de remarquer que Gail Shafter comptait parmi les personnes qui recommandaient la Dr Ava London comme anesthésiste !

– Hé ! Pourquoi pas ? dit-il, amusé.

Il savait que ce petit tour de passe-passe était un exemple typique d'abus de fausse identité sur Internet – et que pas mal de gens critiquaient ce genre de pratique –, mais dans le cas présent, il jugeait la chose plutôt marrante.

Noah éteignit l'ordinateur avant de se lever en s'étirant. Il fallait maintenant qu'il se mette au lit et dorme à poings fermés. Le réveil, à quatre heures quarante-cinq, ne viendrait que trop vite.

10

Jusque-là, la matinée avait été géniale, mais Noah savait qu'elle était sur le point de prendre une très mauvaise tournure. Il traversait à cet instant la passerelle surélevée reliant la tour Stanhope au bâtiment Young. Le Dr Mason y avait un bureau où Noah se rendait pour une entrevue décidée trois quarts d'heure plus tôt, entre deux portes, lorsqu'il était tombé par hasard sur le chirurgien dans un couloir du bloc opératoire. Quand Noah lui avait demandé s'il pouvait lui réserver un moment dans la journée, Wild Bill avait répondu d'un ton bourru qu'il aurait quelques minutes vers onze heures à son bureau d'appoint. Il ne savait pas très bien à quoi s'attendre, mais les chances que la rencontre soit agréable étaient sans doute proches de zéro.

En arrivant à l'hôpital vers cinq heures du matin comme d'habitude, Noah s'était d'abord rendu à l'unité de soins intensifs. Il voulait prendre des nouvelles de John Horton, l'accidenté de la route au sternum enfoncé qui, bien que placé sous la responsabilité de ses médecins privés, continuait d'être soigné par le personnel très compétent du service de réanimation. Noah avait pu constater avec satisfaction que l'homme tenait plutôt bien le coup – et que les autres patients de la salle remontaient eux aussi la pente petit à petit. Il avait également eu le plaisir d'entendre Carol Jensen, la chef, lui dire qu'elle appréciait beaucoup les nouveaux internes de chirurgie de première année qu'elle avait accueillis dans l'unité.

En quittant les soins intensifs, Noah avait fait le tour des internes de garde pendant la nuit. Aucun d'eux n'avait eu de problème particulier. Ensuite était venue la visite des malades, à sept heures et demie, qui s'était à peu près bien passée. Elle avait juste été nettement plus longue que d'ordinaire, car les internes de première année manquaient encore d'expérience. À vrai dire, elle se terminait à peine lorsqu'il était tombé sur le Dr Mason – et il était aux alentours de dix heures ! Comme chaque année, les nouveaux venus ne maîtrisaient pas encore la technique de la présentation du patient ; ils ne savaient pas être à la fois complets, précis et rapides dans leurs explications. La petite troupe qui allait de chambre en chambre avec Noah prenait donc peu à peu du retard. L'un dans l'autre, cela dit, il restait globalement assez satisfait du déroulement de sa première semaine en tant que superchef des internes. Et il n'était pas très étonné : il savait qu'il apprenait vite. C'était la deuxième semaine, qui se profilait à l'horizon, qui le tracassait.

Le volume des consultations étant bien inférieur le samedi à ce qu'il était du lundi au vendredi, le premier étage du bâtiment Young, qui servait de centre de tri des patients pour les différents services du BMH, paraissait presque vide. Noah embarqua seul dans l'ascenseur qui l'emmena au quatrième étage, celui du service de chirurgie générale. Il redoutait le quart d'heure à venir, mais il puisait du courage dans le fait qu'il avait désormais une alliée secrète, une compagne d'armes, en la personne d'Ava. C'était très réconfortant, pour lui, de savoir qu'il avait son soutien pour la prochaine Revue de mortalité et de morbidité.

Il se dirigea vers le fond du couloir où le Dr Mason avait un petit bureau qui servait aussi de salle d'examen. Le principal, le véritable bureau du praticien se trouvait dans le bâtiment Franklin, infiniment plus luxueux que le Young, où étaient reçus les cheiks arabes, les milliardaires et autres chefs d'État qui avaient besoin de ses compétences. Le nom de ce bâtiment, Franklin, était d'ailleurs celui d'un ancien patient de Mason qui en avait financé la construction.

La porte était ouverte. Noah toqua sur le battant et franchit le seuil de la pièce. Le Dr Mason portait une veste en crêpe bleu clair sur une chemise blanche, un nœud papillon et un pantalon anthracite. Assis devant une petite table fixée au mur, il regardait un écran d'ordinateur en tapotant quelque chose au clavier. À sa droite se trouvait une table d'examen. Quand Noah s'avança, il tourna la tête et désigna d'un geste autoritaire deux chaises en plastique moulé alignées contre le mur. Puis il fit pivoter sa propre chaise de quatre-vingt-dix degrés et s'y carra, l'air maussade, en croisant les mains sur sa large poitrine. L'accueil n'était pas hyper-encourageant.

Ayant saisi une des deux chaises, Noah s'assit face à sa bête noire en se demandant par où commencer. Le problème, c'était qu'il était ici pour respecter le protocole : il avait plus ou moins l'obligation, dans le cadre de son enquête pour le M&M, d'interroger le chirurgien impliqué dans l'opération qui avait mal tourné. Mais il ne s'attendait pas à apprendre quoi que ce soit de nouveau.

– Merci de me recevoir ce matin, dit-il, espérant au moins entamer la discussion sur le mode du respect mutuel.

Dans un coin de son esprit, il entendait Ava lui parler du sérieux trouble de personnalité narcissique de cet homme. Son explication paraissait juste – tout à fait adaptée à Mason. Mais elle signifiait que Noah ne devait pas s'attendre à avoir un échange de vues raisonnable avec lui. D'une part, Mason était sans doute encore furieux contre lui pour avoir contribué à l'expulsion de sa maîtresse, ou réputée maîtresse, du BMH. D'autre part, il était clair que Mason se sentait menacé par l'éthique professionnelle de Noah et le prestige que celle-ci lui valait dans l'hôpital.

Comme le praticien ne répondait pas à son entrée en matière polie – il avait toujours la même expression butée –, Noah reprit :

– J'ai examiné le dossier de Bruce Vincent et parlé avec la plupart des personnes concernées par cette opération, sauf vous. La question que j'ai à vous poser est simple : y a-t-il quelque chose que vous puissiez me dire que j'ignore peut-être encore ?

– Je suppose que vous avez vu qu'il n'y avait pas de rapport de l'interne des admissions ?

– En effet. Et je sais pourquoi. J'ai longuement parlé avec Martha Stanley, qui m'a expliqué…

– Ouais, j'ai déjà entendu ça. Le pauvre garçon était surchargé de travail. C'est des conneries, ce genre d'excuse, asséna Mason, et il brandit l'index de son épaisse main droite vers Noah pour ajouter : Il a merdé, c'est tout. Je vous jure qu'avec les internes que nous avons à présent, c'est un miracle que nous, les gars qui faisons tout le boulot important, arrivions à quoi que ce soit. À l'époque où j'étais interne, ce genre de choses ne se serait jamais produit. Et nous avions beaucoup plus de patients à voir que vous n'en avez aujourd'hui. Sans compter que nous étions de garde une nuit sur deux.

Noah n'ignorait pas que quelques chirurgiens d'un certain âge se plaignaient que les internes d'aujourd'hui se la coulaient douce. Mais il évita sagement de contredire le Dr Mason qui paraissait déjà bien assez énervé. Pour tenter de l'apaiser, il dit :

– J'ai cru comprendre que l'absence d'examen préopératoire de l'interne des admissions était due à une décision de Mme Stanley. L'interne n'a pas été prévenu. Il n'a même pas été informé que M. Vincent était là.

– Eh ben, c'est Mme Stanley qui a merdé, alors ! Si l'interne avait fait son boulot, tout ça ne serait pas arrivé.

– L'examen de l'interne n'est en fait pas obligatoire. Ce qui est incontournable, c'est d'avoir un bilan préopératoire récent. Or, celui-ci avait été réalisé par votre assistant, le Dr Kolganov. Et Mme Stanley l'a jugé adéquat et satisfaisant.

Noah songea un instant à évoquer les faiblesses et les bizarreries du travail de Kolganov – ses paragraphes qui donnaient l'impression de copier-coller et la note sur le reflux gastro-œsophagien ajoutée après l'opération fatale de Vincent. Mais c'était une mauvaise idée. Le Dr Mason étant censé superviser le travail de cet homme, c'était lui le responsable, en définitive, du bilan préopératoire. Noah ne pouvait pas lui jeter cela au visage.

– Alors il faut changer le système ! aboya Mason. Les internes des admissions devraient voir tous les patients de la chirurgie, sans faute, avant leur opération. Surtout quand ces patients doivent être opérés aussitôt après avoir débarqué à l'hôpital.

– C'est une question qui mériterait d'être abordée lors de la discussion de ce cas.

– C'est évident, nom de Dieu !

– Permettez-moi une question, enchaîna Noah. Avant cette opération, avez-vous vu et examiné le patient ?

Le Dr Mason se pencha si brusquement en avant que sa chaise grinça.

– Vous insinuez quoi, nom de Dieu, avec une question pareille ? Évidemment que j'ai vu le patient avant l'opération ! Je vois toujours les patients que je dois opérer !

– Je n'insinue rien, objecta Noah, embarrassé. J'ignorais simplement dans quelle mesure vous déléguiez les consultations préopératoires au Dr Kolganov.

– Soyez rassuré, monsieur le petit malin. Je reçois personnellement tous mes patients. Et je les examine avec le plus grand soin.
Pour Bruce Vincent, en plus, le Dr Kolganov s'est effectivement
chargé du bilan préopératoire, mais il ne devait pas participer à
l'opération. J'avais besoin de lui dans une autre salle pour une opération chirurgicale digne de ce nom.

– Vous saviez donc que M. Vincent présentait des symptômes
d'occlusion intestinale ?

– Bien sûr ! C'était même écrit dans la lettre de son généraliste.
C'est pour cette raison qu'il avait besoin de cette foutue opération.
Vous comprenez ça, ou pas ?!

Noah hocha la tête, dissimulant son exaspération face au ton
condescendant de Mason, puis enchaîna :

– Néanmoins, vous avez demandé une rachianesthésie ?

– Mais non ! Je n'ai rien demandé du tout. Le choix de l'anesthésie, c'est le boulot des anesthésistes. Ils ne fourrent pas leur nez
dans mon domaine de compétence pendant l'intervention, et je ne
risque pas de me mêler du leur !

– Votre bureau a pourtant indiqué que M. Vincent devait avoir
une rachianesthésie.

Noah savait que cette remarque était susceptible de faire bondir
Mason, mais elle était importante. La question risquait d'être posée
au M&M. Il devait aller au fond des choses.

– Pour la poignée de hernies que j'ai pu opérer au cours de ma
carrière, c'est la rachianesthésie qui a été utilisée. Je suis certain
que c'est cela, et pas autre chose, que ma secrétaire a voulu dire.
Mais c'est tout de même à l'anesthésiste de déterminer quelle forme
d'anesthésie doit le mieux convenir au patient, non ?!

– Sans doute, concéda Noah.

Il se retint de dire ce qu'il pensait vraiment, à savoir que les
anesthésistes avaient besoin de toutes les informations pertinentes

pour prendre leur décision. Or, certaines de ces informations avaient clairement manqué à l'appel dans le cas Vincent – pour diverses raisons, dont l'absence du chirurgien au briefing préopératoire.

– Quoi d'autre ? relança Mason.

Il était de nouveau renversé contre le dossier de sa chaise, les mains croisées sur la poitrine, l'air renfrogné.

– Il me semble…, commença Noah, essayant d'organiser ses pensées et de se montrer aussi diplomate que possible. Il me semble que le patient n'a pas pris les consignes préopératoires avec le sérieux nécessaire.

Un ricanement sardonique jaillit des lèvres du chirurgien :

– C'est l'euphémisme de l'année, monsieur le superchef. Déjà, il paraît qu'il s'est pointé aux admissions avec quarante minutes de retard. Parce qu'il était au travail, ce con ! Je l'ai vu de mes propres yeux. Il a même garé ma voiture. C'est insensé. Mais le pire, c'est qu'il a avalé un petit-déjeuner complet et a ensuite menti là-dessus. Je vous jure ! Vous essayez de rendre service aux gens et ils vous balancent leur poing dans la gueule.

– Était-il bien conscient de la gravité de l'opération qu'il devait subir ?

Le Dr Mason se pencha de nouveau en avant et toisa Noah. Celui-ci eut malgré lui un mouvement de recul.

– Je lui ai expliqué que j'allais l'opérer, dit posément le chirurgien. Ce qui s'est passé ensuite dans le pois chiche qui lui servait de cerveau, je l'ignore. Mais écoutez-moi bien, mon ami. Cessons de perdre notre temps. J'ai à mon tour une question ! Avez-vous parlé avec cette garce qui se prend pour le nombril du monde ? Je veux parler de la Dr London.

Noah s'efforça de rester impassible. Sachant ce qu'il savait, il était consterné d'entendre le praticien qualifier Ava de garce.

– Oui, je lui ai parlé.

— C'est elle qui est responsable au premier chef de cette catastrophe. Voilà le fond de l'affaire. Pour vous dire la vérité, je ne sais pas si elle mérite de faire partie du personnel du BMH. Je ne suis pas sûr qu'elle ait le niveau.

— Elle est anesthésiste certifiée et...

— Ouais, c'est ça, coupa Mason, railleur. En ce cas, je me demande bien ce que valent les procédures de certification en anesthésie. Ava London ne m'a jamais beaucoup impressionné, et je sais que d'autres collègues pensent de même. J'ai essayé d'être sympa avec elle, mais il y a un truc qui cloche dans sa tête. Cette nana, franchement, c'est un glaçon.

Je sais bien que vous avez essayé d'être « sympa » avec elle, songea Noah avec ironie.

— Pendant le M&M, enchaîna Mason, je veux que vous disiez clair et net que le patient aurait dû avoir dès le départ une anesthésie générale. Avec ça, nous aurions pu entrer dans l'abdomen quand nous avons eu à le faire. Certes, le patient aurait peut-être régurgité au moment de l'induction, puisqu'il avait l'estomac bien plein. Comment savoir ? Mais ce serait arrivé au début de l'intervention, pas en plein milieu, et le décès aurait été porté au compte des statistiques de l'anesthésie, pas de la chirurgie. C'est exaspérant que cette histoire fasse chuter mon taux de réussite !

— Selon vous, donc, l'anesthésie est seule responsable de ce qui s'est passé ? demanda Noah en essayant de dissimuler son incrédulité.

— Pour l'essentiel. Bien sûr le patient a fait une énorme connerie, et puis les gens des admissions auraient dû découvrir que ce type avait petit-déjeuné. Veiller à ce que le patient soit à jeun, c'est une de leurs principales responsabilités. Tout le monde le sait.

— Très bien, dit Noah en hochant la tête, et il se leva. Merci d'avoir pris le temps de me parler.

– Je vous préviens, mon ami, grogna Mason. Ne transformez pas cette histoire en plate-forme de débat sur la question des opérations simultanées. Ce n'est pas le problème ici ! Le fait que j'aie été retenu quelques minutes dans une autre salle, où j'avais l'une de mes opérations importantes – et où nous avons découvert une anomalie congénitale imprévisible chez le patient –, n'a joué strictement aucun rôle dans le décès de Bruce Vincent. Vous voyez ce que je veux dire ?

– Je pense.

– Tant mieux. C'est sympa de vous avoir parmi nous comme superchef des internes. Il serait tragique que votre année doive se terminer prématurément.

Un sourire cruel plissa les lèvres du Dr Mason. Noah hocha la tête puis fit volte-face pour sortir du bureau. Il longea le couloir à grands pas, d'une seule traite. Quand il appuya sur le bouton d'appel de l'ascenseur, il s'aperçut que son cœur battait à tout rompre. Il avait beau savoir qu'il ne devait pas s'étonner de l'hostilité du Dr Mason à son égard, il ne s'était pas attendu à l'entendre proférer une menace aussi limpide. Perdre sa place au BMH si près de la fin de sa longue odyssée pour réaliser le rêve de toute sa vie, ce serait bien la pire chose qui pourrait lui arriver.

Cette fois encore, il fut seul dans l'ascenseur. Les mains tremblantes, il sortit son portable et lança l'appli de messagerie pour écrire à Ava : *J'ai rencontré l'ennemi. L'horreur, comme prévu. Vous raconte tout ce soir.* Presque aussitôt après avoir appuyé sur Envoyer, il vit sous le nom d'Ava qu'elle était en train de taper quelque chose. Sa réponse lui parvint à l'instant où les portes de l'ascenseur se rouvraient au premier étage : *Vous êtes au moins débarrassé de cette corvée. Hâte de vous entendre.* Elle se terminait par une émoticône : ☺.

Requinqué par le message d'Ava, Noah se dirigea vers la passerelle de communication avec la tour Stanhope. Là-bas, il monterait au troisième étage pour essayer de trouver un chef interne de
l'anesthésie. Pendant plusieurs jours, il avait envisagé d'interviewer
le Dr Kumar, le patron du service d'anesthésie, mais il avait renoncé
à cette idée depuis qu'Ava lui avait dit que Mason et cet homme
étaient copains. Bien que le Dr Wiley et le Dr Chung eussent tous
les deux corroboré l'interprétation d'Ava concernant le cas Vincent,
il voulait tout de même avoir, par sécurité, l'avis d'une personne
encore plus expérimentée.

11

Bien conscient d'arriver trop tôt, Noah ralentit le pas quand il atteignit Louisburg Square. La luminosité y était plus forte que la veille, car le soleil ne se coucherait pas avant une bonne demi-heure. Il y avait aussi davantage d'enfants qui jouaient sur la longue pelouse centrale entourée de sa grille en fer forgé ; leurs rires et leurs cris résonnaient entre les rangées de maisons de ville qui la bordaient. Le soleil baignait de ses rayons dorés les façades du flanc supérieur de la place, tandis que celles d'en face, à l'ouest, où se trouvait le numéro seize, étaient à l'ombre.

À quelques portes de sa destination, Noah s'immobilisa et regarda sa montre en se demandant ce qu'il devait faire. Il avait vingt minutes d'avance. Il ne voulait pas donner l'impression à Ava d'avoir été trop pressé d'arriver chez elle. Ce qui était exactement le cas, bien sûr. Au fil de l'après-midi, il avait été de plus en plus excité à l'idée de passer la soirée en compagnie de sa nouvelle amie. Pas seulement parce qu'ils devaient parler du M&M – même si cet aspect des choses comptait aussi. Il avait hâte d'être avec elle, voilà tout, et c'était un sentiment qu'il ne se souvenait pas d'avoir éprouvé depuis l'adolescence. Cependant, comme elle avait dit tout net qu'elle n'avait aucune envie de fréquenter ses collègues de l'hôpital, il savait qu'il devait faire attention à ne pas l'effaroucher. Débarquer trop tôt risquait de faire mauvais effet.

Il était planté sur le trottoir à se triturer les méninges, lorsque la porte du numéro seize s'ouvrit. Pris de panique, il songea à tourner les talons pour s'enfuir. Mais avant qu'il ait pu réagir, Ava apparut sur le perron, l'aperçut et agita la main à son intention avec un grand sourire.

Il lui rendit timidement son salut en se remettant à marcher dans sa direction. Au même instant, une deuxième personne sortit du vestibule. C'était un homme blond, d'une quarantaine d'années, taillé comme un bodybuilder. Malgré la distance qui les séparait, Noah vit que sa musculature très développée gonflait le tissu de son pantalon de survêtement ajusté et son tee-shirt blanc à col V. Un petit soupir lui échappa ; il savait qu'il n'était lui-même pas trop mal bâti, mais la comparaison entre son physique et celui de cet apollon n'était assurément pas à son avantage. Comme il parvenait devant la maison, l'homme descendit l'escalier du perron. Il avait le port des sportifs et la démarche énergique qui allait avec. Quand il passa devant lui, il offrit un sourire avenant à Noah qui répondit du menton.

– À demain ! lança Ava. On peut commencer à la même heure !

L'homme s'éloigna sans se retourner. Il se contenta d'agiter la main par-dessus son épaule avant de monter à bord d'un SUV Suburban noir.

– Vous arrivez tôt, dit-elle d'un ton enjoué lorsque Noah l'eut rejointe sur le perron.

– Ah oui, excusez-moi. Comme il était déjà plus de sept heures quand j'ai pu enfin quitter l'hôpital, j'avais peur d'être en retard. Alors je me suis dépêché, mais... trop, manifestement !

« Dépêché », c'était peu dire. Il avait presque couru pour rentrer chez lui, avait pris une douche express et s'était habillé en deux temps, trois mouvements. C'était plus fort que lui. Il était tellement enthousiaste à l'idée de revoir Ava !

— Je ne vous attendais pas avant une vingtaine de minutes, c'est vrai, mais vous arrivez au bon moment, dit-elle. Entrez donc ! De mon côté, désolée de vous accueillir une fois de plus en tenue de sport. Nous avons travaillé plus longtemps que prévu.

— Vous faites de la gym avec le gars que je viens de voir ? demanda Noah en traversant le petit vestibule pour pénétrer dans le hall.

— Oui, répondit Ava en le suivant dans la maison. C'est mon coach personnel.

— Ah, d'accord. C'est votre truc, alors, d'avoir un coach personnel ?

Noah était assez soulagé d'apprendre que le beau gosse athlétique qu'il venait de croiser était un employé, mais... il éprouvait encore une pointe de jalousie.

— Ah oui, complètement ! Pas vous ?

— Eh bien... je suis un peu dubitatif, je dois dire. N'importe qui peut se déclarer coach personnel. Dans ce monde-là, je crois qu'il y a pas mal de charlatans.

Ava rit de son rire cristallin et enchanteur

— Et vous croyez pouvoir les démasquer, ces charlatans ?

— Ben non. C'est ça le problème. Il y a des licences, dans ce métier, mais tous les gens qui l'exercent n'en ont pas. Je crois qu'il faut être très prudent pour être sûr de savoir sur qui on tombe.

— Mon coach a toutes les licences voulues. J'en suis absolument certaine. Il est aussi très doué et très stimulant.

Ayant refermé la porte, Ava se rapprocha de Noah qui s'était immobilisé au pied de l'escalier. Comme la veille, il s'efforça de soutenir son regard pour éviter de poser les yeux ici ou là sur son corps. Il aimait beaucoup son legging noir et son débardeur moulant, mais il ne voulait pas se trahir. Les deux chats firent de nouveau leur apparition ; après avoir dédaigneusement reniflé ses jambes, ils s'éloignèrent.

— Bon, nous voilà où nous en étions restés hier soir, dit Ava avec un sourire charmant qui fit un peu frissonner Noah. Mais il faut d'abord que je prenne une douche et que je me change. Vous pouvez vous installer dans la pièce de la maison qui vous convient, ou bien... Et si nous faisions comme hier soir ?!

— C'est-à-dire ?

— Hé, je pense à un truc, tout à coup. On pourrait se tutoyer ? Ce serait aussi simple, non ?

— Heu, bonne idée...

— Super ! Je disais donc, on avait évoqué l'idée de recommander quelque chose à manger. C'est toi qui es allé chercher les plats au restaurant hier soir, alors c'est un peu injuste de te redemander ça, mais...

— Nan. Avec plaisir ! Je peux même y aller tout de suite.

— Génial, merci. On essaie Toscano, ce soir ?

— Parfait. Mais je ne savais pas qu'ils faisaient aussi les commandes à emporter.

Noah connaissait ce restaurant italien de Charles Street, l'un des préférés des gens de Beacon Hill. Il y avait souvent dîné avec Leslie. À une autre époque de sa vie.

— Je commande régulièrement chez eux, dit Ava. Tu veux bien les appeler ? Prends ce que tu veux pour nous deux. Je ne suis pas difficile. Ne te tracasse pas pour la boisson, par contre, j'ai un super petit vin italien au réfrigérateur. On va se régaler. Ton équipe de garde de cette nuit, comment tu la sens ? Aussi bonne que celle d'hier ?

— Oui. Ça devrait aller.

Il avait vérifié le planning pour savoir s'il pouvait espérer avoir une soirée tranquille. La chef interne de garde était Cynthia Nugent, qu'il jugeait au moins aussi compétente que Tom Bachman. Il était donc à peu près certain de ne pas être appelé à l'hôpital – sauf cas de force majeure, bien sûr.

— Alors tu ne diras peut-être pas non à un ou deux verres de vin ? demanda Ava.

— Avec plaisir.

Noah était sur un nuage. Non seulement la soirée s'annonçait très agréable, mais la personne avec laquelle il devait la passer comprenait aussi les responsabilités qui étaient les siennes sans qu'il soit obligé de se justifier.

Une petite heure plus tard, Ava et Noah étaient installés côte à côte au comptoir central de la cuisine. La nuit était tombée et Ava avait allumé les lumières du minuscule jardin. Celui-ci comprenait une fontaine et, les portes-fenêtres étant grandes ouvertes, ils entendaient son ruissellement apaisant par-dessus le discret fond sonore de musique classique que diffusaient des haut-parleurs invisibles. Noah avait commandé un vrai petit festin et Ava avait ouvert une bouteille de falanghina frais.

— Est-ce que ça te gâchera le plaisir si nous commençons tout de suite à parler de choses sérieuses ? demanda-t-elle après qu'ils eurent trinqué.

Elle avait revêtu une robe d'été blanche, imprimée de papillons stylisés, que Noah trouvait tout à fait ravissante. Lui, en revanche, avait à peu près la même tenue que la veille. Il s'était pris quelques instants la tête à ce sujet, après sa douche, mais sa garde-robe était de toute façon très limitée. Après avoir songé à mettre sa tenue blanche de l'hôpital – pour la simple raison qu'il s'y sentait à l'aise –, il avait jugé que c'était une idée parfaitement ridicule. Et il s'était reproché d'être si pitoyable et peu sûr de lui.

– Pas de problème, répondit-il – lui aussi, il avait envie de se débarrasser de cette discussion.

– Si j'ai bien compris ton message de ce matin, la rencontre avec le Dr Mason a été aussi terrible que nous l'avions craint, c'est bien ça ? Tu m'en dis un peu plus ?

Noah but une gorgée de vin, puis posa son verre.

– Comme nous le supposions, il nous a tous les deux dans le collimateur. C'est même peu dire. Moi, il m'a menacé de me faire virer du programme de l'internat si je profitais de la discussion du cas Vincent, au M&M, pour relancer le débat sur les opérations simultanées.

– Mon Dieu. Il a réellement menacé de te faire renvoyer ?

– À mots couverts. Il m'a dit qu'il serait tragique que mon année de superchef des internes doive se terminer prématurément. À mon sens, c'est une menace assez claire.

– Quel salaud ! Je suis désolée pour toi. Et à mon sujet ? Il a parlé de moi en particulier, ou bien du service d'anesthésie ?

– De toi, malheureusement. Je crois que tu avais raison, hier soir, quand tu m'as expliqué qu'il souffre d'un trouble de la personnalité narcissique. Mason est peut-être même un cas d'école. Comme tu le supposais, il est clair qu'il s'est senti insulté quand tu as rejeté ses avances. Et il t'en veut encore. En fait, ce mec est complètement dingue.

– Mais il a dit quoi, précisément ? Pas la peine de chercher à m'épargner, Noah. Je peux tout entendre. Il faut que je sache à quoi je suis confrontée.

– Il m'a redit, comme la première fois, que tu es en grande partie responsable de ce qui est arrivé, expliqua Noah, baissant un peu la voix comme si quelqu'un pouvait les entendre. C'est sûr, il est incapable de reconnaître qu'il peut avoir commis une faute. Dans son délire contre toi, il va même jusqu'à dire qu'il se demande si tu mérites ta place au BMH.

– Pourquoi ? À cause de ma personnalité ou à cause de mes compétences ?

Noah hésita, car il ne voulait pas froisser Ava. Mais elle-même réclamait la vérité.

– Un peu des deux, hélas. D'après Mason, tu es un glaçon. C'est le mot qu'il a employé. Sachant ce que tu m'as raconté, j'ai dû me mordre la langue quand j'ai entendu ça.

– Je te remercie sincèrement, dit-elle.

– Je t'en prie. Quant à tes compétences, quand je lui ai rappelé que tu es certifiée et tout le tintouin, il a répondu qu'il se demandait ce que valaient les procédures de certification en anesthésie. Je te le dis, ce mec est fou !

Pendant quelques instants, Ava contempla la fontaine de son jardin. Noah sentait qu'elle était troublée et retournait dans sa tête ce qu'elle venait d'entendre. Il avait de la peine pour elle, mais il ne pouvait pas s'empêcher d'être surtout inquiet pour lui-même. Le Dr Mason n'avait probablement pas le pouvoir de faire renvoyer Ava du BMH – même s'il était très copain avec le patron du service d'anesthésie. En ce qui le concernait, par contre, il n'était pas du tout exclu que l'exécrable chirurgien, s'il y mettait réellement du sien, se débrouille pour le faire renvoyer de l'internat. Ou, à tout le moins, pour le placer dans une situation très délicate. Mason était tout de même directeur adjoint du programme de l'internat de chirurgie, c'est-à-dire l'une des *trois* personnes qui pilotaient ce programme !

Ava tourna la tête vers Noah et dit :

– Laisse-moi deviner. Mason affirme que j'aurais dû opter d'entrée de jeu pour une anesthésie générale en dépit du fait qu'on m'avait informée qu'il tenait à avoir le patient sous rachianesthésie. C'est ça ?

– Exactement. Il prétend qu'il n'a jamais réclamé de rachianesthésie et que sa secrétaire a juste mentionné cette option parce que c'est celle qui a été choisie pour la dernière hernie qu'il a opérée, genre, il y a une centaine d'années. Il m'a dit que c'est à l'anesthésiste de déterminer quel type d'anesthésie doit être utilisé, et qu'il n'avait aucune préférence de principe pour l'opération de Vincent.

Ava inspira profondément.

– Il t'a mâché le travail, dit-elle d'un ton ironique.

– Et comment ! Mais si je sors des clous, tout va me péter à la figure.

– A-t-il parlé du rôle du patient ?

– Oui, absolument. De toutes les personnes impliquées dans cette histoire, en fait, c'est peut-être contre Bruce Vincent que Mason est le plus en rogne. D'après lui, cet homme devait avoir un « pois chiche » à la place du cerveau. Tant pis, au passage, s'il avait une excellente réputation dans l'hôpital et était aimé par tout le monde. Au fond, je crois que Mason sait très bien que c'est Bruce Vincent qui a commis une faute en avalant un petit-déjeuner complet et en mentant là-dessus. Mais il a une dent contre toi. Et il est bien content, aussi, de pouvoir reprocher aux admissions d'avoir salopé le travail et d'être passé à côté du fait que le patient n'était pas à jeun.

– D'accord, dit Ava avec détermination. Maintenant, essayons de nous organiser.

Elle but une gorgée de vin, avala quelques bouchées de son dîner tandis que Noah en faisait autant, puis reprit :

– Depuis hier soir, j'ai pas mal cogité. D'abord, je crois qu'il faut bien comprendre qu'il serait contre-productif de chercher à argumenter avec le Dr Mason, parce que s'il s'énerve nous pouvons tous les deux perdre la bataille. Tu devras présenter le cas avec cette contrainte à l'esprit.

– Plus facile à dire qu'à faire, objecta Noah. Ce matin je me suis mis en quatre pour le prendre dans le sens du poil, et il s'est quand même mis en rogne.

– Pour quelle raison, au juste, s'est-il mis en rogne ? Réfléchissons à ce...

Ava fut interrompue par la sonnerie de son smartphone. Elle tendit le bras pour l'attraper au bout du comptoir, regarda l'écran et sauta aussitôt de son tabouret en disant :

– Excuse-moi. Je suis obligée de prendre cet appel.

– Pas de souci.

Noah la suivit du regard, tandis qu'elle quittait la pièce en se demandant qui pouvait bien lui téléphoner après vingt et une heures un samedi soir. Dans son propre cas, la réponse aurait été facile : l'hôpital. Mais il savait qu'Ava n'était pas d'astreinte ce soir. Il posa sa fourchette à côté de son assiette car il lui paraissait impoli de continuer à dîner sans son hôtesse. Elle était passée dans la pièce voisine. Il entendait à peine sa voix, mais, à un moment, celle-ci s'éleva brusquement comme si Ava était en colère.

Elle revint environ cinq minutes plus tard. Posant son téléphone sur le comptoir, elle grimpa sur le tabouret haut et dit d'un ton embarrassé :

– Désolée. Ce n'est pas gentil de t'abandonner comme ça, mais je n'avais pas le choix. Parfois des choses idiotes viennent perturber l'ambiance.

– Tout va bien ? demanda Noah.

– Ça va, répondit-elle, et elle eut un petit geste de la main, comme pour écarter la question. Où en étions-nous, déjà ?

– Tu me demandais pour quelle raison le Dr Mason était en colère.

– Ah oui. Et donc ?

– Je dirais qu'il était surtout furax quand il m'a parlé de l'absence d'examen préopératoire par l'interne des admissions. Il ne veut même pas entendre que l'interne était surchargé de travail ce matin-là. Tu sais, il fait partie de ces chirurgiens *old school* qui sont persuadés que les internes se la coulent douce aujourd'hui alors qu'à son époque, bien sûr, ils trimaient comme des esclaves.

– Je vois le genre, dit Ava en hochant la tête. Mais c'est intéressant que cet aspect du problème le fasse tant trépigner. Je crois qu'il faut garder ça à l'esprit. Quel autre point l'a mis en colère, sinon ?

– Il a très mal pris que je lui demande s'il avait lui-même examiné le patient avant l'opération.

Ava pouffa de rire.

– Avec ce que nous savons de son tempérament, tu t'étonnes vraiment qu'il n'ait pas apprécié cette question ?

– Non, c'est sans doute logique, convint Noah en souriant.

Avec le recul, il s'en voulait de n'avoir pas été plus prudent. Il aurait dû formuler autrement sa question pour éviter de donner l'impression à Mason qu'il lui faisait un reproche. Face à une personnalité narcissique, il était essentiel de ne pas paraître critique.

– J'ai essayé d'être diplomate, mais… là je me suis planté.

– Avec un tel bonhomme, c'est difficile de savoir comment se comporter. Mais dis-moi autre chose : est-ce qu'il t'a refait ce reproche absurde comme quoi tu serais responsable de la mort du patient pour l'avoir branché sur la machine cœur-poumon ?

– Non. Il n'a pas parlé de ça.

– C'est plutôt rassurant. Tu sais, Noah, je commence à avoir une petite idée de la façon dont tu devrais présenter le cas.

– Ah oui ? fit-il. Tu m'impressionnes. Je ne demande pas mieux que d'entendre ton plan.

– L'essentiel, je crois, c'est d'éviter que le Dr Mason ne se mette en colère. Ensuite, autre point très important, tu dois éloigner la discussion du problème des opérations simultanées. Pour te protéger. Troisièmement, il faut que tu fasses l'impasse sur la question de savoir si le service d'anesthésie, c'est-à-dire moi, a pris une mauvaise décision en optant au départ pour une rachianesthésie au lieu d'une anesthésie générale.

– Plus facile à dire qu'à faire, objecta Noah, un peu embêté. Les faits sont là. Je ne peux pas les changer.

– Sans doute, mais tu peux rester à l'écart des aspects les plus perturbants du problème. Par exemple, il n'y a aucune raison de rappeler que le patient est resté sous anesthésie pendant une bonne heure avant l'arrivée du Dr Mason. Même si c'est lamentable, ce retard n'a pas tué le patient. À la place, mets l'accent sur les deux points qui exaspèrent le plus le Dr Mason et qui ne sont pas dangereux pour nous, à savoir l'absence d'examen préopératoire par l'interne des admissions et le fait que le patient avait petit-déjeuné – et menti à ce sujet. Si tu mènes astucieusement ta barque, et si tu délayes un peu la sauce, ces deux points peuvent facilement occuper toute une heure de discussion rien qu'à eux. À propos, combien de cas doivent être abordés pendant ce M&M ?

– Cinq, pour le moment. Il y en aura peut-être davantage.

– C'est parfait ! Tu sais quoi ? Garde le cas Vincent pour la fin. Comme le M&M doit être ajourné au bout d'une heure et demie de toute façon, puisqu'il y a tout un planning d'opérations derrière et que tout le monde doit retourner au bloc, tu peux faire en sorte de manquer de temps. Qu'est-ce que tu en penses ?

Noah saisit sa fourchette, les yeux sur son assiette, et avala une bouchée pour se donner le temps de réfléchir à la suggestion d'Ava.

Ce plan lui plaisait. Il lui plaisait même beaucoup, parce qu'il avait de bonnes chances de fonctionner. Le programme des cas présentés au M&M ne dépendait que de lui. Il avait songé à donner la priorité au cas Vincent, c'est-à-dire à l'aborder dès l'ouverture de la séance, puisqu'il soulevait un intérêt considérable dans l'hôpital, mais rien ne lui interdisait de faire exactement le contraire. Et si personne ne savait à l'avance que le cas Vincent serait abordé en dernier, personne – pas même le Dr Hernandez – ne pourrait se plaindre et essayer de changer le programme. Dans cette configuration, il y avait en effet de grandes chances pour que la discussion, quelle que soit la tournure qu'elle prendrait, s'interrompe de façon prématurée.

– Ava, je crois que tu as de très bonnes idées.

– Je suis bien d'accord.

Elle leva son verre. Noah l'imita et ils trinquèrent.

– Nous avons encore quelques jours pour nous préparer, reprit-elle. Mais je crois que nous avançons bien. À notre réussite !

Débarrassés de l'épineux sujet du M&M, Ava et Noah purent bavarder de choses plus légères pendant qu'ils terminaient le dîner, puis débarrassaient le comptoir et nettoyaient le peu de vaisselle dans l'évier. Ava parla beaucoup plus que Noah, car elle avait des tas d'histoires à raconter sur ses voyages et ses exploits sportifs. Sa dernière aventure de saut à l'élastique, notamment. Il fut sidéré d'apprendre qu'elle était allée jusqu'en Nouvelle-Zélande pour cela, même si bien sûr elle n'avait pas fait uniquement du saut à l'élastique là-bas : pendant ce voyage, elle s'était aussi essayée à la plongée sous-marine en cage – pour observer des requins ! – au large de la côte australienne. Pour Noah, ces récits étaient non seulement fascinants, mais aussi quelque peu intimidants, car ils soulignaient que, de son côté, il se donnait corps et âme à l'hôpital et vivait à peu près coupé du reste du monde. Son dernier voyage remontait à plus de deux ans et ne l'avait mené que jusqu'à New York... le temps d'un samedi soir. Il s'y était rendu avec Leslie pour voir un spectacle. Sur le moment, il s'en souvenait, il avait même rechigné à faire ce déplacement parce qu'il avait plusieurs patients tout juste opérés, au BMH, dont il voulait s'occuper au mieux. Il s'était organisé pour que des collègues les prennent en charge, mais il avait quand même eu le sentiment de trahir ses malades, car il ne pouvait s'empêcher de se mettre à leur place.

— Maintenant, si tu veux, proposa Ava quand la cuisine fut en ordre, nous pourrions passer un moment dans le bureau ? Et prendre peut-être un digestif ?

— Merci, mais pas de digestif pour moi, je pense. Désolé. Deux verres de vin, ça me suffit.

— Hé, surtout ne sois pas désolé. Tu as une maîtrise de toi-même qui m'impressionne beaucoup. Ton dévouement à la médecine est exemplaire. Je te veux comme docteur !

– C'est gentil.

Pendant qu'il montait l'escalier à la suite d'Ava, Noah rassembla son courage pour demander :

— Au fait, tous tes voyages, tu les fais en solo ou avec des amis ?

Il avait dit ça comme si l'idée venait de lui traverser l'esprit, mais en réalité il se posait la question depuis qu'elle lui avait parlé pour la première fois, la veille, de ses aventures. Il ne savait pas trop quelle réponse il avait envie d'entendre.

— Ça dépend. Mes voyages de loisir comme en Nouvelle-Zélande ou celui d'avant, en Inde, je les ai faits seule. Quand c'est pour affaires, en général je suis accompagnée.

— Ce serait plus drôle dans l'autre sens, non ?

— Pas faux. Veux-tu essayer la Nouvelle-Zélande avec moi, lorsque j'y retournerai pour mon deuxième stage de saut à l'élastique ?

Ava rit à sa façon si particulière et charmante.

— Ce serait sympa, dit Noah. Puis-je te demander si tes voyages professionnels ont un rapport avec ta formation dans le domaine de la nutrition ?

Ils venaient d'atteindre le palier de l'étage du bureau. Ava fit volte-face et Noah dut s'immobiliser. Elle souriait, mais son ton se fit quelque peu soupçonneux quand elle demanda :

— Tu m'espionnes ?

— D'une certaine façon, admit-il. J'ai regardé ton profil LinkedIn et j'ai été très impressionné que tu aies fait une licence de diététique pendant ta prépa. Je crois que c'est un domaine que les médecins, et les études de médecine, négligent beaucoup trop.

— Je suis de ton avis. C'est bien la raison pour laquelle j'ai voulu me plonger dans ce domaine. Et pour répondre à ta question, oui, en effet, mes voyages d'affaires ont un rapport avec mes connaissances en nutrition. De façon indirecte, du moins.

Ava se détourna et entra dans le bureau. Noah la suivit. Il avait très envie de l'interroger davantage sur ses voyages d'affaires et son travail de consultante, d'autant qu'elle semblait y avoir un remarquable succès, mais il ne voulait pas donner l'impression d'être trop curieux. Pendant qu'elle attrapait une bouteille de Grand Marnier et un verre sur une étagère, il s'installa dans le fauteuil club en velours qu'il avait occupé la veille et se régala en observant Ava aller et venir dans la pièce. Dans sa jolie robe blanche à papillons, elle était splendide. Elle le fascinait complètement.

— Sûr que tu n'en veux même pas une petite goutte ? dit-elle en lui présentant la bouteille lorsqu'elle s'assit dans l'autre fauteuil club.

— Non, merci bien. Tu sais, j'ai aussi regardé ta page Facebook au nom de Gail Shafter. Ainsi que sa page « Diététique, Gym et Beauté ». Ton nombre d'abonnés m'a carrément ébahi.

– Oui, tu as vu ça ? fit-elle, les yeux rieurs. Je dois reconnaître que je m'amuse beaucoup à tenir cette page. Tu sais, j'ai même eu des propositions de grandes marques pour faire la publicité de leurs produits.

– Ah bon ? Et tu as accepté ?

– Sûrement pas. Je fais ça pour me distraire, pas pour gagner de l'argent.

– J'ai beaucoup ri quand j'ai vu que Gail Shafter faisait partie des personnes qui te recommandent sur LinkedIn.

Ava combla Noah avec un autre de ses adorables éclats de rire.

– Je plaide coupable ! Mais je n'ai pas pu m'en empêcher.

– Hier soir, tu te proposais de m'expliquer pourquoi tu utilises une fausse identité sur Facebook. Ça m'intéresse.

– Au fond, c'est juste pour me sentir libre. La beauté du Web, de ce monde virtuel, c'est l'anonymat qu'on y trouve. Et l'utilisation de faux profils amplifie ce phénomène. Derrière un pseudo, j'ai encore plus de liberté. Tu connais sans doute ce dicton de l'âge du Web : « Sur Internet, personne ne sait que tu es un chien. »

Ce fut au tour de Noah de rire.

– Non, je n'avais jamais entendu dire ça. Mais je comprends l'idée.

– Quand j'utilise une identité fictive sur le Net, je peux éviter, ou contourner, mes propres blocages. Parce que je ne suis pas obligée d'être moi. Sur le profil de Gail Shafter, j'ai la liberté de projeter tout ce que je veux. Avec un avatar, un faux moi numérique, je peux tout faire sans crainte d'être jugée. Si une personne n'aime pas ce moi numérique et se comporte en troll, il me suffit de la bloquer d'un clic pour ne plus être importunée. Dans la vraie vie, je ne peux pas faire cela. Et puis il faut dire aussi que les réseaux sociaux tendent à être extraordinairement dynamiques, alors que les interactions sociales de la vraie vie sont plutôt statiques.

– Je n'avais jamais entendu parler de « moi numérique ». C'est nouveau, cette expression ?

– Dans le monde des geeks, rien n'est nouveau. Dès que quelque chose apparaît, par exemple une appli, le lendemain elle est déjà ancienne. Tout change à la vitesse grand V. Alors non, la notion de moi numérique n'est pas vraiment nouvelle. Les études sur le moi numérique font même partie d'un vaste champ de recherches universitaires interdisciplinaires qui couvrent tous les aspects de la relation de plus en plus symbiotique qui existe entre l'humain et la technologie. C'est la direction dans laquelle va notre culture. Avec nos appareils connectés, à commencer par nos smartphones, nous devenons tous des cyborgs.

– Je me sens vieux, tout à coup.

– Dans l'esprit des ados d'aujourd'hui, tu es vieux. Ce sont eux qui donnent la cadence.

– Tu disais hier avoir été touchée par le virus des réseaux sociaux dès l'adolescence, mais que cela t'avait menée au désastre. Qu'est-ce qui t'est arrivé ?

– Je suis devenue obsédée par ma réputation numérique au détriment de tout le reste, y compris mon travail scolaire. Et puis il est arrivé un jour où j'ai été victime de cyberharcèlement sur le site SixDegrees. C'était grave. C'est allé jusqu'à m'empêcher d'aller en classe pendant plusieurs jours. À l'époque, bien sûr, on ne parlait pas de cyberharcèlement. On disait juste harcèlement – ou rien du tout. Pour moi en tout cas, la situation est vraiment devenue catastrophique. Mes résultats scolaires ont tellement chuté que j'ai renoncé à entrer à la fac après le lycée. Et comme il fallait que je gagne ma vie, j'ai commencé à travailler pour un dentiste. Heureusement, je me suis assez vite ressaisie.

– Est-ce pour cette raison que Gail Shafter est assistante dentaire ?

– Tout juste. C'est un job que je connais bien.

– Et les sites ou les applis de rencontre ? Tu en utilises ?

– Bien sûr. Pourquoi je m'en priverais ? Ils sont très marrants, surtout aujourd'hui avec la fonction swipe à droite ou swipe à gauche des applis. J'aime, j'aime pas – c'est un jeu vraiment amusant ! Même les gens les plus bizarres, ou les plus pitoyables, peuvent s'y mettre et se sentir pousser des ailes. Sur le Net, quiconque a un minimum de jugeote et de savoir-faire peut devenir populaire. Sinon célèbre. Regarde les Kardashian.

– As-tu rencontré dans la réalité des gens que tu as rencontrés sur des applis ?

– Ah ça non ! Jamais de la vie ! Tout le monde ment, sur ces sites et ces applis. J'aime bien jouer avec, c'est distrayant, mais jamais je n'irais chercher l'âme sœur sur Tinder. Sur le Web, tu sais, nous devenons tous, à divers degrés, des charlatans narcissiques. À cause de cela, à mon sens, rencontrer dans la vraie vie une personne avec qui on est en rapport sur Internet, c'est juste trop risqué. Et puis ça torpille le principe même de l'anonymat.

– Tu ne crains jamais que quelqu'un qui se prendrait de passion pour Gail Shafter, et posséderait certaines connaissances techniques, ne se débrouille pour dégoter son adresse, c'est-à-dire la tienne, ici à Louisburg Square ?

– À une époque, c'était envisageable parce que je ne savais pas très bien protéger mon ordinateur et mes connexions. Mais aujourd'hui, grâce aux gens qui ont installé mon système informatique actuel, tout est bien crypté et sécurisé. Je n'ai plus à m'inquiéter. Et toi ?

– Quoi, moi ?

– Tu utilises des applis de rencontre ? Des sites ?

Noah se donna le temps de réfléchir. Comme la plupart des gens, oui, il avait déjà fait ça, mais il se demandait s'il devait le révéler à Ava. Il décida d'être honnête parce qu'elle avait elle-même admis s'amuser avec ces services. Elle ne le jugerait probablement pas.

— J'ai utilisé OkCupid, pendant quelques semaines, peu de temps après le lancement du site. Donc, la réponse est oui. Mais je n'ai pas renouvelé l'expérience.

— Humm, fit Ava avec un sourire de connivence. Ça paraît drôlement sérieux. Y as-tu trouvé quelqu'un que tu as ensuite rencontré pour de bon ?

— En effet. Elle s'appelle Leslie Brooks. Elle était à la fac à Columbia. On a fini par s'installer ensemble pendant ma dernière année de fac de médecine, et puis elle est venue avec moi jusqu'ici, à Boston, pour entrer à la Harvard Business School pendant que j'entamais l'internat.

— C'est une belle histoire, dit Ava gentiment. Preuve que certaines rencontres en ligne se finissent bien. Vous êtes toujours ensemble ?

— Nan. Il y a deux ans, elle est partie entamer une carrière dans la finance à New York.

— Donc vous avez été ensemble pendant… quatre ou cinq ans, c'est ça ?

Noah hocha la tête.

— Impressionnant. C'est une longue relation. Vous vous voyez encore ?

— Non, pas du tout. Elle m'a quitté pour de bon. Mon dévouement extrême à la médecine, c'était trop pour elle. Et je ne lui en veux pas. Avec le recul, je sais qu'elle espérait que mon emploi du temps deviendrait moins prenant, à l'hôpital, à mesure que j'avançais dans ma formation. Comme c'est d'ailleurs le cas pour la plupart des gens. Chez moi, malheureusement, c'est le contraire qui s'est produit. Alors elle est partie. Aujourd'hui, elle est fiancée.

– Je crois qu'il faut être à notre place – médecin hospitalier, je veux dire – pour comprendre notre passion. Et tu sors avec qui maintenant ?

– Personne, dit Noah.

Il baissa les yeux. Ava avait-elle déjà compris qu'en matière de relations sociales, il était un cas un peu désespéré ?

– Ça ne me paraît pas bon du tout, ça, pour un homme jeune et vigoureux comme toi, dit-elle avec sourire malicieux. En tant que collègue, je me fais un petit peu du souci. Comment fais-tu pour tenir le coup ?

Noah soutint son regard et hésita. Devait-il mordre à l'hameçon ?

– J'ai de l'imagination, dit-il avec un haussement d'épaules. Et puis il y a toujours les sites porno.

Ava éclata de rire et l'applaudit avec enthousiasme.

– Tu es génial, docteur Rothauser ! Mais maintenant, je vais me demander lequel de nous deux est le plus accro à Internet.

– Ah non, je ne suis pas accro ! Tout de même pas.

Ava rit de plus belle et son rire était contagieux. Noah ne put s'empêcher de glousser à son tour. Il ne comprenait pas très bien pourquoi il avait dit ce qu'il avait dit, mais tant pis. C'était vraiment agréable qu'elle prenne la chose avec humour.

Posant son verre à liqueur sur la table basse, Ava se pencha vers Noah pour dire comme en confidence :

– Hier soir, en te faisant visiter la maison, il y a un truc vraiment chouette que je ne t'ai pas montré. Ça t'intéresse ?

– Sans doute. Tu me donnes un indice… ?

– J'ai fait aménager une terrasse sur le toit. La vue est à mourir. Et ce soir nous avons une très belle nuit.

Elle se leva et sortit du bureau. Noah la suivit. L'escalier menant au sommet de la maison depuis le palier n'était pas droit, comme entre les étages inférieurs, mais en spirale. Quand ils parvinrent au

sixième et dernier niveau, il respira bruyamment, pour faire semblant d'être à bout de souffle, et dit :

— Avec tous ces escaliers, tu ne devrais pas avoir à faire de gym.

— Sans doute, acquiesça Ava. Mais j'en fais quand même parce
que, la plupart du temps, je prends l'ascenseur.

— Quoi ?! Tu as un ascenseur ?

Noah n'avait jamais connu personne qui eût un ascenseur à
domicile.

— Il est très discret. J'ai voulu que les portes se remarquent le
moins possible, expliqua Ava. Comme ici, par exemple.

Scrutant le mur qu'elle désignait sur leur droite, il distingua les
contours de deux battants qui se confondaient presque avec la paroi.
La plinthe, près du sol, y était peinte en trompe-l'œil.

— Waouh, fit-il. Je n'aurais jamais deviné. Mais il n'y a pas de
bouton d'appel ?

— Il reconnaît ma voix. Bienvenue dans la maison high-tech.

Tout en se maudissant de se comporter comme un grand benêt
devant son hôtesse, Noah lui emboîta le pas dans ce qu'il supposa
être la chambre principale de la maison, une vaste pièce qui en
occupait toute la largeur. Le mur du fond, à l'ouest, était percé de
portes-fenêtres derrière lesquelles on apercevait les lumières de la
ville.

— Voici ma chambre, dit fièrement Ava.

— Très jolie.

En réalité, il la trouvait beaucoup plus que « jolie ». Elle avait
une hauteur de plafond digne d'une cathédrale. Sur le lit, qui était
gigantesque, il aperçut les deux chats roulés en boule contre des
coussins décoratifs. Au-dessus du chevet était peinte une fresque
représentant une fenêtre ouverte sur un paysage de montagne.
Le mur opposé possédait une authentique cheminée d'époque, en
marbre, semblable à celles de la grande salle du premier niveau.

Une porte, côté Louisburg Square, donnait sur une salle de bains en marbre. L'éclairage tamisé, enfin, dispensait dans la pièce une atmosphère très apaisante.

— La vue est incroyable ! s'exclama Noah comme ils s'approchaient des portes-fenêtres.

— Et tu n'as encore rien vu, dit Ava d'un ton espiègle.

Elle ouvrit un battant, sortit sur l'étroit balcon qui se trouvait derrière et fit signe à Noah de la suivre.

Frappé par le contraste entre la chaleur humide du dehors et l'air sec et frais de l'intérieur climatisé de la maison, Noah s'immobilisa quelques instants. Devant lui, de l'autre côté d'un large espace occupé par un patchwork de jardins, il voyait l'arrière des immeubles bordant la plus proche rue parallèle à Louisburg Square. Il apercevait les intérieurs illuminés de nombreux appartements.

— Très sympa, dit-il d'un ton admiratif.

— Par ici, dit Ava en lui touchant le bras.

À l'extrémité nord du balcon se trouvait un escalier étroit, métallique, qui s'élevait en colimaçon dans les ténèbres.

Pendant qu'il grimpait derrière Ava, Noah éprouva une petite poussée d'acrophobie. Juste sous la rampe plutôt basse qu'il tenait fermement de la main droite, il voyait le jardin de la maison voisine, six étages plus bas, presque comme s'il était suspendu au-dessus de lui dans le vide. Quelques secondes plus tard, heureusement, il se retrouva sur une terrasse aménagée qui possédait une rambarde imposante. Il oublia aussitôt sa peur car le spectacle, comme l'avait promis Ava, était réellement éblouissant. Une bonne partie de l'ouest de la ville s'offrait à son regard, avec au premier plan les toits des bâtiments avoisinants, puis, derrière, un segment du fleuve Charles tellement large qu'il ressemblait davantage à un lac qu'à un cours d'eau.

— Tu as raison, la vue est à mourir, dit-il.

– Juste là, dit Ava avec un geste de la main, tu as le MIT.

– Où ?

Noah plissa les yeux pour voir le célèbre Massachusetts Institute of Technology où il avait travaillé sa thèse pendant deux ans, mais il avait du mal à le situer dans le vaste panorama nocturne qui s'offrait à son regard.

– Là, juste devant...

Dans un même mouvement, Ava pointa l'index de la main gauche vers la ville, glissa la main droite autour des épaules de Noah pour qu'il se rapproche d'elle, et se serra elle-même contre lui afin qu'il puisse suivre la direction indiquée par son bras tendu.

– Ah... oui, réussit-il à murmurer.

Mais il n'essayait déjà plus de distinguer les bâtiments du MIT parmi les milliers qu'il avait devant lui. Il percevait intensément la main d'Ava autour de sa nuque, son bras sur son dos, le contact de son corps tout entier contre le sien. Elle lui décrivait à présent les différents éléments du campus du MIT, pour qu'il se repère, mais il ne l'écoutait pas. Il entendait son propre corps envoyer des messages d'alerte à son cerveau – et pas aux régions des fonctions cognitives supérieures et de la pensée rationnelle.

– Tu vois le dôme ? demanda Ava, faisant référence au bâtiment qui se trouvait au centre du MIT.

Comme s'il était mû par une force indépendante de sa volonté, Noah se tourna vers elle et contempla rêveusement ses yeux. Il n'y avait pas une grande différence de taille entre eux ; leurs visages étaient donc tout proches. Ava réagit en pivotant à son tour vers lui.

– J'ai l'impression que tu n'es pas super intéressé par le MIT.

Noah ne répondit pas. Il s'inclina peu à peu en avant. Ava renversa légèrement la nuque et ils s'enlacèrent tandis que leurs lèvres s'unissaient.

Quand ils eurent échangé un long et ardent baiser, Noah redressa la tête et, sans cesser d'étreindre Ava, contempla son visage. Ses yeux brillaient dans l'obscurité. Il éprouvait un désir irrépressible de faire l'amour avec elle. C'était délicieux et surprenant. Il y avait une éternité qu'il n'avait pas connu ce genre de chose. Cela lui faisait presque un peu peur. En début de soirée, il avait craint d'importuner Ava en débarquant trop tôt chez elle. Maintenant, il était inquiet qu'elle ne le repousse si elle comprenait qu'il avait en lui cette ardeur insensée qui le submergeait totalement.

— Je crois que nous devrions descendre dans ma chambre, murmura-t-elle. Tu fais attention dans l'escalier, d'accord ?

— OK, fit-il, et il eut presque de la peine quand ils se lâchèrent.

Elle avait eu raison de le mettre en garde. La descente de l'escalier en colimaçon était plus périlleuse encore que la montée. Il prit son temps, agrippant d'une main la rampe inclinée, de l'autre le pilier central – surtout quand il fut dans la portion de marches où il avait l'impression d'être six étages au-dessus du jardin de la propriété voisine.

Quand ils furent dans la chambre, la porte-fenêtre refermée, Noah découvrit avec plaisir qu'Ava était capable de se saisir sans vergogne de l'homme dont elle avait envie. Après avoir éjecté les coussins décoratifs – et les chats – du lit, elle attrapa la boucle de sa ceinture tout en lui dévorant les lèvres. Ils se déshabillèrent mutuellement, en quelques gestes, avant de basculer ensemble sur le matelas.

Un moment plus tard, Noah ouvrit les yeux comme s'il reprenait conscience après un évanouissement. Il lui fallut quelques instants pour se souvenir où il était. Les lumières de la chambre étaient encore allumées – discrètes, mais les rideaux des portes-fenêtres n'étaient pas fermés. Comme il se redressait sur un coude, Ava ouvrit à son tour les yeux et sourit. Il songea qu'il n'avait jamais vu de femme si belle et si sexy.

— Faut-il éteindre la lumière ? murmura-t-il.

Il ne voulait pas gâcher l'atmosphère, mais il craignait qu'Ava ne soit gênée, peut-être, à cause des voisins.

— On s'en fiche, de la lumière !

Elle tendit le bras pour le saisir par la nuque, l'attirer contre elle et l'embrasser. Quand leurs langues se trouvèrent, il perçut en elle une flambée de désir aussi intense que le sien. *Oublie la lumière*, songea-t-il — et il s'autorisa à se perdre dans l'instant.

Ils reposaient enlacés sur le lit, une heure plus tard, lorsque Ava se dégagea doucement de l'étreinte de Noah en murmurant :

— Je reviens tout de suite. Ne bouge pas !

Absolument pas embarrassée par sa nudité, elle quitta le lit, traversa la chambre et entra dans la salle de bains. Sans fermer la porte derrière elle.

Noah était aux anges. Il se sentait presque ivre. Laissant son regard glisser sur la chambre, il se dit qu'il avait l'impression de vivre un rêve. La scène qui venait de se dérouler était trop parfaite pour être vraie. Jamais, auparavant, il n'avait eu la chance de connaître une femme aussi à l'aise qu'Ava avec son corps. En aucun cas Leslie n'aurait accepté de faire l'amour la lumière allumée. Les quelques fois où il avait pu leur arriver de batifoler au lit dans la journée, elle avait insisté pour se couvrir avec le drap dès que l'affaire avait été terminée. Non que Leslie eût à rougir de son physique ; elle était très bien faite. Mais la nudité et même le sexe avaient toujours semblé la mettre un peu mal à l'aise. Alors qu'Ava... Ava était vraiment différente ! Noah se demanda confusément quelle attitude était la plus courante chez les femmes. Depuis qu'il était adulte, il n'avait pas eu beaucoup d'expériences. Il avait davantage goûté aux filles quand il était adolescent, mais bon, ces épisodes-là s'étaient en général terminés avant même d'avoir commencé.

Ava revint quelques instants plus tard. Toujours nue. Noah s'était à moitié attendu à la voir sortir de la salle de bains enveloppée dans un peignoir ou une serviette. Mais non : elle marchait vers lui le sourire aux lèvres et semblait heureuse de s'offrir ainsi à son regard. Noah était d'autant plus content que l'idée de se rhabiller lui avait traversé l'esprit. Heureusement, il s'était retenu.

Elle sauta à genoux sur le lit, s'approcha de lui et commença à le chatouiller. Riant aux éclats, car il était très chatouilleux depuis toujours, il lui rendit la pareille. Dans un coin de sa tête, il s'émerveillait qu'ils soient si détendus et joueurs alors qu'ils vivaient leurs tout premiers moments ensemble. C'était comme s'ils étaient intimes et complices depuis déjà longtemps.

Quand ils se calmèrent, Ava s'assit contre la tête de lit et se passa une main dans les cheveux.

— Ce n'est pas pour gâcher la fête, mais le sexe me donne faim, dit-elle. On s'offre un petit coup d'ascenseur jusqu'à la cuisine pour grignoter un truc ?

Quelques instants plus tard, Noah se retrouva serré contre Ava — ils étaient encore nus — dans la plus petite cabine d'ascenseur qu'il eût jamais vue. Ils s'embrassèrent pendant qu'elle descendait sans bruit les étages.

Sans lui donner d'explication, Ava avait donné l'ordre à l'appareil d'aller jusqu'au niveau le plus bas de la maison — celui de la salle de gym et de la chambre d'amis attenante, sous la cuisine. Quand les portes s'écartèrent, elle dit :

— Je vais nous chercher des peignoirs. Attends-moi ici deux secondes.

Noah tendit la main entre les portes pour les empêcher de se refermer. Il n'arrivait pas à croire qu'il pût avoir autant de chance. En une seule soirée, il s'était aperçu que le M&M tant redouté pourrait peut-être ne pas si mal se passer, après tout, s'il jouait bien son coup, et, beaucoup plus important, il avait peut-être trouvé un nouvel amour. Il ne savait pas laquelle de ces deux choses était la plus fabuleuse. Peut-être tout cela n'était-il pas vrai ? S'il était en plein rêve, en tout cas, il ne voulait pas se réveiller.

12

— Passons à présent au cinquième et dernier cas, dit Noah dans le micro. Vous le trouverez, c'est bien pratique, sur la cinquième et dernière page du polycopié…

Çà et là dans le public s'élevèrent quelques gloussements, mais l'atmosphère de la salle était soudain beaucoup plus tendue. Tout le monde attendait ce moment. Dans le document qu'il avait préparé et imprimé en de très nombreux exemplaires, Noah avait présenté les données fondamentales des différents cas à aborder durant le M&M de ce jour – un par page, sur cinq pages.

La Revue de mortalité et de morbidité se tenait dans l'amphithéâtre Fagan. Cette fois, Noah était seul sur l'estrade, face à l'hémicycle dont les niveaux supérieurs se perdaient dans l'obscurité. Comme prévu les gradins étaient pleins à craquer. Cette situation l'avait passablement intimidé durant les premières minutes, d'autant que les poids lourds du service de chirurgie, notamment les Drs Hernandez, Mason et Cantor, occupaient les sièges des deux premiers rangs juste en face de lui. Ava était présente bien sûr, mais assise au dixième rang du côté gauche de la salle. Son habituelle tenue d'hôpital et sa blouse dissimulaient son corps magnifique, et une coiffe de bloc bouffante couvrait ses splendides cheveux. Le public était tellement fourni, à vrai dire, qu'il y avait même des gens assis sur les premières marches des escaliers, tout en haut, et debout le long de la rambarde de la galerie supérieure. Une affluence qui était évidemment due à ce cinquième et dernier cas : le décès dramatique de Bruce Vincent.

Pour le moment, la conférence s'était extrêmement bien passée. Noah avait présenté quatre cas. Le premier était celui d'un homme de deux cent soixante-dix kilos qui avait subi une opération de chirurgie bariatrique. Hélas pour lui, la jonction entre sa poche gastrique et son intestin avait craqué. Le problème avait été difficile à diagnostiquer et le patient était décédé suite aux complications de la réintervention. Pour le second cas, Noah avait évoqué une opération de la colonne vertébrale : l'implant posé au malade s'était déplacé, entraînant de graves lésions neurologiques. Le troisième cas concernait une ablation de vésicule biliaire qui avait été suivie par une thrombose veineuse profonde, c'est-à-dire la formation d'un caillot sanguin ; la patiente était morte d'une embolie pulmonaire lorsque le caillot avait migré dans les poumons. Le quatrième cas avait été celui de l'infection par une bactérie multirésistante, suite à une appendicectomie, chez une adolescente. Elle était décédée d'un sepsis.

Noah était plutôt content, car les présentations de ces quatre cas et les discussions qui les avaient suivies avaient occupé plus d'une heure de la durée totale du M&M. Le tragique sepsis avait dominé les autres sujets, car tout le monde était très inquiet face à la progression des bactéries résistantes aux antibiotiques. La communauté médicale ne voyait pas encore très bien comment régler ce problème. Cette seule discussion ayant duré plus d'une demi-heure, il ne restait à présent qu'une grosse vingtaine de minutes pour le

cas Bruce Vincent. Noah avait prévu d'utiliser la moitié de ce délai
– facile – pour la présentation du cas, ce qui ne laisserait qu'une
dizaine de minutes à tout casser pour la discussion. En dix minutes,
certes, bien des problèmes pouvaient surgir. Mais il était déterminé
à éviter autant que possible les questions litigieuses.

Durant les trois derniers jours, il avait peaufiné sa présentation,
avec l'aide d'Ava, à partir des idées qu'elle avait elle-même énon-
cées dans les grandes lignes lors de leur conversation du samedi.
Chaque soir, en quittant l'hôpital, il s'était secrètement rendu à
la maison de Louisburg Square pour dîner, discuter, faire l'amour
et passer la nuit avec Ava. La veille, mardi, il avait cependant dû
retourner au BMH vers vingt-trois heures à cause d'un carambolage
monstre survenu sur le Massachusetts Turnpike, l'autoroute qui traversait l'État d'est en ouest.

Noah adorait l'incroyable aventure qu'il était en train de vivre.
Au cours de leurs journées de travail, invariablement très chargées,
Ava et lui s'étaient croisés un certain nombre de fois dans l'hôpital,
notamment samedi et dimanche où elle avait été de garde. (Les
praticiens du service d'anesthésie se partageant les week-ends, elle
en assurait environ un tous les deux mois.) À chacune de ces occasions, ils s'étaient contentés de se saluer d'un geste de la main, ou
en échangeant trois mots tout au plus, comme s'ils n'étaient que de
simples collègues. Noah trouvait ce petit jeu étrangement excitant.
Il offrait un contraste savoureux avec les heures passionnées qu'ils
partageaient la nuit.

Pour sa présentation du cas, il grignota autant de minutes que
possible avec la description du comportement assez extraordinaire
de Bruce Vincent ce fameux matin. Le patient, expliqua-t-il, avait
commencé par venir travailler à l'hôpital comme un jour normal.
Il s'était appliqué à régler le problème que l'absence imprévue d'un
employé des parkings lui posait. Et, plus grave que tout, bien sûr, il

avait avalé un énorme petit-déjeuner. Noah prit le temps d'énumérer calmement tous les éléments de ce repas : deux bonnes tranches de pain de mie grillé, des quartiers de pomme, du jus d'orange, du bacon frit et du café. Il put dresser cet inventaire, car il avait interrogé la caissière qui avait enregistré les achats de Bruce à la cafétéria ; peut-être parce qu'il était mort peu après, elle avait conservé un souvenir précis de ce qu'elle avait vu sur son plateau.

Après avoir discrètement jeté un coup d'œil à sa montre, Noah enchaîna avec la description du passage de Bruce aux admissions. Il veilla à ne citer aucun nom de façon à n'accuser personne. En revanche, il prit soin de mentionner le nombre exact de fois que Bruce Vincent s'était entendu demander s'il était à jeun comme il en avait reçu la consigne – et par conséquent le nombre de fois où il avait menti à ce sujet. Évoquant le problème de l'examen physique aux admissions, il expliqua que celui-ci n'avait pas été effectué pour deux raisons : M. Vincent était arrivé avec quarante minutes de retard (et il était donc attendu au bloc) et l'interne qui aurait dû le voir se trouvait à ce moment-là avec d'autres patients. Il conclut cette partie de sa présentation en précisant que le règlement de l'hôpital avait néanmoins été respecté, car il existait un bilan préopératoire complet, dûment réalisé dans les vingt-quatre heures précédant l'opération. Il ne dit rien sur la qualité de ce bilan – et révéla encore moins que le document avait été modifié par l'assistant du Dr Mason après la catastrophe –, mais il précisa que le patient n'avait aucun antécédent particulier et que le passage en revue de ses systèmes corporels n'avait rien révélé, y compris pour les fonctions gastro-intestinales.

Noah marqua une pause à ce stade de son exposé, et leva les yeux vers le public en espérant que quelqu'un ferait une remarque sur l'admission de Bruce Vincent ou sur son comportement. Mais personne ne réagit. Comme il craignait un peu que le Dr Mason ne décide d'intervenir – même si au BMH, par tradition, le chirurgien concerné par le cas en cours de discussion ne s'exprimait pas à moins de s'entendre directement poser une question –, il évita de regarder celui-ci pour ne pas l'inciter à parler.

Aucune main ne se levant, Noah poursuivit en décrivant le problème rencontré par les chirurgiens pendant l'opération : un petit morceau de la paroi du gros intestin, coincé dans la hernie, les avait obligés à décider d'entrer dans l'abdomen du patient.

– C'est un élément crucial de cette affaire, dit-il. Pour intervenir dans l'abdomen, il était nécessaire de changer d'anesthésie. De passer de la rachianesthésie à l'anesthésie générale. À cette fin, la première chose à faire était de poser une sonde d'intubation endotrachéale au patient. Mais à ce moment-là, énorme surprise pour tout le monde, il a régurgité le contenu de son estomac et ses poumons ont aspiré une énorme quantité d'aliments non digérés.

Noah marqua de nouveau une petite pause pour laisser au public le temps d'assimiler ses propos. Ava et lui avaient jugé qu'il était essentiel que les auditeurs prennent bien la mesure du rôle déterminant et regrettable que le patient avait joué dans sa propre mort. C'était un facteur qui comptait aussi beaucoup aux yeux du Dr Mason.

Il décrivit ensuite l'arrêt cardiaque, la tentative de réanimation brièvement couronnée de succès qui avait suivi, puis le second arrêt cardiaque lié à la chute brutale de la saturation en oxygène dans le sang du patient.

– À ce moment-là, dit-il, il a été clair pour tout le monde que M. Vincent était moribond puisque ni son cœur ni ses poumons ne fonctionnaient plus. Le seul espoir, pour le sauver, c'était de le mettre d'urgence en circulation extracorporelle.

Évitant de préciser qu'il avait pris seul cette décision, il enchaîna pour expliquer qu'une fois le patient branché à la machine cœur-poumon, sa saturation en oxygène était rapidement revenue à la normale. On avait alors pu nettoyer son système pulmonaire – en évacuer les déchets alimentaires – avec une fibroscopie.

– Hélas, dit-il, alors que ses poumons fonctionnaient désormais tout à fait bien, le cœur n'est pas reparti. Le cardiologue qui avait rejoint l'équipe a essayé de le stimuler, mais aucune des nombreuses méthodes qu'il a employées n'a fonctionné. Et l'équipe a finalement dû se résoudre à accepter la mort du patient. La raison pour laquelle son cœur n'a pas redémarré n'est pas encore connue. Une autopsie a été réalisée par l'Institut médico-légal, comme c'est le cas pour tous les patients décédés en salle d'opération, mais les résultats n'étaient pas encore disponibles hier après-midi.

Noah se tut de nouveau pour regarder le public. Aucune réaction ; un lourd silence régnait sur la salle. Clairement, l'évocation de la mort de Bruce Vincent bouleversait tout le monde.

– C'est une affaire très troublante pour les personnes qui en ont été partie prenante, et bien sûr pour le BMH dans son ensemble, ajouta Noah. Bruce Vincent était un membre immensément apprécié et respecté de notre communauté. En accord avec l'esprit et les objectifs de la Revue de mortalité et de morbidité, nous ferions honneur à sa mémoire si nous parvenions à instituer des solutions susceptibles d'éviter ce genre de décès à l'avenir. À ce titre, je propose donc de parler maintenant de la nécessité de faire comprendre à nos patients qu'il est absolument essentiel qu'ils soient à jeun – qu'ils n'aient rien mangé depuis au moins sept ou huit heures – quand ils se présentent aux admissions pour être opérés.

Martha Stanley leva la main, le bras bien tendu au-dessus de la tête, pour attirer l'attention de Noah. Il lui fit signe de prendre la parole.

– Je suis à cent pour cent de cet avis, commença-t-elle.

Après avoir déclaré qu'elle culpabilisait beaucoup pour la mort de Bruce Vincent, elle expliqua qu'il fallait peut-être envisager de revoir le système de la liste des questions à poser aux patients, puisque, en cochant simplement des cases à toute vitesse, on augmentait le risque de passer à côté de certains problèmes – comme cela s'était produit, hélas, quand elle avait voulu accélérer l'admission de ce patient...

Pendant que Martha parlait, Noah hocha calmement la tête, de temps en temps, pour marquer son assentiment. Mais il avait envie de s'élancer vers elle pour la prendre dans ses bras et la remercier. Elle faisait exactement ce qu'Ava et lui avaient espéré, à savoir griller des minutes sur une question consensuelle. Il consulta de nouveau discrètement sa montre. Dans trois ou quatre minutes, il pourrait annoncer que le M&M du jour était terminé ! Déjà, certaines personnes qu'il avait aperçues accoudées à la rambarde, tout en haut de l'amphithéâtre, se tournaient pour sortir. Il s'autorisa à regarder en direction d'Ava et leurs yeux se croisèrent. Gardant la main serrée contre sa poitrine pour ne pas se faire remarquer, elle leva le pouce. Noah hocha très légèrement la tête.

Quand Martha eut terminé son monologue, plusieurs mains se levèrent. Il donna la parole à une femme assise sur la même rangée que la responsable des admissions.

– Je suis d'accord avec Martha, dit-elle. Mais je crois que nous devrions aussi ajouter certaines choses à la liste des questions à poser aux patients. Nous demandons systématiquement s'ils ont mangé, s'ils ont des allergies médicamenteuses et s'ils ont déjà été opérés et mis sous anesthésie, mais nous ne demandons jamais s'ils souffrent de reflux gastro-œsophagien. Il me semble que ce serait une information importante.

– Vous avez sans doute raison, convint Noah.

Une femme assise à gauche et à deux sièges d'écart de Martha agitait le bras avec insistance. À l'instant où il l'invitait d'un geste à s'exprimer, il la reconnut : il s'agissait d'Helen Moran, l'infirmière qui l'avait coincé sur cette même estrade après la cérémonie de bienvenue. Il gémit en son for intérieur quand elle commença à parler. Il se doutait qu'elle allait lâcher une bombe sur la salle, mais il ne voyait pas comment l'arrêter.

– Excusez-moi, docteur Rothauser, dit Helen, mais il me semble que vous avez laissé de côté un aspect important de cette affaire qu'il faut pourtant aborder si nous voulons vraiment en tirer quelque chose pour l'avenir. Cette tragédie n'illustre-elle pas à la perfection les problèmes que peut poser la pratique des opérations simultanées ? D'après ce que je sais, M. Vincent est resté sous anesthésie pendant plus d'une heure avant que le chirurgien, le Dr Mason, ne se présente dans la salle d'opération. Et pourquoi ? Parce qu'il avait deux autres patients en même temps sous anesthésie dans deux autres salles. C'est insensé ! C'est scandaleux ! Si nous voulons vraiment rendre hommage à la mémoire de M. Vincent, il faut en finir avec le système des opérations simultanées au BMH.

Tout à coup, l'atmosphère jusqu'alors somnolente de l'amphithéâtre devint orageuse. Des dizaines de personnes se mirent à parler en même temps, quelques-unes criant même leurs opinions à pleine gorge. Depuis quelques années, au BMH comme dans d'autres grands hôpitaux du pays, il était admis qu'un chirurgien puisse s'occuper simultanément de deux ou trois patients dans autant de salles d'opération. Mais plusieurs articles parus dans la presse grand public, en particulier dans *The Boston Globe*, avaient fait naître un fort courant d'opposition à cette pratique.

Au milieu du brouhaha, une infirmière s'égosilla pour demander :

– Docteur Rothauser ! Est-il vrai, oui ou non, que M. Vincent a été obligé d'attendre une heure sous anesthésie ?!

Noah leva les deux mains et tapota l'air devant lui pour tenter d'apaiser le public.

– S'il vous plaît ! S'il vous plaît ! s'exclama-t-il dans le micro en balayant l'amphithéâtre du regard – mais en évitant prudemment le Dr Mason. Laissez-moi vous expliquer la situation !

Enfin, le calme revint et les gens cessèrent de gesticuler.

– Il y a eu un certain délai entre le début de l'anesthésie et le début de l'intervention, c'est exact, reprit Noah. Néanmoins…

Il inspira profondément, s'apprêtant à dire que ce retard au démarrage n'avait pas contribué à tuer Vincent, mais Helen Moran cria à ce moment-là :

– Je crois qu'une heure entière d'attente, ce n'est pas qu'un « certain délai » ! Si j'avais été sur cette table d'opération, ou si cela avait été un membre de ma famille, j'aurais fait un scandale !

Un grand nombre de personnes l'applaudirent. Noah regarda nerveusement sa montre. Il était neuf heures. Pouvait-il oser conclure la conférence dans cette ambiance ? Alors qu'il relevait les yeux vers le public de nouveau survolté, il s'aperçut que le Dr Carmen Hernandez avait quitté son siège et marchait à présent vers lui sur l'estrade. Il s'écarta volontiers du pupitre quand le patron de la chirurgie fit signe qu'il voulait le micro.

– Je souhaite dire quelques mots, lança le Dr Hernandez par-dessus le brouhaha.

Il dut se répéter deux fois avant que l'auditoire se calme suffisamment pour lui permettre d'être entendu.

Scrutant les gradins, Noah repéra le Dr Bernard Patrick, un chirurgien orthopédique qui était farouchement opposé à la pratique des opérations simultanées. Quand leurs regards se croisèrent, Patrick hocha la tête. Lui, au moins, il était content que le sujet ait été évoqué.

– Tout d'abord, dit le Dr Hernandez, je regrette un peu que ce cas n'ait pas été abordé en début de séance.

Noah réprima un soupir. Devait-il aussi s'inquiéter, à présent, que son chef de service ne lui en veuille d'avoir mis le décès de Bruce Vincent en dernière position ?

– Bien sûr, continua Hernandez, cette tragédie nous a tous beaucoup émus. Mes collègues du service de chirurgie et moi-même avons consacré beaucoup de temps à réexaminer les données de ce cas. Comme nous le faisons pour tous les décès, bien sûr, mais avec une attention plus particulière encore du fait que M. Vincent était un membre de notre communauté et un ami pour tout le monde ici au BMH. Il est regrettable que le Dr Mason ait été retardé contre sa volonté, et n'ait donc pas pu commencer l'opération à l'heure prévue, mais nous avons la certitude que ce retard n'a pas contribué à ce que cette intervention se termine mal. Personne, j'insiste, n'a le moindre doute à ce sujet. En outre, le retard du Dr Mason était dû à une complication légitime, et très grave, survenue ailleurs.

« Le système, très bien organisé, qui permet à certains chirurgiens de mener plusieurs opérations de front, c'est-à-dire de façon simultanée, a été évalué avec la plus grande attention par le service de chirurgie, par l'administration du BMH et par moi-même, ainsi que par la Société américaine de chirurgie. Et nous continuons d'y réfléchir. Nous sommes persuadés que c'est une pratique qui est tout à fait dans l'intérêt des patients, mais qui doit être surveillée. La Société médicale du Massachusetts, qui nous soutient, exige d'ailleurs que nos chirurgiens tiennent le journal de leurs allées et venues entre les diverses salles d'opération quand ils sont obligés de mener plusieurs interventions en même temps. Et maintenant, puisqu'il est déjà neuf heures passées, cette Revue de mortalité et de morbidité est ajournée.

D'innombrables conversations s'engagèrent aussitôt à travers la salle tandis que les gens commençaient à quitter leurs sièges. Le Dr Hernandez se tourna vers Noah et demanda :

— Vous avez mis le cas Vincent en dernière position pour limiter les possibilités de discussion, n'est-ce pas ?

Noah se creusa la tête à la recherche d'une réponse pas trop compromettante pour lui.

— C'était sans doute un peu mon intention. Je savais que ce cas susciterait beaucoup d'émotion, du fait de la réputation du patient...

— Je ne sais pas si c'est très intelligent ou idiot de votre part. Il faudra que j'y réfléchisse, dit le Dr Hernandez, puis il tourna les talons pour sortir de l'amphithéâtre.

Avec un soupir, Noah releva les yeux vers les gradins avec l'espoir de croiser le regard d'Ava. Il n'avait pas réussi à parer l'évocation du problème des opérations simultanées ; c'était dommage. Par contre, elle devait être contente qu'il ait évité la question potentiellement ennuyeuse pour elle du type d'anesthésie utilisé. Hélas, Ava lui tournait le dos et se trouvait déjà en haut de l'escalier. Un instant plus tard, elle disparut par la porte principale du niveau supérieur de l'amphithéâtre. C'est alors que Noah vit le Dr Mason s'avancer dans sa direction, sur l'estrade, avec cette démarche un peu chaloupée que lui donnait son épais tour de taille. L'espace d'une seconde, il songea à se précipiter vers la sortie derrière le Dr Hernandez. Mais il était trop tard. Le Dr Mason s'immobilisa devant lui avec sa mine classique de bouledogue en rogne.

— Vous êtes votre propre ennemi, docteur Rothauser, grogna-t-il. Je vous avais prévenu de ne pas déformer la réalité et c'est quand même ce que vous avez fait. Vous n'avez pas dit que le service d'anesthésie avait donné le mauvais type d'anesthésie au patient. C'est pourtant un point essentiel de l'affaire. Vous protégez qui, putain, et pourquoi ?!

— Je ne protège personne, objecta Noah, bien conscient de mentir. Surtout pas le patient qui était pourtant très populaire dans l'hôpital. C'est lui, au premier chef, qui est responsable de ce qui s'est passé, et je l'ai dit de façon très claire. J'ai aussi parlé du service des admissions et du rôle que son personnel avait pu jouer dans l'affaire. Ce sont les deux choses que vous avez vous-même évoquées lors de notre entretien.

Le Dr Mason pencha la tête sur le côté en le dévisageant ; un sourire narquois lui monta aux lèvres.

— Vous êtes un bel hypocrite, monsieur le superchef. Nous avons parlé de cette histoire deux fois. Ici même sur cette estrade et à mon bureau du bâtiment des consultations. Je vous ai dit très clairement, les deux fois, que l'anesthésiste avait merdé. C'est pourtant simple ! J'ai aussi dit quelque chose au sujet de l'attitude du patient et des admissions, c'est vrai, mais il est arrivé ce qui est arrivé par la faute du service d'anesthésie ! Ce décès aurait dû affecter les statistiques de l'anesthésie, gros malin – pas celles de la chirurgie !

— J'ai fait de mon mieux, dit simplement Noah.

Il ne voyait pas quoi ajouter. Il lui semblait que s'excuser ne servirait à rien et aggraverait peut-être même les choses.

— Arrêtez vos conneries, rétorqua Mason. Et le pire, c'est que vous avez laissé la discussion partir en vrille sur la question des opérations simultanées, chose que je vous avais spécifiquement prévenu de ne pas faire. Si cette histoire continue de faire des vagues, je vous en ferai porter le chapeau et vous prendrez la porte. Vous comprenez ce que je veux dire ?

— Je pense que oui, marmonna Noah.

— Vous savez ce qui me tape vraiment sur le système, avec vous ? Vous êtes de ces petits fayots pointilleux et prétentieux qui croient valoir mieux que tout le monde. Mieux que Meg Green, par exemple, qui était une des meilleures internes que cet hôpital ait jamais eues. Vous l'avez fait virer parce qu'elle prenait de l'Oxycontin pour son épaule.

– Elle en prenait beaucoup trop, répliqua Noah. Elle était devenue dépendante à cette substance et...

– C'est ce que vous avez prétendu, l'interrompit Mason, puis il baissa la voix pour conclure : Vous êtes sur un terrain glissant, mon ami. Vous devriez garder ça en tête.

13

Après avoir jeté dans la corbeille la brosse à ongles à usage unique qu'il venait d'utiliser, Noah commença à se frotter les mains avec du savon liquide en vue de sa dernière opération programmée de la journée. Accompagné de son assistant, il se trouvait aux lavabos de désinfection situés entre les salles d'opération numéro dix-huit et vingt. Les deux hommes portaient un calot sur la tête et un masque chirurgical. Noah travaillait dans la salle dix-huit depuis qu'il était arrivé au bloc après la Revue de mortalité et de morbidité. Il avait bien bossé, puisqu'il avait déjà achevé une colectomie, c'est-à-dire une excision d'une portion importante du gros côlon, puis l'ablation bénigne mais volumineuse d'une tumeur au foie, puis une hémorroïdectomie. Les deux premiers patients se portaient bien et avaient déjà été conduits à leurs chambres. Seul le dernier patient se trouvait encore en SSPI ou salle de surveillance post-interventionnelle – on attendait qu'un lit se libère à l'étage de la chirurgie générale. Le prochain et dernier cas de Noah était une biopsie mammaire qu'il faudrait peut-être faire suivre, suivant le résultat de l'analyse, par une mastectomie.

Les heures passant, Noah avait réussi à oublier le stress du M&M
et à retrouver sa sérénité. D'abord, il adorait être en salle d'opération. Habile de ses mains et sûr de ses compétences comme il l'était,
c'était au bloc qu'il se sentait le plus chez lui. La salle d'opération
était le sanctuaire où il oubliait tous ses soucis. Si la confrontation
avec le Dr Mason n'avait pas été agréable, en outre, elle n'avait
pas non plus été catastrophique. Le praticien avait râlé, une fois
de plus, parce qu'il ne voulait pas qu'on parle de la question des
opérations simultanées, mais, telles que Noah voyait les choses, le
risque que le sujet revienne sur le tapis était à peu près nul. Comme
l'avait précisé le Dr Hernandez lors de sa courte intervention, le
système avait été étudié et validé par la hiérarchie du BMH et par
de nombreuses sociétés de chirurgiens. Même si un certain nombre
de personnes s'y opposaient, souvent avec beaucoup d'émotion, au
nom des patients, la question était pour ainsi dire réglée. Chose
qui avait de nouveau frappé Noah, par contre, le Dr Mason lui en
voulait toujours à mort pour le départ de Meg Green – à cause du
rôle qu'il avait joué dans ce regrettable épisode.

– J'ai bien aimé le M&M, ce matin, dit Mark Donaldson qui se
frictionnait les mains à côté de Noah.

Mark devait le seconder pour sa prochaine opération. Pour les
trois précédentes, il avait été assisté par une nouvelle interne de
première année, mais comme elle était attendue à la consultation
à partir de quinze heures, il avait appelé Mark à la rescousse.

En tant que superchef, Noah devait veiller à ce que tous les
internes de première année l'assistent au bloc opératoire, les uns
après les autres, dans les premières semaines de l'année universitaire. C'était nécessaire pour qu'il évalue leurs compétences et leur
potentiel. Pour le moment, il avait travaillé avec le tiers d'entre
eux, à peu près, et il était très satisfait. Ses jeunes recrues étaient
aussi sérieuses que douées, ce qui était de bon augure pour sa propre

prestation. Il n'était pas rare que le superchef ait à s'arracher les cheveux avec la nouvelle fournée d'internes de l'année – parce qu'ils avaient des difficultés, le plus souvent, à s'adapter aux exigences de leur programme de formation.

– Merci, Mark. C'est sympa de me le dire, répondit-il sans cesser de se frotter les doigts.

C'était la quatrième fois de la journée qu'il répétait l'opération. Il respectait toujours scrupuleusement le protocole d'hygiène préopératoire – de la même façon, à vrai dire, qu'il était hyperconsciencieux dans tous les autres aspects de son métier – et il accordait une importance particulière au lavage des mains car le spectre de l'infection postopératoire l'inquiétait beaucoup. Il faisait le maximum pour y parer.

Entre chacune de ses trois premières opérations, Noah avait tenté d'apercevoir Ava. Le plus discrètement du monde, bien sûr, pour ne pas se faire remarquer. Il ne risquait pas d'interroger quiconque sur les allées et venues de la Dr London. Comme il ne la croisait nulle part, il avait fini par consulter le programme du service d'anesthésie. Il avait alors compris pourquoi son nom n'apparaissait même pas sur le moniteur du programme du bloc : aujourd'hui, elle était chargée de la supervision des internes d'anesthésie et des infirmiers d'anesthésie en formation dans les salles d'opération numéro six, huit et dix. Cette mission de supervision était assurée à tour de rôle par tous les praticiens du service d'anesthésie sauf son chef, le Dr Kumar.

Même s'il avait rencontré Ava, de toute façon, Noah n'aurait pas engagé la conversation avec elle. Ils craignaient trop, l'un comme l'autre, de faire naître des rumeurs. Janet Spaulding, la chef infirmière, avait un don presque surnaturel pour flairer tout ce qui se passait entre les uns et les autres au bloc opératoire – à titre professionnel ou privé. Ce n'était pas par hasard qu'elle était venue bavarder avec Ava et lui, le vendredi précédent, lorsqu'elle les avait trouvés assis dans un coin de la salle de détente.

Juste avant de se rendre aux lavabos pour sa dernière opération, finalement, il avait aperçu Ava dans la salle d'op numéro dix par la vitre du bureau central. Il ne l'avait vue qu'un instant, mais il était certain de l'avoir reconnue, malgré sa coiffe et son masque chirurgical, à côté d'un infirmier anesthésiste qui était en train d'intuber le patient allongé sur la table d'opération. Elle, par contre, ne l'avait sans doute pas remarqué. Il avait hâte de la retrouver dans la soirée. Pour toutes les raisons qui rendaient leurs nuits délicieuses, d'abord, et aussi pour avoir son opinion sur le M&M. Il était convaincu qu'elle devait être très satisfaite.

Les mains levées vers le plafond, Noah se frottait à présent les avant-bras. C'était la dernière phase de la procédure de désinfection. Il avait presque terminé, lorsqu'une voix féminine pressante jaillit du haut-parleur de l'interphone :

– Arrêt cardiaque en salle d'op huit !

Noah fit un pas en arrière en prenant garde à ce que ses mains n'entrent pas en contact avec le lavabo ou le robinet, potentiellement contaminés par des germes, et tendit le buste vers la gauche pour jeter un œil en direction de la salle numéro huit. Au même moment, deux internes d'anesthésie passèrent en courant derrière son dos. L'un d'eux était la Dr Brianna Wilson ; elle poussait le chariot d'urgence, équipé du défibrillateur et de divers instruments et substances, vers la salle d'opération en question. L'autre interne était le Dr Peter Wong ; il poussait un second chariot contenant, Noah l'apprendrait bientôt, tout le matériel nécessaire pour le travail de libération des voies aériennes.

Comme il était toujours prêt à apporter son aide à qui en avait besoin, Noah réagit par pur réflexe. Il jeta sa brosse de désinfection dans le lavabo pour s'élancer vers la salle huit. Il se souvint au même instant que celle-ci comptait parmi les trois salles où Ava devait superviser un interne ou un infirmier d'anesthésie. Sachant à quel point le cas Bruce Vincent l'avait ébranlée, il espérait qu'elle n'était pas confrontée une fois de plus à un grave incident.

Poussant la porte de la salle d'opération de l'épaule, Noah y entra en gardant les mains levées devant sa poitrine au cas où il aurait à intervenir, peut-être même à opérer. Laissant le battant se refermer derrière son dos, il s'immobilisa pour évaluer la situation. L'alarme de l'ECG retentissait et le moniteur indiquait que le cœur du patient était en fibrillation ventriculaire. L'alarme de l'oxymètre de pouls sonnait elle aussi avec insistance, ajoutant à la cacophonie qui régnait dans la pièce : elle signalait que le taux d'oxygène dans le sang du patient était beaucoup trop bas.

Le patient était en fait une patiente – une femme blanche, fortement obèse, dont Noah apprendrait plus tard qu'elle s'appelait Helen Gibson. Elle avait trente-deux ans et était mère de quatre enfants. Au premier regard, il comprit qu'elle était ici pour une urgence traumatique : elle avait une fracture multiple au tibia droit, comme si elle venait d'avoir un accident de la route. L'os saillait à travers la peau de sa jambe.

Ava, au bout de la table, se débattait avec un vidéo-laryngoscope pour tenter d'intuber la patiente – laquelle, avait déjà remarqué Noah, ne respirait plus. À la droite d'Ava se trouvait une interne d'anesthésie de première année, la Dr Carla Violeta, qui tentait de l'aider en poussant sur le cou de la patiente au niveau du ligament crico-thyroïdien. Normalement, une légère pression à cet endroit devait faciliter l'accès à la trachée. Problème, un deuxième interne d'anesthésie faisait un massage cardiaque externe à la patiente en donnant des poussées rapides et puissantes sur son sternum – avec pour conséquence que son buste et sa tête remuaient beaucoup. Introduire la sonde endotrachéale dans un patient déjà difficile à intuber était mission à peu près impossible dans de telles conditions. Or, il était clair pour Noah que la patiente entrait dans la catégorie des patients difficiles, car elle avait la tête inclinée en avant, et non en arrière, comme si elle avait un sérieux problème au niveau des vertèbres cervicales.

Les internes qui avaient accouru avec les deux chariots s'activaient pour préparer le défibrillateur. Un pas en retrait de la table se tenait le Dr Warren Jackson. Vêtu d'une casaque et de gants, il était manifestement prêt à opérer. Noah le connaissait bien. Il n'était pas tout à fait aussi désagréable que le Dr Mason, mais ce n'était vraiment pas le plus raffiné des hommes. Lui aussi, il était de ces chirurgiens autoritaires, soupe au lait et passablement rétrogrades qui avaient fait leurs études à l'époque bénie où tout était tellement mieux, et où ils avaient si bien souffert sous la férule de leurs professeurs qu'ils estimaient aujourd'hui de leur devoir de brimer les jeunes générations. Noah ne fut pas étonné de voir dans ses yeux qu'il était très irrité par la scène qui se déroulait devant lui.

Coïncidence des plannings, l'infirmière circulante était Dawn Williams qui s'était trouvée dans cette même salle d'opération numéro huit pour le cas Vincent. Quand elle remarqua Noah, elle vint aussitôt à sa rencontre pour dire à mi-voix :

– Nous avons encore un autre méchant souci. L'interne de première année a essayé d'intuber la patiente avant que la Dr London ne soit ici. Elle supervisait une autre anesthésie à côté.

– Laissez-moi deviner, dit Noah. Le Dr Jackson a mis la pression à l'interne pour qu'elle commence seule, c'est ça ?

– Tout juste. Il la harcelait, il fallait voir ça... L'horreur !

– OK, faites place ! s'exclama la Dr Wilson.

Elle tenait les électrodes du défibrillateur chargé et s'avançait vers la patiente. L'interne qui faisait le massage cardiaque leva les mains. Ava s'écarta du haut de la table tandis que Carla cessait de pousser sur le cou de la femme.

Un claquement sourd se fit entendre à l'instant de la décharge. La patiente fut agitée par un violent spasme tandis que l'électricité se propageait à travers son corps, y provoquant un enchaînement ultrarapide de contractions musculaires. Tout le monde fixa les yeux sur le moniteur de l'ECG – sauf Ava qui réinséra aussitôt l'extrémité du vidéo-laryngoscope dans la bouche de la patiente pour réessayer de poser la sonde d'intubation.

Noah se précipita vers elle tandis que les internes qui avaient apporté le chariot d'urgence poussaient une petite exclamation de joie. La fibrillation du cœur d'Helen Gibson avait cessé ; il palpitait de nouveau à un rythme normal.

– Quel est le problème ? demanda-t-il.

– Nous n'arrivons pas à la ventiler, répondit Ava d'une voix tendue. Elle est paralysée, impossible d'utiliser le BAVU pour je ne sais quelle raison, et je ne peux pas poser cette foutue sonde parce que je ne vois pas ce que je fais.

– On dirait qu'elle a la nuque tordue.

– Oui, affreusement. Et rigide ! En termes de visibilité de la trachée, jamais je n'ai rencontré pire : classe quatre, quatrième niveau au score de Mallampati !

– Mallampati ? Jamais entendu parler. C'est quoi ?

– C'est une classification du degré de visibilité de la trachée, marmonna Ava, puis elle s'adressa à Carla : Essayez encore de pousser sur la trachée. Je l'avais presque, il y a une minute, avant le choc.

Noah jeta un coup d'œil inquiet au tracé de l'ECG sur le moniteur de la station d'anesthésie. Il n'aimait pas ce qu'il voyait et craignait que le cœur ne se remette à fibriller. Il regarda la valeur de l'oxymètre de pouls dont l'alarme continuait de sonner. Le niveau d'oxygène dans le sang avait à peine changé. La peau de la patiente, qui était déjà légèrement bleutée quand il était entré dans la salle, fonçait presque à vue d'œil. De toute évidence, la situation se détériorait très vite. À la droite de Noah se trouvait le second chariot. Sur le plateau, il vit divers laryngoscopes, sondes endotrachéales et autres outils d'intubation, ainsi qu'un kit de cricothyrotomie permettant de créer une ouverture à destination des poumons, dans le cou, en cas d'obstruction du nez et de la bouche.

Aussi sûr de lui que lorsqu'il était intervenu pour tenter de sauver Bruce Vincent, Noah sut tout à coup ce qu'il devait faire. Il attrapa le kit de cricothyrotomie et en déchira l'emballage plastique. Sans perdre de temps à enfiler des gants stériles, il saisit la seringue connectée à un cathéter qui se trouvait dans le kit, puis s'approcha de la table par la droite en faisant signe à Ava et à Carla de le laisser travailler. Orientant l'extrémité du cathéter vers les pieds de la patiente, il en posa l'aiguille dans le renfoncement qui se trouvait sous sa pomme d'Adam, puis poussa fermement dessus pour l'enfoncer dans son cou. Un petit claquement se fit entendre. Quand il tira sur le piston de la seringue et que celle-ci se remplit d'air, il sut qu'il avait placé l'aiguille au bon endroit. Très vite, il passa un mandrin-guide dans le cathéter, puis un dilatateur pour élargir l'ouverture, puis quelques instants après un tube de respirateur.

– OK, ça va aller, dit Ava.

Elle brancha le tube mis en place par Noah à la station d'anesthésie et ventila aussitôt la patiente avec cent pour cent d'oxygène.

À peine toute l'équipe poussait-elle un soupir de soulagement qu'une nouvelle catastrophe survint. Sans avertissement, le cœur de la patiente recommença à fibriller et l'alarme de l'électrocardiographe se déclencha. La courbe de l'oxygène dans le sang, qui avait commencé à grimper vite et bien, s'inversa subitement. Il fallut réagir très vite. Après une courte période de massage cardiaque externe pour lequel un interne grimpa et s'accroupit sur la table d'opération, Helen Gibson reçut une seconde décharge du défibrillateur.

Une nouvelle fois, quelques exclamations de satisfaction jaillirent tandis que tous les regards convergeaient sur le moniteur cardiaque. La fibrillation avait cessé. Hélas, il ne fallait pas crier victoire : le cœur ne retrouvait pas son rythme normal. Au contraire, il demeurait obstinément silencieux – sur le moniteur le tracé était plat – car ses ventricules ne se contractaient pas. Cette situation, que l'on appelait l'asystolie, rappelait de façon très déplaisante à Noah ce qui s'était passé avec Bruce Vincent. Sans perdre une seconde, l'interne regrimpa sur la table d'opération pour reprendre le massage cardiaque ; les anesthésistes commencèrent à administrer diverses substances à la patiente dans l'espoir de faire redémarrer l'organe.

Une minute plus tard, le Dr Gerhard Spallek, un cardiologue, entra dans la salle au pas de charge en finissant d'attacher son masque derrière sa nuque. Après qu'on lui eut expliqué la situation en quelques mots, il dit :

– Nous avons sans doute ce qui équivaut à une énorme crise cardiaque induite par la baisse extrême des niveaux d'oxygène. Ça se présente très mal, mais voilà ce que nous pouvons essayer.

Sous sa direction, plusieurs autres substances furent utilisées pour tenter de stimuler le cœur. Entre-temps, la patiente continua de recevoir un massage cardiaque et d'être ventilée avec de l'oxygène pur afin que son niveau d'oxygène dans le sang demeure raisonnable. Comme aucun des produits ne donnait de résultat, Gerhard introduisit une sonde de stimulation cardiaque dans la veine jugulaire interne droite de la patiente. Mais cela ne fonctionna pas davantage : le cœur ne redémarrait pas.

– Bon, c'est terminé, déclara enfin Gerhard. Le cœur ne réagit pas. Il a dû subir des dégâts trop sévères. Malheureusement, nous avons perdu la patiente. Désolé de ne pas avoir pu mieux faire et merci de m'avoir permis de me joindre à vous.

Il inclina respectueusement le buste, puis tourna les talons pour quitter la pièce. L'interne qui avait assuré le massage cardiaque descendit de la table d'opération.

— C'est inadmissible ! s'exclama le Dr Jackson à l'instant où la porte se refermait derrière le cardiologue.

Tout au long de la tentative de réanimation, il était resté à l'écart, les mains jointes sur la poitrine, observant la scène avec des yeux inquiets — et gardant apparemment espoir de réparer bientôt la jambe endommagée de la patiente.

— Que tout le monde sache bien que je vais parler immédiatement au Dr Kumar de ce… de cette catastrophe ! ajouta-t-il d'un ton exaspéré. La patiente est une femme de trente-deux ans en bonne santé. Elle est mère de quatre enfants. Je suis consterné qu'une telle chose ait pu se produire au BMH. Nous ne sommes pas dans un hôpital de cambrousse, nom de Dieu !

Noah fut tenté de lui faire remarquer qu'il avait eu tort de faire pression sur l'interne d'anesthésie de première année pour qu'elle commence la procédure avant que l'anesthésiste chargée de la superviser, c'est-à-dire Ava, ne soit dans la salle. Mais il tint sa langue. Ce n'était ni l'endroit, ni le moment, et le chirurgien semblait déjà bien assez énervé. Le contredire maintenant ne pouvait que jeter de l'huile sur le feu.

— De toute ma carrière, dit Ava d'une voix entrecoupée, je n'avais jamais vu un patient si difficile à intuber.

Noah comprit qu'elle tentait de défendre Carla. Il était impressionné, car il se doutait qu'elle devait être elle-même bouleversée par ce qui venait de se produire. Jusqu'à l'affaire Vincent, elle n'avait jamais perdu un patient en salle d'opération. Maintenant elle était impliquée dans deux événements du même genre.

– Qu'est-ce qui a bien pu être si difficile, nom de Dieu ? rétorqua le Dr Jackson, et il ajouta avec un mépris non dissimulé : Vous êtes censés être des pros de la sonde d'intubation, non ?

– C'est un ensemble de choses, répliqua Ava dont le ton trahissait à présent autant de colère que de désarroi, et elle prit une grande inspiration pour se calmer.

– Il est clair que la nuque de la patiente est déformée, intervint Noah, autant pour aider Ava que pour éviter de voir la conversation dégénérer. Son cou est fléchi en avant et rigide. C'est un facteur aggravant. N'est-ce pas, docteur London ?

Ava hocha la tête.

– Et alors ? répliqua le Dr Jackson, les yeux fixés sur la jeune femme. Ce facteur, vous ne l'avez pas pris en considération ? C'est votre spécialité, bon sang !

– Pour la raideur du cou, je n'étais pas au courant, bafouilla Carla qui paraissait aussi tendue et déboussolée qu'Ava.

– Vous voulez dire que ce n'était pas dans le rapport de l'interne des urgences ? demanda le Dr Jackson.

– Non. Il n'y avait rien au sujet du cou...

– Seigneur ! explosa le chirurgien, et il se tourna vers Noah : Ce matin nous entendons parler d'un interne qui n'a même pas rédigé de note d'admission, et voilà que nous avons un autre interne qui laisse de côté une observation essentielle qui a indirectement provoqué le décès de cette femme. Ça, c'est votre rayon, monsieur le superchef. Je crois qu'en plus du Dr Kumar, je vais devoir parler de cette histoire au Dr Hernandez.

– J'examinerai la question de près, affirma calmement Noah.

En son for intérieur, il avait envie de hurler. Ce matin, au M&M, il avait sauvé de justesse sa propre peau. Maintenant il était face à une nouvelle catastrophe potentielle lors du prochain M&M !

– Vous avez intérêt ! cria Jackson.

Il retira ses gants et les jeta rageusement par terre, en fit autant avec sa casaque, puis quitta la salle d'opération sur cet acte de colère infantile.

Les Drs Wilson et Wong commencèrent à remettre de l'ordre sur le chariot d'urgence. Dawn ramassa d'un air dégoûté les gants et la casaque abandonnés sur le sol. Noah se tourna vers les anesthésistes. Très inquiet pour Ava, il aurait voulu dire quelque chose pour la réconforter, à défaut de pouvoir la serrer dans ses bras, mais il n'osa pas. Il soutint son regard en espérant lui faire sentir qu'il était de son côté.

– Désolé, dit-il.

Elle baissa les yeux et se tourna vers la station d'anesthésie pour aider Carla à débrancher la patiente.

En sortant de la salle, Noah se demanda si ces fichues Revues de mortalité et de morbidité allaient lui pourrir la vie pendant toute l'année. Avec ce nouveau cas, au moins, il n'aurait pas à se ronger les sangs pour le problème des opérations simultanées – tant mieux ! Côté négatif des choses, par contre, il aurait dans l'amphi un Dr Mason libre d'intervenir à sa guise, puisqu'il n'était pas mêlé à l'affaire. En général, Mason participait activement aux discussions des M&M. Dans quinze jours, il se lâcherait sans doute contre Noah avec un plaisir redoublé. Et il fallait aussi craindre sa réaction vis-à-vis d'Ava : alors qu'il lui reprochait encore le décès de Bruce Vincent, voilà qu'elle était impliquée dans un nouveau drame similaire…

Pressé de rejoindre la salle d'opération numéro dix-huit pour s'excuser de son retard et en expliquer la raison si l'équipe qui l'attendait n'avait pas été prévenue de ce qui se passait en salle huit, Noah s'élança dans le couloir – et faillit bousculer le Dr Mason qui sortait de la salle quinze en levant les mains derrière la nuque pour dénouer les liens de son masque.

— Ha ! s'exclama le praticien. Le petit monsieur que je cherchais, justement.

Le cœur de Noah sauta un battement. Il avait la conviction que Mason savait déjà ce qui venait de se passer. Les mauvaises nouvelles circulaient vite à travers le bloc.

— J'ai un patient en attente en salle dix-huit et je suis affreusement en retard, dit-il.

Il fit un pas de côté dans le but de contourner Mason, mais celui-ci l'imita pour lui bloquer le passage.

— Alors, mon ami, dit-il d'un ton sarcastique. Vous êtes fier de vous, je suppose ?

— Je ne comprends pas, marmonna Noah, perplexe – pourquoi aurait-il été fier après le drame qui venait de se produire ?

— Vous avez droit à votre part de félicitations, dit le Dr Mason avec un méchant sourire, désignant la porte que venait de franchir Noah. Vous qui avez défendu plus que n'importe qui cette anesthésiste incompétente et stupide, vous voilà récompensé par un décès inutile de plus !

— La Dr London était juste là pour superviser l'interne, objecta Noah avant d'avoir pu se retenir.

— Et selon vous, elle est donc excusée, c'est ça ? Arrêtez de déconner, voulez-vous ? Cette nana ne devrait superviser personne. C'est elle qui a besoin d'être supervisée, au contraire. Nous sommes censés être l'un des tout meilleurs hôpitaux du pays – sinon le meilleur, nom de Dieu ! Et nous perdons deux patients en bonne santé en deux semaines ?! Il y a quelque chose qui cloche.

— Des complications inattendues sont...

— Des complications, mon cul ! Il paraît qu'elle n'a même pas été foutue de poser la sonde d'intubation. Alors voilà, tout est dit ! Jamais je n'ai entendu parler d'un anesthésiste incapable d'intuber un patient. Avec tout le matériel et les techniques qu'ils ont dans leur manche, c'est un truc inratable.

— La Dr London n'était même pas dans la salle quand l'incident est survenu, répliqua sèchement Noah.

— Et ça explique tout ? Arrêtez votre char, je vous dis ! Elle était où, cette gourde, d'ailleurs ?

— Elle supervisait l'induction d'un autre patient. C'est la règle. L'anesthésiste qui supervise l'interne doit être présent tout au long de la procédure d'induction. Mais dans la salle où l'incident s'est produit, le chirurgien a insisté pour que l'interne de première année démarre l'intubation alors que l'anesthésiste, je veux dire la Dr London, n'était pas encore arrivée.

— Donc, c'est de la faute du Dr Jackson, si je comprends bien ? rétorqua le Dr Mason d'un ton dédaigneux. N'importe quoi ! C'est comme si moi, j'avais quoi que ce soit à me reprocher pour la mort de Bruce Vincent.

— Je ne dis pas que c'est la faute du Dr Jackson. Mais il est clair qu'il n'aurait pas dû encourager une interne débutante à enfreindre le règlement.

— Permettez-moi une question, docteur Rothauser, dit Mason, les yeux plissés. Pourquoi vous protégez cette salope ? Je ne comprends pas. Vous êtes un homme intelligent. Tout de même... Je retourne la question dans ma tête et, vraiment, je ne vois pas.

— Je ne protège personne. J'essaie de voir le tableau d'ensemble et de tenir compte de tous les aspects du problème. Que j'examinerai bien entendu à fond, puisqu'il faudra manifestement parler de ce cas au prochain M&M.

— Attendez une seconde ! s'exclama Mason, un petit sourire tordant ses lèvres minces. Je viens d'avoir une révélation. Je parie que je sais pourquoi vous la protégez. Vous voulez savoir ce que je pense ?

— Je ne la protège pas, je vous dis. Je ne protège personne qui ne mérite d'être protégé.

— Voilà ce que je pense. Vous la baisez, c'est ça ? Soyez franc ! Vous vous envoyez en l'air, tous les deux ? Il y a une chose qu'on ne peut pas lui retirer, c'est qu'elle est plutôt bien roulée. Et elle a une jolie baraque, dans un sacré quartier en plus.

Noah eut tout à coup la bouche sèche et ne sut que répondre. Il regarda le Dr Mason avec stupéfaction. Comment avait-il pu deviner ? Ava et lui étaient tellement prudents, presque obsédés par leur volonté de garder le secret sur ce qui se passait entre eux…

— OK, c'est bon, reprit Mason, narquois. Pourquoi je n'avais pas pigé plus tôt, ça me dépasse, mais maintenant tout s'explique. J'avoue que je me demande un peu comment vous avez fait pour l'attraper, tellement elle est glaciale, mais… chapeau, monsieur le superchef !

— C'est ridicule, marmonna Noah.

Il s'en voulait d'avoir hésité à répondre, car il comprenait maintenant que le chirurgien n'avait eu aucune certitude quand il avait évoqué leur liaison.

— J'aurais même dû deviner ça plus tôt, rétorqua Mason. Vous êtes tellement transparent que c'en est comique ! Enfin bon, permettez-moi de vous dire que ça n'améliore vraiment pas l'opinion que j'ai de vous. Je ne sais pas pourquoi, mais l'idée de vous savoir ensemble me tape grave sur le système.

Ça, j'imagine, pensa Noah sans oser le dire. Narcissique comme il l'était, Mason devait penser que c'était à cause de lui qu'Ava avait repoussé ses avances de macho libidineux. C'était même sans doute la raison pour laquelle il avait eu l'idée de l'accuser de coucher avec elle. Pour Mason, cela valait mieux que de s'avouer qu'Ava ne le trouvait pas séduisant.

Le praticien planta tout à coup le gros index de sa main droite dans la poitrine de Noah, comme il l'avait déjà fait d'autres fois, et dit d'un ton péremptoire :

– Peut-être devriez-vous commencer à faire vos bagages. Je vais faire en sorte que le Dr Hernandez soit bien au courant de tout ce qui se passe.

Sur ces mots, il poussa littéralement Noah contre le mur avant de partir à grands pas vers la salle de détente du bloc opératoire.

Noah éprouvait un mélange de colère et de dégoût. Si Mason révélait au chef du service de chirurgie qu'il le soupçonnait d'avoir une liaison avec Ava, cela pourrait avoir de sérieuses conséquences. Pas sur sa carrière à l'hôpital, mais sur sa relation avec Ava. Elle lui avait dit bien des fois qu'elle tenait beaucoup à protéger sa vie privée. Et il la comprenait tout à fait. Sur le long terme, néanmoins, était-il raisonnable de souhaiter vivre ainsi dans une bulle ? Noah doutait fort que leurs efforts pour rester discrets et limiter leurs contacts à l'hôpital suffisent à cacher très longtemps le fait qu'ils étaient ensemble. Un jour ou l'autre forcément, un collègue le verrait par exemple entrer ou sortir de chez Ava à Louisburg Square – il savait qu'un certain nombre d'employés du BMH habitaient dans le quartier de Beacon Hill. Ce n'était qu'une question de temps.

– Quel enfoiré, dit-il à haute voix tandis qu'il repartait au pas de course vers la salle d'opération dix-huit.

D'après Ava, les personnalités narcissiques étaient comme des éléphants dans un magasin de porcelaine. Il lui semblait tout à coup que l'image pouvait être plus percutante encore en mettant des *gens* à la place de la porcelaine. Et un gorille enragé à la place de l'éléphant. Voilà. Le Dr Mason était un gorille enragé déboulant au milieu d'un pique-nique. Cette idée le fit sourire. Il n'aurait aucune autre raison de sourire avant un bon moment.

14

Noah avait espéré sortir de l'hôpital beaucoup plus tôt, mais les circonstances en avaient décidé autrement. Vers dix-sept heures trente, il avait été informé que, suite au décès d'un motard qui venait d'avoir un accident près du cap Cod, plusieurs organes étaient disponibles pour transplantation et un rein était en route pour le BMH. C'était une bonne nouvelle, même si Noah était bien sûr désolé pour le motard et ses proches. Il avait eu une moto, lui aussi, à l'adolescence mais depuis qu'il était interne, il avait appris à voir les deux-roues comme des machines à suicide involontaire pour leurs pilotes et, par ricochet, comme des machines à dons d'organes pour les malades en attente d'une greffe.

Dès l'arrivée du rein confirmée, la receveuse, une adolescente de seize ans, avait été mise sous anesthésie en salle d'opération. Le temps que l'organe y soit apporté, Noah était presque prêt à le prendre en charge. Toute l'équipe avait été heureuse de faire cette intervention – Noah en particulier, car il connaissait la patiente depuis plusieurs années qu'elle était sur la liste d'attente des greffes de rein. Détail très enthousiasmant, la compatibilité donneurreceveuse était excellente ; il était probable que l'organisme de la jeune fille accepterait bien son nouveau rein.

Cette opération avait été le meilleur moment, à n'en pas douter, de la journée de Noah. Ce genre d'événement lui prouvait qu'il avait fait le bon choix de carrière et justifiait tous les efforts qu'il avait produits, depuis si longtemps, pour devenir chirurgien. Il avait même presque réussi à oublier les émotions négatives que lui avaient inspiré la mort malheureuse d'Helen Gibson et, juste après, sa rencontre avec le Dr Mason.

Il n'avait pas revu Ava depuis la catastrophe survenue dans la salle d'opération numéro huit. Après qu'il avait terminé sa dernière opération programmée de la journée, il s'était lancé en vain à sa recherche à travers tout le bloc opératoire. Il voulait juste savoir si elle tenait le coup – d'un geste ou d'un hochement de tête, elle aurait pu lui faire comprendre dans quel état elle était. Pour finir, il s'était décidé à prendre le risque de s'enquérir à son sujet au bureau du service d'anesthésie : il avait alors appris que la Dr London était déjà rentrée chez elle. À ce moment-là, il avait tenté de la joindre par voie électronique.

Il lui avait envoyé un premier texto. En attendant sa réponse, il avait entamé la visite des malades de l'après-midi, à travers le service de chirurgie, avec les internes présents. Quand cette mission avait été terminée, Ava n'avait pas encore réagi. Il lui avait envoyé un second message en précisant que c'était urgent, puis il avait commencé la tournée de ses propres patients – dont ceux qu'il avait opérés dans la journée. Entre la colectomie et l'hémorroïdectomie, il avait essayé d'appeler Ava au téléphone. Pas de réponse. Après avoir écouté l'annonce de son répondeur, il s'était entendu dire par le système que sa boîte vocale était pleine.

Frustré par cette technologie qui promettait pourtant de mettre instantanément les gens en relation les uns avec les autres, Noah avait écrit à « Gail Shafter » sur la messagerie de Facebook avant de poursuivre les visites de ses malades. Ce n'était pas le meilleur moment, car ils étaient en train de dîner, mais ils étaient contents de le voir. Plus important, aucun d'eux n'avait de fièvre ni ne se plaignait de beaucoup souffrir. Et ils trouvaient même la nourriture de l'hôpital tout à fait bonne ! Sur ce point, en fait, Noah n'était guère surpris. Les hôpitaux modernes, y compris les hôpitaux universitaires comme le BMH, savaient qu'ils étaient en concurrence les uns avec les autres et faisaient de vrais efforts, désormais, pour nourrir correctement leurs patients. Il sortait de la chambre de son dernier malade lorsqu'il avait reçu l'alerte concernant l'arrivée imminente du rein à greffer.

Après avoir salué plusieurs membres de l'équipe chirurgicale qui venaient d'arriver pour la garde de nuit, Noah quitta l'hôpital par l'entrée principale. La soirée était magnifique, la chaleur agréable et les trottoirs animés. Il traversa l'espace vert créé par le projet « Big Dig » qui avait enterré la principale voie de circulation autoroutière nord-sud de Boston, puis poursuivit son chemin à travers le centre-ville pour atteindre le coin nord-est du Boston Common, son immense poumon vert. C'était le trajet qu'il suivait habituellement pour rentrer chez lui. Mais il ne se dirigeait pas vers son appartement. Aux trois quarts du chemin, dans Beacon Hill, il bifurqua pour gagner Louisburg Square.

Pénétrant sur la place par l'angle opposé à celui par lequel il passait quand il arrivait de chez lui, il contourna la pelouse centrale et marcha jusqu'au numéro seize. La façade de la maison d'Ava lui parut sombre et peu accueillante.

Il grimpa les marches du perron et ouvrit la porte du vestibule. Celui-ci possédait un plafonnier, mais il n'était pas allumé. Noah tâtonna dans l'obscurité, à côté de la porte principale, pour trouver le bouton de la sonnette. Il tendit l'oreille. Quelque part dans la maison, il entendit un téléphone sonner. C'était ainsi que la sonnette fonctionnait : elle était connectée aux téléphones d'Ava. La mélodie retentit six fois. Et la porte ne s'ouvrit pas.

– Mince, dit-il à voix haute. Où es-tu passée ?

Contrarié, il tapa trois fois de suite sur le battant de la porte avec le plat de la main. Puis un lourd silence retomba autour de lui.

Il poussa un profond soupir, ressortit du vestibule en refermant la porte sur lui, puis descendit les marches du perron pour traverser la chaussée jusqu'à la grille en fer forgé bordant la pelouse. Il scruta la façade de la maison. Toutes les fenêtres étaient obscures. Certes, il ne voyait pas l'autre côté de la propriété, notamment la cuisine ou la chambre d'Ava, mais cela n'avait pas d'importance de toute façon : soit elle n'était pas chez elle, soit elle avait décidé de se couper du monde. D'après ce qu'il savait d'elle, il doutait que la seconde explication fût la bonne. Ava n'était pas du genre dépressive. En outre, que pouvait-il faire de plus si elle avait décidé de s'enfermer dans le noir ? C'était sa maison. Il ne pouvait pas forcer la porte, n'est-ce pas ?

Après s'être demandé encore un petit moment ce qu'il devait faire, Noah s'avoua qu'il n'avait guère le choix. Soit il retournait maintenant à l'hôpital, s'il voulait retrouver un peu de compagnie, soit il rentrait chez lui. Vu les circonstances, ces deux destinations lui paraissaient aussi pathétiques l'une que l'autre. S'il se pointait au BMH, il aurait bien du mal à justifier sa présence. Des gens se demanderaient forcément pourquoi le superchef des internes revenait déjà, et il ne voyait pas ce qu'il pourrait dire. Quant à son appartement, eh bien… Il n'aurait aucune explication à donner à personne, d'accord, mais l'idée de se retrouver là-bas était loin de l'enthousiasmer. Pour quantité de raisons.

Se résignant à prendre la direction de Revere Street, il scruta une dernière fois la façade de la maison d'Ava avant de s'éloigner.

Était-elle sérieusement déprimée par ce qui était arrivé aujourd'hui ? Cela paraissait peu probable. Émue, bouleversée, peut-être même momentanément fragilisée – oui. Mais pas abattue au point de sombrer dans la dépression. Ava, il en était convaincu, était une personne dynamique et réactive. Comme lui, elle jugeait que face à un problème accablant, ou lorsque l'on était très contrarié par quelque chose, rien ne servait de se lamenter et de pleurer sur son sort. Il fallait encaisser et travailler plus dur encore.

Quand il s'engagea dans l'escalier de son immeuble, il ne put s'empêcher de le comparer au bel escalier de la maison d'Ava, avec sa rampe de fer forgé et d'acajou, son tapis sur mesure... Plus que de lui inspirer du dépit, cependant, cette pensée l'étonna. Quatre jours et trois nuits dans l'univers de cette femme avaient-ils suffi à le gâter ?

Il poussa la porte de son appartement et écarquilla les yeux. Ici, le contraste était encore plus spectaculaire. C'était comme le jour et la nuit. L'aspect dépouillé et impersonnel de son living était... presque hallucinant.

S'efforçant d'ignorer le décor, ou plutôt l'absence de décor dans lequel il évoluait, il s'assit devant sa minable table pliante et alluma son vieux HP en se demandant pour la énième fois quand Ava lui donnerait de ses nouvelles. Il regrettait de n'avoir pas jeté un œil à son planning quand il était passé au bureau de l'anesthésie. Il craignait tout à coup qu'ayant quelques jours de libres, elle ne soit partie sans le prévenir pour l'un de ses voyages d'affaires.

Après avoir constaté qu'il n'avait reçu sur son ordinateur ni mails, ni messages Facebook qui auraient pu mystérieusement ne pas parvenir jusqu'à son téléphone, Noah écrivit un nouvel mail à Ava. Il rectifia plusieurs fois sa prose pour paraître moins agacé qu'il ne l'était. En l'ignorant comme elle le faisait, elle se montrait tout de même assez impolie et pas très prévenante envers lui. Elle devait bien se douter qu'il était très inquiet !

Le mail parti, il prit son téléphone en main pour taper un court texto enjoignant à Ava de lui répondre. Il savait qu'il avait tort, mais tant pis. Il le conclut par une émoticône à l'expression peinée. Mais il resta ensuite le doigt en suspens au-dessus du bouton d'envoi. Ne lui avait-il pas déjà balancé une demi-douzaine de messages du même acabit auxquels elle n'avait pas répondu ?

Dans un sursaut d'amour-propre, il effaça sa prose avant de jeter le téléphone sur la table avec un énorme soupir. Quand aurait-il enfin de ses nouvelles ? Le lendemain ? Le jour d'après ? Mais prendrait-elle seulement contact avec lui ? Allait-il ne pas la revoir, n'avoir même aucun signe d'elle avant qu'ils se croisent par hasard – et s'ignorent – dans les couloirs du bloc opératoire ? Il avait le sentiment que ce scénario n'était pas impossible. Comme une demi-douzaine d'autres, d'ailleurs. Depuis le jour où la première fille qu'il avait aimée au lycée s'était détournée de lui pour donner son affection à un autre, jamais il n'avait été si confus, irrité et tourmenté tout à la fois.

– Je suis peut-être amoureux, dit-il à voix haute.

Solitaire comme il l'avait été depuis deux ans, il avait bien conscience qu'il se comportait un peu en pauvre mec paumé, en manque d'affection, qui se laissait subitement charmer et éblouir par la femme exceptionnelle qui s'était tout à coup révélée à lui.

LIVRE II

15

Les quatre journées suivantes ne devaient pas bien enthousias-mantes pour Noah. Afin d'éviter de penser sans arrêt à la disparition d'Ava et à son silence radio, il se jeta la tête la première dans le travail. Il effectua davantage d'opérations au bloc qu'il n'aurait dû, il vit plus de patients à la consultation que d'habitude, et il trouva le temps de planifier les conférences de sciences fondamentales et les rencontres du Journal club pour tout le mois à venir. Il eut aussi des entretiens individuels avec les vingt-quatre internes de première année et les écouta lui parler de leurs joies et de leurs peines.

Il avait beau se répéter qu'il ne devait pas s'attendre à avoir de nouvelles d'Ava, chaque fois qu'il entendait un signal sonore annon-çant l'arrivée d'un mail, d'un texto ou d'un appel sur son téléphone, son cœur s'emballait et il ne pouvait s'empêcher d'espérer. Hélas, il était systématiquement déçu. Afin de ne pas se torturer à la chercher au bloc opératoire jour après jour, il avait pris la peine de retourner au bureau de l'anesthésie, le lendemain de sa disparition, pour demander à la secrétaire à quelle date la Dr London devait reprendre du service – en précisant, pour éviter de faire jaser, qu'il devait lui parler du cas Helen Gibson. Il avait alors appris qu'elle ne retravaillerait pas avant lundi.

Après avoir quitté l'hôpital par l'entrée principale, ce dimanche soir, Noah traversa sans hâte l'espace vert qui recouvrait l'autoroute enterrée. Il rentrait chez lui, accablé. Quand il ne se consacrait pas à son travail, il était incapable de ne pas se remettre aussitôt à ressasser ses problèmes. Le Dr Mason avait mis sa menace à exécution et révélé au Dr Hernandez qu'il le soupçonnait d'avoir une liaison avec Ava. Noah en avait eu la confirmation jeudi matin, pendant qu'il était au lavabo de désinfection, juste avant sa dernière opération programmée : on l'avait informé par l'interphone que le chef du service de chirurgie voulait le voir au plus vite dans son bureau.

La rencontre n'avait pas été agréable. Elle avait mal commencé, déjà, car Noah ayant un patient sur la table en salle d'op, il ne s'était présenté devant le Dr Hernandez que près de deux heures plus tard. Visiblement agacé en dépit de l'explication tout à fait pertinente que Noah lui avait donnée, le mandarin avait déclaré tout de go que l'hôpital ne réprouvait pas les liaisons amoureuses entre les membres de son personnel, ceux-ci étant majeurs et responsables, mais qu'il n'appréciait pas, en revanche, que ces relations affectent la qualité du travail des personnes concernées. D'après le Dr Mason, avait ensuite précisé le Dr Hernandez, Noah avait manifestement cherché à protéger la Dr London de toute accusation, lors de la Revue de mortalité et de morbidité, en faisant l'impasse sur le fait que le service d'anesthésie avait commis une faute, dans le cas Bruce Vincent, quand il avait opté pour une rachianesthésie plutôt que pour une anesthésie générale.

Noah avait essayé de se défendre en niant catégoriquement avoir eu l'intention de protéger la Dr London. Il avait aussi rappelé à son interlocuteur que la secrétaire du Dr Mason avait insisté pour que M. Vincent ait une rachianesthésie. Mais le Dr Hernandez avait fait la sourde oreille et attaqué une seconde fois Noah en l'accusant d'avoir ravivé le débat sur le système des opérations simultanées – une question, avait-il répété, qui était résolument tranchée pour l'hôpital. À ce moment-là, Noah avait essayé de lui rappeler que le sujet n'avait pas été abordé par lui, mais par une personne de l'auditoire.

– N'ergotons pas sur les détails, avait répliqué le patron de la chirurgie d'un air quelque peu dédaigneux. L'essentiel, ici, c'est que nous attendons de vous que vous preniez le parti de notre service. Vous aspirez bien à y être nommé praticien dans un an, n'est-ce pas ? Cela dit, je ne sais pas ce que vous avez fait pour exaspérer ainsi le Dr Mason – et je ne veux pas le savoir ! Mais quoi qu'il ait pu se passer entre vous, je pense qu'il serait dans votre intérêt d'essayer d'arranger les choses. Vous êtes un interne remarquable, docteur Rothauser. Je serais très peiné de vous voir tout gâcher dans la dernière ligne droite. Me fais-je bien comprendre ?

Le souvenir de cette brève discussion éveillait en Noah de la colère et de la peur. Il était déçu, aussi, que l'administration du BMH ignore le sale caractère du Dr Mason sous prétexte qu'il était excellent en tant que chirurgien. Il avait dû se faire violence pour ne pas faire remarquer au Dr Hernandez que, en réalité, Mason l'avait pris en grippe à cause du renvoi de Meg Green. Comme cette regrettable affaire avait beaucoup perturbé l'hôpital, il avait craint d'aggraver sa propre situation en l'évoquant.

Noah entra dans le Boston Common et s'engagea sur une allée rectiligne qui le coupait en diagonale. Au-delà des arbres, devant lui et légèrement sur sa droite, il apercevait le dôme doré du capitole, siège du gouvernement de l'État du Massachusetts. Après les rues à peu près désertes du centre-ville qu'il venait de traverser, il découvrait que le vaste jardin public était rempli de promeneurs venus profiter de cette nouvelle magnifique soirée d'été. En outre, bien qu'il fût assez tard, il y avait encore beaucoup d'enfants sur le terrain de jeux. Avec sa tenue blanche et sa blouse de toubib, Noah avait un peu l'impression de faire tache au milieu de tous ces gens normaux, en bonne santé, à qui son univers professionnel paraissait effrayant.

Si la conversation avec le Dr Hernandez avait été tendue et désagréable, la rencontre qu'il avait eue ensuite avec le Dr Edward Cantor, le directeur du programme de l'internat de chirurgie, avait été bien pire. Il avait été convoqué dans son bureau peu après avoir vu le patron de la chirurgie. Dès les premières secondes, il avait compris que le Dr Mason avait également raconté au Dr Cantor qu'il le soupçonnait d'avoir une liaison avec Ava – et d'avoir protégé celle-ci au M&M.

– Je n'apprécie pas du tout ce genre de choses, avait déclaré Cantor d'un ton sec. Il n'appartient pas au superchef des internes de défendre une anesthésiste qui a peut-être fait preuve d'incompétence sous prétexte qu'il a une relation amoureuse avec elle.

– La Dr London est loin d'être incompétente, avait objecté Noah sans réfléchir.

Avec le recul, il savait qu'il aurait mieux fait de la boucler comme il l'avait fait, pour l'essentiel, face au Dr Hernandez. Car, en défendant les qualités professionnelles d'Ava, il confirmait d'une certaine façon avoir cherché à la protéger.

– Ce n'est pas à vous de décider si elle fait bien son travail ou pas, avait rétorqué le Dr Cantor. Elle travaille dans un autre service. Nous ne tolérerions pas qu'un interne d'anesthésie essaie de défendre un chirurgien soupçonné d'incompétence. Donc, ne jouez pas à ça, sinon nous trouverons quelqu'un pour vous remplacer. C'est tout simple. D'autre part, je dois vous rappeler que, si un interne débutant se plante une fois de plus, comme cela s'est produit avec cet interne des admissions qui n'a pas examiné Bruce

Vincent, vous porterez le chapeau. En tant que superchef, vous êtes responsable de la qualité du travail des jeunes internes – un point, c'est tout. C'est entendu ?

Noah arrivait au bout de l'allée. Un sourire désabusé lui plissait les lèvres. Sur le moment, il avait failli rappeler au Dr Cantor qu'il n'était pas encore superchef le jour de l'affaire Bruce Vincent. C'était la Dr Claire Thomas qui occupait le poste. En tenant sa langue, heureusement, il avait évité d'exaspérer davantage son interlocuteur.

Tout à coup, Noah s'immobilisa. Il se trouvait au pied d'un escalier grimpant jusqu'à Beacon Street, la rue qui longeait le flanc nord du parc, et il venait de se retourner pour admirer une dernière fois le spectacle agréable qu'offrait le Common par une belle soirée d'été, lorsque son regard était tombé sur un homme qui détonnait dans le paysage car il était vêtu d'un complet sombre. Il y avait peu de personnes en tenue de bureau dans le parc à cette heure tardive. De fait, constata-t-il en balayant de nouveau les environs des yeux, il n'y en avait pas une seule autre.

Mais ce n'était pas seulement le costume de cet homme qui retenait son attention. Ce grand costaud, très baraqué, aux cheveux blonds coupés en brosse, il avait l'impression de l'avoir déjà vu. Et si sa mémoire ne le trompait pas, il l'avait aperçu... en sortant de l'hôpital. Oui, c'était bien cela. L'homme se tenait alors sur le trottoir de l'allée circulaire d'accès à l'entrée principale. C'était son costume – ou son allure soignée en cette fin de journée, peut-être – qui avait fait tiquer Noah quand il était passé à côté de lui. Puis, il l'avait aussitôt oublié. Et voilà qu'un moment plus tard, il le revoyait dans le Common. Était-ce réellement le même homme ? Il n'en avait aucune certitude, bien sûr. Mais si c'était bien lui... S'agissait-il d'une coïncidence, ou ce type le suivait-il ?

– Oh la vache, murmura Noah. Et maintenant, tu deviens paranoïaque. C'est pathétique.

Il secoua la tête et se tourna vers l'escalier pour en monter les
marches deux à deux. Parvenu à la rue, il dut attendre que le feu
soit rouge au passage piéton. La circulation était toujours dense dans
Beacon Street. La plupart des gens qui se trouvaient autour de lui
avaient un chien en laisse et revenaient d'une promenade au parc.

La petite foule s'élança sur la chaussée dès que le feu changea de
couleur. Juste avant de se laisser emporter par le mouvement, Noah
jeta un coup d'œil derrière lui, vers le pied de l'escalier. L'homme
en costume était accroupi – apparemment pour nouer son lacet.

De l'autre côté de Beacon Street, Noah fit une pause au croisement de Joy Street. D'ordinaire, il prenait cette rue jusqu'à
Pinckney Street où il tournait à gauche. Mais à cette heure de
la soirée, Pinckney Street était plus que tranquille : on y croisait
rarement quiconque. Il décida de s'engager tout de même dans
Joy Street, mais de dépasser Pinckney pour bifurquer à la rue suivante, Myrtle, qui était plus animée car elle avait de nombreux
immeubles d'habitation et un terrain de jeux pour enfants. L'idée
qu'il fût suivi paraissait absurde mais, au cas où, il préférait avoir
du monde autour de lui.

Quelques instants plus tard, l'homme en costume apparut en
haut de l'escalier. Il s'immobilisa pour attendre à son tour que
le feu change de couleur. Noah tourna les talons et s'élança à
grands pas dans Joy Street. Comme il y avait pas mal de gens
sur les trottoirs, il se sentait en sécurité. Il jugeait aussi qu'il
était totalement parano de supposer que cet inconnu était sur
ses traces. Il s'agissait forcément d'une coïncidence. Qui pouvait
avoir la moindre raison de le filer, lui, un interne de chirurgie ?
Cela n'avait aucun sens !

Deux minutes plus tard, lorsque Noah risqua de nouveau un coup d'œil derrière lui, l'homme était bien là – sur le même trottoir, marchant dans la même direction et apparemment à la même allure.

Il tourna à gauche dans Myrtle Street. Comme prévu, la rue était animée. Au terrain de jeux, il y avait même plusieurs familles et pas mal de gamins sur les équipements. Quand il parvint au sommet de la colline, juste avant que la pente de la rue ne s'inverse, il regarda derrière lui. L'homme était toujours là. Coïncidence ? Suivait-il par hasard le même parcours que lui ? Noah en doutait de plus en plus. Mais bien sûr, il se faisait probablement des idées. Revere Street, sa rue, était parallèle à Myrtle sur sa droite. Il pouvait emprunter plusieurs transversales pour la rejoindre, mais il attendit le carrefour d'Anderson Street car il s'y trouvait une épicerie. C'est-à-dire davantage de gens.

Une fois parvenu à Revere Street, il n'avait plus qu'une courte distance à parcourir. Se souvenant d'avoir entendu dire que des personnes étaient parfois agressées au moment où elles s'arrêtaient devant chez elles pour chercher leurs clés dans leur poche ou leur sac, il prit soin d'avoir la sienne en main au moment où il atteignait son immeuble. Quand il pivota vers la porte, il regarda sur sa droite. L'homme venait à grands pas dans sa direction.

Sans perdre un instant, Noah entra dans le bâtiment et claqua la porte derrière lui. Il expira bruyamment quand il entendit le déclic rassurant de la serrure. Il avait retenu sa respiration de longues secondes sans s'en apercevoir. Se hissant sur la pointe des pieds, il regarda dehors par l'un des deux petits carreaux vitrés du haut du battant. L'homme en costume apparut trois secondes plus tard. Il passa sur le trottoir sans ralentir l'allure ni même jeter un coup d'œil dans sa direction – et poursuivit son chemin dans Revere Street. Noah soupira. Voilà, il avait juste fait une petite crise de parano. Sans doute à cause du surmenage de ces jours-ci.

Il poussa un petit rire d'autodérision tandis qu'il gravissait le sinistre escalier de son immeuble. Là, tout de suite, Leslie Brooks lui manquait beaucoup. Il regrettait de n'avoir pas su sauver leur relation. De ne pas avoir fait davantage pour cette femme. Elle aurait peut-être encore été là, à l'heure qu'il était – heureuse de partager sa vie. Il fit jouer la serrure de son appartement, poussa la porte et appuya sur l'interrupteur de l'ampoule nue, et aveuglante, du plafond.

Après avoir retiré ses chaussures puis suspendu sa blouse à un cintre, il se dirigea vers la cuisine. Pas grand-chose dans le frigo. Et à coup sûr rien d'appétissant. Pas de dîner, donc, une fois de plus. Question réglée. Il repassa dans le living pour s'asseoir à la table pliante, faire démarrer son portable et ouvrir Facebook. Ce n'était pas très sain, il s'en rendait bien compte, mais il avait envie de passer à nouveau en revue les nombreuses photos d'Ava, alias Gail Shafter, y compris les quelques images où elle était bébé. Quand il fit apparaître sa page, cependant, il tomba sur quelque chose de plus intéressant : un tout nouveau post qui se composait d'un selfie sur lequel Ava offrait un sourire mutin à l'objectif, et de cette légende : *Enfin la détente après une dure journée de labeur !* Noah scruta l'image. Ava portait un peignoir en éponge apparemment très confortable avec un logo, sur la poche de poitrine, qu'il ne put déchiffrer. D'après l'arrière-plan, il devina qu'elle se trouvait dans une chambre d'hôtel haut de gamme. Un profond dépit l'envahit. Il trouvait cruel de la part d'Ava de faire l'effort de mettre une photo sur Facebook pour ses kyrielles d'amis, ou de pseudo-amis, mais de n'avoir apparemment ni le temps ni l'envie de lui envoyer un seul texto.

Quand il fixa son attention sur les « J'aime » et les commentaires qui suivaient la photo, il découvrit avec surprise qu'un nombre incroyable de gens y avaient réagi. La plupart des commentaires

étaient brefs : ils se composaient d'un ou deux mots admiratifs, genre
« Canon ! » ou « Esthétiquement irréprochable », ou de simples
émoticônes représentant un pouce levé ou un petit visage aux joues
rosies de bonheur. Noah secoua la tête. Tout cela lui paraissait
navrant. Sachant ce qu'il savait de l'intelligence, du niveau d'éducation et des compétences professionnelles d'Ava, il ne s'expliquait pas
son attirance pour ces machins parfaitement superficiels. Pourquoi
se donner cette peine ? Les réactions de ses soi-disant « amis » à ses
posts lui procuraient-elles réellement la moindre satisfaction ? Sur
cette image, par exemple, appréciait-elle pour de bon les commentaires qui revenaient à dire, sous une forme ou une autre, qu'elle
était superbe et sexy ? En avait-elle vraiment besoin ?

Curieux de découvrir si les auteurs de ces perles de sagesse étaient
aussi jeunes qu'il le supposait, Noah décida d'examiner le profil
d'une certaine Teresa Puksar. Elle faisait partie des commentateurs
à un seul mot – « Waouh », dans son cas – et elle avait un patronyme assez frappant qu'il avait déjà remarqué lors de ses précédentes visites sur la page d'Ava : Teresa Puksar comptait parmi la
demi-douzaine de personnes qui semblaient loyalement suivre « Gail
Shafter » et commenter à peu près tous ses posts.

– Et voilà, j'en étais sûr ! s'exclama-t-il quand son profil s'afficha
à l'écran.

Teresa Puksar était une gamine. Elle avait treize ans. Scrutant
l'encadré qui présentait les miniatures de neuf de ses photographies,
Noah remarqua que six ou sept d'entre elles étaient carrément osées.
L'adolescente y posait, à demi vêtue, dans des attitudes suggestives
– et il y en avait même deux où elle était nue et se couvrait les
seins et le pubis avec une moue faussement timide. Noah était
étonné que Facebook autorise la publication de telles images que
certaines personnes considéraient aujourd'hui comme relevant de
la pédopornographie.

La sonnerie agressive de l'interphone brisa tout à coup le silence de l'appartement. Concentré comme il l'était sur l'écran de l'ordinateur, Noah sursauta en s'exclamant :

– Hein ?

Il tourna la tête vers la porte. Personne ne sonnait jamais chez lui. Surtout pas un dimanche soir après vingt-deux heures.

Perplexe, il se leva pour aller à la fenêtre. Appuyant le front contre la vitre, il scruta le trottoir au pied de l'immeuble... et ne vit personne. Mais ce n'était pas très étonnant, car il y avait un petit auvent au-dessus des deux marches de l'entrée. L'individu qui avait appuyé sur le bouton de son appartement à l'interphone se trouvait sans doute là. De l'autre côté de la rue, un SUV de couleur sombre était arrêté au bord du trottoir, phares et feux de détresse allumés. Cela non plus, ce n'était pas normal pour un dimanche soir.

Noah fit la moue. Qui pouvait bien lui rendre visite ? Le souvenir de l'homme en costume lui revint en mémoire. Il avait voulu croire qu'il avait réagi de façon paranoïaque en imaginant être suivi, mais s'était-il trompé ? Y avait-il un rapport entre cette visite tardive et cet homme ?

La sonnette bourdonna de nouveau. Problème, il y avait longtemps que l'interphone ne fonctionnait plus dans l'appartement. S'il voulait une réponse, Noah devait donc descendre à la porte de la rue. Pendant qu'il enfilait ses chaussures, il chercha des yeux un objet susceptible de lui servir d'arme au cas où – puis il rejeta cette idée parfaitement idiote et, pour le coup, paranoïaque.

Arrivé au bas de l'escalier, il s'interrogea de nouveau. Devait-il juste ouvrir la porte et voir qui était là ? Il jugea plus prudent d'appeler à travers le battant :

– Qui est-ce ?!

– C'est moi, répondit une voix féminine. Ava !

Il resta figé de stupeur quelques instants, comme si son cerveau avait tilté.

— Ava ? répéta-t-il d'un ton incrédule.

Il fit jouer le verrou que tous les occupants de l'immeuble avaient l'obligation de fermer après vingt et une heures, puis tira le battant. Ava était bien là, vêtue d'un élégant tailleur-pantalon de femme d'affaires, les mèches blondes de ses cheveux scintillant sous la lumière crue du hall.

Ils se regardèrent en silence plusieurs secondes, puis :

— Alors ? Je peux entrer ?

— Pardon ! dit Noah, clignant des yeux. Bien sûr !

Elle passa devant lui et il referma la porte.

— Je monte ?

— Oui. C'est au premier.

Déconcerté, il la suivit dans l'escalier. Il était ravi de la voir, bien sûr, mais il se sentait encore très mécontent qu'elle ait disparu sans lui donner la moindre nouvelle.

— La porte à droite, dit-il sur le palier.

Ils entrèrent dans l'appartement. Pendant que Noah fermait derrière lui, elle laissa son regard courir sur le petit living spartiate et tristounet.

— Je qualifierais la déco de minimaliste, observa-t-elle d'un ton enjoué.

— En étant très gentil, oui, on peut dire ça.

Ils se dévisagèrent de nouveau. Tout à coup, des larmes gonflèrent dans les yeux d'Ava. Elle se couvrit le visage d'une main et se mit à sangloter. Ses épaules tremblaient doucement.

En proie à des émotions contradictoires, Noah ne sut pas immédiatement comment réagir. Puis la compassion l'emporta. Il prit Ava dans ses bras. Ils restèrent ainsi un moment, sans bouger, avant qu'il l'entraîne vers le petit canapé et l'invite à s'asseoir.

— Excuse-moi, bafouilla-t-elle.

Elle essaya de se sécher les joues avec les doigts, mais ses larmes étaient trop abondantes.

— Ce n'est pas grave, dit-il.

Il alla chercher les kleenex qu'il avait à la salle de bains. Quand il posa la boîte à côté d'Ava, elle en prit d'abord un pour se moucher bruyamment, puis un autre pour s'essuyer les yeux.

— Je voudrais d'abord m'excuser de ne pas t'avoir contacté, poursuivit-elle lorsqu'elle eut retrouvé ses esprits.

— Merci, dit-il en attrapant une chaise de la table pliante pour s'asseoir en face d'Ava. Pourquoi ne l'as-tu pas fait ?

— Je ne sais pas très bien. Au début, j'étais juste trop... Comment dire ? Après ce nouveau décès au bloc, j'étais anéantie. Cette histoire me bouleverse encore. Mercredi après-midi, en tout cas, j'ai juste eu envie de ficher le camp et de tout oublier. J'ai même envisagé d'abandonner l'anesthésie.

— Mais non. Ne dis pas ça. Tu ne peux pas renoncer à ton métier après ces longues études et tous tes efforts pour devenir anesthésiste. Tu es une excellente praticienne. Sinon, tu ne travaillerais pas au BMH.

— Je ne pensais jamais connaître un décès en salle d'opération. Tout d'un coup, j'en ai deux ! Je croyais qu'en travaillant beaucoup, en m'efforçant constamment de progresser, ce genre de choses ne m'arriverait pas. Et voilà...

— Tu sais bien, on dit parfois que la médecine est davantage un art qu'une science. Et je crois que c'est assez vrai. Même si nous, les médecins, faisons tout parfaitement bien, la terre peut quand même parfois s'ouvrir nos pieds. On ne peut pas tout contrôler. Les variables sont juste trop nombreuses. Cela fait partie de la vie.

— Je croyais que pour moi, ce serait différent. Je pensais que mon dévouement et mon application au travail suffiraient.

– Nous sommes tous logés à la même enseigne, insista Noah. Et nous faisons de notre mieux. Personne ne peut en attendre davantage de notre part. Tu n'as commis aucune erreur, ni pour le premier, ni pour le second cas. Je le sais très bien, puisque j'étais là.

– Tu penses vraiment ça ? Honnêtement ?

– Bien entendu ! Sans le moindre doute. Je crois que tu es une anesthésiste géniale.

– Merci. Ton opinion compte beaucoup pour moi.

– Par contre, je dois te dire que nous ne sommes pas encore sortis d'affaire. J'ai eu deux grosses prises de bec avec le Dr Mason. La première juste après le M&M et la seconde après le cas Gibson. J'ai peur qu'il cherche à nous faire des misères. À toi comme à moi.

Noah raconta les deux scènes à Ava, soulignant le fait que Mason l'accusait, lui, de chercher à la protéger. Enfin, il précisa que le praticien les soupçonnait d'avoir une liaison.

– Oh, non ! s'exclama-t-elle, consternée. Pourquoi ?! Comment il peut savoir ça ?

– Il n'a aucune certitude, bien sûr. Il a sorti ça de son chapeau, tout à coup, au moment où il disait qu'il ne comprenait pas pourquoi je te protégeais. Il t'en veut d'avoir rejeté ses avances, c'est clair, et il veut te le faire payer. Et puis il a aussi compris que j'avais rusé, au M&M, pour éviter de dire le moindre mot sur le service d'anesthésie.

– Notre liaison, penses-tu qu'il en a parlé à quelqu'un ?

– Je sais qu'il l'a fait, parce que j'ai d'abord été convoqué par le patron de la chirurgie, le Dr Hernandez, puis par le directeur du programme de l'internat, le Dr Cantor. Ils étaient tous les deux au courant. Et pas du tout contents.

– Tu veux dire qu'ils ont eu le culot de te reprocher d'avoir une liaison avec moi ? demanda Ava, incrédule.

Elle ne savait pas si elle devait se sentir insultée par l'attitude de Mason et des deux autres mandarins, ou craindre les rumeurs qui devaient déjà, inévitablement, courir dans l'hôpital.

– Non, pas du tout, répondit Noah. L'hypothèse de notre liaison, en fait, Hernandez et Cantor l'ont juste mentionnée en passant. Ce n'est pas le problème de l'hôpital. Ce qui les met en rogne, c'est que le Dr Mason se plaigne de moi et m'accuse de chercher à te protéger.

– Oh mon Dieu. C'est de pire en pire. L'idée que les gens cancanent derrière notre dos me fait horreur. Tu as dit quoi, alors ?

– Pas grand-chose. Bien sûr, j'ai affirmé que je ne cherchais absolument pas à te protéger. Sinon, j'aurais eu l'air de tricher. Mais comme tu sais, je fais ce qui me semble juste. Dans ces deux horribles affaires, personne ne peut rien te reprocher. Et je ne demande donc pas mieux que de le dire à tout le monde.

– Merci encore.

– Je t'en prie. Pour le prochain M&M, ceci dit, on va devoir se triturer les méninges comme pour le dernier. Le Dr Mason essaiera sûrement de nous tomber dessus. Pour l'affaire Vincent, il a été obligé de la boucler parce qu'il était le chirurgien du patient. Pour le cas Helen Gibson, nous n'aurons pas cette chance. Tu dois te préparer à prendre des coups. Ce sera peut-être moche. Le seul truc positif, là, c'est qu'il n'y aura pas à craindre que le débat sur les opérations simultanées revienne sur le tapis.

– Je ferai tout mon possible pour t'aider, bien sûr, dit Ava. Alors… est-ce que ça veut dire que tu me pardonnes ?

Noah la dévisagea quelques instants avant de répondre.

– Pourquoi tu ne m'as pas contacté ? Pourquoi ne m'as-tu pas envoyé au moins un petit message, ne serait-ce que pour me dire où tu en étais ?

– Au début, j'étais trop sur les nerfs. Je savais aussi qu'un simple texto ne te suffirait pas. Mais au bout d'un jour ou deux, je m'en suis voulu d'avoir été si émotive. J'ai pensé qu'il valait mieux que je m'excuse devant toi. En personne. Voilà pourquoi je suis ici. Je viens de rentrer à Boston et je suis passée te voir avant même d'aller chez moi. Je suis sûre que tu as dû t'inquiéter. À ta place j'aurais été très malheureuse.

– Où étais-tu ? Sur ton selfie, on dirait que tu es dans un hôtel de luxe.

– Oh, tu l'as vu ? Super ! En fait, je l'ai posté pour que tu saches que j'allais bien...

– Ouais, je l'ai vu. Mais impossible de deviner où tu étais.

– À Washington. Au Ritz.

– En touriste ou pour le travail ?

– Pour le travail. Ce voyage était prévu depuis plusieurs semaines. Du coup, il est plutôt bien tombé pour moi. J'ai été très occupée, évidemment, et ça m'a aidée à remonter la pente.

– C'est dans quelle branche, au juste, ton activité de consultante ? Peux-tu m'expliquer ça ?

Ce fut au tour d'Ava de fixer Noah des yeux quelques secondes. Il sentit qu'elle n'était pas très sûre de vouloir lui répondre. Mais il avait envie de savoir. Le travail d'Ava, quel qu'il fût, devait être exceptionnellement lucratif. Quel genre de consultante descendait au *Ritz* ?

– J'hésite parce que je pense que tu vas désapprouver, dit-elle.

– Là, tu m'intrigues encore plus. Pourquoi désapprouverais-je ce que tu fais ?

– Je suis consultante pour le CSN.

– Sérieux ?! s'exclama Noah entre stupéfaction et admiration. Tu travailles pour le Conseil de sécurité nationale ?

Le Conseil de sécurité nationale était un groupe de travail qui conseillait le président des États-Unis dans les domaines de la sécurité du territoire et des affaires étrangères.

Ava, qui avait séché ses larmes et retrouvé son calme, rit de son rire cristallin si particulier.

– Ah, ce serait bien ! Non, le CSN pour lequel je travaille, c'est le Conseil des suppléments nutritionnels. Je suis sa porte-parole et sa principale lobbyiste. Connais-tu cette organisation ? C'est un groupe de pression très, très généreusement financé par l'industrie des suppléments nutritionnels.

– Oh, je vois, dit Noah, hochant la tête. Je comprends pourquoi tu craignais que je désapprouve. En tant que médecin, en effet, je vois d'un assez mauvais œil l'industrie des compléments alimentaires. Ou des suppléments nutritionnels, comme tu dis. Pour moi, ce n'est qu'un ramassis de vendeurs de poudres de perlimpinpin.

– Le bon côté des choses, c'est qu'ils payent très bien, dit Ava en souriant.

– Comment en es-tu arrivée à travailler pour eux ? En tant que médecin, à mon sens, ça devrait te poser un sérieux problème de conscience. C'est un peu comme de comploter avec l'ennemi, non ?

– J'ai commencé à bosser pour eux pendant que je faisais mes études de médecine. Après avoir bouclé ma licence de diététique. L'université coûte très cher, comme tu sais, et j'avais déjà accumulé une grosse dette à la banque. Depuis le décès de mon père, qui est mort d'une crise cardiaque quand j'étais au lycée, je devais me débrouiller seule. Les poches bien garnies et la générosité du CSN m'ont pour ainsi dire sauvé la mise.

– Je suppose que je peux comprendre ça, admit Noah. J'ai eu ma part de difficultés financières. Elles me poursuivent encore, d'ailleurs. Comme tu sais, mon père est mort d'une crise cardiaque, lui aussi, quand j'étais au lycée. Et j'ai une énorme dette à rembourser pour mes études supérieures. Ma mère m'a aidé quand j'étais en prépa, mais à peu près au moment où je suis entré en fac de médecine, on lui a diagnostiqué un Alzheimer précoce et elle a perdu son travail. À partir de là, les rôles se sont inversés. C'est moi qui ai dû me débrouiller pour la faire vivre.

– Je suis désolée d'apprendre ça. J'ai l'impression que ta situation a été beaucoup plus difficile que la mienne.

– Humm, peut-être, fit Noah. Et donc tu es lobbyiste pour le CSN ? Je suppose que tes employeurs apprécient que tu sois médecin en plus d'avoir un diplôme de diététique. Surtout aujourd'hui que tu es praticienne au BMH.

– Tu n'as pas idée ! Ils m'adorent et me traitent comme une reine. Sans le CSN, j'avoue que ma vie serait très différente. En même temps, il faut bien dire que je leur rends de gros services. C'est sans doute grâce à moi, pour l'essentiel, que la loi de 1994 qui leur permet de ne jamais avoir la FDA* sur le dos n'a pas été amendée. Cette loi, au cas où tu ne le saurais pas, fait que l'industrie des compléments alimentaires n'a jamais à prouver l'efficacité, ni même la sécurité, des produits qu'elle vend. C'est ridicule, bien sûr, mais qui suis-je pour protester ? En plus, je m'amuse beaucoup. Je dîne régulièrement avec des sénateurs et d'autres élus du Congrès.

– Mais tu es médecin ! Et dévouée à ton métier ! Ça ne t'empêche pas de dormir, de te savoir mêlée à ce monde-là ?

– Figure-toi que nous ne faisons purement et simplement que ce que le public américain demande. Les gens sont convaincus qu'il ne faut surtout pas que des bureaucrates du gouvernement fédéral fourrent leur nez dans les cachets, les élixirs et autres plantes qu'ils avalent. Même si tous ces produits ne valent rien ou sont même

---

* *Food and Drug Administration* : l'autorité américaine de sécurité des aliments et des médicaments. (*N.d.T*)

dangereux. Les gens ont envie de croire qu'une pilule magique peut corriger leur mode de vie malsain, voilà tout. Avaler un cachet, c'est tellement plus facile qu'avoir une alimentation équilibrée, faire de l'exercice et dormir suffisamment d'heures chaque nuit !

— Alors selon toi, les gens sont stupides à ce point-là ?

— Oui, c'est l'impression que j'ai. Te rappelles-tu une publicité dans laquelle a joué Mel Gibson, à l'époque, quand l'industrie des compléments alimentaires faisait pression sur le Congrès pour voter la loi de 1994 ?

— Non, ça ne me dit rien. Enfin, si je l'ai vue, je devais avoir quelque chose comme onze ou douze ans. Elle m'est sûrement passée au-dessus la tête.

— Moi aussi, j'avais douze ans. Je ne l'ai pas vue à ce moment-là, mais un des patrons du CSN m'en a parlé et je l'ai regardée sur YouTube. C'est un classique du genre. Mel Gibson est chez lui, dans sa cuisine, quand tout à coup la maison est prise d'assaut par des mecs de la FDA filmés comme les agents d'un groupe d'inter-vention armé chez un terroriste. Il est arrêté parce qu'il prend des cachets de vitamine C. C'est à mourir de rire et le message a été très, très efficace. Les Américains sont vraiment convaincus que le gouvernement essaie de les priver de leurs vitamines chéries. Tu devrais regarder cette vidéo.

— Ouais, faudra que j'y jette un œil.

Noah baissa les yeux en soupirant. Il avait un peu de mal à assimiler tout ce qu'il entendait. Ava dit alors :

— Tu ne m'as pas répondu quand je t'ai demandé si tu me par-donnais d'avoir disparu quelques jours. Est-ce parce que tu ne veux pas répondre ?

— Heu… si. Je suppose que tu es pardonnée, oui.

— Tu n'as pas l'air très convaincu.

— Je me faisais vraiment du souci pour toi, tu sais.

– Je comprends. Mais ça va bien. J'ai remonté la pente et je ne craque plus. Sauf à certains moments comme quand je suis arrivée ici. Je crois aussi que je suis prête à reprendre le boulot demain. Et je veux commencer à préparer le prochain M&M dès que tu le souhaiteras.

– OK, fit Noah. Tu es pardonnée. Je me rends bien compte que tu as dû être bouleversée.

– Merci. Voyons, quelle heure est-il ? dit Ava en regardant sa montre. Oh ! Il est bien plus tard que je ne croyais. Veux-tu venir à la maison ? J'ai une voiture qui attend dehors.

– Ah bon ? fit Noah, surpris. Le SUV, en bas, avec les feux de détresse allumés ?

L'idée d'avoir un chauffeur susceptible d'attendre dans la rue sans limite de temps lui paraissait tout à fait extravagante.

– C'est la voiture que le CSN m'envoie toujours à l'aéroport. Comme je te le disais, je suis venue ici directement. Nous pourrions manger un morceau et boire un peu de vin, si tu veux ? Je n'ai pas sommeil.

– Je me réveille à cinq heures moins le quart. Ça fait court et... j'ai bossé comme un âne ces derniers jours. On remet ça, d'accord ?

– Très bien, dit Ava en se levant. Demain soir, peut-être, tu peux venir en sortant de l'hôpital ? Nous dînerons ensemble. Tu m'as manqué, tu sais.

– On verra.

Noah était réticent, il ne savait pas encore quoi penser. Il se demandait s'il avait envie de remonter en selle si vite après s'être vautré par terre.

– Certains lundis sont très chargés et je sors assez tard de l'hôpital, ajouta-t-il pour se justifier.

– D'accord, on verra ce qui sera possible, convint Ava. En tout cas, je serais heureuse si tu venais.

Il la raccompagna jusque dans le hall. Alors qu'il tenait la porte de l'immeuble ouverte, Ava le surprit en lui faisant la bise, sur les deux joues, comme à la fin de la première soirée qu'ils avaient passée ensemble.

– Je suis très contente de t'avoir retrouvé, dit-elle en souriant, mais à l'hôpital je pense que nous devrions continuer d'être prudents. Évitons de nous parler. Faisons même comme si nous n'avions aucun intérêt l'un pour l'autre. Les soupçons du Dr Mason n'ont peut-être pas encore fait le tour de la maison et il vaut mieux ne pas risquer de les confirmer. D'ac ?

– Entendu, répondit Noah. Toi aussi, tu m'as manqué. Bon retour et bienvenue chez toi !

Il la regarda courir dans la rue et ouvrir la portière arrière du SUV. Avant d'y grimper, elle se retourna pour agiter la main. Il l'imita, puis referma et verrouilla la porte de l'immeuble avant de monter lentement l'escalier. Si Ava semblait avoir retrouvé tout son peps, de son côté il se sentait mentalement et physiquement épuisé.

16

Quand il entra chez Toscano, Noah trouva Richard, le séduisant propriétaire du restaurant dont il avait fait la connaissance deux soirs plus tôt, près du bureau de l'hôtesse d'accueil. Il l'informa qu'il était à nouveau là pour récupérer une commande passée au téléphone, puis patienta en observant l'animation de la salle. Toutes les tables étaient occupées, ainsi que les tabourets du bar ; un bourdonnement de conversations joyeuses et de rires emplissait l'atmosphère. Aucune des personnes qui prenaient du bon temps ici ne songeait à la maladie et à la mort comme le faisait Noah, par la force des choses, jour après jour. Quelque temps plus tôt, il se serait senti jaloux de leurs vies tellement normales et de leur capacité à bavarder avec insouciance avec leurs proches, leurs amis, mais aujourd'hui il n'avait pas à les envier puisque, une fois de plus, il s'apprêtait à passer une délicieuse soirée tranquille.

Lundi avait été très chargé – plus encore qu'il ne s'y était attendu – et les jours suivants avaient été du même tonneau. L'hésitation qu'il avait éprouvée dimanche soir, après qu'Ava avait débarqué chez lui à l'improviste, à l'idée de se réinvestir dans leur relation, n'avait pas tardé à se dissiper. En se réveillant le lendemain matin, il s'était répété qu'il était plus prudent, pour lui, d'y aller mollo et de voir pas à pas comment la situation évoluerait. Et puis la journée passant, il s'était senti de plus en plus excité à l'idée de revoir Ava le soir même. Le fait qu'ils s'étaient croisés à trois reprises dans les couloirs du bloc, en évitant scrupuleusement, chaque fois, de donner l'impression d'être davantage que des collègues, avait aussi contribué à raviver la flamme. L'aspect secret de leur liaison avait quelque chose de puissamment érotique.

Quand il était arrivé à la maison de Louisburg Square, à presque vingt-deux heures, ce lundi soir, il était remonté à bloc. Ava était dans le même état d'esprit, manifestement, car ils avaient aussitôt fait l'amour dans le hall de la maison, au bas de l'escalier. Derrière la porte qu'elle avait simplement poussée du pied avant de se jeter sur lui, ils entendaient de temps en temps des piétons passer sur le trottoir en bavardant, mais cela ne risquait pas de réfréner leur ardeur. Ils étaient ensuite restés un moment sur le tapis du hall, à contempler le lustre et, dans ces minutes de grande tendresse, ils s'étaient redit à quel point ils s'étaient manqués – Ava culpabilisant, de son côté, de ne pas avoir répondu aux messages de Noah, et lui de s'être beaucoup inquiété de n'avoir pas eu de nouvelles.

Un moment plus tard, pendant le dîner, Noah devait apprendre qu'Ava avait eu du mal à travailler pendant son séjour à Washington – c'est-à-dire à enchaîner réunions et repas avec divers parlementaires siégeant à d'importantes commissions du Sénat et de la Chambre des représentants –, car elle avait souffert, jugeait-elle, d'une forme légère d'ESPT, ou état de stress post-traumatique, qui lui avait valu de pénibles soucis gastro-intestinaux et des cauchemars affreux où elle s'était vue incapable de poser une sonde d'intubation à un patient. À tel point qu'elle avait été à deux doigts d'appeler le Dr Kumar pour démissionner du BMH.

Noah lui avait répété, à peu près comme la veille chez lui, qu'elle était une anesthésiste ultracompétente. Ce n'était pas pour rien qu'elle avait été engagée dans l'un des plus prestigieux hôpitaux du pays. Ce n'était pas non plus par hasard qu'elle avait assuré plus de trois mille anesthésies au BMH sans la moindre complication significative. Il lui avait aussi rappelé qu'elle avait joué un rôle majeur dans deux innovations très importantes pour le fonctionnement de l'hôpital. Primo, elle avait été l'un des architectes du programme de récupération des gaz anesthésiants utilisés au bloc opératoire – c'était un nouveau système qui faisait faire des économies à l'hôpital tout en étant bon pour l'environnement, puisqu'il mettait fin à la dispersion de vastes quantités de gaz dans l'atmosphère. Secundo, elle avait fait partie, comme Noah, du comité qui avait réorganisé le bloc opératoire et promu l'installation des nouvelles salles d'opération hybrides de la tour Stanhope.

Depuis lundi, Noah avait passé toutes les nuits à Louisburg Square, y arrivant au plus tôt vers dix-huit heures, comme mardi, au plus tard vers vingt-deux heures, comme lundi, et repartant travailler tous les matins un peu avant cinq heures. Chaque soir, ils avaient commandé des plats à emporter dans l'un des restaurants de Charles Street, à quelques minutes à pied de la maison, et ils avaient dîné et bavardé en buvant un peu de vin.

Noah avait l'impression qu'apprendre à connaître Ava était un peu comme peler un oignon. Il découvrait sans cesse de nouvelles choses à son sujet – des couches successives de compétences, de centres d'intérêt ou certains aspects de sa personnalité. Elle avait par exemple une mémoire stupéfiante, presque photographique, et elle avait aussi de solides compétences en programmation informatique : deux aptitudes, la mémoire photographique et le codage, dont il mesurait d'autant mieux la valeur qu'il les possédait lui aussi.

La révélation la plus stupéfiante, peut-être, qu'Ava lui avait faite, c'était qu'elle parlait couramment l'espagnol, le français et l'allemand. Et elle se débrouillait assez bien en italien pour voyager seule dans la campagne toscane. Il était baba d'admiration car les langues, pour le coup, n'étaient vraiment pas son fort. Le latin et l'espagnol lui avaient donné beaucoup de mal dans le secondaire. Il avait aussi découvert qu'Ava, contrairement à lui, avait une sorte de sixième sens pour comprendre les gens : pour « voir en eux », disait-elle. Cette compétence lui était bien sûr extrêmement utile dans son activité de lobbying. Face aux parlementaires qu'elle devait influencer, par exemple : elle avait beaucoup de facilité à déceler leurs véritables opinions et leurs désirs profonds quand elle discutait avec eux, puis à les manipuler pour les faire changer d'avis s'ils s'opposaient à la volonté du CSN.

La voix de Richard, le patron de Toscano, interrompit le fil de ses pensées :

— Vous ne commandez jamais de dessert, observa-t-il d'un ton aimable. Nous avons pourtant des choses délicieuses sur notre carte. Je vous offre un tiramisu, peut-être, pour que vous vous fassiez une idée ?

— Merci beaucoup, mais ce n'est pas la peine.

Noah doutait qu'Ava ait envie d'un dessert, même si elle pouvait se le permettre vu les calories qu'elle brûlait jour après jour en salle de gym. Pour lui, c'était une autre histoire. Il faisait si peu d'exercice qu'il avait bien de la chance de ne pas s'empâter.

— Une autre fois, peut-être, dit Richard avec le sourire, et il lui tendit le sac de sa commande qu'il était allé lui-même chercher à la cuisine.

Noah remonta à grands pas la colline jusqu'à Louisburg Square. Il se dépêchait non seulement parce qu'il avait envie de manger chaud, mais aussi parce qu'il avait encore plus hâte que d'habitude, si une telle chose était possible, de retrouver Ava. Dans l'après-midi, ils avaient failli se bousculer à la porte de la SSPI : pile au moment où il avait poussé le battant pour y entrer, Ava allait en sortir. Après un instant de panique, ils s'étaient aperçus que personne ne leur prêtait attention et avaient pouffé de rire. Vu tous les efforts qu'ils faisaient pour s'éviter, la scène avait quelque chose de comique.

Il pressa le bouton de sonnette à côté la porte et entendit un téléphone sonner dans la maison. Un instant plus tard, la serrure cliqueta. Comme il y avait une petite caméra fixée dans le coin du plafond du vestibule, Ava pouvait voir qui était à la porte à partir de n'importe quel combiné de la maison, ou sur son smartphone, et ouvrir la serrure électroniquement.

Noah se débarrassa de ses chaussures dans le hall avant de descendre à la cuisine. Ava était en train de disposer sets de table, couverts et serviettes en papier sur le comptoir. Ce soir, elle portait un pantalon de survêtement ajusté, un débardeur à col roulé, et elle avait les pieds nus. Ses cheveux étaient humides et sa peau luisait après sa séance de gym et la douche chaude qu'elle venait de prendre. Elle était splendide.

Pendant qu'elle débouchait une bouteille de vin et qu'il déballait la commande de Toscano, ils rirent en évoquant leur collision à la porte de la SSPI et l'espèce de terreur qu'ils avaient un instant éprouvée.

— Je suis contente, quand même, que Janet Spaulding ne nous ait pas vus, observa Ava.

— Tu as raison. C'est fou comme elle semble savoir absolument tout ce qui se passe au bloc.

Ils s'assirent et entamèrent le repas. Après qu'ils eurent mangé quelques minutes en silence, Ava demanda :

— Désolée de repartir tout de suite sur un sujet pas marrant, mais as-tu pu parler avec le Dr Jackson ?

— Pas encore, dit Noah en secouant la tête d'un air désolé.

– C'est compliqué ? Le M&M arrive bientôt, tu te souviens ? Plus que trois jours…

– Ce qui me complique la tâche, dit Noah, c'est le même truc qu'avec le Dr Mason pour le dernier M&M. J'ai la trouille.

– Et comme je te comprends, dit Ava avec douceur en lui touchant le bras. Avec Jackson, tu vas peut-être avoir une scène aussi pénible. Il n'est pas aussi gravement narcissique que Mason, mais ces deux hommes ont des traits de personnalité en commun, c'est sûr.

– Je sais bien. C'est pour ça que j'ai remis à plus tard.

– Il est tout de même important que nous ayons une idée de son état d'esprit. J'aimerais surtout savoir s'il est encore en colère.

– Moi aussi. As-tu entendu quoi que ce soit, du côté du Dr Kumar, qui donnerait à penser que le Dr Jackson s'est plaint auprès de lui ?

– Non, rien du tout.

– Ça ne m'étonne pas vraiment. En fait, je crois qu'il a menacé de parler à nos supérieurs sous le coup du stress. Le Dr Hernandez ne m'a rien dit non plus. Avec un peu d'espoir, Jackson devrait même se rendre compte qu'il a sa part de responsabilité dans cette histoire. Et s'il réagit de cette façon, nous serons dans une bien meilleure situation qu'avec Mason.

– Raison de plus pour savoir comment il envisage la présentation du cas au M&M. Quand penses-tu lui parler, alors ?

– Humm, fit Noah avec un sourire désabusé. Puisque tu me le rappelles, je suppose que j'essaierai de le voir demain.

– Désolée d'insister, mais ça peut être important.

Il hocha la tête, puis changea de sujet :

– La première fois que je suis venu chez toi, quand tu m'as montré ton matos informatique tellement génial, tu m'as dit un truc assez étonnant pendant que tu m'expliquais que tu adorais les réseaux sociaux et que tu y passais un temps fou. Tu as dit qu'ils t'avaient permis d'en apprendre davantage sur toi-même que si tu avais fait une psychanalyse. Tu étais sérieuse ?

— Oui, tout à fait.

— Tu as aussi promis de m'expliquer ça un de ces jours. Tu penses que c'est le bon moment ?

— Sans problème.

Ava se cala contre le dossier de son tabouret.

— D'abord, pourquoi je m'amuse tant avec les réseaux sociaux ? C'est facile. Ils remplissent un vide dans ma vie sociale que d'autres choses, d'autres activités, m'enfiler des séries sur Netflix par exemple, ne pourraient pas combler. Même s'il m'arrive aussi de regarder des séries, bien sûr ! précisa-t-elle en pouffant de rire. Je t'ai déjà expliqué pourquoi je préfère ne pas avoir de relations extraprofessionnelles avec mes collègues de l'hôpital. Toi excepté, beau gosse...

Elle tendit la main et caressa la joue de Noah en souriant. Il se pencha pour lui donner un baiser avant qu'elle poursuive :

— Comme mon travail me prend beaucoup de temps et comme je quitte très souvent Boston, soit pour mon activité de consultante, soit pour voyager, quand je ne suis pas à l'hôpital, je ne connais presque personne dans cette ville. Sur Internet, par contre, j'ai tout un éventail d'amis. Bien sûr ce ne sont que des amis virtuels, ou des pseudo-amis. Mais d'une part, ils sont toujours disponibles, d'autre part, ils sont sans doute plus variés et plus intéressants que les gens que je pourrais connaître dans cette ville et qui seraient sans doute de toute façon aussi occupés que moi, c'est-à-dire indisponibles, en général, quand moi je serais disponible. Le monde des réseaux sociaux est tellement plus vaste que la petite paroisse du monde réel ! Et puis, il est toujours là. Toujours en mouvement. Il ne dort jamais et il ne se plaint jamais d'être trop occupé. Cerise sur le gâteau, quand tu en as marre de lui pour quelque raison que ce soit, il te suffit de fermer l'appli ou ton ordi. Zéro souci.

Le téléphone d'Ava sonna tout à coup bruyamment au bord du comptoir. Elle tendit le bras pour l'attraper et regarder le nom du correspondant sur l'écran, puis s'excusa auprès de Noah et prit l'appel en descendant de son tabouret. C'était une interruption coutumière qu'il avait appris à prendre en compte, mais qu'il n'appréciait pas beaucoup. Ava sortie de la cuisine, il repensa à leur conversation et se demanda s'il aurait lui-même batifolé sur les réseaux sociaux s'il avait eu autant de temps libre qu'Ava. Elle travaillait en moyenne quarante heures par semaine, comme la plupart des gens, tandis qu'il donnait quelque chose comme cent vingt heures hebdomadaires à l'hôpital – beaucoup plus qu'il n'aurait dû.

Il avait posé ses couverts car il préférait attendre le retour d'Ava pour poursuivre le repas. Mais la conversation téléphonique du jour fut exceptionnellement longue. Ava se répandit en excuses quand elle revint une demi-heure plus tard. Pendant qu'ils réchauffaient les plats au micro-ondes, elle lui expliqua que les dirigeants du CSN étaient très énervés par un article à paraître dans la revue *Annals of Internal Medicine*. Ce papier, similaire à beaucoup d'autres qui avaient été écrits depuis 1992, mais plus long et plus étoffé, devait décrire une vaste étude, réalisée sur près d'un demi-million de personnes et sur une décennie entière, qui avait montré que tous les compléments alimentaires ou suppléments nutritionnels, tous les cocktails multivitaminés imaginables, ne servaient absolument à rien sur le plan de la santé. Plus ennuyeux encore, l'article devait affirmer que la consommation de mégavitamines augmentait même les risques de cancers et de maladies cardiovasculaires.

– Ha ! Pas étonnant que tes employeurs soient en rogne, dit Noah sans chercher à dissimuler qu'il était ravi par cette nouvelle.

Ça pourrait être le coup de grâce pour leur business. Tu devrais peut-être avoir peur pour ton travail de consultante...

– Absolument pas, objecta Ava avec le sourire. Il n'y a aucune crainte à avoir. Nous autres lobbyistes, nous avons appris à gérer les retombées de ce genre de littérature. Ce n'est pas la première fois que nous sommes menacés. Comme nous l'avons fait par le passé, nous défendrons l'idée que les participants à l'étude se sont vu donner de mauvaises quantités de vitamines ou de mauvaises marques de compléments alimentaires. Nous dirons aussi qu'il y avait un biais défavorable dans la méthode de sélection des sujets. Ensuite, nous mettrons les résultats de l'étude sur le dos des grandes compagnies pharmaceutiques et nous agiterons le spectre du complotisme pour laisser entendre que l'hydre Big Pharma a commandité elle-même ce travail mensonger parce qu'elle ne veut pas que les gens se maintiennent par eux-mêmes en bonne santé avec des compléments alimentaires relativement bon marché. Sous-entendu, bien sûr, les groupes pharmaceutiques n'ont d'autre objectif que de vendre des médicaments sous ordonnance toujours plus chers. Tu peux me croire, le public va a-do-rer. Et puis le buzz que peut créer ce genre d'article, surtout quand il vient d'une revue spécialisée, ne dure jamais longtemps. Il est vite englouti par le prochain scandale, la prochaine catastrophe naturelle ou le prochain tweet rageur de je ne sais qui.

– Pff... C'est décourageant.

– Peut-être, mais c'est ce que les gens veulent. Ils préfèrent la solution toute prête consistant à gober quelques pilules, plutôt que faire l'effort d'avoir un mode de vie sain. Quant à moi, bien sûr, je vais devoir retourner à Washington pour limiter la casse.

Les plats étant réchauffés, Noah et Ava se rassirent au comptoir. Comme le temps continuait d'être magnifique, ils avaient droit à une nouvelle délicieuse soirée d'été. Les portes vitrées étaient complètement ouvertes et escamotées dans les murs latéraux, de telle sorte que la cuisine et le petit jardin ne semblaient former qu'une seule pièce. Des projecteurs encastrés mettaient en valeur l'agencement de la végétation. Assistée par les chants de quelques cigales, la fontaine livrait un fond sonore apaisant.

– Tout à l'heure, tu disais que Facebook, Instagram et les autres réseaux sociaux te permettaient d'avoir une certaine forme de vie sociale sans le moindre souci…

– En effet, dit Ava. Mais ils m'apportent aussi beaucoup plus que ça. Ils me donnent la possibilité d'explorer des facettes de ma personnalité dont j'ignorais l'existence.

– Ah bon ?

Noah était perplexe. Ce genre d'affirmation lui paraissait toujours un peu bizarre, surtout de la part d'une collègue médecin.

– Dans la vraie vie, nous sommes tous un peu coincés dans la réalité de la personne que nous croyons être, expliqua Ava. Nous valorisons cette stabilité, bien sûr. Et les membres de notre famille et nos amis, qui nous ressemblent toujours plus que nous ne voulons en général l'admettre, en font autant. Mais dans le monde virtuel des réseaux sociaux, il en va tout autrement. Sur Facebook, je peux être qui je veux, absolument qui je veux, en toute liberté et sans le moindre inconvénient. Et cela me permet d'en apprendre davantage sur moi-même.

– Tu veux dire que Gail Shafter, ton personnage sur Facebook et sur Snapchat, ce n'est pas toi sous un autre nom ?

Ava rit de son rire enchanteur.

– Sûrement pas ! Nous avons le même âge, certes, mais Gail Shafter vit dans le monde qui a failli me retenir après le lycée et dont j'ai réussi à m'échapper. Elle est piégée dans une petite ville, elle travaille pour un dentiste arrogant et elle est divorcée après un mariage qui n'a jamais vraiment fonctionné. Du coup, elle me permet d'apprécier pleinement ma propre vie et la personne que j'ai réussi à devenir dans le monde réel en travaillant très dur. En ayant de la chance, aussi, bien sûr. Par rapport à Gail, je mène une existence bénie.

— Donc, on peut dire que quand tu es sur Facebook, tu es Gail ? Tu n'es pas toi... ?

— C'est évident. De même que quand je suis sur Facebook sous l'identité de Melanie Howard, je suis Melanie Howard.

— Melanie Howard ? C'est le nom d'un autre pseudo que tu as ? Mais tu as combien de faux-nez, comme ça ?

— Oui, c'est un autre pseudo. Je n'aime pas beaucoup les termes « faux-nez » ou « troll ». Ils sont trop associés, en tout cas dans ma tête, aux comportements impolis, pour ne pas dire inacceptables, qu'ont certains internautes. Melanie et moi, nous ne faisons pas ce genre de choses. Nous ne jouons jamais à des jeux pervers avec d'autres personnes. Nous n'avons jamais une attitude conflictuelle. Cela ne sert à rien. Melanie Howard n'est qu'une femme parmi d'autres, dans le monde virtuel, qui fait de son mieux avec les limitations qui sont celles de son cadre social, de sa personnalité et de son intelligence.

— Comment est-elle ?

— De manière générale, elle est l'antithèse de moi. Ou disons qu'elle est celle que j'avais peur, d'une certaine façon, de devenir. Elle a mon âge, elle aussi, mais c'est une femme timide, pas dégourdie, crédule, qui cherche désespérément l'amour. Ou au moins un peu de compagnie. Elle a un boulot chiant de secrétaire dans une petite entreprise de matériel de plomberie de Brownfield, au Texas, dont le patron est un type maussade qui n'arrête pas d'essayer de fricoter avec elle. Du bon côté des choses, elle est jolie, chaleureuse et généreuse. Elle a le cœur sur la main, jusqu'à un certain point du moins. Malgré tout, quand elle sent que les gens cherchent trop à profiter d'elle, elle peut devenir glaciale.

– Waouh !

Noah baissa les yeux sur son assiette, ne sachant pas très bien quoi dire. Il avait cru qu'Ava utilisait le nom de Gail Shafter pour protéger sa vie privée. Pas parce qu'elle s'amusait à mener une existence parallèle, sur les réseaux sociaux, complètement différente de la sienne. Ou *deux* existences parallèles, s'il fallait aussi compter cette Melanie Howard.

– Tu es choqué ?

Noah tourna la tête. Ava le dévisageait avec un sourire amusé. Elle prenait visiblement plaisir à le provoquer.

– Nous sommes au XXIe siècle, ajouta-t-elle. Facebook, à lui seul, compte près de deux milliards d'utilisateurs.

– Je ne suis pas choqué. Étonné, simplement. N'as-tu pas parfois l'impression d'être une espèce d'imposteur, avec tes différents profils Facebook ?

– Absolument pas ! répondit Ava en pouffant de nouveau. Le mot *imposteur* a une connotation beaucoup trop négative. Je considère les gens comme Melanie comme des amis et comme des identités virtuelles, distinctes de la mienne, dont je suis juste la porte-parole parce qu'elles m'aident à explorer différents aspects de ma propre personnalité. Dit de cette façon, je sais, ça fait un peu « vrais-faux diamants ». Mais ce nouveau monde virtuel pose un véritable défi au monde réel en termes de pertinence. *Réel*, ça veut dire quoi, finalement ? Si tu veux vraiment utiliser le mot « imposteur », souviens-toi que presque tout le monde ment, sur les réseaux sociaux, pour se mettre en valeur et donner l'impression de mener une vie épatante. Même les photos soi-disant naturelles ou prises sur le vif que les gens postent, ils les font passer par tel ou tel filtre embellissant avant de les partager. Tout ce qui compte, c'est le nombre de « J'aime » qu'ils vont avoir. En ce sens, chacun de nous ou presque est aujourd'hui un imposteur. Et toi, docteur Rothauser ? T'est-il déjà arrivé de te comporter plus ou moins en imposteur, par exemple sur ton CV ?

— Oui, tout à fait.

Il fit cet aveu d'une voix si ferme que ce fut au tour d'Ava d'être décontenancée.

— Un jour, comme tous les étudiants de troisième et quatrième année, j'ai dû commencer à faire semblant d'être déjà docteur, expliqua Noah. Sans ça, les patients n'auraient pas supporté de me voir patauger comme je le faisais.

— Ah oui ! Je me souviens bien de cette période. Il m'est souvent arrivé de me sentir coupable de faire semblant, comme tu dis. Mais j'avouais tout de même la vérité si le patient posait la question.

— Moi aussi, dit Noah. Et sinon, sur les sites de rencontre que tu disais utiliser… ? C'est toi qui y vas, ou bien c'est Gail ? Ou Melanie ?

— C'est Gail et Melanie, bien sûr ! Je ne m'aventurerais jamais sur un site de rencontre sous ma propre identité. Ils sont distrayants, d'accord, mais on y trouve beaucoup trop de cinglés planqués derrière des faux profils. Je sais que pour toi ça a fonctionné, oui, et que tu y as trouvé l'amour. Mais cela remonte déjà à quelques années. Aujourd'hui, la plupart des utilisateurs des sites et des applis de rencontre ne font que rôder à la recherche d'un coup d'un soir.

— Gail ou Melanie ont-elles rencontré dans la réalité une personne avec laquelle elles avaient eu des interactions en ligne ?

— Bien sûr que non ! Ta question est un peu étrange. Il faudrait que ce soit moi. Et je te l'ai déjà dit, je ne ferai jamais une chose pareille, même en me déguisant pour prétendre être Gail ou Melanie. Ce serait une grosse erreur pour tout un tas de raisons. En plus, je ne serais pas étonnée qu'au moins la moitié des profils visibles sur les sites de rencontre soient aussi des profils bidon. Facebook, déjà, reconnaît qu'au moins dix pour cent de tous ses profils sont des faux. Cela fait quelque chose comme deux cents millions d'utilisateurs. Mais il faut quand même dire que si ce chiffre paraît assez troublant, il n'a pas beaucoup d'importance. Ce qui compte, c'est l'anonymat. Dès que les gens, les vraies gens, se retrouvent face à face, l'anonymat n'a plus aucun sens.

— Ça me paraît bien compliqué, dit Noah. Et difficile à mettre en pratique. Quand j'étais ado, j'ai découvert que le problème, quand on ment, c'est qu'on risque d'oublier la raison pour laquelle on a dit un mensonge. Ne t'arrive-t-il pas d'être un peu perdue, et de ne plus bien savoir qui tu es, quand tu navigues entre tes différentes identités virtuelles ?

— Nan monsieur. Parce que j'ai des dossiers très complets, que je tiens régulièrement à jour, pour chacune d'elles. En fait, j'ai même développé des algorithmes perso qui me préviennent si je poste quelque chose qui détonne par rapport au profil sur lequel je suis. Il y a un défi à relever, c'est sûr, pour rester cohérent.

— Waouh, fit de nouveau Noah. Tu es vraiment à fond dans ce truc.

Il feignait un peu l'admiration, à vrai dire, car il avait du mal à croire que le jeu en vaille la chandelle.

— Sans doute. Je reconnais que je m'investis au moins autant dans les réseaux sociaux que dans les jeux vidéo autrefois.

— Et pour les photos et tout le reste ? Comment tu fais ?

— Avec toutes les images disponibles sur Internet et avec les multiples fonctionnalités des applis de retouche, c'est un jeu d'enfant. Crois-moi, il n'y a rien de sorcier là-dedans.

— Une dernière chose, dit Noah. Je me souviens d'avoir lu dans un article d'opinion, il n'y a pas très longtemps, que certaines personnes, sur les réseaux sociaux, finissent par croire leurs propres mensonges. Et des psychologues s'inquiètent que la distorsion de la réalité qui va de pair avec l'utilisation des réseaux sociaux n'affecte très négativement la représentation d'eux-mêmes que les gens peuvent avoir. À ton avis, il y a un problème, de ce côté-là, pour toi ?

— Tout est affaire de point de vue. Les gens ont toujours embelli les histoires qu'ils racontent sur eux-mêmes. Avant Internet et les réseaux sociaux, je veux dire. Aujourd'hui, les possibilités d'embellissement de la réalité, ou de mensonge si tu préfères, sont plus vastes. Et c'est la technologie qui est le moteur de cette transformation de notre culture. Elle change même la médecine. Chacun de nous est maintenant une sorte d'imposteur qui devient de plus en plus narcissique. Pour certains observateurs, c'est un problème. Pour d'autres... c'est une chance, conclut Ava avec un haussement d'épaules.

— Je dois reconnaître que c'est fascinant, dit Noah, songeur. Depuis cinq ans que je suis enfermé à l'hôpital, le monde a drôlement changé.

— Et cette évolution s'accélère, alors fais gaffe, souligna Ava en souriant. Hé, tu sais quoi ? Après ta douche, si tu veux, on se retrouve dans la salle informatique et je te présenterai Melanie Howard. En moins d'une demi-heure, tu sauras tout ce qu'il y a à savoir à son sujet et tu auras l'impression que c'est une vieille copine. Je peux t'assurer qu'elle va t'adorer.

— D'accord, je serai content de faire la connaissance de Melanie, dit-il tandis qu'ils emportaient la vaisselle à l'évier.

Quelques minutes plus tard, pendant qu'ils se serraient l'un contre l'autre dans la cabine du minuscule ascenseur, Noah repensa à *Her*, un film dans lequel un type solitaire tombait amoureux d'une intel-

ligence artificielle, et se demanda comment il allait réagir devant
le profil de Melanie Howard. Allait-il la voir comme une personne
à part entière, quoique virtuelle, alors qu'il saurait que son profil
n'était qu'un faux-nez derrière lequel se cachait Ava ?

17

Keyon Dexter prit la sortie numéro vingt-cinq de l'I-93 à la hauteur de Plymouth. Déjà plus de deux heures qu'il conduisait sur cette autoroute monotone montant vers le nord à travers le New Hampshire : il en avait marre. Avec George Marlowe, son partenaire, ils avaient une fois de plus tiré à pile ou face la corvée de volant. Quand ils bouffaient du kilomètre comme ce soir, tous deux préféraient avoir le rôle du passager – siège reculé à fond, dossier baissé et les pieds en éventail sur le tableau de bord de la Ford. Ces escapades n'avaient pas été trop fréquentes, heureusement, depuis bientôt un an que George et lui étaient en poste à Boston. Ils étaient coresponsables de l'antenne que leur employeur, la société ABC Security de Baltimore, Maryland, avait ouverte dans cette ville en louant des bureaux dans l'ancienne mairie de School Street.

– Putain, mec, on est à pétaouchnok, observa Keyon d'un ton maussade. Je croyais qu'après avoir réglé le problème Savageboy69, on en avait terminé avec ces missions de tocard.

– Moi aussi, marmonna George.

Il posa les pieds sur le plancher, enfila et laça ses chaussures, puis avança son siège et en releva le dossier.

— Après qu'on se sera occupé de CreepyBoar, ça devrait être fini pour de bon, dit-il. Avec le nouveau réseau privé virtuel qui est en place, normalement ce genre de chienlit ne devrait plus se produire.

— J'espère, dit Keyon d'un ton dubitatif. Les gamins d'aujourd'hui, c'est plus pareil. Ils ont grandi avec la technologie. Ils n'ont pas eu à *apprendre* comme nous, tu vois ? Pour eux, c'est une seconde nature et il y a du hacker en puissance dans la tête de plein de ces mômes. Je veux dire, peut-être qu'ils réussiront à percer quand même la sécu du VPN.

— Tout est possible, je suppose. Ils sont aussi futés pour le choix de leurs identifiants. CreepyBoar, ça en jette.

— Ouais. Grosse vilaine bébête. Note qu'on ne sait pas encore si c'est un jeune, un marcassin, ou un bon vieux sanglier d'un certain âge, qui se prétend « flippant » comme ça. Tu crois que ça va être une partie facile comme avec Gary Sheffield ?

— Ben oui. Pas toi ? Je m'attends au même genre de connard. Qui d'autre se donnerait tant de mal pour essayer de rencontrer une mineure de treize ans ?

— Il faut de tout pour faire un monde, dit Keyon d'un ton dégoûté. Mais est-ce que ça va être un prof ou un étudiant ? À ton avis ?

— Prof, affirma George sans hésitation. Les étudiants, ils ont toute la baise qu'ils peuvent souhaiter. Ils n'ont pas besoin de troller des gamines sur le Net.

— Ce n'est pas faux, convint Keyon, songeur. Sur les réseaux, tout de même, CreepyBoar se présente comme un étudiant de dix-huit ans.

— Peu importe. Tu sais bien que sur Internet les gens débitent toutes sortes de conneries. Mais je dis peut-être prof, c'est vrai, parce que ça m'arrangerait. Si le mec s'avère être un étudiant, notre boulot de nettoyage devient beaucoup plus difficile. Les ados et les jeunes se vantent à droite et à gauche de leurs exploits. Surtout les mecs. Donc le profil de Teresa Puksar pourrait être déjà dans des tas et des tas de smartphones.

– On va faire de notre mieux, observa Keyon. Faut pas nous en demander plus.

Ils étaient arrivés à Plymouth, leur destination d'après l'adresse IP de la cible. Contrairement au cas Savageboy69 dont l'adresse IP leur avait permis d'obtenir du même coup l'adresse postale de Gary Sheffield, avec CreepyBoar ils n'avaient pu trouver que l'adresse de l'université d'État de Plymouth. À présent qu'ils étaient sur place, ils devaient se connecter au réseau de cette fac pour localiser précisément l'ordinateur, et donc l'adresse physique, du prof ou de l'étudiant qu'ils avaient à intercepter. Voilà aussi pourquoi ils travaillaient tard le soir : ils voulaient être sûrs de trouver CreepyBoar sur sa machine.

Au premier rond-point qu'ils rencontrèrent, ils prirent vers le sud sur Main Street. Plymouth était une petite ville universitaire composée d'immeubles bas et de maisons de plain-pied ou à un étage. Le campus, sur leur droite, se déployait au flanc d'une colline en pente douce. Son édifice central était une tour d'horloge en briques.

Guidés par un plan de rue qu'ils avaient téléchargé sur Internet, ils firent lentement le tour du campus. Les bâtiments, de formes assez variées, étaient pour la plupart en briques rouges.

– Y a pas grand monde, observa George.

– C'est la session d'été, dit Keyon. La plupart des étudiants sont en vacances. Pendant l'année universitaire, t'as sûrement beaucoup plus d'animation.

Ils roulèrent encore quelques minutes, pensant tous deux la même chose : jamais ils n'auraient pu vivre dans un trou pareil.

– Bon, dit enfin George. Je crois que ça suffit pour la ronde d'observation. Maintenant, garons-nous et voyons si nous avons de la chance.

Keyon se rangea dans Main Street au milieu d'une série de véhicules – des pick-up, pour la plupart – garés en épi. Quelques restaurants étaient encore ouverts, dont un qui ressemblait à un vieux *diner* des années cinquante avec façade plaquée inox, tables en formica et tout le tintouin. Les autres commerces étaient fermés.

Les deux hommes passèrent à l'arrière de la camionnette et allumèrent leur matériel. Quand ils se furent connectés au réseau de la fac, plymouth.edu, il ne leur fallut pas longtemps pour trouver la cible. Comme ils s'y attendaient pour avoir bien étudié les habitudes de connexion de CreepyBoar, celui-ci était sur sa bécane. Ils eurent une grosse surprise, par contre, en découvrant que CreepyBoar n'était pas un homme : l'ordinateur appartenait à une certaine Margaret Stonebrenner résidant au numéro vingt-quatre de Smith Street.

– Ben ma salope, murmura Keyon.

– Attends, t'emballe pas, dit George. Peut-être que Margaret a un fils ado qui utilise son ordinateur.

– Ouais, t'as raison, convint Keyon.

Passant le nom « Margaret Stonebrenner » à la moulinette des nombreuses bases de données auxquelles ils avaient accès, ils découvrirent en quelques minutes que cette femme n'avait pas de casier judiciaire, était prof de psychologie et avait épousé une dénommée Claire Walker, en 2011, dont elle avait divorcé quatre ans après. Il y avait eu une fille du côté de Claire, d'un premier mariage, repartie avec sa mère au moment du divorce – et aucun autre enfant.

– Voilà, dit Keyon. Nous avions au moins raison sur un point. C'est une prof, pas une étudiante.

– On était à côté de la plaque pour le reste, souligna George. Mais il ne m'était même pas venu à l'esprit que la cible puisse être lesbienne. Qu'est-ce qu'elle fout, cette conne, à troller une mineure de treize ans en se faisant passer pour un adolescent ? Franchement, ça me choque ! Enfin bon, peut-être que c'est pas facile d'être gay ou lesbienne dans une petite ville paumée comme ici. Qu'est-ce que j'en sais, après tout ?

– Tu es surpris, c'est clair, dit Keyon, amusé. Mais pense à la réaction de la pauvre Teresa Puksar si elle avait accepté de rencontrer CreepyBoar.

Les deux hommes éclatèrent de rire.

– Sérieux, dit George quand il eut retrouvé son calme, je ne sais pas où va le monde. Je n'ai que trente-six ans, mais quand je vois comment c'est loin de moi, tous ces machins LGBT, j'ai l'impression d'avoir le double. C'est la folie.

Après avoir examiné une nouvelle fois le plan de la ville, Keyon et George retrouvèrent leur place sur les sièges avant et prirent la direction de Smith Street. Elle n'était pas loin, car rien n'était loin à Plymouth. Ils firent un premier passage de reconnaissance. Au numéro vingt-quatre se trouvait une petite maison blanche, de style victorien, avec des bordures décoratives sous les avant-toits. La lumière brillait aux fenêtres du rez-de-chaussée ; à l'étage il faisait noir.

– Ça se présente bien, dit Keyon. Tu crois qu'elle vit seule ?

– Ce serait trop beau d'avoir cette chance deux fois de suite, répondit George. Mais on peut toujours espérer.

Ils garèrent la voiture dans la rue transversale la plus proche, puis marchèrent calmement vers leur destination en scrutant les maisons du quartier. Elles étaient presque toutes plongées dans l'obscurité.

– Les gens se couchent tôt, ici, observa Keyon. Je suppose que la vie nocturne de Plymouth n'est pas très endiablée.

Sa litote le fit pouffer de rire.

Parvenus au numéro vingt-quatre, ils observèrent les pavillons qui le flanquaient. Aucune lumière là non plus, tant mieux. De la maison de Margaret Stonebrenner émanait le ronron bruyant d'un vieux climatiseur de fenêtre : encore un détail qui était à leur avantage, car dans le silence d'une petite ville ensommeillée de province, le bruit d'une arme à feu pouvait porter loin. Conscient de ce danger, Keyon avait vissé un silencieux sur son semi-automatique Beretta. Le souci, avec cet équipement, c'était que le flingue et son accessoire formaient une bosse un peu trop visible dans son holster d'épaule ; il n'aurait pas pu se balader avec en plein jour.

Comme d'habitude, George et Keyon prirent position de part et d'autre de la porte, leurs fausses cartes du FBI en main. Ne voyant pas de bouton de sonnette, George toqua à la porte. Pas de réponse. Il frappa plus fort, avec le poing. Une lampe de cocher s'alluma presque aussitôt à côté de sa tête. Aveuglé, il grimaça. Une voix de femme se fit alors entendre derrière le battant, demandant qui était là.

Keyon assura la parlote, répétant les bobards que George et lui avaient servis à Gary Sheffield au sujet de leur prétendue mission au sein de la cyber-division du FBI.

Margaret n'ouvrit pas la porte.

– Mais encore ? lança-t-elle. De quoi voulez-vous parler, au juste ?

Keyon embraya avec le baratin classique : certaines activités potentiellement criminelles semblant avoir été perpétrées sur Internet à partir de cette maison, son collègue et lui devaient clarifier les choses, juste quelques questions à poser, etc.

– J'aimerais mieux que vous reveniez demain, dit alors Margaret. Comment puis-je être sûre que vous êtes des agents du FBI ?

Keyon et George échangèrent un regard soucieux. Au même instant, ils entendirent quelque chose qui ne les amusa pas du tout : des aboiements et des grognements derrière la porte. Et pas ceux d'un caniche.

— Si vous ouvrez la porte, nous pourrons vous montrer nos plaques, dit Keyon.

— Je n'ai jamais entendu dire que le FBI débarquait chez les gens si tard le soir pour poser de simples questions, objecta Margaret. Désolée, mais je suis seule chez moi.

— Nous comprenons vos hésitations, madame, mais si vous refusez de nous parler, nous devrons revenir dans un petit moment avec la police de Plymouth. Et vous faire arrêter. Nous sommes pourtant à peu près sûrs de pouvoir éclaircir les choses sans vous causer un tel embarras. Mais pas à travers la porte.

Pendant quelques longues secondes, Keyon et George n'entendirent plus rien que le grondement du climatiseur de fenêtre tout proche. Ils se regardèrent de nouveau en pensant la même chose : la situation était en train de leur échapper. Tout à coup, ils entendirent les bips aigus et mélodieux d'un clavier de smartphone sur lequel on composait un numéro de téléphone.

— Merde ! grogna George entre ses dents.

Il recula d'un pas et leva la jambe pour donner un violent coup de pied dans la porte, de toutes ses forces, juste à côté de la poignée. Le bois craqua, le battant s'ouvrit brutalement et les deux hommes s'engouffrèrent aussitôt dans la maison. Choquée par leur intrusion, Margaret Stonebrenner recula en titubant. Simultanément, un énorme berger allemand se jeta sur George qui avait franchi le seuil le premier.

Ancien Marine, George connaissait toutes les tactiques anti-émeute et savait faire face aux chiens violents. Il leva les bras devant son visage pour empêcher l'animal de l'atteindre au torse ou à la tête. Le chien était lourd et puissant, mais George réussit à rester campé sur ses deux jambes. Ensuite tout fut réglé en une seconde : en dépit du fait que l'animal avait réussi à mordre à pleines dents dans la manche droite du costume de George, Keyon dégaina son Beretta et lui tira deux balles dans le poitrail. Aussi soudainement qu'il avait attaqué, l'animal lâcha prise, vacilla un instant sur ses pattes en gémissant, puis s'effondra sur le parquet. Un instant plus tard, il bascula sur le flanc et expira.

Voyant son chien abattu, Margaret se mit à hurler – et elle ne se tut pas lorsque Keyon braqua le pistolet sur son visage en lui ordonnant de se taire.

– Salauds ! Enfoirés !

Elle se jeta sur Keyon, les traits tordus par la terreur et la haine. La balle qu'il lui logea en plein front eut à peu près le même effet que celle qui avait tué Gary Sheffield : la tête de la victime bascula d'abord en arrière, de la matière cérébrale éclaboussant le mur. Margaret s'écroula à côté de son chien, ses membres furent agités de spasmes pendant deux ou trois secondes, puis ses yeux se fixèrent pour l'éternité sur le plafond.

– Bordel de merde ! s'écria George. Plus possible de l'interroger.

Avant que Keyon ne réponde, ils entendirent une voix masculine s'élever du téléphone de Margaret. Elle l'avait laissé tomber sur le tapis de l'entrée au moment où les deux hommes avaient déboulé dans la maison.

– Police de Plymouth. Je vous écoute, madame Stonebrenner. Vous avez un problème ?

Keyon se baissa pour attraper l'appareil et l'empocher après avoir coupé la communication.

– On se tire !

– Il nous faut son ordinateur, dit George.

– Ouais. Je le vois.

Keyon passa derrière son collègue pour entrer dans la salle à manger. Un ordinateur portable était posé sur la table. Il en rabattit l'écran, le glissa sous son bras et embarqua aussi le sac à main qui se trouvait à côté sur une chaise.

Pendant ce temps, George enfila des gants de latex en se dirigeant vers un secrétaire à cylindre qu'il avait aperçu dans le salon, de l'autre côté de l'entrée. Il ouvrit tous les tiroirs pour en renverser le contenu par terre. Cinq secondes plus tard, les deux hommes ressortaient de la maison. Dans la rue enténébrée, ils ralentirent le pas pour marcher à une allure normale. Jusqu'à la camionnette, ils jetèrent des regards inquiets autour d'eux, mais le quartier semblait aussi paisible et endormi qu'un moment plus tôt.

– Quel bordel, dit George d'un ton dégoûté quand il fut assis derrière le volant – c'était son tour de conduire. On n'avait jamais autant merdé.

Il retira ses gants avant de lancer le moteur.

– On peut jamais savoir à quoi s'attendre, dit Keyon, fataliste. Évitons de raconter la stricte vérité sur ce qui s'est passé à ABC, sauf si on nous pose clairement la question. Espérons aussi que le VPN est aussi performant que promis, et que nous n'aurons plus à nous taper ce genre de mission.

– Bien d'accord, dit George. Tu sais ce qui m'a étonné ? C'est comment elle avait l'air *normale*, cette nana. Je m'attendais à ce qu'elle ressemble davantage aux autres. À Gary Sheffield. À quelqu'un que tu n'as pas trop envie d'inviter chez toi, quelqu'un qui mène une vie chiante, qui est coincé, ringard et qui a besoin des réseaux sociaux pour avoir un semblant de vie, ne serait-ce que virtuelle. Margaret Stonebrenner ne m'a pas fait cet effet-là du tout. Et puis elle n'a pas cru une seconde à notre histoire de FBI.

– Les réseaux sociaux touchent toute la société, aujourd'hui, dit Keyon. Ce n'est plus seulement les jeunes dans le coup qui sont accros. C'est tout le monde.

Afin d'éviter de retraverser la petite ville de Plymouth, George entama un circuit complexe pour rejoindre l'I-93 et prendre la direction de Boston.

18

Pour varier un peu les plaisirs après avoir commandé cinq soirs de suite de la cuisine italienne chez Toscano, Noah se trouvait chez King & I, le thaï de Charles Street. Il avait téléphoné au restaurant pendant qu'il revenait de l'hôpital, après avoir appelé Ava pour savoir de quoi elle avait envie, et il attendait maintenant sa commande près de la caisse.

Ce vendredi avait été très chargé. Déjà, la journée avait commencé plus tôt encore que d'ordinaire, car l'intervenant programmé pour la conférence de sciences fondamentales s'était décommandé la veille en fin d'après-midi : contraint de prendre lui-même le micro puisqu'il n'avait pas le temps de trouver un remplaçant, Noah avait aussi dû se dégoter d'urgence un sujet. Il avait décidé de parler de la gestion de l'équilibre hydro-électrolytique postopératoire et il s'était levé à quatre heures du matin — sans réveiller Ava — pour se préparer.

Après la conférence, pour laquelle il avait à peu près réussi à tirer son épingle du jeu, il avait eu quatre opérations successives dont une œsophagectomie, c'est-à-dire une ablation de l'œsophage, qui lui avait posé un vrai défi, car c'était une intervention difficile et complexe qu'il n'avait réalisée qu'une seule fois auparavant. Tout s'était bien passé, heureusement, même si au bout du compte il n'avait pas de grands espoirs pour le patient ; le cancer de l'œsophage était une maladie particulièrement difficile pour les cancérologues.

Ses quatre opérations s'étaient bien déroulées, mais il avait quand même eu un moment pénible dans la matinée. En dépit du fait qu'il prenait soin de consulter le programme du Dr Mason au bloc pour éviter, dans la mesure du possible, de le rencontrer, il était tombé sur lui, juste après sa première opération, pendant qu'il accompagnait son patient avec l'anesthésiste jusqu'à la SSPI : le Dr Mason déboulait alors de sa propre salle d'opération après avoir bouclé en moins de deux heures une intervention qui devait théoriquement en prendre quatre. Noah avait eu beau affirmer qu'il était très occupé, Mason avait insisté pour le prendre à part. Il s'était alors mis à l'incendier au sujet de l'« incompétence totale » des internes qui lui étaient assignés en salle d'opération.

— Avec le genre de patients que je fais venir dans cet hôpital, je ne devrais pas avoir à me coltiner de telles nullités, avait-il déclaré. Et croyez bien que je vais en parler au Dr Hernandez, au Dr Cantor et à Mme Hutchinson !

Gloria Hutchinson était la présidente du BMH.

Bien entendu, les récriminations du Dr Mason n'avaient aucun fondement. D'abord, Noah prenait toujours grand soin de lui adjoindre des internes aussi chevronnés que possible – il ne connaissait que trop bien le penchant de cet homme à accuser son entourage pour le moindre pépin. Depuis qu'il était superchef, il n'avait entendu aucun commentaire négatif au sujet des internes de chirurgie, y compris les vingt-quatre nouveaux de première année, de la part des autres praticiens hospitaliers.

Il avait tenté de mettre un terme à la conversation en proposant au Dr Mason de lui fournir une liste des internes avec lesquels il était d'accord pour travailler – et en promettant de les désigner aussi souvent que possible comme ses assistants. Mais au lieu d'accepter cette main tendue, Mason avait changé de sujet pour évoquer le prochain M&M.

– J'espère que vous n'envisagez pas de faire bouclier devant votre petite copine incompétente comme vous l'avez fait de façon tellement limpide pour le cas Vincent, avait-il grogné. Vous ne vous en tirerez pas si facilement, voyez-vous. À la dernière session, j'ai été obligé de me taire, parce que j'étais le chirurgien concerné, mais là ça sera différent. Il va être temps de passer à la caisse, monsieur le superchef !

Une fois de plus, Mason avait planté son index dans la poitrine de Noah, comme pour bien lui faire sentir qu'il l'avait dans le collimateur, avant de tourner les talons et de s'éloigner vers la salle de détente.

– Voici votre commande ! annonça d'un ton enjoué la caissière du King & I.

Noah la remercia, paya l'addition et sortit du restaurant. Charles Street était animée. Les gens se baladaient, prenaient du bon temps. Et lui, à présent qu'il se dirigeait vers la maison d'Ava, se sentait en phase avec eux. Il faisait partie de leur monde. C'était un sentiment encore récent pour lui, et vraiment très plaisant. Il allait passer une nouvelle soirée agréable en compagnie d'Ava, il avait une vie en dehors de l'hôpital et il n'avait donc plus l'impression d'être coupé de la société des gens normaux. Il ne put s'empêcher de sourire. Finalement, il n'était peut-être pas un cas désespéré.

Pendant qu'il grimpait Pinckney Street, ses pensées le ramenèrent à sa journée hyperchargée. Celle-ci avait compris plusieurs conversations importantes dont il avait hâte de faire part à Ava. Après sa rencontre avec le Dr Mason – un véritable électrochoc, de fait, qui lui avait rappelé que le M&M approchait à grands pas –, il avait pris soin de se renseigner sur l'interne de deuxième année qui avait été en poste aux urgences le jour du cas Helen Gibson. C'était la Dr Harriet Schonfeld. Il l'avait trouvée aux urgences en train de suturer une blessure sur un patient. Leur discussion lui avait beaucoup plu, et il savait qu'Ava partagerait son sentiment.

Il avait ensuite vu l'interne d'anesthésie – la Dr Carla Violeta –, ainsi que l'infirmière circulante et l'infirmière instrumentiste qui avaient participé à l'opération de Gibson, mais sans rien apprendre de ces trois personnes qu'il ne savait déjà. Porté par les encouragements d'Ava de la veille, enfin, il avait fait en sorte de rencontrer le Dr Warren Jackson. Il redoutait cette épreuve et l'avait autant retardée que son entretien avec le Dr Mason pour le précédent M&M. Les deux hommes étaient de la même génération, avaient fait leurs études dans les mêmes établissements et, surtout, partageaient certains traits de personnalité fort désagréables. Bien que moins excessif et moins narcissique que le Dr Mason, le Dr Jackson savait se montrer arrogant, s'offusquait facilement et acceptait mal les reproches, même quand il avait tort. Mais surprise : Noah l'avait trouvé beaucoup plus raisonnable que Mason.

Ava parut très heureuse de le voir lorsqu'il la rejoignit à la cuisine. Elle lui avoua être affamée. Elle avait déjà ouvert une bouteille de vin dont elle avait siroté un verre en regardant Facebook sur son iPhone. Noah s'excusa d'arriver si tard et expliqua avoir été retenu à l'hôpital par une urgence survenue en fin d'après-midi.

Ils mangèrent au comptoir, comme d'habitude, assis côte à côte face aux portes coulissantes ouvertes sur le jardin. Noah avait hâte de lui raconter tout ce qu'il avait appris, mais il dut patienter : Ava avait envie de parler de plusieurs cas très exigeants qu'elle avait eus dans la journée, et qui l'avaient obligée à donner le meilleur d'elle-même. Il fut très impressionné, une nouvelle fois, par l'ampleur de ses connaissances en anesthésie – qui égalaient au moins, il en était certain, ses propres connaissances en chirurgie. Après le dîner ils montèrent au bureau, comme ils aimaient le faire, pour continuer de discuter. Noah comprenait pourquoi cette pièce de la maison était la préférée d'Ava. Selon une routine assez rigolote et révélatrice du bien-être qu'ils éprouvaient ensemble, chacun prit le fauteuil club qu'il avait occupé les soirs précédents.

– Bon, à toi, dit Ava. Désolée, je n'ai pas arrêté de bavasser depuis tout à l'heure. J'en avais sans doute besoin.

– Mais oui, tu as bien fait. Et je suis soufflé par la maîtrise que tu as de ton domaine.

– J'ai été bien formée, dit Ava que le compliment réjouissait visiblement.

– J'ai une bonne et une mauvaise nouvelle. Tu veux laquelle en premier ?

– La mauvaise ! Il faut terminer la soirée sur quelque chose de positif.

– Malheureusement pour moi, le Dr Mason m'a coincé une fois de plus dans le couloir du bloc. D'abord, il s'est mis à râler contre les assistants que je lui donne, ce qui est complètement absurde bien entendu. Ensuite, plus important, il m'a prévenu que je ne dois pas essayer de te protéger au prochain M&M comme je l'ai fait au dernier. Comme il *prétend*, bien sûr, que je l'ai fait.

– Il a vraiment dit ça ? De ne pas essayer de me protéger ?

– Il a dit que je n'avais pas intérêt à faire « bouclier » devant toi, précisa Noah, omettant de dire que Mason avait aussi parlé d'Ava comme de sa « petite copine incompétente ». Il m'a aussi rappelé qu'il avait été obligé de la boucler au dernier M&M, mais que ce ne serait pas pareil cette fois.

– OK. Ça, c'était donc la mauvaise nouvelle. Et la bonne ?

— Ma rencontre avec le Dr Jackson ne s'est pas du tout passée comme je le craignais ! Il a reconnu tout net avoir commis
une erreur en faisant pression sur l'interne de première année pour
qu'elle commence l'intubation avant que tu n'arrives en salle d'op.
Il m'a même dit qu'il avait compris cela au calme, après avoir
réfléchi à ce qui s'était passé.

— Ah, génial ! Et tu crois qu'il serait prêt à faire publiquement
ce genre d'aveu ?

— Oui, je pense. J'ai aussi parlé avec la Dr Violeta.

— Je sais. Elle me l'a dit.

— Elle ne demande pas mieux que de confirmer avoir subi des
pressions pour commencer à travailler en ton absence. Donc, je
n'aurai pas de souci pour aborder le sujet.

— Tu dois l'aborder, c'est évident. Il faut absolument que tout le
monde sache bien que je n'étais pas dans la salle d'opération quand
la patiente a reçu l'agent paralysant. Et qu'elle était déjà en arrêt
cardiaque à mon arrivée. Ce sont des informations fondamentales.

— Tu as raison. J'en parlerai sans faute.

— Pour le Dr Jackson, en tout cas, c'est vraiment une bonne
nouvelle. J'envisage déjà plus sereinement le M&M.

— J'ai une autre nouvelle importante, enchaîna Noah. Aujourd'hui,
j'ai aussi parlé avec l'interne de chirurgie qui a reçu Helen Gibson aux urgences. Elle n'en revenait pas quand je lui ai dit que le
problème de cervicales de la patiente n'apparaissait pas dans son
dossier médical électronique. Elle est absolument certaine de l'avoir
mentionné...

— Ah non ! objecta Ava en se redressant dans son siège, l'air
mécontent. Il n'était pas dans le DME, c'est certain.

Noah se pencha en avant pour poser une main sur la cuisse de
sa compagne.

– Il y était et il n'y était pas, dit-il d'un ton apaisant. Nous avons enquêté et découvert qu'il existe deux DME pour la même patiente. Avec une inversion de deux lettres dans son nom de famille. L'un de ces dossiers contient la note de l'interne sur le problème aux cervicales, l'autre pas. C'est un vrai mystère. Pour je ne sais quelle raison, le système informatique a produit ces deux dossiers en parallèle sans que personne s'en aperçoive. Je suis déjà allé voir les techniciens. Ils m'ont promis d'examiner la chose pour comprendre comment elle a pu se produire. Et de faire en sorte que ça n'arrive plus.

– Ah, tant mieux, dit Ava, et elle se laissa retomber contre le dossier du fauteuil avec un soupir de soulagement. C'est même très bien ! Cette histoire, à elle seule, pourra prendre un bon moment au M&M. Je sais que des tas de gens sont excédés par les anomalies du système informatique du BMH. Ils ne rateront pas cette occasion de le descendre.

– Tout à fait d'accord. Les choses se présentent plutôt bien. J'ai l'impression que nous réussirons à nous dépatouiller de ce M&M comme du précédent. J'ai décidé de garder le cas Helen Gibson pour la fin, comme je l'ai fait avec Bruce Vincent. Si je gère bien mon temps, la discussion sera peut-être même assez brève pour que le Dr Mason n'ait pas l'occasion de rouspéter.

– Je pensais te suggérer de faire comme ça, dit Ava en souriant. Ce programme me plaît bien.

– Hé, je pense à un truc… Le vidéo-laryngoscope que tu as utilisé sur Helen Gibson, tu le connaissais déjà ? Je sais qu'il en existe des tas de modèles différents, chez plusieurs fabricants, et qu'ils ont tous leurs particularités.

Noah avait posé sa question d'un air dégagé, comme si elle venait juste de lui traverser l'esprit, mais c'était un problème qui le tracassait depuis le drame. Quand il était entré dans la salle d'opération, il avait eu l'impression, l'espace d'un instant, qu'Ava manipulait l'instrument avec moins d'aisance, ou de dextérité, qu'elle n'aurait dû. C'était une intuition ténue, difficile à expliquer. Il était le premier à reconnaître, en outre, qu'il demandait peut-être l'impossible, car pendant qu'Ava se débattait avec le vidéo-laryngoscope, la tête de la patiente ballottait en tous sens à cause du massage cardiaque que lui administrait l'interne – une situation qui aurait compliqué la tâche à n'importe qui. De plus, Helen Gibson avait la nuque tordue. Glisser une sonde d'intubation dans la trachée d'un patient souffrant de raideur cervicale pouvait se révéler incroyablement difficile. Noah en avait lui-même fait l'amère expérience au cours de ses études.

– Le McGrath ? répondit Ava avec une pointe d'agacement. Bien sûr que je le connais. De même que je connais tous les autres vidéo-laryngoscopes du marché, comme par exemple l'Airtraq ou le GlideScope. De toute façon, tu sais, ils sont très similaires. Leurs différences sont minimes. Même si personnellement, c'est vrai, je préfère le GlideScope parce qu'il a un écran un peu plus grand.

– D'accord, dit Noah, hochant la tête.

Lui-même n'en savait pas autant sur ces outils. N'empêche, l'image d'Ava paraissant se débattre avec l'instrument l'enquiquinait depuis ce jour-là comme un petit caillou au fond d'une chaussure. Un autre détail l'intriguait aussi quelque peu : il avait appris que le délai entre l'appel à l'aide de l'interne de première année et l'arrivée d'Ava dans la salle d'opération avait été plus long qu'il ne l'aurait supposé. Certes, Ava supervisait alors le travail d'un autre interne. Mais cette induction-là ne posait aucun problème. Pourquoi ne s'était-elle pas aussitôt précipitée vers la salle numéro huit ? Et pourquoi n'avait-elle pas décidé de faire une trachéotomie dès qu'elle avait vu que la pose de la sonde d'intubation se révélait difficile – et alors que la patiente était déjà en arrêt cardiaque par manque d'oxygène ?

– Tu as vu quelle heure il est ? demanda Ava.

Noah regarda sa montre.

– Oh la vache ! Presque minuit.

– Je ne sais pas comment tu peux fonctionner avec si peu de sommeil. Il faudrait que je me couche. Qu'est-ce que tu en dis ?

– Ça me convient très bien.

Noah était debout depuis près de vingt heures. Dormir semblait une excellente idée.

– Mais tu sais quoi ? demanda Ava avec une moue espiègle.

– Non, quoi donc ?

– En fait, ta bonne nouvelle me donne des envies...

– Ah oui ? fit-il d'un ton innocent.

Alors qu'il se demandait comment réagir au sous-entendu d'Ava, elle résolut son dilemme en se mettant debout et en déboutonnant son chemisier. Quand elle l'eut retiré, elle ouvrit la braguette de son jean pour le faire glisser sur ses jambes. Pétrifié dans son fauteuil, Noah la découvrit vêtue d'un ensemble de lingerie vert foncé, incroyablement sexy, aussi minimal que possible. Ava s'assit sur un accoudoir de son fauteuil et lui passa une main dans les cheveux.

– Tu sais ce que je pense que nous devrions faire de cette bonne nouvelle ? demanda-t-elle d'une voix pleine de promesses.

– Ouais, fit-il, tout prêt à jouer le jeu. Je crois que j'ai une petite idée.

– Faisons l'amour, murmura-t-elle à son oreille. Ici. Tout de suite !

Une heure plus tard, ils étaient enlacés dans le lit géant d'Ava, les yeux au plafond, Oxy et Carbo couchés à leurs pieds. Noah se sentait merveilleusement bien mais, réveillé depuis quatre heures du matin et après sa longue journée de travail, il avait du mal à garder les yeux ouverts.

– Je dois te faire un aveu, dit soudain Ava. Je suis jalouse de la formation que tu as reçue dans ces grandes universités de l'Ivy League* qui t'ont ouvert leurs portes. Ça doit être tellement génial de passer par Columbia... le MIT... Harvard ! J'imagine comme tu dois être fier. Et puis boucler une thèse de doctorat comme tu l'as fait en tout juste deux ans, c'est remarquable.

– J'ai eu de la chance. En même temps... c'est vrai que je me suis défoncé pour y arriver.

– J'aurais aimé avoir de telles opportunités, dit Ava d'un ton un peu mélancolique. Il y a des jours, au BMH, où je me sens vraiment mal d'avoir fait mes études dans un trou paumé que personne ne connaît. Presque tous les gens avec qui nous travaillons sont passés, comme toi, par des institutions réputées.

– Je suis impressionné par ce que tu as accompli, dit Noah, sincère. Sur LinkedIn, j'ai vu que tu avais fait un programme combiné prépa médecine et licence de diététique. D'une certaine façon, c'est encore plus balèze que mon parcours. Moi, en plus, j'ai suivi une voie toute tracée à partir du secondaire. J'ai toujours su ce que je voulais faire. Tu m'as dit qu'à la fin du lycée tu n'avais pas l'intention de te lancer dans des études supérieures. Pourquoi as-tu changé d'avis, d'ailleurs ?

– C'est à cause de mon travail chez le dentiste. Je me suis rendu compte que je n'avançais pas. Que j'allais rester coincée là toute ma vie. À vrai dire, la prise de conscience a été brutale. Mais j'ai aussi eu de la chance. Mon patron, le Dr Winston Herbert, a été

---

* Groupe des huit plus prestigieuses universités du nord-est des États-Unis (Brown, Columbia, Cornell, Dartmouth, Harvard, Pennsylvania, Princeton, Yale). (*N.d.T.*)

recruté en 2001 par l'université Brazos pour ouvrir une fac dentaire. Ce qu'il a fait l'année suivante. L'université Brazos était une institution jeune, créée au milieu des années quatre-vingt-dix. La ville de Lubbock se développait à ce moment-là à un rythme phénoménal. La fac de médecine avait été ouverte quelques années après. Quand il a mis sur pied la fac dentaire et le programme de formation qui allait avec, le Dr Herbert m'a emmenée avec lui. Donc j'ai été engagée par l'université. À l'époque, bien sûr, ce bon monsieur profitait aussi de ma jeunesse en dépit du fait qu'il était marié.

– Oh mince, fit Noah. Je suis désolé…

Il était dégoûté d'apprendre qu'Ava, à même pas vingt ans, avait été obligée de se donner à un type beaucoup plus âgé qu'elle pour avoir l'opportunité de faire des études. Car c'était sans doute de cela qu'il s'agissait.

– Ne sois pas désolé. C'est de l'histoire ancienne. Sérieux, je n'ai aucun ressentiment contre lui. En fait, je lui suis même reconnaissante. Je ne serais pas ici aujourd'hui si le Dr Herbert ne m'avait pas aidée. Nous sommes encore bons amis. Le fait de travailler dans une université ouverte depuis peu de temps, et en pleine croissance, m'a ouvert les yeux sur des tas de choses. Et lui, il m'a encouragée dès le premier jour. C'est même lui qui m'a intéressée à l'anesthésie, tu vois.

– Ah bon ? Comment ça ?

– Les dentistes ont souvent une approche assez… cavalière, disons, de l'anesthésie. Ça ne les ennuie pas du tout de pratiquer des anesthésies, dans leur cabinet, sans aucun des systèmes de soutien qui me paraissent aujourd'hui indispensables à l'hôpital. Bref. Dès que j'ai commencé à bosser pour lui, ou presque, il m'a laissée m'occuper de l'anesthésie de ses patients. À l'âge de dix-huit ans, et alors que je ne savais rien sur le sujet, je me suis retrouvée à manipuler des seringues et des masques. Ça me terrifie, quand j'y repense, mais sur le moment j'étais tout à fait sûre de moi.

C'est-à-dire complètement inconsciente, bien sûr. En tout cas, l'univers de l'anesthésie me fascinait. Voilà pourquoi j'ai décidé de reprendre des études, puis de faire médecine. Quand j'avais quitté le lycée Coronado, sans aucune qualification ni rien, jamais je n'aurais cru suivre un cursus universitaire plus tard.

— Et sur le plan financier, comment t'es-tu débrouillée ? Ta famille t'a aidée ?

Ava poussa un petit rire moqueur.

— Aucun risque. D'abord, je ne me suis jamais entendue avec mon père...

— Ah tiens ? Nous voilà un autre point commun. Moi non plus, ça n'a jamais vraiment collé avec le mien.

— Ma mère s'est remariée, après la mort de mon père, mais entre son nouveau copain et moi, ça ne fonctionnait pas du tout non plus. En gros, aussitôt sortie du lycée, je n'ai dû compter que sur moi-même. C'est en travaillant pour le Dr Herbert, et ensuite pour l'université Brazos, que j'ai réussi à m'en sortir. J'ai travaillé pour lui aussi souvent que j'ai pu, durant toute la durée de mes études, jusqu'à ce que je sois médecin.

— Quel genre d'enfant étais-tu ? demanda Noah.

Leur passion commune pour la médecine mise à part, il lui semblait qu'Ava et lui avaient été autrefois des personnes très différentes. À partir du moment où il avait eu sa petite révélation perso au début du lycée, il s'était donné corps et âme à son projet de devenir chirurgien. Cette passion le dévorait encore.

— Je n'aime pas beaucoup parler de mon passé, dit Ava d'un ton ferme. Il y a trop de mauvais souvenirs. Je préfère parler de l'avenir. Ou mieux, de ton passé à toi.

— Ah ? Que veux-tu savoir ?

Ava se tourna sur le côté pour le regarder.

– Tout ! répondit-elle dans un souffle. Je sais que nous sommes nés la même année, en 1982, et je sais quelques trucs sur ta formation, mais c'est à peu près tout. Si je mets bout à bout tout ce que je sais sur tes études, d'ailleurs, il y a un trou de deux années que je ne m'explique pas.

– Tu m'impressionnes une fois de plus ! Et tu as raison. J'ai mis six ans au lieu de quatre pour faire la fac de médecine. Pendant ma deuxième année, ma mère est tombée malade. Elle a dû arrêter de travailler. Pas le choix. Or, c'était son salaire qui me permettait de faire des études et qui payait les soins de ma sœur qui est handicapée. J'ai dû trouver un boulot. Là où j'ai eu de la chance, c'est que j'ai pu travailler à la fac de médecine. Donc, j'ai réussi à garder le contact avec les études en suivant des conférences, ce genre de chose. Quand ma mère est décédée, je me suis réinscrit pour terminer le cursus.

– Je suis désolée, dit Ava. Ça a dû être un combat très difficile.

– Comme tu disais, c'est de l'histoire ancienne. J'ai juste fait ce que je devais faire.

– Parle-moi un peu plus de ta thèse de doctorat en génétique au MIT. C'est carrément dingue, quand on y pense ! Personne ne boucle sa thèse si vite. Comment tu as accompli cette prouesse ?

Noah sourit.

– C'est moins extraordinaire qu'il n'y paraît, tu sais. J'avais travaillé sur la reproduction des bactéries en prépa de médecine, donc je ne partais pas de zéro. C'est déjà une première chose. Ensuite, pour être tout à fait honnête, je n'ai pas fait cette thèse avec les intentions les plus pures. J'espérais juste qu'elle m'aiderait à être accepté par la fac de médecine de Harvard pour pouvoir postuler au BMH pour l'internat. Et ça a fonctionné. J'avais très peur, tu sais. À la fin de ma prépa, quand je m'étais retrouvé avec mon diplôme de biologie en poche, je voulais déjà entrer à Harvard pour faire médecine. Mais j'avais été refusé. J'avais été pris à Columbia, ce qui est très bien aussi mais, pour l'internat, je tenais à venir à Boston. Alors j'ai décidé de faire un truc qui sorte de l'ordinaire. Cette thèse, si tu veux, m'a surtout servi à gagner des points à Harvard.

— Tu es modeste, observa Ava. Mais…

— Non, je ne crois pas. J'ai même un peu truqué mon boulot de recherche, à vrai dire. Pendant quelque temps, du moins. Mais c'est une autre histoire.

— Comment ça ?

— Bah ! On s'en fiche. Cette thèse, de toute façon, c'était plus du tricotage de données qu'un vrai travail de chercheur digne de ce nom. Aujourd'hui, de ce point de vue, c'est plus une source d'embarras pour moi qu'autre chose.

— Humm…, fit Ava en touchant le nez de Noah. Alors comme ça, toi aussi tu es un adepte de l'imposteurisme ? Si je peux me permettre ce néologisme inspiré par notre conversation d'hier soir.

Noah pouffa de rire et se tourna sur le lit pour imiter son geste.

— Rusé, dit-il en tendant la main pour lui caresser le visage. Et tu as raison ! Pour ma thèse, de fait, je suppose que je suis une sorte d'imposteur.

19

– Pour une première cholécystectomie, Mark, c'était du très bon travail, dit Noah au Dr Mark Donaldson.

Ils se trouvaient dans la salle d'opération numéro vingt-quatre. Mark, un interne de deuxième année, venait tout juste de retirer la vésicule biliaire d'une patiente par l'une des quatre petites incisions de l'endoscopie pratiquées dans son abdomen. Il avait fait un boulot tout à fait respectable et Noah savait qu'il était important de le lui dire. Pour les jeunes internes, les compliments des internes chevronnés, surtout ceux du superchef, étaient très importants quand ils étaient mérités – de même que les critiques quand elles se justifiaient.

– Merci, docteur Rothauser, dit Mark en posant le petit organe décédé sur le plateau que lui tendait l'infirmière instrumentiste.

Noah sentit que Mark se détendait, subitement, après avoir été très concentré pendant toute l'intervention. Il pouvait lui-même pousser un ouf de soulagement, car n'ayant pas les instruments en main il avait été assez nerveux de son côté. Mais cela faisait partie de la difficulté d'être formateur en chirurgie. Sur le moniteur, grâce à la caméra endoscopique, Mark et lui avaient à présent une excellente vision du lit découvert de la vésicule biliaire sous le bord du foie.

– Tu as presque terminé, dit Noah. Tout se présente bien. Il te reste juste à suturer le lit vésiculaire pour éviter une adhérence, à t'assurer que ça ne saigne nulle part, et puis à retirer les instruments.

Mark se remit au travail. Certains chirurgiens inexpérimentés avaient du mal à coordonner les mouvements de leurs mains avec l'image des instruments, plongés dans le corps du patient, qui était affichée sur le moniteur à hauteur de leur regard. Mais Mark ne faisait pas partie de ce groupe. Noah n'avait jamais eu ce problème lui non plus. Il s'était rendu compte qu'il devait sans doute son adresse aux jeux vidéo qui nécessitaient de diriger un personnage ou des armes avec la souris de la main droite et le clavier de la gauche, tout en regardant un écran devant soi. Cette idée ne lui déplaisait pas, car elle signifiait que les centaines d'heures qu'il avait autrefois consacrées à dézinguer des aliens n'avaient pas été que du temps perdu comme sa mère le déplorait.

Une fois le lit vésiculaire fermé, Noah encouragea Mark à irriguer la zone avec de la solution saline, puis à aspirer le fluide. C'était la meilleure solution pour repérer les éventuelles fuites de minuscules vaisseaux sanguins susceptibles d'entraîner de très vilaines conséquences une fois l'opération bouclée. Quelques minutes plus tard, Mark termina sa dernière suture. Tout semblait parfaitement en ordre. L'intervention arrivait à son terme.

– Nous allons retirer les instruments, annonça Noah à l'anesthésiste afin qu'elle puisse commencer à sortir la patiente de sa profonde sédation – la chirurgie était un sport d'équipe et il était important que tous les joueurs soient bien informés du déroulement de la partie.

À cet instant, une voix jaillit de l'interphone. Tout le monde se figea en tendant l'oreille. Les annonces diffusées par les haut-parleurs du plafond étaient rares et, en général, mauvais signe. C'était Janet Spaulding qui était derrière le micro :

– Nous avons une hyperthermie maligne en salle d'op numéro dix ! cria-t-elle d'un ton pressant. Je répète, hyperthermie maligne en salle dix ! Le chariot HM et tout le personnel disponible en salle dix, s'il vous plaît ! Immédiatement !

Les infirmières et Mark retrouvèrent leur contenance et se remirent au travail sur la patiente. Noah, lui, resta quelques secondes figé sur place. Il était engagé dans une opération et n'avait donc pas l'obligation de répondre à l'appel de Janet, mais il avait très envie d'y aller car il savait que l'anesthésiste au travail dans la salle dix, pour une appendicectomie d'urgence sur un garçon de douze ans nommé Philip Harrison, n'était autre que la Dr Ava London. C'était Noah, comme d'habitude, qui avait dû assigner un interne comme assistant au chirurgien, le Dr Kevin Nakano.

– Mark ! s'exclama-t-il. Tu te sens à l'aise pour fermer seul les incisions ?

– Sans doute, répondit le jeune interne, l'air un peu égaré.

– Ce n'est pas difficile. Tu dois faire attention à bien fermer le fascia, surtout au niveau de l'incision du nombril. Il ne faudrait pas qu'elle se retrouve avec une hernie ombilicale. Tu vois ce que je veux dire ?

– Ouais.

– Je veux jeter un œil en salle dix au cas où je pourrais donner un coup de main.

Noah s'écarta de la table et retira ses gants tout en hochant la tête à l'intention de l'infirmière anesthésiste. Il fallait qu'elle prenne note de son départ avant la fin de l'intervention.

Il sortit de la salle d'opération en détachant sa casaque, déposa celle-ci avec les gants usagés près du lavabo de désinfection, puis s'élança dans le couloir en direction de la salle d'opération numéro dix. Il était davantage inquiet pour Ava, à vrai dire, que pour le jeune patient. Il n'avait jamais rencontré de cas d'hyperthermie maligne, mais il savait un certain nombre de choses sur cette maladie rare et potentiellement mortelle qui était le plus souvent déclenchée par l'exposition à certaines substances utilisées en anesthésie générale. La machine musculaire se mettait en surrégime, entraînant une telle hausse de la température de l'organisme qu'elle pouvait être suivie par un syndrome de défaillance multiviscérale – et donc la mort.

Noah craignait qu'Ava soit de nouveau confrontée à une catastrophe très peu de temps après avoir connu deux drames qui l'avaient beaucoup déprimée et l'avaient fait douter de ses compétences. Il voulait être là pour elle. Pour lui apporter au minimum un soutien moral. Même s'il n'avait jamais traité de cas réel d'hyperthermie maligne, il avait participé à de nombreuses séances de simulation, conçues par le service d'anesthésie, pour apprendre à faire face à cette urgence critique.

Quand il poussa la porte de la salle d'opération dix, il tomba sur une scène de chaos. Une vingtaine de personnes se trouvaient déjà là, ainsi que le chariot d'hyperthermie maligne avec toutes les substances et le matériel susceptibles d'être utilisés pour gérer la situation. Environ la moitié des gens qui entouraient le patient étaient des internes d'anesthésie ; sinon il y avait surtout des infirmières et deux internes de chirurgie. Le chariot d'urgence se trouvait au fond de la pièce en cas de besoin.

Dans l'immédiat, la priorité de l'équipe était d'administrer au patient le principal produit de traitement d'urgence de l'hyperthermie maligne, le dantrolène. Problème, la substance étant instable sous forme de solution, elle devait être préparée sur place juste avant d'être utilisée. Pendant que certaines personnes se chargeaient de cette mission, d'autres s'appliquaient à préparer une couverture refroidissante. De la glace venait d'être apportée et mise dans une bassine où se trouvaient déjà des poches de solution intraveineuse. Comme l'indiquait son nom, l'hyperthermie maligne se caractérisait par une élévation très brutale, terrifiante, de la température corporelle : il était essentiel de la faire retomber sinon le cerveau du patient risquait de « griller », comme disaient les internes dans leur jargon un peu impertinent.

Le Dr Kevin Nakano se tenait contre le mur, ses mains gantées plaquées sur sa casaque chirurgicale stérile. Il avait le regard effaré de quelqu'un qui voulait désespérément agir, mais ne savait pas très bien comment. La situation était prise en charge, de toute façon, par les soignants qui avaient apporté le chariot d'hyperthermie maligne. Un tissu stérile avait été posé sur le minuscule site d'incision que le Dr Nakano s'apprêtait à refermer lorsque la catastrophe était survenue. L'appendice avait déjà été retiré.

Noah se dirigea vers la tête de la table d'opération. Ava se tenait debout, son tabouret poussé de côté, et surveillait les paramètres de la station d'anesthésie qui ventilait le patient avec de l'oxygène pur. Malgré quoi, la saturation en oxygène restait basse : l'alarme de l'oxymètre et la couleur de la peau de l'adolescent, un bleu marbré terrifiant, en donnaient clairement la preuve.

Ils échangèrent un bref regard. Noah sentit qu'Ava était à la fois ivre d'inquiétude et très sûre d'elle, comme un pilote d'avion chevronné en pleine tempête. Il regarda l'ECG et remarqua que le cœur du garçon battait beaucoup trop vite.

– Quelle est sa température ? demanda-t-il en élevant la voix pour se faire entendre par-dessus le brouhaha de la salle.

— Quarante et un degrés, mais elle grimpe encore, dit Ava.

Elle secoua la tête, fermant quelques instants les yeux. L'urgence dramatique à laquelle elle était confrontée lui brisait le cœur.

— Il a douze ans, bafouilla-t-elle.

— C'est affreux.

Noah voulait en dire davantage mais il fut tout à coup poussé de côté par le Dr Allan Martin, l'interne d'anesthésie le plus aguerri parmi tous ceux qui avaient répondu à l'appel de Janet. Il avait naturellement pris la tête du groupe d'intervention.

— Voici les cent premiers milligrammes de dantrolène, dit-il à Ava.

— Dieu merci, répondit-elle, et elle injecta aussitôt le médicament dans la perfusion en ajoutant : Il me faut trois autres doses !

— Elles arrivent, promit Allan.

Noah observa trois membres de l'équipe disposer la couverture de refroidissement sur le garçon qui était maintenant complètement rigide. Tous ses muscles étant contractés, son corps paraissait fait de bois.

L'infirmière circulante s'approcha d'Ava, par l'autre côté de la table, pour lui tendre un morceau de papier.

— Allan ! cria Ava après y avoir jeté un coup d'œil. Le potassium grimpe. Il me faut du glucose et de l'insuline.

Allan leva le pouce de la main droite.

Noah se rapprocha de nouveau d'Ava. Après avoir donné l'insuline au patient, elle eut un petit moment de calme relatif.

— Quel a été le premier symptôme ? demanda-t-il.

— Une hausse brutale et inattendue du CO_2 expiré, dit-elle, tout en regardant le chiffre de la température corporelle sur le moniteur.

— Ah oui ? fit Noah – il s'était attendu à quelque chose de plus spectaculaire et de moins abscons. C'est tout ?

– Ça, c'est juste le tout premier signe, répondit Ava qui continuait de fixer la température comme si elle essayait de la faire baisser par la seule force de sa volonté. Ensuite, j'ai vu ses mâchoires se contracter. C'est là que j'ai compris ce qui se passait et que j'ai lancé l'alerte. Le temps que le chariot d'hyperthermie maligne arrive, il était déjà rigide. C'est venu vraiment très, très vite. J'ai peur qu'il ne s'agisse d'un cas gravissime. Et ça n'a pas de sens. Il n'a aucun antécédent familial. J'ai même interrogé la mère avant l'opération !

– Je suis vraiment désolé.

Noah ne savait pas trop quoi dire d'autre. Il avait de la peine pour Ava qu'il sentait très angoissée.

– La température ne répond pas à la première dose de dantrolène, dit-elle.

– C'est mauvais signe ? demanda-t-il.

– Bien sûr ! répliqua-t-elle comme s'il avait posé une question idiote. Elle a même grimpé à quarante et un virgule six.

Ava apostropha Allan pour lui demander la nouvelle dose de dantrolène. Il la lui apporta quelques secondes plus tard, mais avant qu'elle n'ait pu l'injecter, l'alarme de l'électrocardiographe se mit à sonner. Le cœur de Philip Harrison, douze ans, était en fibrillation.

L'équipe réagit d'autant plus vite que le chariot d'urgence se trouvait déjà dans la salle. Dès que le garçon reçut le choc électrique du défibrillateur, son cœur retrouva des palpitations presque normales. La seconde dose de dantrolène lui fut alors donnée, puis d'autres produits furent mis à contribution pour essayer d'infléchir la courbe implacablement ascendante de sa température. Le Dr Adam Stevens, le cardiologue qui avait aidé Noah sur le cas Bruce Vincent, entra à ce moment-là dans la pièce. Il venait de terminer une intervention. Apercevant Noah, il vint à sa rencontre.

— Que se passe-t-il ? demanda-t-il.

Noah lui expliqua la situation en quelques mots, puis précisa d'un ton inquiet :

— Sa température est à quarante-deux virgule deux, maintenant, malgré tout ce qui a été tenté.

— Cette cyanose bleu marbré ne me plaît pas du tout, dit Stevens. C'est très mauvais signe, parce que ça sent la coagulation intravasculaire disséminée.

— Encore du dantrolène ! lança Ava à Allan. La température continue d'augmenter.

— À ce stade, il n'y a qu'une seule façon de la faire baisser, lui dit le cardiologue. Branchez-le sur la pompe et faites passer son sang dans un bain glacé. Ça fonctionnera. Bien sûr, nous ne savons pas si son cerveau n'a pas déjà jeté l'éponge. Mais si nous prenons le temps de faire une électroencéphalographie de contrôle, il sera à coup sûr trop tard.

— Vous voulez mettre le gamin en circulation extracorporelle ? demanda Noah, étonné.

Après la catastrophe Vincent — et après avoir entendu le Dr Mason lui reprocher d'avoir tué le responsable des parkings de l'hôpital —, il n'avait pas très envie d'envisager à nouveau un tel acte de bravoure.

— Oui, répondit le Dr Stevens. Si vous voulez bien m'aider.

Noah et le Dr Nakano assistant le cardiologue, Philip Harrison fut branché en un temps record à la machine cœur-poumon. Quand la procédure de refroidissement fut engagée, hélas, sa température corporelle avait atteint les quarante-cinq degrés. L'équipe s'appliqua à la ramener à une valeur satisfaisante mais, coup de grâce, le cœur refusa alors de repartir. Et aucun des efforts que Noah et ses collègues produisirent pour le stimuler ne donna de résultat — une situation qui rappelait affreusement celle qu'ils avaient connue avec Bruce Vincent.

Ils s'acharnèrent pendant une heure, puis le Dr Stevens déclara :
– Nous avons fait tout notre possible. C'est terminé.

Personne ne dit grand-chose tandis que plusieurs membres de l'équipe commençaient à ranger le matériel et que la plupart des internes d'anesthésie s'en allaient. L'ambiance était lugubre. Le Dr Stevens sortit, suivi peu après par le Dr Nakano.

Noah resta à sa place, observant Ava éteindre la station d'anesthésie puis entrer quelques notes finales dans le DME du patient. Elle jeta plusieurs fois un bref regard dans sa direction, mais sans avoir l'air de vouloir parler. La salle continuant de se vider de ses occupants, il ne resta bientôt plus que l'infirmière circulante et l'infirmière instrumentiste qui s'activaient autour de la table d'opération.

Tout à coup, Ava tourna les talons et poussa une porte, au fond de la pièce, donnant sur une réserve où se trouvaient le stérilisateur et diverses fournitures. Après un moment d'hésitation, Noah la suivit. Il la trouva appuyée au stérilisateur, les deux mains à plat sur l'appareil, tête baissée, le masque chirurgical encore sur le visage. Elle pleurait doucement. Bouleversé de la voir si malheureuse, il s'approcha d'elle, la prit dans ses bras et l'étreignit. Elle se blottit contre lui.

– Il vaudrait mieux qu'on ne nous voie pas comme ça, non ? demanda-t-elle au bout de quelques secondes.

– Sans doute, convint-il.

Il se résigna à la lâcher et tourna la tête vers le panneau vitré de la porte, s'attendant plus ou moins à voir les infirmières les dévisager bouche bée. Par chance ce n'était pas le cas.

– Douze ans, dit Ava d'une voix entrecoupée. Ce garçon avait douze ans. Je ne sais pas si je peux supporter ça. C'est mon troisième décès. Jamais je n'aurais pensé qu'il m'arriverait ce genre de chose.

– Ce n'est pas de ta faute. Tu sais bien que l'hyperthermie maligne survient chez des patients qui ont une certaine prédisposition génétique. Il n'y a pas à chercher plus loin. Et tu m'as dit que tu as même creusé la question dans ton questionnaire préopératoire. Tu ne peux pas exiger davantage de toi-même.

– Ce gamin a été mis sous anesthésie, il y a un an, sans qu'il y ait le moindre problème. J'ai utilisé les mêmes agents. Par contre, il avait déjeuné. C'était ça qui m'inquiétait, pas le risque d'hyperthermie maligne.

– Jamais tu n'aurais pu envisager ce qui est arrivé, insista Noah. Tu n'as aucun reproche à te faire.

– C'est peut-être vrai... Enfin je ne sais pas, marmonna Ava, abattue. Après ce troisième cas, je ne suis pas sûre de pouvoir continuer à être anesthésiste.

– Je comprends ce que tu ressens. Mais il ne faut pas prendre de décision hâtive sous le coup de l'émotion. En médecine, il y a toujours des risques. Cela fait partie du métier. Pense à quel point les chances de tomber sur un problème pareil sont faibles, Ava. Si je me souviens bien, c'est quelque chose comme un cas sur vingt mille.

Elle poussa un profond soupir. Noah prit ses mains dans les siennes.

– Tu as été victime des statistiques, dit-il encore. Ou si tu préfères, de la malchance. Ce qui vient de se produire ne remet pas en cause tes compétences. Essaie de ne pas oublier les milliers de patients que tu as endormis sans le moindre pépin. Tu es une excellente praticienne. Tu ne serais pas ici dans le cas contraire. N'imagine même pas tirer un trait sur toutes tes années d'études et tes efforts pour arriver là où tu es aujourd'hui !

– Je... Je ne sais vraiment pas ce que je vais faire.

Elle regarda sa montre. Il était plus de seize heures.

– Maintenant, je veux rentrer à la maison.

– Bonne idée. Va chez toi, mais ne tourne pas en rond. Occupe-toi pour ne pas ruminer tout ça. Va sur les réseaux sociaux !

– Ne te fiche pas de moi, Noah.

– Je ne me fiche pas de toi. Au contraire, tu m'as bien expliqué à quel point tu aimes cet univers, et comme il te détend. Alors vas-y ! Fais une vidéo à poster sur la page « Diététique, Gym et Beauté » de Gail Shafter, par exemple, pour offrir quelque chose de nouveau à tes milliers d'abonnés. Et à toi-même. Ce soir, je te rejoindrai le plus tôt possible et nous pourrons reparler de tout ça. Si tu en as besoin, bien sûr. Peut-être que dans un premier temps, nous devrions plutôt te changer les idées. En sortant dîner en ville, par exemple, et en nous comportant comme des gens normaux.

Ava dévisagea Noah pour voir s'il la prenait de haut – et fut rassurée. Il était juste lui-même. Attentif et sincère.

– OK, fit-elle dans un murmure, et sans ajouter un mot, elle quitta la réserve par une autre porte, qui donnait sur un couloir du bloc opératoire.

Quand elle disparut, Noah resta quelques instants immobile pour s'éclaircir les idées, puis retourna dans la salle d'opération. Le nettoyage était bien avancé. Les deux infirmières avaient été rejointes par des agents de service. Le chariot d'hyperthermie maligne et le chariot cardiaque avaient disparu. Il fut un peu étonné que le cadavre de l'adolescent soit encore sur la table, simplement recouvert d'un drap blanc, et se demanda pourquoi un brancardier n'était pas venu le chercher.

Il secoua la tête. La simple idée de devoir affronter les parents de cet enfant lui faisait mal. Il était heureux que cette épreuve ne lui échoie pas aujourd'hui. Depuis cinq ans qu'il était interne, il avait eu sa part de décès – et donc de familles éperdues de chagrin. La plupart de ces morts étaient prévisibles, mais deux avaient été de troublantes surprises. Elles l'avaient rendu plus humble par rapport à ses propres compétences et devant les impondérables de la science médicale. Il en gardait de pénibles souvenirs, notamment ceux des moments très difficiles qu'il avait connus avec les familles. Aussi, il compatissait de tout cœur à ce que vivait Ava en ce moment. Il la plaignait beaucoup, même, car ses propres décès s'étaient étalés sur plus d'un an : elle avait perdu trois patients en l'espace d'un mois.

Il était sur le point de sortir de la salle d'opération, lorsque l'infirmière circulante, Dorothy Barton, vint à sa rencontre. Il la connaissait assez bien. Elle était compétente, mais elle pouvait parfois se montrer assez lunatique et têtue. En général, Noah préférait l'éviter. Il regrettait tout à coup d'avoir lambiné ici.

— Docteur Rothauser, dit Dorothy à mi-voix, jetant un coup d'œil par-dessus son épaule comme si elle craignait d'être entendue. Je peux vous parler ?

— Mais oui. Que puis-je pour vous ?

— Ça vous ennuierait qu'on aille dans la réserve ?

— Heu…

La requête était assez inattendue, mais Dorothy se dirigeait déjà vers la petite pièce dont il venait de sortir. L'y avait-elle surpris avec Ava ? *Étreignant* Ava ? Il se creusa la tête pour avoir une explication à lui fournir le cas échéant. Mais il n'avait pas à s'inquiéter. Dorothy voulait parler d'Ava, en effet, mais pas du tout au sujet de leur relation amoureuse.

— J'ai remarqué une petite chose dont il faut que vous soyez informé, dit-elle. Enfin je pense que vous devriez savoir ça…

Dorothy soutint quelques instants son regard. C'était une femme costaude, à la silhouette trapue tout d'un bloc, aux traits sans finesse et aux lèvres épaisses. Son masque chirurgical, dénoué derrière sa nuque, reposait sur son ample poitrine.

– Malheureusement pour moi, j'avais déjà connu deux cas d'hyperthermie maligne en salle d'op, reprit-elle. Le premier dans un autre hôpital, le second ici au BMH. Alors je sais certaines choses sur ce problème et sur ce qu'il convient de faire pour y remédier. Aujourd'hui, au moment où la catastrophe s'est annoncée, la Dr London n'a pas immédiatement coupé l'isoflurane.

– Oh, fit Noah. L'a-t-elle laissé longtemps ouvert ?

– Non, pas longtemps. Mais elle ne l'a fait que lorsque je suis revenue à côté d'elle après avoir donné l'alerte, sur son ordre, avec le téléphone de la salle.

– Je vois, dit Noah.

À cet instant, quelqu'un tapota avec insistance sur le panneau de verre armé de la porte de la réserve qui donnait sur le couloir du bloc. Tournant la tête, il aperçut la dernière personne qu'il avait envie de voir : le Dr Mason. Celui-ci, qui semblait furax, lui fit alors signe de le rejoindre d'un geste autoritaire de la main.

– Je regrette, je dois y aller, dit Noah à Dorothy. Merci de m'avoir fait part de cette info et de... d'avoir l'œil pour ce genre de chose ! J'en tiendrai compte, bien sûr. Mais là, je dois répondre au Dr Mason.

S'armant de courage pour recevoir une nouvelle volée de bois vert, il abandonna l'infirmière, qui paraissait perplexe, et sortit dans le couloir.

– J'espère que vous êtes content, putain, grogna aussitôt le Dr Mason. Là, c'est le pompon ! La mort de ce pauvre enfant est absolument inacceptable. Et comme vous protégez cette femme dont l'incompétence est la première cause de ce drame, vous êtes vous aussi responsable de ce qui s'est passé !

– C'était un cas d'hyperthermie maligne, répliqua Noah en s'efforçant de garder son calme.

Il se rendait bien compte qu'il risquait de faire encore plus sortir de ses gonds le chirurgien livide, mais il ne pouvait tout de même pas s'écraser complètement. Surtout quand il entendait de telles absurdités.

– C'est un accident imprévisible, ajouta-t-il. L'incompétence supposée de quiconque n'y est pour rien.

– Trois cadavres en trois semaines ?! explosa Mason. Si ça, ce n'est pas de l'incompétence, je ne sais pas ce que c'est !

Noah avait une bonne répartie en tête pour cette dernière remarque, mais il tint sagement sa langue.

– Ça va beaucoup trop loin, toutes ces histoires, reprit Mason. Alors voilà ce que je vais faire. Je vais avoir un petit tête-à-tête avec le chef du service d'anesthésie. J'avais déjà failli le faire après les deux premiers drames mais maintenant, c'est certain, je dois lui parler. Il faut que cette nana soit licenciée et disparaisse de cet hôpital. Et puis je vais en faire autant avec le Dr Cantor à votre sujet. Vos jours sont comptés, monsieur le superchef. Trois décès évitables, c'est tout à fait inadmissible.

Le chirurgien toisa Noah, semblant le mettre au défi de répondre. Quand il comprit que l'interne ne desserrerait plus les lèvres, il tourna les talons et s'éloigna.

Noah le regarda disparaître à l'angle du couloir et resta encore un moment paralysé sur place. La mort du jeune garçon, son inquiétude pour Ava, et maintenant ces menaces du Dr Mason… Il se sentait tout à coup complètement à plat. Cette fois-ci, comme les précédentes, il ne croyait pas que Mason réussirait à les faire renvoyer du BMH, Ava ou lui – mais ces histoires étaient tout de même terriblement stressantes et inquiétantes. Surtout que le Dr Hernandez lui avait bien ordonné de se débrouiller pour entretenir de meilleures relations avec le Dr Mason.

Il soupira. Déjà qu'il ne savait pas comment gérer Wild Bill quand ça n'allait pas trop mal ! Après ce nouveau décès par hyperthermie maligne et avec le M&M prévu le surlendemain – que le chirurgien avait promis de rendre mémorable –, il craignait que la situation ne soit pas près de s'arranger.

20

En montant les marches du perron, Noah regarda l'heure à sa montre et se rendit compte qu'il arrivait au mauvais moment. Ava devait être encore en salle de gym pour sa séance quotidienne de sport. Malheureusement, il était sorti de l'hôpital plus tard qu'il ne l'aurait voulu, car il avait été retenu par un de ses opérés du jour qui avait fait une poussée de fièvre.

Il n'avait pas reparlé à Ava depuis leur tête-à-tête dans la réserve de la salle d'opération. Il avait songé à l'appeler pour lui demander s'il devait passer prendre à manger quelque part, comme d'habitude, puis il avait jugé préférable de la laisser tranquille. En espérant qu'elle avait trouvé quelque chose pour s'occuper l'esprit.

Il sonna à la porte et se prépara à attendre de longues secondes – peut-être même à devoir sonner plusieurs fois, car il savait qu'Ava et son coach mettaient toujours la musique à fond dans la salle de gym. Il fut donc surpris d'entendre la porte bourdonner presque aussitôt… et encore plus surpris de trouver Ava devant lui dès qu'il entra dans la maison.

– Salut, dit-il en la prenant dans ses bras.

Elle se blottit quelques instants contre lui sans répondre.

– Ça va ? demanda-t-il ensuite.

– Ça pourrait aller mieux, dit-elle d'une voix plate.

Son visage était étrangement inerte, dénué d'expression.

– Je te croyais à la gym.

– J'ai annulé. Je n'avais pas la force.

– Tu es déprimée ?

– Manifestement.

– Que puis-je faire pour te remonter le moral ? demanda-t-il gentiment. As-tu faim ? Je vais nous chercher le dîner, si tu veux, ou bien nous pourrions sortir. Comme des gens normaux. Qu'est-ce que tu en dis ?

– Je n'ai pas faim. Mais commande un truc pour toi.

– Ça peut attendre. Bavardons un petit peu. On va là-haut, dans le bureau ?

– Si tu veux.

Lorsqu'ils furent installés dans leurs fauteuils habituels, Noah se demanda comment entamer la conversation. Il savait qu'il n'était pas particulièrement doué pour la psychologie ou la thérapie verbale. En tant que chirurgien habitué à prendre les problèmes de front en donnant la priorité à l'action, il n'avait jamais beaucoup réfléchi à ces domaines – et pour tout dire il n'y croyait pas beaucoup. Néanmoins, il pensait savoir un petit peu ce qu'était la dépression, pour être lui-même passé par un épisode de ce genre lorsque Leslie Brooks était sortie de sa vie. Plus important, il avait réussi à ne pas craquer, et même à bien tenir le coup, lorsque le diagnostic d'Alzheimer de sa mère avait été établi et lorsqu'il avait été obligé d'interrompre ses études de médecine.

– Dis-moi d'abord quelque chose, Ava, si tu veux bien. As-tu déjà été en dépression, à ta connaissance, à un moment ou un autre de ta vie ?

– Oui, répondit-elle sans hésitation. C'était quand j'étais ado, à la fin du collège, pendant la période où j'ai été harcelée sur Internet. Tu te souviens que je t'ai parlé de ça, sans doute ? J'ai été dépressive, j'ai eu des troubles alimentaires... Enfin, tout l'éventail des symptômes qui vont de pair avec l'amour-propre en berne.

Noah hocha la tête pour se donner le temps de réfléchir. Il avait déjà l'impression de patauger. Mais un psychiatre aurait sans doute eu le même sentiment, supposait-il, s'il avait tout à coup été obligé de pratiquer une appendicectomie.

– Hormis cette période de harcèlement sur Internet, as-tu vécu d'autres choses qui t'ont rendue dépressive ?

Ava ne répondit pas tout de suite. Il vit dans ses yeux que sa question la perturbait – qu'elle s'interrogeait sur la réponse à lui donner. Il résista à l'envie de dire quelque chose pour la soulager. Elle avait besoin d'un peu de temps, voilà tout. Il fut content d'avoir tenu sa langue quand elle dit :

– Il y a un événement, c'est vrai, qui m'a chamboulée et m'a fait gravement déprimer. Quand j'avais seize ans, mon salopard de père, qui était cadre dirigeant dans l'industrie pétrolière, s'est suicidé en se tirant une balle dans la tête.

Noah eut l'impression de recevoir une gifle ou un verre d'eau glacé en plein visage. Une fois de plus, il lui sembla qu'apprendre à connaître Ava était comme peler un oignon. Encore une nouvelle couche qui se dévoilait, encore une nouvelle surprise... Il s'éclaircit la voix avant de demander :

– Tu ne m'avais pas dit qu'il était mort d'une crise cardiaque ?

– C'est ce que je raconte en général. Parce que c'est plus simple, ça m'évite de répondre à des questions difficiles. Et puis j'en arrive peut-être aussi, de temps en temps, à me raconter ça à moi-même. Mais, en réalité, il s'est tué d'une balle de revolver. Et à ce moment-là donc, j'ai vraiment perdu pied. Je pense que la dépression a été sévère. Cette histoire m'embarrasse beaucoup, tu sais, et je n'aime pas en parler.

– Mon Dieu, murmura Noah pour dire quelque chose.

– Il y a une autre fois où j'ai été très déprimée, enchaîna Ava, la colère envahissant tout à coup son expression. J'avais vingt ans, j'étais mariée depuis peu de temps et... mon cher époux m'a plaquée du jour au lendemain. Tu vois, les hommes ne me traitaient pas très bien quand j'étais jeune et vulnérable.

– Et comment !

D'abord le dentiste, son premier patron et « bienfaiteur » qui avait profité d'elle, ensuite ce mari dont elle lui parlait pour la première fois... Noah était à la fois sidéré par ces révélations, et triste pour Ava.

– Ne te demande plus pourquoi aujourd'hui je préfère mener une existence virtuelle sur les réseaux sociaux, dit-elle avec un demi-sourire. Contrôler la situation la main sur la souris, c'est beaucoup moins dangereux.

– Oui, maintenant je comprends sans doute mieux. Tu... tu n'as pas été mariée longtemps, alors ?

– Ah ça non ! répondit Ava avec un ricanement. Juste assez longtemps pour que ce salaud obtienne son permis de séjour permanent. Il était serbe. Entré dans le pays avec un visa étudiant, mais il voulait rester aux États-Unis. En fait, il s'est juste servi de moi pour atteindre son but.

– Tu l'as rencontré à l'université Brazos ?

– Ouais. Pas très longtemps après y être arrivée avec le Dr Winston. Il était interne en chirurgie, comme toi.

– Je suis désolé, marmonna Noah, gêné.

Entendre que cet ex-mari avait été interne en chirurgie le faisait se sentir étrangement complice de son comportement odieux.

– Aujourd'hui, tous ces événements me semblent appartenir à une autre vie que la mienne, reprit Ava. Et toi ? As-tu vécu des épisodes bouleversants, comme ça, qui t'ont peut-être rendu dépressif ?

Noah était heureux de la voir se détendre peu à peu, sortir de sa coquille et parler facilement. Il ne demandait pas mieux, dans ce cas, que de s'ouvrir à elle. Comme Ava, il n'aimait pas beaucoup revenir sur les périodes douloureuses de sa vie, et il le lui dit mais il raconta ensuite qu'il avait beaucoup souffert lorsque sa mère avait commencé à présenter des signes de démence cognitive – et lorsqu'il avait dû, par conséquent, demander à la fac de médecine de l'autoriser à suspendre ses études. Plus récemment, ajouta-t-il, il s'était senti inconsolable quand Leslie Brooks l'avait plaqué pour s'en aller à New York.

– Elle aussi, demanda Ava, elle est partie subitement comme mon enfoiré de mari ?

– Oh non, pas du tout. Il y avait un bon moment qu'elle se plaignait que je passais trop d'heures à l'hôpital, que je n'avais jamais de temps pour elle… Et je me rends bien compte que la situation n'allait pas en s'arrangeant. Son départ, c'est moi qui en suis responsable.

– Mais ton amour-propre a quand même pris un sale coup, n'est-ce pas ?

– Tu m'étonnes, dit Noah avec petit rire désabusé.

– Avoir une bonne image de soi, c'est vraiment essentiel, reprit Ava après quelques instants de silence. J'ai pensé à ça tout l'après-midi, tu sais. Et je me rends compte, du coup, que je ne peux pas quitter mon métier d'anesthésiste malgré ces trois terribles accidents. La pratique de l'anesthésie est une composante fondamentale de l'image que j'ai de moi-même. De la femme que je suis.

– Je suis bien content d'entendre ça, observa Noah.

Il répéta à Ava ce qu'il lui avait déjà dit : elle était une anesthésiste formidable et il aurait été tragique de la voir jeter à la poubelle tous les efforts qu'elle avait fournis pour devenir praticienne au BMH.

– Merci, Noah. C'est sûr que ton opinion compte beaucoup pour moi. Et puis, il y a aussi que dans ces trois cas malheureux, je reste persuadée d'avoir fait exactement ce que je devais faire. Sauf que j'aurais peut-être dû attendre l'arrivée du Dr Mason en salle d'op avant d'entamer l'anesthésie de Bruce Vincent. Mais même avec ça, je crois que j'ai agi aussi bien que ne l'aurait fait n'importe lequel de mes collègues, même le Dr Kumar.

– J'en suis convaincu.

– Le problème, c'est qu'avec le Dr Mason sur le dos, il y a un risque que je devienne le bouc émissaire du service. As-tu la même impression, toi aussi ?

Se souvenant tout à coup de sa dernière conversation avec le chirurgien belliqueux, Noah se demanda comment il devait répondre. Ava semblait réussir à remonter la pente. Il ne voulait pas lui donner de raison de replonger dans la déprime. En même temps, elle devait connaître la vérité.

– Mason est encore furax contre nous deux. Non seulement il m'a prévenu, vendredi dernier, que je ne devais pas te protéger lors du M&M, mais il est repassé à l'attaque cet après-midi. Juste après que tu as quitté la salle d'opération, il m'a alpagué dans le couloir. Il m'a promis de parler de ce qui venait de se passer avec le Dr Kumar.

– Comme s'il ne l'avait pas déjà fait, marmonna Ava. Quel fumier ! Crois-moi, s'il y a bien une raison pour laquelle je redoute de me faire débarquer du BMH, c'est que je n'ai pas été formée dans l'une des grandes universités de l'Ivy League comme à peu près tous nos collègues...

— Non, ce n'est pas un facteur déterminant, objecta Noah. De bien des façons, tu sais, la supériorité académique de l'Ivy League est un mythe. L'université Brazos et toi, vous en êtes la preuve. Parle-moi de ton internat ! Combien de cas as-tu eus, en tout, au cours de ta formation ?

— Je n'aime pas avoir l'impression de devoir justifier d'où je viens, répondit Ava d'un air mécontent. Ni devoir me justifier tout court. Ça m'agace prodigieusement, parce que c'est comme si j'étais obligée de faire sans cesse mes preuves pour avoir le droit d'accéder à ce bon vieux club pour messieurs qui ont du mal à en finir avec la discrimination et le sexisme. Je préfère parler de mes scores aux examens de certification des anesthésistes, qui étaient supérieurs à ceux de la plupart de mes collègues du BMH, ou des progrès que je fais jour après jour grâce au programme de recertification continue. Je produis plus d'efforts que n'importe qui dans mon service pour rester à la page. Tu peux me croire ! En réunion, c'est toujours moi qui apporte de nouvelles idées et des solutions intéressantes. Pas les diplômés de l'Ivy League avec tous leurs diplômes en or massif.

— OK, d'accord, dit Noah en levant les mains. Je comprends tout à fait.

Ava le surprenait sans cesse. Vendredi dernier, elle avait exprimé son regret de n'avoir pas fait ses études dans l'une des grandes universités de l'Ivy League. Ce soir elle les dénigrait presque. Il reprit :

— Il y a des gens, c'est vrai, qui se sentent supérieurs aux autres parce qu'ils sont passés par telle ou telle fac. Tant pis pour eux ! Mais il est clair que ces histoires prouvent que nous devons te protéger de ce type prétentieux, méchant et narcissique qu'est le Dr Mason. En particulier, nous devons bien nous préparer pour le prochain M&M.

— Tu te sens prêt, alors ?

– Je pense que oui. Comme on le disait vendredi soir, j'aborderai le cas Gibson en dernier, après les quatre autres cas du programme. Certes, le Dr Hernandez m'a fait remarquer qu'il avait bien compris que j'avais présenté le cas Vincent à la fin, l'autre fois, pour couper court à la discussion. Donc, la tactique pourrait me jouer des tours. Mais… ça vaut quand même le coup de prendre le risque. Sachant que nous aurons un intervenant du service informatique qui expliquera comment deux dossiers médicaux électroniques distincts ont pu être créés au nom d'Helen Gibson, et sachant que le Dr Jackson est raisonnable et assume l'erreur qu'il a commise, je pense que nous devrions bien nous en tirer. Ces deux questions devraient occuper tout le temps de discussion disponible. Bien sûr, il reste l'inconnue de l'attitude du Dr Mason. S'il intervient, je ferai l'effort de rester neutre. J'espère que tu comprends ça.

– Penses-tu que l'hyperthermie maligne d'aujourd'hui sera mentionnée ?

– Pas par moi. Et si le Dr Mason en parle, je dirai que je n'ai pas encore fait le travail d'enquête nécessaire sur la question et que nous verrons ça au prochain M&M.

– C'est presque dommage, d'une certaine façon. Je n'aurais pas pu mieux gérer une hyperthermie maligne que je ne l'ai fait aujourd'hui. Même si l'affaire s'est mal terminée, hélas. En fait, j'ai un peu hâte de mettre ça derrière moi…

– À propos, tu viens de me rappeler un truc. Tu t'entends bien avec l'infirmière circulante qui était avec toi, Dorothy Barton ?

Ava leva les yeux au ciel.

– Personne ne s'entend vraiment bien avec Dorothy Barton, tu sais. Elle est bizarre. Un jour, elle m'a demandé si j'avais grossi. Entre femmes, déjà, c'est une question assez vache, mais de la part d'une fille qui a manifestement des soucis avec son propre poids, c'est un peu délirant.

– Humm… Elle n'a pas l'air de te porter dans son cœur, c'est sûr. Quand tu as quitté la salle d'op, elle m'a pris à part pour me dire que tu n'avais pas coupé l'isoflurane immédiatement. Je suppose que c'est un truc important… ?

– Quoi ?!

Les pieds d'Ava glissèrent du pouf et elle se redressa dans son fauteuil les traits tordus par la colère.

– Qu'est-ce qu'elle raconte, cette conne ? Bien sûr que j'ai coupé immédiatement l'isoflurane ! Dans la seconde, absolument dans la seconde où j'ai vu que le CO_2 expiré faisait un bond. Et bien sûr que c'est un truc important. Crucial ! C'est sans doute ce produit qui a été le facteur déclenchant de l'hyperthermie maligne du gamin.

– C'est ce que j'avais cru comprendre. Mais je n'avais jamais rencontré de cas d'hyperthermie maligne.

– Veux-tu que je t'en dise un peu plus ?

Ava se lança dans un long monologue sur les causes et les mécanismes de cette affection rarissime, sur la difficulté de la traiter et sur toutes les solutions dont disposait le personnel médical pour sauver, ou tenter de sauver, les patients qui en souffraient. En l'écoutant, Noah fut une fois de plus impressionné par l'étendue de ses connaissances. Très fier d'elle, aussi. Comme il s'enorgueillissait de maîtriser jusqu'aux plus petits détails techniques de la chirurgie, il appréciait qu'Ava lui ressemble dans sa propre spécialité. Pour finir, elle lui cita les dernières statistiques disponibles sur l'hyperthermie maligne et mentionna un long article récemment paru dans le *New England Journal of Medicine*.

– Ouah ! s'exclama-t-il. Je suis baba. Tu connais cette maladie sur le bout des doigts. Pourtant, elle est vraiment rare !

– Je connais mon métier, voilà tout, dit Ava en basculant en arrière dans son fauteuil avant de rallonger les jambes sur le pouf.

– N'empêche, avoir tant de données sur le bout des doigts, c'est balèze. As-tu rencontré ce cas souvent ? Pendant ta formation ou depuis lors... ?

– Oh non ! Aujourd'hui, à vrai dire, c'est la première fois que j'ai eu une hyperthermie maligne pour de vrai. Mais j'ai pu apprendre à faire face à ce problème grâce au WestonSim, le centre de simulation médicale de l'université Brazos. On l'appelle WestonSim parce qu'il a reçu le nom du riche pétrolier texan qui l'a financé, M. Weston. Sur le plan technologique, il est au top du dernier cri. En comparaison, je dois dire, l'équipement que nous avons ici est un peu antique.

Noah ne put s'empêcher de rire. Le centre de simulation du BMH n'était plus vraiment à la page en effet, car l'hôpital n'avait pour le moment ni l'espace ni les ressources informatiques nécessaires. C'était d'ailleurs un problème sur lequel Noah travaillait avec un groupe de réflexion.

– Au WestonSim, donc, le mannequin d'anesthésie avait un programme d'hyperthermie maligne, reprit Ava. Et je l'ai utilisé plusieurs fois pendant mon internat.

– Je crois que ça t'a bien servi aujourd'hui. Et je crois aussi que Dorothy Barton est jalouse de ta silhouette magnifique.

Ava rit de bon cœur. Noah sourit. Il avait le sentiment d'avoir atteint son but : elle était sortie de sa spirale d'idées noires.

– Alors tout s'explique, dit-elle.

– Se pourrait-il que tu aies retrouvé l'appétit ?

– Ouaip. Maintenant j'ai faim, c'est vrai. Et toi ?

– Je mangerais volontiers quelque chose.

– Ce soir, ne commandons pas à l'extérieur. Je n'ai pas grand-chose dans mes placards, mais il y a tout de même des œufs, du bacon et du pain à la cuisine. Ça te conviendrait ?

– Ce sera parfait, dit Noah, qui le pensait vraiment.

21

– Bien, dit Noah. Passons maintenant au dernier cas. Il s'agit d'une femme de trente-deux ans qui avait été fauchée par une voiture au coin de State Street et de Congress Street. Elle souffrait de fractures ouvertes au tibia et au péroné gauche. Si tout le monde veut bien consulter la dernière page de l'ordre du jour, je vais commencer…

Noah présidait la Revue de mortalité et de morbidité dans l'amphithéâtre Fagan. Une fois encore, le public était exceptionnellement nombreux. Il n'y avait pas tout à fait autant de monde que lors du précédent M&M – personne debout en haut de la salle –, mais presque tous les sièges étaient occupés. De plus, comme quinze jours auparavant, les fauteuils des deux premiers rangs situés juste en face du pupitre étaient pris par tous les mandarins du service, dont les trois plus importants – ou menaçants – pour Noah : le Dr Hernandez, le Dr Mason et le Dr Cantor.

La veille, en milieu d'après-midi, il avait à nouveau reçu l'ordre de se présenter au bureau du Dr Hernandez. Il s'y était rendu le cœur battant comme chaque fois qu'il devait endurer ce genre de supplice. Après sa prise de bec avec le Dr Mason un jour plus tôt, il n'avait pas de mal à imaginer la raison de cette convocation. Quand il était entré dans le bureau du patron de la chirurgie, par-dessus le marché, il avait eu la surprise d'y trouver aussi le Dr Cantor. N'étant pas invité à s'asseoir, il était resté planté sur la moquette devant la table du Dr Hernandez ; le Dr Cantor se trouvait sur le côté, appuyé au rebord de la fenêtre.

Finalement, la rencontre ne s'était pas si mal passée. Seul le Dr Hernandez avait parlé, le Dr Cantor se contentant d'approuver les points importants d'un hochement de tête. Le message qu'ils avaient à transmettre à Noah était en l'occurrence limpide : le Dr Mason voulait le chasser du BMH.

– Je peux vous dire très franchement, avait déclaré le Dr Hernandez, que je ne comprends pas très bien les motivations du Dr Mason. Mais enfin, il est persuadé que la Dr London est une anesthésiste incompétente, que vous manigancez pour la protéger et, par conséquent, que vous êtes en partie responsable de ces trois décès. J'ai donc tenu à m'entretenir en privé avec le Dr Kumar, je lui ai parlé des sentiments du Dr Mason et je lui ai demandé sans tourner autour du pot si la Dr London était à la hauteur. Il m'a assuré qu'il avait personnellement participé à son recrutement et qu'il la considérait comme une praticienne de premier plan. Ce qui nous amène à votre position dans cette histoire...

S'attendant au pire, Noah avait serré les dents. Mais il avait vite pu se détendre. Le Dr Hernandez avait affirmé que, tenant compte de ses états de service exemplaires depuis le début de son internat, le Dr Cantor et lui-même pouvaient – pour le moment en tout cas – contrecarrer les plans du Dr Mason : Noah ne serait pas renvoyé du BMH. Cependant, il devait tout de même se montrer très prudent, ne pas faire de vagues et surtout, surtout, ne pas provoquer davantage le Dr Mason. Hernandez était allé jusqu'à préciser que son estimé collègue, c'était bien connu, n'était pas l'homme le plus facile du monde, mais que son talent et sa réputation en faisaient un chirurgien incontournable.

— Le Dr Cantor et moi-même voulons donc avoir la certitude, avait-il conclu, que vous évaluerez le travail de la Dr London, demain, à la prochaine Revue de mortalité et de morbidité, avec la plus grande honnêteté. Et que vous présenterez les faits tels qu'ils sont.

— C'est absolument mon intention, avait répondu Noah avec fermeté.

En aucun cas il n'aurait songé à mentir sur ce qu'il savait du cas à présenter et du comportement d'Ava en salle d'opération. Quand il avait quitté le bureau du Dr Hernandez, il avait tout de même poussé un gros ouf de soulagement à l'idée que les deux hommes ne lui avaient pas demandé s'il avait une liaison avec l'anesthésiste. Il aurait été prêt, le cas échéant, à répondre avec honnêteté, mais il ignorait comment il aurait réagi s'il s'était entendu ordonner de mettre fin à leur relation.

— Quelqu'un a-t-il une question, à ce stade ? demanda Noah après avoir exposé le cas Gibson dans ses grandes lignes.

Redressant le menton, il laissa son regard glisser sur l'auditoire. Ses yeux rencontrèrent ceux d'Ava un bref instant. Jusque-là, il avait parlé des antécédents médicaux d'Helen Gibson. On trouvait quatre grossesses et accouchements sans problème, et un accident de vélo assez sérieux qui lui avait valu un traumatisme cervical. Noah essayait, comme il l'avait fait pour le cas Bruce Vincent, de traîner en longueur sans en avoir l'air. Dans un peu plus de quinze minutes, le M&M devrait être clos. Tout serait alors terminé.

Comme personne ne prenait la parole, il consulta de nouveau ses notes et reprit la présentation du cas, commençant par l'arrivée d'Helen Gibson aux urgences et terminant par son regrettable décès.

Il raconta tout ce qui s'était passé dans la salle d'opération, sans travestir les faits, ainsi qu'il l'avait promis au Dr Hernandez, mais en soulignant les deux éléments les plus remarquables de l'affaire : premièrement, le chirurgien avait fait pression sur l'interne d'anesthésie de première année pour qu'elle commence l'induction avant l'arrivée de l'anesthésiste chargée de la superviser ; deuxièmement, le système informatique de l'hôpital avait créé deux DME au nom d'Helen Gibson, légèrement différents l'un de l'autre, avec pour conséquence que l'interne d'anesthésie n'avait pas été informée que la patiente avait un problème aux cervicales. Dans le système de classification international utilisé par les anesthésistes, précisa-t-il enfin, la patiente présentait le pire cas de figure possible – à cause de son obésité et de son traumatisme cervical – pour la pose d'une sonde d'intubation.

Noah s'apprêtait à donner la parole à la représentante du service informatique, assise au fond de l'estrade, qui devait expliquer comment il était possible que deux dossiers médicaux aient été créés pour une même patiente, lorsque le Dr Mason se mit debout et se manifesta bruyamment : il avait quelque chose à dire.

À contrecœur, Noah lui fit signe qu'il pouvait parler.

– Je regrette, docteur Rothauser, déclara le praticien, mais je suis obligé d'intervenir. Il est clair que vous avez placé ce cas tragique en dernière position pour limiter le temps de discussion susceptible de lui être alloué. Je sais que tous les membres du corps académiques ici présents s'en rendent compte. Et nous connaissons vos raisons !

Poursuivant sur cette lancée, il critiqua vertement l'attitude d'Ava en salle d'opération, puis il oublia la bienséance d'usage lors d'une réunion comme le M&M pour entreprendre de démolir et de discréditer personnellement la praticienne – tout en accusant, de plus, Noah de la protéger et d'avoir sans doute une liaison avec elle.

Tous dans l'amphithéâtre en eurent le souffle coupé, sidérés par ses propos. Noah lui-même plus que n'importe qui. Il avait craint d'avoir des soucis, mais là, c'était ridicule. Lorsque Mason continua sa diatribe malveillante, plusieurs personnes se mirent à le siffler. La plupart des gens présents dans les gradins connaissaient de toute évidence Ava, l'appréciaient et la jugeaient tout à fait compétente. Jusqu'à ces deux derniers M&M, son nom n'avait jamais été cité dans aucun dossier d'événement tragique.

Quand le Dr Mason se rassit enfin, Noah n'eut même pas le temps de se demander comment il devait répondre à ses invectives : il eut le plaisir de voir le Dr Kumar se lever de son fauteuil et se diriger vers l'escalier, avant de descendre calmement vers l'estrade. C'était un bel homme de haute stature, à l'épaisse moustache brune, né dans l'État du Pendjab en Inde. Noah s'écarta volontiers du pupitre pour laisser le chef du service d'anesthésie s'installer au micro.

Prenant le contre-pied de l'agressivité dont le Dr Mason avait fait preuve envers Ava, le Dr Kumar couvrit sa praticienne d'éloges. Il cita ses résultats stratosphériques aux examens de certification comme preuves de la qualité de la formation qu'elle avait reçue et de ses remarquables compétences. Il expliqua qu'il l'avait personnellement observée travailler sur de nombreux patients quand elle avait rejoint le BMH, et qu'il avait toujours trouvé sa prestation rien moins qu'exemplaire. Concernant le cas du jour et le cas Bruce Vincent, dit-il ensuite, le comportement de la Dr London avait été irréprochable : elle avait fait tout ce qu'il fallait et n'avait commis aucune erreur. Puis, à la surprise générale, le Dr Kumar embraya pour vanter sur le même ton courtois les mérites du Dr Mason ! Un « chirurgien brillant » et « un atout inestimable pour l'hôpital », affirma-t-il avant de conclure qu'il invitait le Dr Mason à venir le rencontrer dans son bureau s'il souhaitait parler de la Dr London ou de tout autre membre du service d'anesthésie.

La quasi-totalité des gens assis dans l'amphithéâtre applaudirent.

– Cette femme a provoqué un autre décès, une fois de plus, il y a deux jours ! explosa Mason quand le silence fut à peu près revenu. Ça fait trois décès en autant de semaines ! À mon sens, c'est inacceptable !

Sifflets et huées accueillirent cet éclat de voix. Le Dr Kumar leva les mains pour demander le calme, puis dit encore au micro :

– J'ai bien examiné le cas d'hyperthermie maligne de lundi dernier. Là aussi, je suis convaincu que la Dr London et toute l'équipe qui a participé à la tentative de réanimation ont fait un travail extraordinaire.

Il enchaîna pour expliquer de quelle façon le service d'anesthésie organisait la supervision de ses internes débutants et de ses infirmières. Son objectif, bien sûr, était de justifier l'absence d'Ava de la salle d'opération au moment où l'anesthésie d'Helen Gibson avait commencé, puisqu'elle se trouvait à ce moment-là dans une autre salle pour superviser un autre interne. Les praticiens du service, précisa-t-il, pouvaient avoir à superviser jusqu'à deux internes et quatre infirmières simultanément.

Tout en écoutant le Dr Kumar, Noah se remémora le moment où il avait lui-même fait irruption dans la salle d'opération où Helen Gibson était déjà moribonde. L'impression fugace qu'il avait eue alors continuait de le tracasser : Ava manipulait-elle avec moins de dextérité qu'elle n'aurait dû le vidéo-laryngoscope sophistiqué qu'elle avait à la main ? Et Noah devait-il faire part de son sentiment, peut-être, à quelqu'un comme le Dr Kumar ? Ou l'apparente maladresse d'Ava était-elle juste due au fait que la tête de la patiente gigotait en tous sens à cause du massage cardiaque externe qui lui était administré ? Ensuite, pourquoi n'avait-elle pas immédiatement opté pour une trachéotomie d'urgence, ni utilisé une aiguille de gros calibre avec une ventilation jet... ?

La voix du patron de l'anesthésie interrompit ses pensées :

— Merci de m'avoir donné la parole, docteur Rothauser, conclut-il, avant de s'éloigner du pupitre.

Noah s'empressa de retourner devant le micro.

— Merci à vous, docteur Kumar ! dit-il en balayant les gradins du regard.

L'auditoire était agité ; beaucoup de gens chuchotaient entre eux.

— J'aimerais dire quelque chose à mon tour ! lança une voix masculine juste devant lui.

Noah scruta le premier rang et hocha la tête. C'était le Dr Jackson qui avait parlé. Il se leva pour déclarer d'une voix forte :

— Je sais fort bien qu'au M&M, en général, le praticien impliqué dans le cas qui est en cours de discussion ne s'exprime pas, à moins qu'une question ne lui soit directement adressée. Mais il me paraît important de rompre pour une fois avec la tradition. Même si je suis le praticien du dossier, en outre, je n'ai pas eu l'occasion d'opérer la patiente décédée. Ce que je veux dire, c'est que j'ai commis une erreur en insistant sans ambiguïté auprès de la jeune interne d'anesthésie pour qu'elle commence l'induction avant que la praticienne qui la supervisait ne soit présente. Pour ma défense, je précise que nous avions sous les yeux des fractures ouvertes multiples, une situation où les risques d'infection sont élevés. Il était urgent de l'opérer. N'empêche, je n'aurais pas dû faire le forcing. J'ai eu tort.

Quelques applaudissements retentirent çà et là dans l'amphithéâtre. Le mea culpa du Dr Jackson plaisait d'autant plus qu'il était presque aussi inattendu que les remarques incendiaires et déplacées du Dr Mason. Noah croisa le regard d'Ava au milieu des gradins.

Elle faisait partie des personnes qui frappaient doucement dans leurs mains. Il se demanda si elle se réjouissait davantage de l'intervention du Dr Jackson que de celle du Dr Kumar. À eux deux, ils l'avaient en tout cas complètement blanchie.

Constatant à sa montre qu'il était plus de neuf heures, Noah annonça que le M&M était terminé et remercia tout le monde. L'amphithéâtre commença aussitôt à se vider. La plupart des gens avaient des opérations programmées et devaient filer au bloc.

Après avoir coupé le micro du pupitre, il se dirigea vers la représentante du service informatique. Elle avait passé toute la séance sur une chaise au fond de l'estrade, attendant inutilement de prendre la parole au sujet du DME d'Helen Gibson.

— Je suis vraiment désolé, dit-il. Je ne pensais pas que nous manquerions de temps comme ça.

— Aucun problème, répondit-elle d'un ton agréable. C'était sympa d'écouter tout ce qui se racontait. Je n'avais jamais assisté à une Revue de mortalité et de morbidité. N'étant pas médecin, je suis contente d'apprendre que ces accidents sont pris en compte de cette façon.

— Nous nous efforçons de tirer des leçons de chacun d'eux. Merci d'être venue. Je regrette que nous n'ayons pas pu vous entendre.

Noah se retourna en levant les yeux vers les gradins. Il espérait croiser de nouveau le regard d'Ava, car il était sûr qu'elle devait être très contente. C'est alors qu'il vit venir vers lui, une fois de plus, un Dr Mason cramoisi de colère : il traversait l'estrade au pas de charge, ignorant les autres pontes du BMH qui y conversaient par petits groupes.

— Vous vous croyez foutrement malin, c'est ça ? grogna le chirurgien en s'immobilisant à vingt centimètres de Noah. D'accord, peut-être que vous avez réussi à sauver votre emmerdeuse de petite copine parce qu'elle travaille dans un autre service. Mais permettez-moi de vous dire que je n'en ai pas terminé avec vous. Ah non ! Si j'ai mon mot à dire, vous serez bientôt mis à la porte de cet hôpital !

Conscient qu'il avait intérêt à rester muet, Noah se contenta de soutenir le regard de son interlocuteur. Mason le toisa quelques secondes avec une grimace mauvaise avant de sortir tout à coup de la salle à pas lourds.

Tournant machinalement la tête en direction du groupe de praticiens le plus proche de lui, Noah vit ceux-ci lever les yeux au ciel et sourire. Il était clair qu'ils avaient entendu Mason et le jugeaient insensé. Noah soupira. Bien sûr, c'était réconfortant de savoir que les autres poids lourds du BMH étaient conscients des troubles d'humeur du Dr Mason. Mais il restait très anxieux. Comme le Dr Hernandez le lui avait dit la veille, le Dr Mason était un chirurgien doué, puissant – incontournable. Et lui, malheureusement, il ne voyait pas comment se sauver maintenant qu'il était pris dans les filets de l'ego surdimensionné de cet homme.

22

La journée avait été déjà bien chargée pour Noah. Après le M&M, il avait regagné la tour Stanhope et était monté au bloc opératoire comme bon nombre des membres de l'auditoire. Sur le trajet et dans l'ascenseur, il avait été complimenté par plusieurs personnes pour sa présentation des différents cas du jour. Quelques-unes lui avaient même fait part de leur étonnement, sinon de leur indignation, devant l'emportement insensé du Dr Mason. C'était toujours bon à entendre.

Malgré ce que Wild Bill lui avait dit sur l'estrade, il était plutôt satisfait, de manière générale, du déroulement de cette séance. Il supposait qu'Ava devait aussi partager ce sentiment : le Dr Kumar, en la couvrant publiquement de louanges, avait conforté sa place au sein du service d'anesthésie. Il l'avait également aidée, sans doute, à reprendre confiance en elle. Ensuite, il y avait eu l'intervention vraiment louable du Dr Jackson.

Après s'être assuré que tout était calé dans le planning des internes pour la journée, Noah avait entamé son propre programme d'opérations. Il devait en enchaîner quatre. Il avait pris pour assistante la Dr Dorothy Klim, une formidable interne de troisième année avec qui il avait déjà eu grand plaisir à travailler. C'était néanmoins la première fois qu'ils se retrouvaient ensemble autour de la table d'opération depuis qu'il avait pris ses fonctions de super-chef. Ils formaient un duo de choc, car Dorothy savait anticiper ses besoins comme tout bon assistant devait le faire. Les quatre interventions avaient donc vite avancé. Les anesthésistes et les infirmières appréciant toujours de bosser avec des chirurgiens efficaces, au bout du compte la journée avait été plaisante pour tout le monde – y compris les patients.

Noah avait dicté ses comptes rendus, comme il en avait l'habitude, à la fin de chaque opération. Certains chirurgiens attendaient d'avoir bouclé leur dernière intervention de la journée pour faire ce travail, mais lui, il préférait s'y mettre aussitôt après chaque cas, pour être sûr de n'oublier aucun détail. Lors de ses divers déplacements entre la salle d'op et la salle de détente où se trouvaient les cabines de dictée, il avait ouvert l'œil au cas où il apercevrait Ava – et avec l'espoir de communiquer discrètement avec elle d'une façon ou d'une autre –, mais il ne l'avait vue nulle part.

Quand il quitta la salle d'opération après sa dernière intervention, une cholécystectomie ou ablation de la vésicule biliaire, qu'il avait réalisée par voie ouverte, Noah chercha de nouveau Ava. Sachant qu'elle terminait théoriquement à quinze heures, il passa d'abord dans la salle de surveillance post-interventionnelle. C'était là qu'il l'avait rencontrée le jour où ils avaient eu leur première vraie conversation. Mais elle n'y était pas. Il alla consulter le moniteur du planning du bloc et constata alors que la dernière opération de la Dr London s'était achevée près d'une heure plus tôt. Elle était donc sans doute déjà sortie de l'hôpital.

Un peu déçu de n'avoir pas même croisé son regard de toute la journée, il se dirigea vers la salle de détente. Il avait passé toutes les nuits chez Ava, à la maison de Louisburg Square, depuis qu'elle était revenue de Washington, sauf la veille car une opération urgente l'avait retenu à l'hôpital. Il avait vraiment hâte de la retrouver. En s'installant dans l'une des cabines de dictée pour pondre son dernier compte rendu, il s'autorisa à rêvasser quelques instants à la soirée qui l'attendait. Depuis ce matin, il envisageait de passer chez Beacon Hill Wine, un caviste de Charles Street, pour acheter une bouteille de champagne. Il avait envie de fêter l'issue du M&M. Ava était tirée d'affaire et c'était déjà génial, même si, de son côté, il devait encore craindre le terrible Dr Mason.

Juste avant de commencer à dicter son rapport à l'enregistreur, Noah nota dans un coin de sa tête d'appeler Ava au téléphone, un peu plus tard, pour lui demander si elle voulait qu'il commande leur dîner quelque part. Il lui proposerait aussi de sortir, pour changer, et d'aller au restaurant – sinon ce soir, peut-être durant le week-end prochain. Il ignorait ce qu'elle en penserait, mais cette idée le séduisait. Eh ! Devaient-ils vivre indéfiniment dans la clandestinité ? La mèche n'avait-elle pas été vendue ? Avec ce que le Dr Mason avait dit devant tout le monde au M&M, ils n'avaient plus guère de raison d'entretenir à tout prix le secret sur leur liaison – même s'ils continuaient de s'ignorer dans l'hôpital.

Son compte rendu enregistré, Noah retourna à la SSPI pour prendre des nouvelles du patient de la cholécystectomie. L'opération n'avait pas été totalement bouclée quand il avait quitté la salle d'opération : l'incision de quinze centimètres dans la partie supérieure droite de l'abdomen restait à fermer. C'était une pratique habituelle des hôpitaux universitaires. Pour cette ablation ouverte de la vésicule biliaire, Noah avait inclus dans l'équipe un interne de première année. Une fois la partie importante de l'opération réalisée, le protocole de formation voulait que le praticien ou l'interne le plus expérimenté, Noah en l'occurrence, quitte la salle d'opération

et laisse l'interne en second, ici la Dr Klim, enseigner l'art fondamental de la suture à l'interne de première année.

Noah jeta un coup d'œil aux instructions postopératoires – rédi-
gées par l'interne de première année, là encore, sous la supervision
de la Dr Klim. C'était ainsi, depuis des lustres, que les chirurgiens
apprenaient leur métier. Depuis cent ans, si la médecine elle-même
avait connu d'innombrables bouleversements et révolutions, dans
ses grandes lignes la formation des médecins n'avait guère changé.

Il repartit vers la salle de détente. Il voulait se changer en vitesse
– quitter son pyjama de bloc pour remettre son pantalon et sa chemise blancs –, car maintenant que le M&M était derrière lui, il avait
une énorme masse de travail à abattre. Sans compter la visite des
malades avec les internes et ses tête-à-tête avec ses propres patients.
Il voulait en faire un maximum tout en réussissant quand même à
quitter l'hôpital vers dix-huit heures. Si possible, il espérait arriver
chez Ava avant qu'elle ne commence sa séance de gym. Ainsi, au
moment où elle aurait terminé, il aurait mis la bouteille de champagne au frais et tout préparé pour leur petit festin.

Il entrait dans les vestiaires lorsque son téléphone bourdonna
brièvement dans sa poche, annonçant l'arrivée d'un texto. Un peu
intrigué, car la plupart de ses correspondants lui écrivaient sur sa
tablette de l'hôpital, pas sur son smartphone, il saisit ce dernier
et en activa l'écran. Son cœur fit un petit bond dans sa poitrine
quand il découvrit que le texto venait d'Ava. Ravi et soulagé d'avoir
enfin de ses nouvelles, il ignora la petite fenêtre de notification de
l'écran d'accueil et déverrouilla l'appareil pour découvrir le message
en entier.

Son euphorie s'évapora instantanément. Il relut plusieurs fois de
suite, avec incrédulité, le texte laconique d'Ava : *Partie en voyage
d'affaires quelques jours. Te préviens quand je rentre.*

Noah s'assit sur un banc et fixa son téléphone avec dépit et consternation. Il n'en revenait pas qu'Ava ait eu le culot de lui envoyer un message aussi bref et aussi froid. Vu les circonstances, ces deux petites phrases lui paraissaient presque délibérément cruelles. Ou bien c'était qu'elle manquait singulièrement de sensibilité – d'empathie. Les deux explications lui faisaient de toute façon beaucoup de peine. Depuis combien de temps savait-elle qu'elle devait faire ce voyage ? Était-il prévu depuis un moment, ou bien avait-il dû se décider cet après-midi, pour répondre à une urgence dans le petit monde des lobbyistes ? Il espérait qu'elle avait dû partir dans l'urgence. Sinon, elle avait eu tort, vraiment tort, de ne pas l'avoir prévenu de son absence !

Noah ruminait ces diverses hypothèses, lorsqu'il lui vint à l'esprit qu'Ava avait sans doute plusieurs jours de liberté devant elle, car elle venait de travailler plus d'une semaine sans interruption, y compris tout le week-end précédent. Il ne s'était jamais beaucoup interrogé sur son emploi du temps – d'autant qu'il travaillait lui-même tous les jours, samedi et dimanche compris –, mais il prenait tout à coup conscience qu'elle bossait rarement plus de cinq jours consécutifs. Pourquoi, alors, ne lui avait-elle pas dit qu'elle était de repos le lendemain ?!

– Il s'agit sans doute d'une urgence, dit-il à voix haute pour tenter de se remonter le moral. Elle devait être pressée. Elle va me recontacter très vite pour m'expliquer tout ça.

Mais l'autopersuasion avait ses limites. Noah ne se sentait pas mieux qu'un instant plus tôt. Il soupira et réactiva l'écran de son téléphone. *Partie en voyage d'affaires quelques jours. Te préviens quand je rentre.* Mince, quoi ! Il lui aurait été tellement facile de mettre un chouïa plus d'émotion dans son message. Trois mots affectueux auraient fait une énorme différence !

Une autre explication susceptible de panser son amour-propre blessé lui vint à l'esprit : avec tout le temps qu'Ava consacrait aux réseaux sociaux, peut-être n'avait-elle pas songé qu'il pourrait se froisser qu'elle ne l'ait pas prévenu qu'elle partait en voyage. Sa propension à favoriser les communications dans le monde virtuel, c'est-à-dire à se priver de toute la richesse des aspects non verbaux des interactions réelles, des échanges avec de *vraies* gens, l'avait probablement rendue moins réceptive aux différentes nuances des sentiments d'autrui. D'après son propre aveu, elle passait la plus grande partie de son temps libre dans un monde où tout pouvait se régler par de simples clics – et surtout, où toutes les interactions étaient finalement sans conséquence. Pour son texto, par conséquent, elle avait communiqué avec lui comme elle avait l'habitude de le faire sur Internet : détachée de toute émotion. C'était sans doute une bonne explication. Lorsque Noah se rappelait tous les moments merveilleux qu'ils avaient partagés cette dernière semaine, lorsqu'il songeait à leur complicité, au plaisir qu'ils prenaient ensemble, il ne voyait pas comment elle aurait pu vouloir le blesser. Ce texto bizarre devait être davantage le fruit d'un oubli, d'une étourderie, qu'autre chose.

Éprouvant tout à coup le besoin d'agir plutôt que de rester planté dans les vestiaires à s'apitoyer sur son sort, Noah se mit debout et quitta rapidement son pyjama de bloc avant de réenfiler sa tenue normale d'hôpital. Il décida même de passer prendre une veste blanche propre et repassée à la blanchisserie pour avoir l'air impeccable. Dans les moments difficiles, le travail était toujours sa planche de salut. C'était comme ça, notamment, qu'il avait tenu le coup au moment du départ de Leslie.

Un quart d'heure plus tard, il ralliait ses troupes dans le service de chirurgie pour entamer la visite des malades de l'après-midi un peu plus tôt que d'habitude. Plein d'énergie, il aiguillonna du mieux possible chacun des internes qui l'accompagnaient, exigeant de leur part des explications plus précises et informées que d'ordinaire sur les patients qu'ils voyaient d'une chambre à l'autre. Il les interrogea aussi sur les articles les plus récents de revues spécialisées portant sur les diverses affections de ces patients – et transforma ainsi cette visite en une sorte de tournée pédagogique.

Cette mission bouclée, il se rendit dans les chambres de trois de ses propres patients, eut avec chacun d'eux une bonne conversation sur les suites de leur opération et ce à quoi ils devaient s'attendre pendant les prochains jours, puis signa leur autorisation de sortie de l'hôpital. Il alla ensuite voir deux patients dont il devait s'occuper au bloc le lendemain matin. Tous deux venaient d'être transférés en ambulance d'un hôpital de l'ouest du Massachusetts où leurs opérations avaient été si bien salopées qu'elles devaient être entièrement refaites.

Libéré de ses obligations à l'étage du service de chirurgie, Noah alla retrouver sa table de travail dans le bureau de l'internat. Comme il était plus de dix-sept heures, il eut la satisfaction de trouver la pièce vide. Il voulait maintenant lire les articles de diverses revues, à commencer par les *Annals of Surgery*, dont il avait besoin pour le Journal club du lendemain. Au lieu de les ouvrir à l'écran de l'ordinateur, il eut tout à coup une autre idée : il tapa « université Brazos » dans la fenêtre de recherche de Google.

Le site Web de Brazos était impressionnant. Sur la page de présentation du campus, Noah trouva un diaporama de plus de deux cents photographies qui lui permit de découvrir des bâtiments modernes dont l'architecture mêlait agréablement brique rouge, béton et verre. Il fut étonné, en outre, de voir beaucoup de végétation et de pelouses, car il croyait que l'ouest du Texas était une région plutôt aride, pour ne pas dire désertique. Quelques images lui donnèrent un aperçu des campagnes uniformément plates qui entouraient la ville, avec un horizon lointain sous un ciel immense. Il ne connaissait pas le Texas, n'y avait jamais mis les pieds – et pas grand-chose dans ces photos, à vrai dire, ne lui donnait envie de se rendre là-bas. Mais bon, il n'était pas du genre voyageur, de toute façon. Il n'était jamais descendu plus bas que la Caroline du Sud. Et cela datait, car il était alors adolescent.

Il cliqua pour accéder au site du Centre médical de l'université Brazos. L'hôpital paraissait encore plus pimpant que le reste du campus. Sans doute parce qu'il était de construction plus récente. Le centre WestonSim dont lui avait parlé Ava avait tout un onglet pour lui. Ouvert en 2013, il était présenté comme « l'un des centres de simulation sur mannequins les plus sophistiqués du monde » pour la formation des médecins. Quand Noah eut examiné les photos de son bâtiment ultramoderne cerclé de verre, puis lu la liste des équipements présents dans ce géant de trois mille mètres carrés, il dut admettre qu'il était très impressionné. C'était un ensemble remarquable – prodigieusement supérieur au système vieillot installé ici, au BMH, dans le sous-sol du bâtiment Wilson. Explorant les nombreuses images de l'intérieur du WestonSim, Noah fut en particulier ébahi par le réalisme de ses installations « factices », qui comprenaient deux salles d'opération fonctionnelles, une salle d'accouchement, une unité de soins intensifs à plusieurs lits et trois box de réanimation. Il imaginait tout à fait Ava dans cet environnement, tirant pleinement parti de son potentiel pour peaufiner sa maîtrise des techniques d'anesthésie. Et apprendre à faire face, notamment, à des urgences comme l'hyperthermie maligne.

Il vérifia pour finir que l'hôpital et son centre universitaire avaient toutes les certifications voulues des diverses organisations d'accréditation. C'était bien le cas. Il avait en particulier le sceau du Conseil d'accréditation des programmes de formation des médecins :

fondamental, celui-ci, car il signifiait que les programmes de la fac de médecine et de l'internat de Brazos étaient au niveau requis.

Après s'être payé plusieurs heures d'activité frénétique depuis qu'il avait quitté le bloc, et n'ayant plus guère que de la paperasse administrative pour s'occuper, Noah eut soudain un gros coup de pompe. Il regarda sa montre. Bientôt dix-neuf heures trente. Et toujours pas de message d'Ava. Dans un accès de dépit, il songea qu'il devait accepter de ne pas avoir davantage de nouvelles de sa part. Apparemment, elle ne devait lui offrir que ce texto concis et sec jusqu'à son retour.

Très abattu, confus, déprimé, il éteignit l'ordinateur et se leva. Il ne se souvenait pas de s'être senti aussi mal depuis que Leslie l'avait plaqué et abandonné dans leur appartement presque vide. Que faire, à présent ? La question lui paraissait insoluble. Devait-il retourner à sa sinistre piaule, ou rester à l'hôpital et dormir dans une chambre de garde ? Il n'était pas de garde ce soir, bien sûr, mais il savait que la place ne manquait pas s'il souhaitait rester. Comme il n'était pas en état de prendre une décision rationnelle, il se rabattit sur son option par défaut : l'hôpital.

23

Après avoir passé les nuits de mercredi, jeudi et vendredi dans une chambre de garde de la tour Stanhope, Noah éprouva le besoin de retourner à son appartement samedi après-midi, quand il eut terminé tout ce qu'il pouvait imaginer avoir à faire à l'hôpital. Pendant trois jours, il s'était complètement absorbé dans ses nombreuses responsabilités de superchef, avec des résultats dont il pouvait être plutôt fier. Il avait même réglé les conférences de sciences fondamentales et les programmes du Journal club pour les deux prochaines semaines, ainsi que le planning des gardes de tous les internes pour les mois d'août et de septembre.

À vrai dire, emporté par son propre tourbillon d'énergie, Noah avait accompli tellement de choses qu'il ne savait plus trop quoi faire. En outre, il sentait que ses collègues commençaient à se demander pourquoi il restait à l'hôpital vingt-quatre heures sur vingt-quatre. Jeudi soir et vendredi soir, les chefs internes de service lui avaient même carrément demandé ce qu'il fichait dans les locaux des gardes, lesquels comprenaient une salle commune et une cuisine en plus de leurs nombreuses chambres. De toute évidence, ils le soupçonnaient d'être là pour les tenir à l'œil – parce qu'il n'avait pas confiance en eux. Noah leur avait assuré à tous les deux qu'ils faisaient un boulot génial et qu'il logeait dans une chambre de garde pour raisons personnelles. Ils n'avaient pas insisté, mais il avait eu l'impression qu'ils restaient dubitatifs.

Hélas, il n'avait pas eu la moindre nouvelle d'Ava. Il avait follement espéré recevoir un texto, un signe quelconque de sa part, mais, arrivé vendredi, il avait dû admettre que ce vœu ne serait pas exaucé. Plusieurs fois au cours de ces trois derniers jours, il s'était demandé s'il devait lui envoyer un message ou même essayer de l'appeler. Mais son orgueil l'en avait empêché. Il estimait que c'était à elle de reprendre contact, car c'était elle qui était partie. Il avait l'impression que s'il essayait de la joindre, il ne réussirait qu'à se ridiculiser à ses propres yeux. À piétiner davantage son amour-propre. Or, il fallait tout de même qu'il se protège un minimum, non ?

Retrouver son appartement spartiate ne risquait guère de lui mettre du baume au cœur. Si une telle chose était possible, il lui parut encore plus sinistre que d'habitude. Quand il eut refermé la porte et retiré ses chaussures, Noah se sentit plus seul qu'à aucun moment ces derniers jours. Il éprouvait une envie brutale, dévorante, de revoir Ava. Elle lui manquait tellement ! En même temps, il était conscient que la situation l'obligeait à se demander si cette femme avait pour lui des sentiments équivalents à ceux qu'il nourrissait envers elle. Il ne pouvait absolument pas imaginer de s'en aller quelque part, si les rôles avaient été inversés, et de se contenter de la prévenir par un texto aussi cassant. Sans le moindre petit mot affectueux. Néanmoins, il savait qu'il devait lui laisser le bénéfice du doute. Ne pas oublier qu'elle était une femme étonnante, extraordinairement motivée et indépendante, très individualiste aussi, qui venait d'un milieu tout à fait différent du sien et qui avait vécu au moins deux événements très pénibles – le suicide de son père quand elle était lycéenne puis un divorce brutal et très blessant quand elle avait tout juste vingt ans. Il ne fallait pas qu'il perde ces paramètres de vue. D'autant qu'ils expliquaient sans doute ce qu'il appelait « l'attachement adolescent » d'Ava aux réseaux sociaux.

Songeant à l'égocentrisme d'Ava, il se demanda tout à coup si c'étaient les réseaux sociaux qui rendaient les gens narcissiques parce qu'ils leur offraient sans cesse l'occasion de se mettre en valeur, ou si c'étaient les personnalités narcissiques qui étaient attirées vers les réseaux sociaux pour la même raison. Il savait que l'une des caractéristiques majeures du narcissisme était le manque d'empathie – l'incapacité à se mettre dans la tête des autres. Or, il supposait qu'Ava manquait d'empathie, car cela expliquait bien la formulation de son texto et son silence depuis lors. Si l'amour qu'elle portait aux réseaux sociaux la rendait égocentrique, il pouvait nourrir l'espoir qu'elle ne se rendait pas compte du mal qu'elle lui avait causé. Et qu'elle s'excuserait très sincèrement, peut-être, quand il lui en ferait prendre conscience.

N'ayant rien de mieux à faire, et jugeant que cette activité lui permettrait au moins de se sentir un peu plus proche d'Ava, il alluma son vieux portable pour se rendre sur la page Facebook de Gail Shafter. Avec une profonde amertume, il y découvrit un nouveau post daté de vendredi. Ainsi, Ava avait assez de temps libre pour s'amuser avec ses chers réseaux sociaux, mais elle n'avait pas le temps – ou l'envie – de lui envoyer un simple SMS. Le post décrivait le voyage « TROP GÉNIAL !! » que Gail faisait actuellement à Washington. Il était illustré par deux selfies d'Ava coiffée d'une casquette de baseball et souriant de toutes ses dents : un devant le Lincoln Memorial, l'autre au Musée national de l'histoire et de la culture afro-américaines. Bon, Noah avait au moins la confirmation qu'elle était à nouveau dans la capitale américaine pour son travail de lobbyiste. Après avoir examiné les photos – Ava y avait les mêmes mimiques que sur celles du bureau de Louisburg Square –, Noah cliqua sur la page « Diététique, Gym et Beauté » de Gail Shafter. Il fut soulagé de constater qu'Ava n'avait tout de même pas trouvé le temps de fabriquer une nouvelle vidéo pour ses abonnés.

De retour sur le profil de Gail, il relut les quelques lignes de son nouveau post. Washington était un régal de ville touristique, expliquait-elle, car on y trouvait des masses de trucs fantastiques à faire et à voir. Sans oublier qu'on avait de bonnes chances d'y croiser des célébrités du monde politique : la liste de celles que Gail avait eu la chance d'apercevoir bouclait le texte. S'intéressant ensuite aux réactions suscitées par ce post, Noah fut stupéfait par leur nombre. Il y avait quatre-vingt-douze « J'aime » et une bonne trentaine de commentaires – en vingt-quatre heures ! Il les lut les uns après les autres. Leur grande banalité et leur façon d'exalter tout à la fois, paradoxalement, l'individualisme et la pensée de groupe, avaient quelque chose de fascinant. Il y avait aussi des réponses à bon nombre de ces commentaires – et même des réponses aux réponses. Aux yeux de Noah, tout cela confirmait que dans le monde virtuel, décidément, le « dialogue » était bien différent de ce qu'il était dans le monde réel.

Il laissa tout à coup échapper un petit rire incrédule. L'un des commentaires les plus enthousiastes au post de Gail Shafter avait été rédigé par Melanie Howard ! Cela voulait dire qu'Ava avait pris le temps de basculer sur le profil de Melanie, son autre pseudo, pour commenter le post de Gail. Ensuite, par-dessus le marché, Gail Shafter avait répondu au commentaire de Mélanie en adressant à celle-ci un compliment. C'était vraiment bizarre. Ava était pourtant quelqu'un de tellement intelligent. Ce comportement était… difficile à comprendre.

Captivé malgré lui, il continua de cliquer pour consulter l'une après l'autre les pages perso des différents individus qui avaient commenté le post de Gail. Il examina, pour ceux dont les profils étaient partiellement ou complètement publics, certains de leurs propres posts, les activités et les choses qu'ils aimaient, les listes de leurs amis – et en cliquant ici et là sur les liens qui se succédaient comme dans une suite géométrique, il eut l'impression d'arpenter un univers infini en expansion constante. Au cours de son exploration, il découvrit des commentaires sur toutes sortes de choses, y compris sur les encadrés d'« informations » et les publicités ciblées ajoutés par Facebook aux profils de ses utilisateurs pour en tirer des revenus.

Songeant au fait que les profils de Gail Shafter et de Melanie Howard étaient purement fictifs, Noah se demanda si Ava avait d'autres pseudos, ou faux profils, du même genre – et en ce cas, ce qui pouvait bien justifier l'effort qu'elle devait fournir pour les faire vivre. Poursuivant ce raisonnement, il se demanda combien des profils qu'il était en train de consulter étaient également des faux. C'était un mystère.

Retournant à la page d'accueil de Gail, il s'intéressa à la répartition entre les sexes des individus qui avaient commenté son plus récent post. Non sans surprise, il découvrit qu'il y avait à peu près autant d'hommes que de femmes. Il s'était plutôt attendu, mais sans trop s'interroger sur la raison de cet *a priori*, à trouver une majorité de femmes. Il se concentra ensuite sur les miniatures des photos de profil de tous ces individus : les âges de ceux qui montraient leurs visages (et non un animal, un bout de paysage ou toute autre image « neutre ») semblaient s'étaler dans leur majorité entre vingt et quarante ans. Soudain, le regard de Noah tomba sur un nom qu'il reconnaissait : Teresa Puksar. Ce patronyme à l'origine un peu mystérieuse, il ne l'avait jamais rencontré qu'ici, lors d'une précédente visite sur la page de Gail. Il cliqua sur la miniature pour faire apparaître le profil de Teresa. Après avoir jeté un nouveau coup d'œil à l'encart de ses photos – beaucoup trop osées, à son sens, pour une si jeune ado –, il consulta la liste de ses amis. D'après leurs photos, très peu étaient dans la même tranche d'âge qu'elle. Noah était perplexe et un peu écœuré. Les parents de cette gamine savaient-ils le genre de fréquentations qu'elle avait sur les réseaux sociaux ?

Plus il passait de temps à explorer l'univers virtuel d'Ava, plus il se demandait qui était la véritable Ava London. Avant qu'ils n'entament leur relation, ce monde des réseaux sociaux avait-il effectivement supplanté pour elle celui des interactions réelles, normales, en chair et en os ? C'était ce qu'elle avait laissé entendre. Mais il avait du mal à y croire quand il songeait au gouffre qui séparait tout ce qu'Ava et lui avaient partagé depuis trois semaines de ce pseudo-univers, de ce machin virtuel en lequel il ne voyait qu'un pauvre substitut, un ersatz creux de la réalité. Néanmoins, cette question l'obligeait à envisager une hypothèse troublante : peut-être se trompait-il. Peut-être Ava et lui n'avaient-ils pas cette relation en laquelle il voulait tant croire. L'idée qu'ils puissent être amoureux l'un de l'autre ne collait assurément pas avec le fait de voir Ava prendre ses cliques et ses claques, pour ainsi dire, sans un mot d'explication. Ou sans la moindre petite phrase tendre comme « Je suis triste de partir » ou « Tu me manques déjà ». Et puis que penser du fait qu'elle n'avait apparemment aucune reconnaissance pour les efforts considérables qu'il avait déployés en son nom lors des deux derniers M&M, et en particulier pour le plus récent ?

Noah quitta l'ordinateur des yeux et regarda par la fenêtre. Une pensée encore plus perturbante lui traversait tout à coup l'esprit. Sa relation avec Ava, au fond, n'avait-elle aucun sens ? N'était-elle qu'une mascarade ? Cette femme s'était-elle juste servie de lui pour braver les tempêtes des M&M – parce qu'elle avait cette peur insensée de perdre sa place de praticienne au BMH, le poste de ses rêves ?

– Mais non, bon sang ! s'écria-t-il.

Cette idée était bien sûr absurde. Et pathétique, parce qu'elle révélait toute l'étendue des difficultés qu'il avait, lui, à nouer des relations avec les gens. À leur faire confiance. Comment pouvait-il penser qu'Ava se servait de lui ? Il n'avait jamais connu de femme aussi ouverte, aussi généreuse, aussi à l'aise avec son corps. Supposer qu'elle n'avait peut-être pas été tout à fait sincère en faisant l'amour avec lui, cela disait bien plus de choses négatives à son sujet à lui, Noah, qu'au sujet d'Ava !

Il contempla quelques instants, derrière la fenêtre, la façade de l'immeuble d'en face. Tout cela étant dit, il n'arrivait pas à se débarrasser des doutes qui le titillaient au sujet de certains petits détails du comportement d'Ava, dans son rôle d'anesthésiste, lors des trois incidents survenus récemment au bloc opératoire. Dans le cas Vincent, avait-elle réellement pris soin de poser les bonnes questions au patient pour s'assurer qu'il n'avait pas mangé le matin et ne souffrait pas de troubles gastro-intestinaux ? Et avait-elle réfléchi avec toute l'attention voulue au type d'anesthésie à privilégier, ou avait-elle juste suivi la recommandation de la secrétaire du Dr Mason ? Lors du drame Gibson, ensuite, avait-elle eu de la peine à introduire le vidéo-laryngoscope dans la bouche de la patiente parce qu'elle maîtrisait mal cet outil sophistiqué, ou le problème était-il juste dû au fait que la tête de la femme ballottait en tous sens à cause du massage cardiaque qu'on lui prodiguait ? Et pourquoi n'avait-elle pas très vite réclamé une trachéotomie ? Concernant le cas Harrison, enfin, avait-elle tout de suite coupé l'agent anesthésiant – ou avait-elle mis un certain temps à réagir comme le laissait entendre l'infirmière circulante ?

Ces questions refaisant surface dans son esprit, Noah se remémora la réaction d'Ava quand il avait évoqué les observations de l'infirmière au sujet du cas Harrison. Et ce souvenir le fit sourire. Manifestement vexée et irritée, Ava s'était lancée dans un exposé tellement savant sur l'hyperthermie maligne qu'elle lui avait presque fait honte ; il devait bien reconnaître qu'il ne savait pas grand-chose, de son côté, sur cette maladie. Elle avait même précisé que c'était sans doute l'agent anesthésiant qui avait déclenché cette crise d'hyperthermie maligne. Par conséquent, elle devait à coup sûr l'avoir coupé à l'instant même où elle avait compris ce qui se passait ! Noah se rappelait vaguement qu'elle lui avait aussi parlé du premier symptôme qui l'avait alertée : c'était un truc compliqué, lié au CO_2...

Pour se rassurer, il se tourna vers l'ordinateur et googla *hyperthermie maligne*. Quelques minutes plus tard, il avait la confirmation qu'Ava avait eu raison. L'agent anesthésiant, l'isoflurane, était sans doute responsable de la catastrophe. Comme il se souvenait qu'elle avait dit avoir tout appris sur cette maladie au centre de simulation WestonSim de l'hôpital universitaire Brazos, il retourna sur le site Web de ce dernier et relut avec attention toutes les informations disponibles. Il fut impressionné, une fois encore, d'autant qu'Ava lui avait confirmé que l'expérience acquise sur simulateur était extrêmement précieuse. Il nota dans un coin de sa tête d'aborder cette question à la prochaine réunion du Comité consultatif de l'internat de chirurgie, dont il était membre. Le comité pouvait jouer un rôle très positif pour encourager l'hôpital à investir dans son propre centre de simulation.

Noah cliquait sur une image du centre WestonSim, lorsque son téléphone portable se mit à sonner. S'interdisant d'espérer trouver Ava au bout du fil, il extirpa l'appareil de sa poche et en regarda l'écran. La déception lui noua le ventre. Non, ce n'était pas Ava, mais Leslie Brooks qui l'appelait sur l'appli FaceTime. Ils avaient l'habitude de se parler environ une fois par mois, toujours le samedi après-midi. Noah resta quelques instants figé, le téléphone à la main. Il était tellement contrarié que ce ne soit pas Ava qu'il craignait que Leslie ne le sente. Ce ne serait vraiment pas sympa pour elle. Il savait que Leslie ne lui voulait que du bien. Problème, il n'était pas d'humeur à entendre que tout se passait génialement bien à New York et qu'elle était heureuse comme tout avec son fiancé, un type épatant, très présent et attentionné. Sachant que cet étalage de bonheur ne le déprimerait que davantage en regard de sa propre situation, il hésita – puis céda quand même à la cinquième sonnerie. Après tout, il avait un besoin presque désespéré de compagnie.

Il posa le téléphone à la verticale contre l'écran de l'ordinateur. Comme d'habitude Leslie était splendide. Il savait qu'elle prenait toujours soin de se coiffer, et même de se maquiller, avant de l'appeler. Après qu'ils se furent salués, elle observa avec délicatesse qu'il avait l'air un peu patraque – comme s'il manquait de sommeil, peut-être ? Il acquiesça, précisant qu'il n'avait pas dormi plus de quatre ou cinq heures par nuit depuis quelque temps.

– C'est insensé, dit-elle. Tu es superchef ! Tu dois déléguer, Noah, pas faire tout le boulot toi-même.

– Ouais, mais… ce n'est pas à cause du travail que je manque de sommeil.

Il préférait être franc. Il avait besoin de soutien et Leslie était la seule personne au monde avec laquelle il avait l'impression de pouvoir être honnête. Elle connaissait déjà ses faiblesses.

– J'ai rencontré quelqu'un, reprit-il. Depuis trois semaines, nous avons une relation assez intense.

– C'est super ! s'exclama-t-elle d'un air enchanté. Et c'est qui, ce quelqu'un, je peux savoir ?

– Une collègue, dit Noah, préférant rester vague. Elle est médecin, elle aussi, et aussi dévouée au métier que je le suis.

— Ça, c'est un bon début, observa Leslie avec un sourire entendu. Vous devriez bien vous entendre. Mais si elle est aussi occupée que toi, vous avez peut-être du mal à trouver le temps d'être ensemble en dehors de l'hôpital, non ?

— Elle est déjà praticienne. Donc, elle a un emploi du temps nettement moins chargé que le mien. Et fixe. C'est mon planning à moi qui pose encore problème. Mais disons qu'elle comprend tout à fait que je sois très pris.

— D'accord. Et maintenant je sais pourquoi tu as l'air crevé, dit Leslie en riant. Trop de galipettes, c'est ça ? Ce n'est pas le Noah dont je me souviens pendant nos dernières années ensemble.

Il rit à son tour.

— Ouais, il y a de ça. Mais… en fait, ce n'est pas la raison pour laquelle je manque de sommeil depuis quelques jours. Parce que, heu… j'ai peur de m'être fait plaquer pile au moment où je croyais que tout se passait vraiment bien.

— Si tu veux que je te donne mon avis, et j'ai l'impression que c'est le cas, tu devrais peut-être m'expliquer un peu plus en détail ce qui t'arrive.

Noah décrivit aussi honnêtement que possible à Leslie sa relation avec Ava, puis il lui livra les raisons de son désarroi actuel. Par respect pour Ava, il omit néanmoins de citer son nom et sa spécialité médicale. Il ne parla pas non plus de son passé et de la destination de son récent voyage. Il avait très envie d'avoir l'opinion de son ex, qui le connaissait si bien, car il espérait l'entendre répondre qu'il surinterprétait le silence d'Ava, qu'il ne devait pas s'inquiéter, qu'elle reviendrait bientôt et que tout irait bien.

Malheureusement, ce ne fut pas ce qui se produisit. Quand il eut terminé son petit monologue, il s'aperçut que Leslie le considérait d'un air soucieux.

— Alors ? relança-t-il. Tu ne dis rien ?

– J'avoue que je ne sais pas très bien quoi dire. Je peux deviner ce que tu as envie d'entendre, mais...

– Je sais ce que j'ai envie d'entendre, ouais. Mais j'ai besoin d'un avis sincère.

– D'accord, dit Leslie, et elle pointa un index menaçant vers lui. Attention : ne te mets pas en rogne quand je vais parler. Promis ?

– Promis.

Noah soupira. Il devinait ce qu'elle allait dire et il avait envie de mettre un terme à la conversation.

– Je te conseille d'être prudent avec cette personne, dit Leslie. Disparaître tout à coup, deux fois de suite, sans te donner la moindre explication ou si peu, alors que vous sortez ensemble, couchez ensemble, *vivez* pour ainsi dire ensemble, même si ça ne fait que quelques semaines, ce n'est pas un comportement normal. Ah non ! Et tout ça juste après que tu as fait de vrais efforts pour l'aider, en plus ? C'est carrément bizarre. Elle me fait l'effet d'avoir l'esprit assez retors. Et si elle est aussi manipulatrice qu'elle en donne l'impression, elle a peut-être un trouble de la personnalité. Ce que tu me décris, Noah, ce n'est pas l'attitude normale d'une femme au tout début d'une relation amoureuse.

Leslie le regarda avec un sourire embarrassé, puis ajouta :

– Attention, je me trompe peut-être. D'autant que je ne connais pas grand-chose en psychologie. À la fac, souviens-toi, j'ai juste fait une UE d'intro sur le sujet. Mais... Mais je crois vraiment que je dois te mettre en garde. Je n'ai pas envie de te voir souffrir.

– Humm... En effet, ce n'est pas ce que j'avais envie d'entendre.

Noah détourna les yeux. À présent, l'expression pleine de certitude de Leslie l'agaçait un peu. En outre, elle avait tiré ses conclusions à partir des informations qu'il lui avait livrées au sujet d'Ava – et ces informations étaient incomplètes.

– J'essaie juste d'être sincère, comme tu me l'as demandé, d'après les éléments que tu m'as donnés. Bien sûr, j'espère me tromper ! Et que tout ira bien entre vous. À propos, tu ne m'as pas dit ce qu'elle faisait, ces deux fois où elle a disparu. Le sais-tu ?

– Ouais, plus ou moins, admit Noah. Elle a un second job. Lobbyiste pour l'industrie des compléments alimentaires.

– Non ?! s'exclama Leslie, et elle pouffa de rire. Alors ça, c'est marrant !

Ayant vécu avec Noah et sachant très bien qu'il méprisait cet univers – « trente-quatre milliards de dollars annuels de poudre de perlimpinpin », disait-il autrefois –, elle trouvait forcément amusant et ironique de le voir avec une femme qui travaillait pour un lobby de ce genre.

– Où est-elle partie, alors ?

– À Washington, répondit Noah. Les deux fois.

Il avait envie de raccrocher. Sa conversation avec Leslie ne l'aidait pas. Au contraire, elle confirmait ses craintes et le déprimait davantage.

– D'après ce que tu me racontais autrefois, il me paraît un peu paradoxal qu'un médecin travaille pour l'industrie des compléments alimentaires, observa Leslie. En même temps, les gens pour qui elle fait ce lobbying doivent l'adorer. Avoir un médecin dans leurs rangs, c'est gagner une crédibilité qu'ils ne méritent pas.

– Tu as tout compris. Je crois qu'ils ne la lâchent pas d'une semelle. Presque chaque soir, elle reçoit au moins un coup de fil. Manifestement, aussi, ils la paient des sommes folles. Elle ne pourrait pas s'offrir la maison qu'elle possède avec son salaire de l'hôpital. Ni se payer les voyages de tourisme qu'elle fait régulièrement. Mais ses employeurs en ont pour leur argent. Elle est très intelligente, séduisante, communicative, et elle a le sens de l'humour. Elle a fait des études de diététique en parallèle à sa prépa de médecine et elle est praticienne au BMH. Elle réussit à elle toute seule, d'après ce que j'ai pigé, à dissuader les législateurs de revenir sur la loi de 1994 qui a libéré l'industrie des vitamines de toute supervision digne de ce nom de la part de la FDA.

— Donc, c'est une perle rare pour l'industrie des compléments alimentaires, commenta Leslie, pensive. Humm... j'aimerais qu'elle soit aussi ta perle rare, Noah. Mais il faut te protéger. Je pense que tu devrais y aller mollo. Être très prudent avec elle et faire attention, de plus, à ce que tes désirs et tes émotions n'obscurcissent pas ton jugement. Voilà le conseil que je peux te donner.

— Merci pour ta perspicacité, maman, répliqua-t-il, sarcastique.

Mais il savait que Leslie avait très probablement raison. Depuis le début de cette aventure inattendue avec Ava, il avait bien compris qu'il avait un immense besoin de compagnie. D'amour, à vrai dire. Et cela le fragilisait.

— Tu m'as demandé d'être sincère, souligna simplement Leslie.

Quand ils se furent dit au revoir, Noah jeta son téléphone à travers la pièce, vers le canapé, dans un geste d'exaspération maîtrisée. Cette conversation l'avait beaucoup perturbé. Et elle l'obligeait à s'avouer d'autres petites choses concernant Ava, qui lui paraissaient un peu incohérentes ou étranges. Le contraste qu'il y avait par exemple entre, d'un côté, sa grande aisance dans le domaine des relations sociales et sa capacité à comprendre les gens, de l'autre, son comportement limite antisocial à l'hôpital et sa préférence déclarée pour les réseaux sociaux par rapport aux interactions réelles, avec de vraies personnes. En apprenant à la connaître, au fil des semaines, Noah s'était aperçu qu'elle n'était amie avec absolument personne au BMH – sauf avec lui. Au début, il avait pris cela pour un compliment et avait juste pensé qu'ils se ressemblaient. Mais leurs attitudes étaient en fait assez différentes. Lui, il avait des bonnes relations, quoique superficielles, avec presque tous leurs collègues.

Ava tenait tout le monde à distance. Elle semblait vivre dans une bulle. Cette idée lui rappela soudain une autre chose qu'il avait remarquée en lisant ses notes d'anesthésiste dans les DME de Bruce Vincent, Helen Gibson et Philip Harrison : elle avait un style assez particulier qui tranchait avec celui de la plupart des praticiens du BMH. Il avait pensé que c'était parce qu'elle avait fait ses études dans une université provinciale, au Texas, et non dans l'un des grands centres de formation médicale du pays – mais cette particularité signifiait-elle, en réalité, autre chose ?

Noah se leva pour aller récupérer son téléphone. Il regrettait presque que l'hôpital ne l'ait pas appelé pour lui donner une excuse de retourner là-bas. Bientôt dix-neuf heures, un samedi soir, et il n'avait rien à faire. C'était pathétique. Pour la première fois de sa vie, il avait même lu tous ses articles de revues médicales de la semaine. Poussant un soupir, il décida qu'en désespoir de cause il allait se forcer à sortir de chez lui. Et boire un verre chez Toscano, tiens. Il avait remarqué plusieurs fois, alors qu'il attendait sa commande, que le bar de ce restaurant était très fréquenté. Peut-être aurait-il assez faim pour manger un morceau, et peut-être même trouverait-il quelqu'un à qui parler. Il verrait bien.

24

Alors qu'il avait déjà abattu tout le travail qu'il pouvait avoir à faire, Noah se débrouilla finalement pour passer la totalité de son dimanche à l'hôpital. Pour commencer, quelques intéressantes urgences chirurgicales se présentèrent après que plusieurs cyclistes eurent été fauchés sur la route par un automobiliste – un vieillard qui affirmait ne pas les avoir vus. Il examina aussi tous les patients alités dans le service de chirurgie en lisant le DME de chacun de la première à la dernière page. C'était une chose qu'il n'avait jamais faite auparavant, et il fut aussi surpris que troublé par le nombre de petits problèmes qu'il décela dans un nombre important de ces DME. Du coup, il écrivit toute une volée de mails aux internes responsables des soins des patients concernés pour leur demander, sans tourner autour du pot, de se montrer plus attentifs.

Il revoyait le planning de répartition des assistants au bloc opératoire pour la journée de lundi, lorsque son téléphone bourdonna dans sa poche. Un frisson le parcourut quand il activa l'écran. C'était un message d'Ava. Il l'ouvrit pour découvrir un texte aussi laconique que celui de mercredi : *Arrivée à la maison. Épuisée mais viens si possible.*

Les neuf mots affichés à l'écran le rendirent perplexe. Il n'y avait aucune tendresse dans ce message, c'était certain, mais en même temps il y avait cette invitation... Bon, la question était donc : devait-il y aller ? Et si oui, quand ? Il soupira profondément. Il irait, d'accord, mais en gardant à l'esprit les conseils de prudence de Leslie et ses propres doutes. Pour paraître désinvolte et garder un minimum de respect envers lui-même, il tapa : *Devrais terminer dans un moment à l'hôpital. OK, je passerai.* Après s'être relu plusieurs fois, il jugea son texte aussi neutre, sur le plan émotionnel, que celui d'Ava. Il l'envoya.

Un instant plus tard, l'émoticône « pouce levé » s'afficha à l'écran.

Noah ne battit aucun record pour se rendre chez Ava. Quand il arriva devant la maison, il avait pris le temps de boucler le planning du bloc, puis il était repassé voir quatre patients perso, dont un qui devait être opéré le lendemain matin. Il était maintenant dix-huit heures quinze.

La porte bourdonna quelques secondes après qu'il eut sonné. Il pénétra dans le hall. Ava n'était nulle part en vue. Il décida de patienter. Trois ou quatre minutes plus tard, elle apparut en haut de l'escalier.

— Hé ! lança-t-elle d'un ton joyeux. Pourquoi tu restes planté là ?

Elle descendit les marches en courant. Elle portait son legging noir et un débardeur. Arrivant devant Noah, elle le serra dans ses bras et l'embrassa sur les deux joues comme un copain qu'elle aurait été drôlement contente de revoir.

— Désolée ! J'étais à l'ordinateur.

— Pas de souci.

— C'est bien que tu arrives maintenant. J'allais descendre en salle de gym. Tu veux venir ? Aujourd'hui mon entraîneur n'est pas là. Nous pourrions faire du vélo ensemble...

— Non, pas ce soir.

Noah avait une tenue de sport à lui dans la maison, mais il n'était pas franchement d'humeur à pédaler sur un vélo d'appartement.

— D'accord, dit Ava d'un air détaché. Tu descends quand même avec moi en salle de gym, ou tu préfères m'attendre dans le bureau ?

— Je peux descendre avec toi. Si ça te va...

— Pardon ? fit-elle, et elle le considéra d'un œil soudain plus attentif. Pourquoi ça ne m'irait pas ?

— Je ne sais pas...

Il était sincère : il ignorait pourquoi il avait posé cette question. En fait, Ava avait déjà réussi à le désarçonner. Il n'avait pas très bien su à quoi s'attendre en la retrouvant, mais assurément pas à la voir se comporter de cette façon — comme si tout allait bien, comme s'il ne s'était rien passé.

La tête inclinée sur le côté, Ava le dévisageait.

— Tu vas bien, Noah ? Tu as l'air un peu bizarre.

— Parce que je me sens un peu bizarre, sans doute.

— Pourquoi ? Il t'est arrivé quelque chose ?

Il soupira.

— Ava... Tu as disparu sans donner de nouvelles pendant trois ou quatre jours. C'est bien compréhensible, je crois, que j'aie l'air un peu bizarre.

— Disparu ? Mais pas du tout ! Qu'est-ce que tu racontes ? Je t'ai envoyé un SMS pour te dire que je partais.

— Ouais. En effet. Un SMS qui ne disait pas vraiment grand-chose.

— J'étais pressée. J'ai reçu un coup de fil de Washington, ils avaient besoin de moi sur-le-champ. Dès que je l'ai su, je t'ai écrit pour te prévenir.

— Ouais. Et puis plus rien pendant quatre jours.

– Heu, attends... Tu ne m'as même pas répondu ! répliqua Ava, sur la défensive. Je pensais que tu allais répondre un truc du genre « bon vol », ou « courage pour tes rendez-vous ». Mais rien du tout ! L'idée m'a traversé l'esprit, je dois dire, que tu avais peut-être besoin d'un petit break. Et pour être franche, nous avions passé tellement de temps ensemble, et ça avait été tellement intense entre nous, que j'ai pensé te rendre service en te laissant un peu seul pour que tu puisses avancer ton travail ou faire autre chose. J'avais l'impression de monopoliser tout ton temps libre, égoïstement, rien que pour moi.

Noah considéra Ava avec stupeur. Avait-il fabriqué ce fatras émotionnel qui l'avait tant fait souffrir ? Était-il nul à ce point dans le domaine des relations amoureuses ? Ou bien... était-ce la faute de la technologie moderne ? La facilité que les gens avaient à se connecter les uns aux autres, à échanger des messages instantanément, avait-elle pour conséquence d'exacerber les attentes, et donc de multiplier les risques de malentendus ? Il essaya de se souvenir de la raison pour laquelle il n'avait pas répondu au premier texto d'Ava : la seule chose qui lui vint à l'esprit fut qu'il avait été blessé dans son orgueil. Et il avait réagi de façon infantile...

– Tu savais que je devais retourner à Washington sous peu, enchaîna Ava d'une voix où pointait de l'agacement. Il y a tout juste une semaine qu'on m'a parlé de cet article enquiquinant à paraître dans *Annals of Internal Medicine*. Tu vois, ce papier pas du tout sympa pour mon industrie, au sujet de la nouvelle étude sur les compléments alimentaires ? Ne me dis pas que tu as oublié ?

– Je m'en souviens, bien sûr.

– Donc tu savais que je devais retourner à Washington ! Et je t'ai écrit dans mon message que je partais en voyage d'affaires. Pas besoin d'être grand clerc pour additionner deux et deux.

– Humm... Peut-être que j'ai déconné...

– Pourquoi tu n'as pas répondu à mon SMS, ou bien appelé, pour me dire que tu étais fâché ?

– J'aurais dû, je suppose.

– Bien sûr que tu aurais dû, gros malin !

Noah soupira de nouveau :

– Tu m'as manqué, tu sais.

– Ben voilà, dit Ava d'un ton radouci, et un sourire lui vint aux lèvres. Enfin quelque chose de gentil.

– C'est la vérité. J'étais... j'avais terriblement envie de te voir.

Elle se rapprocha de lui pour l'enlacer et se serrer contre lui.

– Tu veux mon avis ? Il me semble que tu travailles beaucoup, beaucoup trop. Il faut que tu respires un peu. Et là, tout de suite, je pense que tu es tendu et que tu devrais faire un peu de sport avec moi en bas. Ça te fera beaucoup de bien.

– Tu as peut-être raison.

Une demi-heure plus tard, ils étaient côte à côte sur les deux vélos de la salle de gym d'Ava, face à un immense écran sur lequel un programme informatique diffusait un parcours censé représenter une étape du Tour de France. Il allait de soi qu'Ava pédalait avec un degré de résistance largement supérieur à celui qu'avait réglé Noah sur son propre appareil. Tous deux savaient qu'elle était en bien meilleure forme que lui.

– Quoi de neuf du côté du Dr Mason, depuis mon départ ? demanda-t-elle, à peine essoufflée.

– Je ne lui ai parlé qu'une seule fois.

Noah, lui, haletait. Il diminua de deux crans supplémentaires la résistance de son vélo – en espérant qu'Ava ne s'apercevrait de rien – et ajouta :

– C'était juste après le M&M. Il est descendu sur l'estrade furibard.

– Pas étonnant. À propos, tu as drôlement bien dirigé cette séance. Comme tu l'avais fait la fois précédente. Merci encore.

– De rien.

Noah apprécia ce témoignage de gratitude, mais il ne put s'empêcher de penser qu'il aurait préféré l'entendre plus tôt – dans un message tendre, par exemple, pendant qu'elle était à Washington.

– N'empêche, ajouta-t-il, celui qu'il faut vraiment féliciter dans ton cas, c'est le Dr Kumar. Il n'aurait pas pu mieux te défendre qu'il ne l'a fait.

– Oh oui ! J'étais même embarrassée.

– Ses compliments étaient sincères et mérités.

– Quand le Dr Mason est venu te voir sur l'estrade, t'a-t-il dit quelque chose à mon sujet ?

– Ouais. Il a plus ou moins reconnu qu'il ne pouvait pas grand-chose contre toi, puisque tu ne bosses pas dans le service de chirurgie.

– Ah oui ? C'est génial ! Je suis tellement soulagée de ne plus l'avoir sur le dos. Il va falloir fêter ça !

– J'aimerais pouvoir en dire autant. Sérieux, j'ai peur que Mason ne soit plus motivé que jamais pour me faire virer du BMH. Bien entendu, il me reproche en partie le fait que tu sois à peu près intouchable.

– Oh, arrête ! C'est impossible qu'il te fasse virer. Tout le monde sait très bien que ce type est un gros vantard narcissique et détestable. Surtout après sa tirade au M&M ! Il s'est complètement ridiculisé. Et toi, tout le monde sait que tu es le meilleur interne de chirurgie que le BMH ait jamais eu. C'est ce qui se dit dans les couloirs, tu ne l'ignores sans doute pas.

– Ouais, mais les rumeurs de couloir ne changent rien à ce qui se passe dans la tête de ce bonhomme. Et Mason est un colosse du service de chirurgie du BMH. Même le Dr Hernandez s'est senti obligé de me rappeler cette vérité assez ennuyeuse. Et il m'a conseillé de trouver le moyen de faire la paix avec Mason. Comme si c'était facile ! C'est bien simple, je dois marcher sur des œufs jusqu'à ce qu'il se trouve une autre cible. Mais en attendant, c'est moi qu'il veut abattre.

Noah cessa tout à coup de pédaler pour poser les pieds par terre en respirant très profondément. Il transpirait beaucoup et il avait les muscles des cuisses en feu.

– Ça ne va pas ? demanda Ava.

De son côté, elle continuait de pédaler à un bon rythme comme si elle était en promenade.

– J'arrête, dit-il. Je suis le premier à reconnaître que je ne suis pas en très grande forme. Il faudra que je change ça. Peut-être l'année prochaine. Là, tout de suite, je suis claqué. Mais ce petit bout de parcours m'a fait du bien. Tu as eu raison d'insister. Je suis beaucoup plus calme que lorsque je suis arrivé. Je vais me doucher, et puis nous chercher à dîner. Comme ça, nous pourrons manger dès que tu seras prête, d'accord ?

– Ça marche, répondit gaiement Ava. Mais souviens-toi que j'ai des exercices au sol, après le vélo.

– Prends ton temps, dit-il avant de se diriger sur des jambes flageolantes vers la salle de douche.

25

Pendant qu'ils rangeaient la cuisine après le dîner, Ava parla à Noah des moments de liberté qu'elle avait pu s'offrir, lors de ce dernier voyage à Washington, pour faire un peu de tourisme. D'habitude, précisa-t-elle, elle était trop occupée par son travail pour visiter la ville et profiter de ses nombreux sites. Noah lui dit alors avoir vu son post de vendredi sur la page Facebook de Gail Shafter. Il admit aussi avoir lu tous les commentaires qui l'accompagnaient – parce qu'il se sentait affreusement seul et avait envie de savoir ce qu'elle faisait.

– Tu aurais dû m'envoyer un message, l'admonesta-t-elle. Je t'aurais raconté ça moi-même.

Il jugea plus sage de ne pas répondre.

Quand elle eut terminé de nettoyer le peu de vaisselle qu'ils avaient utilisé, elle se retourna devant l'évier en se séchant les mains avec un torchon, pour dire :

– Je crois que ce séjour à Washington a été une sorte de cadeau du ciel. Notre cas d'hyperthermie maligne m'avait complètement fichue par terre. Et comme le patient était un garçon de douze ans, j'ai eu encore plus de mal à accepter ce qui s'était passé. Non que les deux autres décès aient été faciles, bien sûr. Mais enfin... j'avais besoin de changer d'air. De voir autre chose.

— Je comprends, assura Noah, rabattant le couvercle de la poubelle de recyclage où il venait de placer les barquettes en plastique du restaurant. Les maladies et les décès en pédiatrie m'ont toujours paru plus difficiles à affronter que ceux des autres spécialités. La vie est injuste, nous le savons bien, mais elle paraît particulièrement vache quand les patients sont des mômes.

Ava hocha la tête, l'air mélancolique.

— Cette fois aussi, tu sais, j'ai pensé très sérieusement à tout arrêter. J'ai presque décidé que le métier d'anesthésiste n'était pas pour moi, en définitive.

— Oui. Tu m'as déjà dit ça.

— Mais en fait, pendant ce voyage, petit à petit je me suis rendu compte que ces trois décès ne devaient pas me décourager, mais me pousser à l'excellence. Il faut que je travaille encore plus dur sur ma recertification auprès de la société des anesthésistes. Et de manière plus générale, sur ma formation continue.

— C'est une façon très saine de faire face à ce genre de tragédie. Nous, les médecins, nous avons toujours de nouvelles choses à apprendre de nos patients.

— Le seul truc qui rend ce cas un peu moins stressant que les deux autres, c'est que nous n'avons pas à nous inquiéter pour le M&M. Je ne vois absolument rien, concernant le traitement de cette hyperthermie maligne, que je ferais autrement si le cas se représentait. Et je ne vois pas ce que le Dr Mason ou quiconque pourrait trouver à redire à mon travail.

— Bien sûr, dit Noah.

Cependant, il ne put s'empêcher de repenser à Dorothy Barton lui affirmant qu'Ava n'avait pas coupé l'isoflurane assez vite. Il n'avait aucune intention d'en reparler, mais ce souvenir lui rappela une autre question qu'il s'était posée.

— Tu m'as dit que tu connaissais bien le traitement de l'hyperthermie maligne parce que tu avais beaucoup utilisé le centre WestonSim...

— Absolument, acquiesça Ava en mettant son torchon à sécher sur la barre de la porte du four. J'ai fait tourner le programme de l'hyperthermie maligne bien des fois.

— Pendant ton absence, j'ai visité le site Web du WestonSim. Le bâtiment et les installations sont vraiment impressionnants. Le truc que nous avons au BMH est assez minable, en comparaison. Mais dans la présentation, il est dit que le WestonSim n'a ouvert qu'en 2013.

Noah et Ava se dévisagèrent quelques instants. Il y avait tout à coup une certaine gêne entre eux, comme si l'atmosphère s'était chargée d'électricité statique.

— Tu veux dire que tu ne me crois pas ? demanda Ava d'un air à la fois étonné et irrité.

— Je te crois, affirma Noah. Évidemment. C'est juste que cette date m'a frappé, parce que c'est celle de l'année où toi et moi avons commencé à travailler au BMH.

Ava ricana.

— En 2013, c'est le nouveau bâtiment du WestonSim qui a ouvert ses portes. Mais les mannequins de simulation et le matériel informatique étaient dans le bâtiment principal de l'hôpital depuis plusieurs années. Et ils étaient déjà régulièrement améliorés et remplacés par de nouveaux modèles. En tous cas, je les ai eus à ma disposition tout au long de mes études.

— Oh, d'accord. Ceci explique cela.

— D'autres questions sur ma formation ? D'autres problèmes de dates ? demanda-t-elle sèchement.

– Eh bien, puisque tu poses la question, je suis encore un peu curieux de savoir quelle expérience tu as acquise, pendant ton internat, avec le vidéo-laryngoscope. As-tu beaucoup utilisé cet instrument ?

– Ça, Noah, c'est une question lourde de sous-entendus. Faut-il vraiment revenir sur ce problème ? Pourquoi veux-tu savoir ça ?

– Par simple curiosité ! dit-il avec un sourire innocent.

Il se rendait bien compte qu'Ava était de nouveau agacée, mais il était trop tard pour reculer.

– Je ne te crois pas, répliqua-t-elle. Qu'est-ce que tu as derrière la tête ? Où veux-tu en venir, au juste ?

– Nulle part, dit-il, s'efforçant de trouver quelque chose pour se justifier. En fait... Bon, je me demande s'il y a des différences entre les programmes de formation des internes d'anesthésie, d'un hôpital à l'autre, comme il y en a entre les programmes d'internat de chirurgie.

– C'est-à-dire que tu sous-entends que ma formation à l'université Brazos n'a peut-être pas été aussi bonne que celle que tu as reçue dans ta fac de l'Ivy League, n'est-ce pas ? Je suis consternée, Noah. Pas plus tard que lundi dernier, tu m'as dit toi-même que la supériorité des facs de l'Ivy League n'était qu'un mythe. Et voilà que tu me mets sur le gril parce que je n'ai pas fait mon internat dans un centre médical réputé ? Lâche-moi, tu veux !

– Tu te trompes. Pendant que tu étais à Washington, j'ai visité à fond le site de l'université Brazos et de son centre universitaire hospitalier. J'ai fait ça pour me sentir plus près de toi, parce que tu me manquais. Et j'ai été très impressionné. Les installations, le programme... tout a l'air génial !

À cet instant, le téléphone d'Ava sonna. Elle l'attrapa sur le comptoir et soupira en regardant l'écran.

– Mince ! C'est le CSN. Mon patron va vouloir un rapport complet sur mon séjour à Washington. Ça t'ennuie ? Il faut que je réponde, mais ça risque de prendre un moment. Je suis désolée.

– Aucun souci, dit Noah d'un ton léger. Fais ce que tu as à faire.

À vrai dire, il avait un peu l'impression d'être un boxeur sauvé par le gong.

– J'en ai peut-être pour une heure, dit Ava tandis que l'appareil continuait de sonner. J'ai rencontré de nombreux élus, dont deux très importants sénateurs avec qui j'ai dîné. L'un d'eux était Orrin Hatch. Tu sais, le sénateur de l'Utah qui est président du Sénat ?

– Prends ton temps ! Cela ne me gêne pas. Je monte dans le bureau. Tu as assez de beaux livres sur la table basse pour m'occuper toute la soirée.

– Ça marche. Je te rejoins dès que possible.

Elle prit l'appel et porta le téléphone à son oreille en s'asseyant sur un tabouret haut du comptoir.

– Howard, juste un instant, dit-elle.

Elle tourna la tête vers Noah, articula « À toute ! » et lui lança un clin d'œil juste avant qu'il ne sorte de la cuisine.

Pendant qu'il commençait à grimper l'escalier, il l'entendit commencer à décrire son dîner de samedi soir au Capital Grille, un célèbre restaurant de Washington. Il n'était pas mécontent de mettre un peu d'espace entre eux. L'irritation d'Ava lorsqu'il lui avait posé la question au sujet du vidéo-laryngoscope l'étonnait. Après tout, il voulait juste savoir si cet outil était fréquemment utilisé par les internes d'anesthésie de Brazos. Vu sa réaction, il se demandait dans quel état elle se serait mise s'il lui avait parlé de toutes les petites questions qu'il avait dans la tête la concernant.

Dans le bureau, Noah examina l'assortiment de beaux livres empilés sur la table basse. Il y avait des livres sur l'art et des livres de voyage. Il saisit un coffret à l'air cossu qui semblait couvrir les deux domaines, puisqu'il s'appelait *Venice : Art and Architecture*. Cependant, à l'instant où il allait s'installer dans son fauteuil habituel pour consulter l'ouvrage, une idée lui vint à l'esprit. Quand il était arrivé, Ava lui avait dit qu'elle était à l'ordinateur. Or, elle était descendue précipitamment le voir... Il jeta un coup d'œil à sa montre. Il y avait à peine cinq minutes qu'il l'avait laissée à la cuisine.

Il remit le coffret à sa place et sortit du bureau. Sur le palier, il se pencha au-dessus de la cage d'escalier pour tendre l'oreille quelques secondes. La voix d'Ava lui était inaudible. Le silence régnait sur la maison, à peine troublé par le souffle de la climatisation. Noah fit deux pas et s'immobilisa sur le seuil de la salle informatique. L'ordinateur, autant qu'il put en juger, était en veille. Les trois moniteurs installés en triptyque étaient noirs, mais celui du centre affichait le rectangle bleuté d'un champ de mot de passe. Après avoir de nouveau jeté un coup d'œil dans l'escalier et tendu l'oreille, il entra dans la pièce pour s'asseoir dans le fauteuil face aux écrans. Il savait qu'il avait tort, mais c'était plus fort que lui. La réaction d'Ava aux questions tout de même assez simples qu'il lui posait avait aiguillonné sa curiosité quant aux modalités et à l'étendue de la formation qu'elle avait reçue. Bien sûr, elle était praticienne au BMH : cela seul en disait long, et même très long, sur la qualité de sa formation. Mais il voulait des précisions. Au BMH, il le savait, les internes d'anesthésie devaient tenir un journal de toutes les opérations auxquelles ils participaient – comme le faisaient les internes de chirurgie. Noah voulait consulter le journal d'Ava, si elle en avait tenu un à Brazos lorsqu'elle y était interne, ce qui était très probable, et voir de ses propres yeux si ce journal contenait un nombre et un éventail d'interventions comparables à ceux des internes du BMH. Lui-même tenait ce journal sous la forme d'un document Word qu'il mettait régulièrement à jour. Il supposait qu'Ava devait avoir fait de même et que ce fichier se trouvait sur son disque dur.

Irrésistiblement poussé à agir par les questions troublantes qu'il se posait sur Ava et sa formation, Noah réveilla la machine. Pour cela, il devait juste entrer le mot de passe étonnant de simplicité qu'il se souvenait d'avoir vu Ava utiliser le soir de sa première visite : une succession de six « 1 » à tapoter sur le pavé numérique du clavier. L'écran central s'activa. Comme il s'attendait à tomber sur le bureau de l'ordinateur, il fut étonné de découvrir la fenêtre d'un mail en cours de rédaction adressé à un certain Howard Beckmann du Conseil des suppléments nutritionnels. L'en-tête en caractères gras attira en particulier son attention, car il faisait référence à la loi de 1994 sur les compléments alimentaires. Noah savait très bien de quoi il s'agissait. Cette loi avait légalisé le juteux marché du charlatanisme en autorisant l'industrie des compléments alimentaires et autres « suppléments nutritionnels », comme disait le satané groupe de pression d'Ava, à fourguer ses produits au public américain sans aucune supervision de la FDA. Incapable de s'en empêcher, il lut le mail.

Et son désarroi grandit de ligne en ligne. Dans ce texte, Ava évoquait la nécessité absolue, pour le CSN, d'engager des campagnes de diffamation politique et personnelle contre les quelques élus du Congrès qui se déclaraient opposés à la loi sur les compléments alimentaires – et souhaitaient sinon l'abroger, au minimum l'amender sérieusement.

Fasciné par sa lecture, il n'entendit pas Ava approcher sur le palier et s'immobiliser sur le seuil de la pièce. Il ne la sentit même pas se précipiter tout à coup vers lui et regarder par-dessus son épaule.

– Tu fais quoi, là ? s'écria-t-elle.

Agrippant le bras de Noah, elle l'obligea à pivoter vers elle dans le fauteuil. Illuminé par l'écran, son visage tordu par la colère était d'une pâleur bleuâtre assez sinistre.

— J'allais juste..., marmonna Noah.

Très nerveux, il n'arrivait pas à décider s'il devait dire la vérité. Son hésitation irrita encore plus Ava.

— C'est ma correspondance privée que tu lis ! hurla-t-elle, pointant un doigt vers le moniteur central. Comment oses-tu ?!

— Je... Je suis désolé, bafouilla-t-il. Je croyais que tu allais être occupée pendant un bon moment, et après notre discussion de tout à l'heure, j'ai eu envie de jeter un œil sur ton journal d'opérations de l'internat. Ou voir si tu en avais un.

— Bien sûr que j'en ai un ! Tu cherches encore à fourrer ton nez dans ma formation, c'est ça ? Là, tu vas carrément trop loin ! C'est une violation inacceptable de mon intimité. Je n'arrive pas à croire que tu puisses te comporter de cette façon.

— Je suis désolé, répéta-t-il.

Il voulut se lever, mais Ava posa durement une main sur son épaule pour l'obliger à rester dans le fauteuil.

— Je te faisais confiance, Noah ! Je t'ai ouvert ma maison et c'est comme ça que je suis remerciée ? Si j'étais ton invitée, il ne me viendrait jamais à l'esprit de fouiner dans ton ordinateur.

— Tu as raison. Je ne sais pas pourquoi j'ai fait ça. Enfin... si, peut-être que je sais. Je pense que tu es une anesthésiste géniale et je te l'ai assez répété. Mais il y a des... Je ne sais pas comment dire ça... J'ai certains doutes que j'aimerais me sortir de la tête.

— Du genre ?

— Ce n'est peut-être pas le meilleur moment pour en parler.

Noah essaya de nouveau de se lever, mais Ava le repoussa.

— C'est maintenant ou jamais ! cria-t-elle, penchée au-dessus de lui. Explique-toi !

– Ce sont… des petites choses, dit Noah, soupirant. Dans le cas Gibson, par exemple, j'ai eu l'impression que tu avais des difficultés à utiliser le vidéo-laryngoscope. Je sais bien que la tête de la patiente partait dans tous les sens à cause du massage cardiaque, mais je me suis demandé si tu maîtrisais aussi bien cet instrument que je l'aurais supposé.

– Quoi d'autre ?

– Sur le même cas, je me suis demandé pourquoi tu n'avais pas essayé très vite de faire respirer la patiente par un autre biais. Genre avec une trachéotomie à l'aiguille…

– Et quoi encore ? Allez ! Déballe complètement ton sac !

– Dans le cas Harrison, je ne cesse de me demander pourquoi Dorothy Barton m'a dit que tu n'as pas coupé l'isoflurane aussi vite que tu aurais dû.

Ava grimaça comme s'il l'avait giflée.

– Tu veux dire que c'est sa parole contre la mienne ?

– Non, pas du tout ! C'est juste… comment dire ? J'ai ces espèces de… de petits doutes dans la tête, c'est le seul mot qui me vient, et j'aimerais pouvoir les mettre de côté.

– L'anesthésiste, c'est *moi* ! cria Ava d'une voix pleine de colère. Dans le cas Gibson, quand je suis entrée en salle d'op la patiente était déjà moribonde. Une trachéotomie à l'aiguille n'aurait pas suffi, d'autant que j'ignorais ce qui lui arrivait et ne pouvais donc pas avoir la certitude que l'expiration serait adéquate. La sonde endotrachéale valait beaucoup, beaucoup mieux – et je suis presque arrivée à l'introduire ! Quant à Mme Barton, je crois que sa personnalité conflictuelle en dit assez long. J'ai coupé ce foutu isoflurane à la seconde même où j'ai soupçonné une hyperthermie maligne. Mais tu sais quoi ? Je n'ai pas à justifier mes décisions professionnelles devant toi. Mes collègues anesthésistes ont examiné les cas et nous en avons parlé en réunion de service. Toi, en plus, tu devrais être de mon côté davantage que n'importe qui. C'est insensé !

— Mais si, je suis de ton côté. Je suis avec toi depuis le premier instant. La preuve, regarde comment j'ai réglé les M&M. Je n'aurais pu davantage te soutenir que je ne l'ai fait. Et je ne l'aurais pas fait si je ne croyais pas en toi.

Ava détourna la tête quelques instants, fixant un point sur le mur et respirant profondément. Puis elle considéra Noah, l'air exaspérée :

— Tu n'aurais pas dû venir ici, entrer dans mon ordinateur, et tu n'aurais surtout pas dû lire ma correspondance. Je suis chez moi, j'ai droit au respect de ma vie privée.

— Je sais. Excuse-moi. C'est normal que tu sois furax. Je ne sais pas ce qui m'est passé par la tête. Ça ne se produira plus.

— Ça ne risque pas. À présent, je veux que tu t'en ailles ! Que tu sortes de chez moi.

Noah écarquilla les yeux. Il reconnaissait avoir commis une énorme bourde, mais il ne s'était pas attendu à être chassé de la maison. Retourner à son appartement déprimant, c'était une horrible punition.

— Tu es sûre ? demanda-t-il d'un ton implorant.

Ava hocha la tête.

— J'ai besoin d'être seule. Pour me calmer. Dans ma vie, j'ai déjà été trahie par un mari manipulateur et fourbe. Je... Je déteste ça.

Elle recula d'un pas et fit signe à Noah de quitter le fauteuil.

— Je ne t'ai pas trahie, dit-il en se mettant debout. Je crois que tu es une anesthésiste géniale. Supermotivée. Et bien sûr mes sentiments pour toi sont toujours les mêmes, si...

— Je veux que tu t'en ailles, l'interrompit-elle sèchement. Abuser de ma confiance et remettre mes compétences en question comme tu le fais, c'est une trahison.

Noah ne voulait pas partir. Ava lui avait atrocement manqué ces quatre derniers jours. Pendant qu'ils se dévisageaient, il essaya de trouver les mots justes pour se faire pardonner. Il avait l'impression d'être un enfant surpris à faire une bêtise et envoyé dans sa chambre.

– Tu m'appelleras ou tu m'enverras un message, si tu changes d'avis ? Je peux revenir... à n'importe quelle heure, supplia-t-il – et il s'en voulut aussitôt de se comporter de façon si pitoyable.

– Je ne changerai pas d'avis, affirma Ava. Va-t'en !

Vingt minutes plus tard, Noah entra chez lui, claqua la porte et s'effondra sur son minuscule canapé. Il était à la fois désespéré et furieux de n'avoir pas résisté à la tentation de fouiller dans l'ordinateur d'Ava. Comment pouvait-il avoir été aussi stupide ?! Et histoire de bien aggraver la situation, il avait été encore plus bête en lui parlant des questions qu'il se posait sur sa formation et son comportement en salle d'opération ! Bien sûr, cela n'avait servi qu'à jeter de l'huile sur le feu.

– Tu n'es qu'un pauvre con, dit-il à voix haute en se frappant la tête avec la paume. Le roi des cons !

Il savait qu'il était assez nul dans le domaine des relations amoureuses, mais sa performance de ce soir était carrément un modèle d'incompétence. Surtout qu'avant ce truc à l'ordinateur, ils venaient tout juste de surmonter un gros malentendu dans lequel – il s'en rendait compte – il avait été aussi fautif qu'Ava. Elle avait raison : quand il avait reçu son texto l'informant qu'elle partait à Washington, il avait eu tort de ne pas répondre pour lui souhaiter bon voyage et lui dire simplement qu'il était triste qu'elle s'en aille.

Combien de temps Ava mettrait-elle à se radoucir et à le pardonner ? Si elle voulait bien le faire ! Car il n'était pas impossible du tout, à vrai dire, qu'elle décide qu'il ne valait pas tous les désagréments – et la peine – qu'il lui causait. Elle préférerait peut-être s'en tenir à ses activités sur les réseaux sociaux, tellement plus faciles et plus propres...

Noah se redressa sur le canapé en soupirant. Son esprit le ramenait tout à coup au mail qu'il avait découvert juste avant leur dispute. D'une certaine façon, le fait d'avoir vu la preuve tangible qu'Ava fricotait avec l'industrie des suppléments nutritionnels était presque aussi troublant pour lui que d'avoir été chassé de sa maison. Avant de lire ce courrier, il devait bien le reconnaître, il s'était efforcé d'ignorer le rôle qu'elle jouait dans cet univers. Maintenant, il ne pouvait plus. Non contente de faire du lobbying pour une industrie de vendeurs de poudre de perlimpinpin, elle recommandait carrément à celle-ci de calomnier des gens qui, du point de vue de Noah, avaient une attitude responsable. C'était grave.

26

La mélodie du réveil de son smartphone arracha subitement
Noah à sa concentration. Il se trouvait au septième étage de la
tour Stanhope, dans une pièce qui était encore appelée « salle des
dossiers » même si les dossiers médicaux en tant que tels, c'est-à-dire
sous forme de chemises cartonnées contenant diverses feuilles de
papier, appartenaient au passé. Aujourd'hui, toutes les informations
des patients étaient stockées dans leurs dossiers médicaux électroniques, ou DME, et la « salle des dossiers » aurait plutôt dû s'appeler
« salle des postes de consultation », puisqu'elle ne contenait que
des moniteurs d'ordinateur, avec claviers et souris, branchés sur le
serveur de l'hôpital, et de confortables fauteuils de bureau. Cependant, le personnel du BMH ayant le sens de la tradition, l'ancienne
appellation était restée. En préparation de la visite des malades
qui devait commencer à dix-sept heures, Noah examinait depuis
un moment un certain nombre de DME de patients actuellement
hospitalisés au service de chirurgie. Bien sûr, il était en avance
comme presque toujours – étant du genre obsessionnel, il aimait
avoir revu tous les cas avant le début de la tournée.

Il avait réglé son réveil car il avait rendez-vous à seize heures avec le Dr Kumar, le patron du service d'anesthésie. Il ne voulait pas arriver en retard ou, pis, risquer d'oublier cet entretien. S'étant déconnecté du serveur, il se leva et enfila l'impeccable veste blanche qu'il était passé prendre un peu plus tôt à la blanchisserie. L'idée de parler avec le Dr Kumar le rendait nerveux. Prendre la décision de le consulter n'avait pas été facile ; il avait hésité pendant deux jours, pesant le pour et le contre de sa démarche, avant de se lancer.

Il quitta la salle des dossiers et se dirigea vers les ascenseurs. Le Dr Kumar avait fixé le rendez-vous à son bureau, qui se trouvait dans les locaux de l'administration au deuxième étage du bâtiment. Noah aurait préféré qu'ils se retrouvent quelque part à l'étage de la chirurgie, pour ne pas rendre la chose trop formelle, mais le Dr Kumar avait insisté pour le voir dans son domaine de mandarin. Il avait donc dû se plier à cette exigence, en dépit du fait qu'elle le mettait encore plus mal à l'aise.

La semaine qui venait de s'écouler n'avait pas enchanté Noah – et c'était peu dire. Répétition troublante du week-end précédent, en premier lieu, il n'avait eu aucune nouvelle d'Ava. Pour éviter de revivre le malentendu qui avait contribué à la situation désagréable dans laquelle il se trouvait, il lui avait envoyé plusieurs messages, dont le premier dès dimanche soir. À chaque fois, il avait jeté son amour-propre par la fenêtre pour s'excuser piteusement de son erreur colossale, et il avait imploré Ava d'accepter de le revoir pour en parler. Elle n'avait répondu qu'une seule fois, mardi en fin d'après-midi, dans le style laconique qui était le sien : *J'ai besoin d'un break.*

Mercredi, Noah avait changé de tactique. Il lui avait écrit qu'ils devaient au moins se retrouver pour prévoir le M&M de la semaine suivante. Mais elle n'avait pas répondu. Il était donc clair que ce « break » signifiait « plus le moindre contact ». Quand ils s'étaient croisés par hasard dans le couloir du bloc, elle avait détourné les yeux.

Au début de la semaine, Noah avait éprouvé beaucoup de culpabilité et de remords. À partir de mercredi, quand elle avait choisi de ne pas répondre à son message à propos du M&M, ses sentiments avaient commencé à changer. S'il était tout prêt à reconnaître qu'il avait commis une erreur et trahi la confiance d'Ava en allant sur son ordinateur, il estimait que la punition était trop sévère pour l'offense commise. Il songeait aussi de nouveau qu'il y avait un contraste étrange entre l'attitude d'Ava à son égard et la relation intime et passionnée qu'ils avaient eue – ou qu'il avait cru avoir avec elle. Ces idées l'obligeaient à se remémorer les avertissements de Leslie et ses propres inquiétudes concernant les intentions réelles d'Ava : peut-être, en définitive, n'avait-elle fait que se servir de lui. Elles ravivaient aussi ses doutes sur la formation d'Ava et ses compétences. Agacé par son silence obstiné, il en arrivait parfois même à se poser une question qu'il n'aurait jamais cru formuler un jour : le Dr Mason avait-il raison au sujet d'Ava ?

Le problème avec cette idée, c'était qu'Ava avait été engagée par l'un des tout meilleurs services d'anesthésie du pays. Cela signifiait que le BMH, au moment de la recruter, ne s'était pas contenté de constater qu'elle avait bouclé l'internat d'anesthésie et obtenu la certification des autorités de supervision idoines du Massachusetts. Au grand minimum, Ava avait eu à présenter un dossier étoffé contenant le plus d'informations possibles sur ses années de formation, ainsi que plusieurs lettres de recommandation. Et c'était pour cette raison que Noah avait surmonté ses doutes quant à l'idée d'approcher le Dr Kumar.

Il entra dans une cabine d'ascenseur bondée – avec des infirmières, pour l'essentiel, qui quittaient l'hôpital à la fin de leur service. Pour une fois, les gens n'attendaient pas leur étage en silence mais bavardaient avec les uns et les autres. Il resta près de la porte car il s'arrêtait au deuxième, pas au rez-de-chaussée.

Pendant que l'ascenseur descendait, il pensa de nouveau à la semaine qui venait de s'écouler. Une des pires de sa vie, à n'en pas douter, sur le plan émotionnel. Pour lutter contre le dépit et l'angoisse, il avait essayé de recourir au mécanisme de défense qu'il avait utilisé lors du week-end précédent, à savoir se focaliser sur son travail. Malheureusement, il n'avait pas eu autant de choses à faire qu'il l'aurait souhaité – pour la simple raison qu'il avait déjà énormément travaillé de jeudi à dimanche ! De plus, pour éviter d'être trop vu dans les chambres de garde, il s'était contraint à rentrer chez lui chaque soir. Avec pour conséquence qu'il avait eu bien trop de temps libre pour ruminer la situation. Et pour couronner le tout, il avait eu une nouvelle crise de paranoïa.

Mardi soir, il avait bien cru revoir l'homme en complet sombre qui l'avait filé deux semaines plus tôt. Quand il avait quitté l'hôpital, il avait emprunté un parcours assez tortueux à travers la ville, pour passer finalement par Louisburg Square où il n'avait pu s'empêcher de contempler quelques minutes la maison d'Ava et les fenêtres du bureau – illuminées – où ils avaient passé tant de merveilleux moments ensemble. Mais voilà que durant ce périple, chaque fois qu'il avait jeté un coup d'œil par-dessus son épaule, il avait trouvé le type en costard vingt ou trente mètres derrière lui, le téléphone collé à l'oreille comme s'il était en conversation avec quelqu'un. Noah l'avait remarqué pour la première fois pendant qu'il traversait le verdoyant Boston Common, puis il l'avait revu au moins à quatre reprises, y compris dans Louisburg Square. Quand il était arrivé à proximité de son immeuble, dans Revere Street, il avait pris la même précaution que la fois précédente : sa clé déjà en main, il était entré très vite dans le hall et avait verrouillé derrière lui avant de se hisser sur la pointe des pieds pour regarder dehors par la partie vitrée du battant. L'homme était passé sur le trottoir sans même un regard dans sa direction.

Noah avait alors attribué ce qui venait de se passer, ou ce qu'il croyait qui venait de se passer, au fait qu'il était dans un sale état psychologique. Toutefois, en découvrant une minute plus tard que la porte de son appartement avait été crochetée, il avait été forcé de se dire que son imagination ne lui jouait peut-être pas des tours. Cette effraction avait-elle un rapport avec le gars en costard dans la rue ? Difficile à savoir, d'autant qu'il avait déjà eu cinq « visites » de ce genre durant les deux dernières années – sans doute grâce à l'étudiante qui vivait à l'étage au-dessus et recevait des tas d'« amis » plus ou moins louches à qui elle confiait la clé de la porte de l'immeuble. Il avait fini par décider, pour ne plus se prendre la tête, qu'il s'en fichait. Ce soir-là encore, il n'avait été finalement ni très surpris, ni réellement inquiet – preuve, s'il en était, que l'esprit humain s'adapte à tout inconvénient si celui-ci se produit assez souvent. Après les quatre premiers épisodes, il s'était plaint auprès de son propriétaire, qui avait arrangé sa porte, mais à la suite du dernier – avant-dernier, désormais –, il ne s'était même pas donné cette peine. Après tout, il n'y avait pas grand-chose à voler dans son logement, à part peut-être son vieil ordi. Il n'avait même pas la télévision !

Deux minutes après qu'il était entré chez lui, son inquiétude s'était brutalement ravivée quand il avait constaté que le portable, s'il se trouvait encore bien à sa place sur la table pliante, avait été utilisé.

Comme beaucoup de ses collègues chirurgiens, Noah était un obsessionnel compulsif léger qui avait un certain nombre de petites manies. Il portait notamment une attention extrême à ses instruments. Et dans son esprit, le mot « instruments » englobait aussi ses appareils électroniques. Il avait une façon bien à lui d'utiliser

– et de positionner – cet ordinateur. Leslie l'avait autrefois taquiné sans pitié à ce sujet, le trouvant complètement idiot d'aligner à la perfection les côtés de l'ordinateur avec les bords de la table. Elle s'était même souvent amusée à déplacer un petit peu la machine, rien que pour le faire enrager. Mardi soir, il avait eu l'impression qu'elle était passée par là.

Presque certain que quelqu'un avait manipulé l'ordinateur, il avait commencé par vérifier son compte bancaire. Ne trouvant rien de suspect de ce côté-là, il avait alors vérifié l'historique de son navigateur, pour découvrir que celui-ci avait été complètement effacé – y compris les sites que Noah avait lui-même visités la veille au soir ! C'était la preuve irréfutable qu'un visiteur s'était servi de la machine et avait veillé à effacer les traces de son passage. Après avoir vérifié tous ses documents, y compris son journal d'opérations qui, heureusement, ne contenait aucune donnée personnelle sur les patients, Noah n'avait plus très bien su quoi penser. Tout était en ordre dans la bécane. Rien n'avait été volé. Que voulait cette personne ? Il s'était alors efforcé de chasser l'incident de son esprit… même s'il alimentait sa paranoïa.

Il sortit de l'ascenseur quand les portes s'ouvrirent au deuxième étage. Prenant la direction du couloir principal de l'administration, il regarda sa montre. Il avait encore cinq minutes avant le rendez-vous prévu à seize heures.

Le Dr Kumar eut finalement vingt minutes de retard, mais c'était un homme d'une grande politesse : venant lui-même à la rencontre de Noah dans l'espace qui servait de salle d'attente pour toute l'administration, il commença par lui présenter ses excuses et expliqua qu'il avait été appelé en urgence pour une intervention problématique de cardiologie. Il était redescendu dès qu'il avait pu se libérer. Noah répondit qu'il comprenait tout à fait et précisa qu'il avait apprécié ces quelques minutes de répit, à vrai dire, dans cette journée bien chargée comme tant d'autres. Le Dr Kumar l'invita alors à le suivre dans son bureau, où la décoration était d'inspiration indienne, avec notamment plusieurs miniatures encadrées de l'ère moghole aux murs.

— Je vous en prie, prenez un siège, dit le Dr Kumar avec son délicieux accent indien.

Il contourna sa table de travail et s'assit dans son fauteuil buste en avant, coudes sur le plateau et mains croisées sous le menton. Sa tenue, une longue blouse blanche par-dessus un pyjama de bloc, faisait ressortir le teint très brun de sa peau.

— Quand vous avez demandé à me rencontrer, j'ai supposé que vous aviez l'intention de me parler de la Dr Ava London, commença-t-il. C'est la raison pour laquelle j'ai pensé préférable de vous recevoir ici, au calme. Permettez-moi de vous dire tout de go que vous n'avez pas à vous inquiéter pour la situation de la Dr London au BMH. Peu importe les commentaires du Dr Mason à son sujet ces derniers temps. C'est un homme tout à fait... passionné, mais depuis sa tirade lors du M&M, je lui ai parlé de la Dr London, et je crois qu'il voit maintenant les choses différemment. Ceci vous tranquillise-t-il ? Et à propos, je voulais aussi vous dire que, du point de vue du service d'anesthésie en tout cas, vous avez superbement géré les deux derniers M&M.

— Merci. Je me suis efforcé de présenter les faits tels qu'ils sont.

— Avec un tact remarquable, qui plus est.

— Merci encore, dit Noah, puis il s'éclaircit la voix : Je voulais vous parler de la Dr London, en effet, mais pour un autre motif.

— Ah bon ? fit le Dr Kumar, l'air un peu intrigué, en posant calmement les mains à plat sur sa table.

— C'est au sujet de son attitude en salle d'opération. Il y a quelques petites choses dont je n'ai pas parlé dans mes présentations aux M&M, mais dont je pense qu'il est de mon devoir de vous faire part.

– Je vous écoute, dit le Dr Kumar, soudain plus sévère.

Parlant d'abord du cas Gibson, puis du cas Harrison et enfin de Bruce Vincent, Noah décrivit aussi précisément que possible les quelques doutes – purement subjectifs, précisa-t-il – qu'il avait concernant le travail d'Ava. Quand il se tut, un lourd silence régna de longues secondes entre le Dr Kumar et lui. Le patron de l'anesthésie continuait de le fixer de ses yeux noirs, avec une intensité troublante, comme il l'avait fait tout au long de son monologue.

Noah éprouva le besoin d'ajouter :

– J'ai été moi-même directement impliqué dans le cas Gibson, donc j'ai vu la situation de mes propres yeux. Pour les deux autres cas, je vous répète ce que j'ai entendu dire par l'infirmière circulante ou par la Dr London elle-même.

Comme le Dr Kumar ne réagissait toujours pas, Noah dit :

– J'ai voulu vous faire part de mes inquiétudes pour que vous les confirmiez, le cas échant, ou que vous me répondiez, plus probablement, que je me trompe complètement. Voilà. Je n'ai parlé à personne d'autre de tout cela et je n'ai aucune intention de le faire.

– C'est très troublant, répliqua le Dr Kumar. D'abord, vos observations sont assez vagues. Et purement subjectives, comme vous dites. Plusieurs praticiens du service d'anesthésie et moi-même avons examiné ces trois cas avec la plus grande attention. Pour ne rien trouver à y redire. Le comportement de la Dr London, s'il faut le qualifier, a été parfait. Admirable. Par conséquent, je ne peux m'empêcher de prendre vos observations pour un jugement sur mes propres compétences en tant que chef et administrateur du service d'anesthésie, puisque c'est moi qui ai personnellement engagé la Dr London.

Noah était sidéré. Au lieu de lui être reconnaissant de s'interroger pour le bien de l'hôpital, le Dr Kumar prenait sa visite comme un affront !

– Il n'y a qu'une seule chose qui peut intriguer sur le curriculum de la Dr London, continua le Dr Kumar d'un ton sec. Elle a été formée dans un établissement ouvert depuis relativement peu de temps et presque inconnu. Mais justement à cause de cela, le comité de recrutement et moi-même avons examiné son dossier de candidature à la loupe. Et puis autre chose que vous ignorez peut-être : la Dr London a décroché des résultats exemplaires aux examens de certification – aussi bien à l'écrit qu'à l'oral ! Je me suis entretenu avec plusieurs des examinateurs. Elle a aussi été adoubée par la Société médicale du Massachusetts.

– Je sais bien. Et je ne suis pas étonné. Elle est brillante. Elle possède un savoir extraordinaire en anesthésie.

– Nous ne l'aurions pas engagée dans le cas contraire, affirma le Dr Kumar avec irritation. Maintenant, je vous préviens. Si vous continuez de critiquer la Dr London et parlez autour de vous de ces... de ces doutes sans fondement, vous pourriez mettre l'hôpital, et vous-même, dans une situation juridique difficile. Suis-je clair ?

– Parfaitement clair, dit Noah.

Il se leva. De toute évidence, il avait commis une grave erreur en s'adressant au chef du service d'anesthésie.

– Le Dr Mason a le sentiment, d'après ce qu'il m'a dit, que la Dr London et vous avez une liaison, reprit le Dr Kumar. Cette relation a-t-elle cessé, et êtes-vous venu ici motivé par la rancœur de l'amant éconduit ? Honnêtement, c'est un peu l'impression que j'ai.

Noah le regarda avec stupéfaction. Cette idée lui paraissait tellement insensée qu'il se demanda tout à coup si le Dr Kumar n'était pas lui-même un amant éconduit d'Ava. Et le Dr Mason ? Sa haine envers Ava s'expliquait-elle par le fait qu'il y avait eu entre eux davantage que des avances déçues ? Leslie, d'après les quelques petites choses qu'il lui avait dites, avait jugé qu'Ava était sans doute assez manipulatrice – et qu'elle avait peut-être même un trouble de la personnalité. Était-ce le cas ? Noah ne pouvait pas le croire. L'idée qu'Ava puisse multiplier les amants pour servir ses propres intérêts était parfaitement idiote. Pis : elle prouvait qu'il devenait parano et perdait la tête. Bien sûr, le Dr Kumar ne se comportait pas comme l'amant éconduit d'Ava ! Il ne cherchait pas à faire du mal à sa praticienne, bien au contraire. Il était convaincu de sa très grande compétence, tout comme il était sûr d'avoir fait le bon choix en l'engageant. Et Noah, en venant lui exposer ses doutes, avait implicitement remis en cause son autorité.

– Je ne suis venu que poussé par mon sens du devoir, affirma Noah, refusant de se laisser entraîner sur le terrain de sa relation avec Ava. Merci d'avoir pris le temps de me recevoir.

Il se retourna pour s'en aller, mais le Dr Kumar dit alors :

– Un dernier conseil, si vous voulez bien. Si à l'avenir vous avez des questions concernant un membre de mon équipe, je vous recommande de passer par la voie hiérarchique. Vous devrez d'abord parler avec votre chef de service, le Dr Hernandez. Compris ?

– Bien sûr, dit Noah. Merci encore de m'avoir reçu.

Pendant qu'il regagnait les ascenseurs, il se traita d'imbécile pour avoir imaginé, avant cette entrevue, qu'il faisait des progrès sur le terrain diplomatique. En tout cas, il n'était vraiment pas doué pour gérer les ego des praticiens du BMH. Il comprenait, avec le recul, qu'il avait pris une décision complètement stupide en s'adressant au patron de l'anesthésie. Et maintenant, devait-il craindre que le Dr Kumar parle de leur entrevue avec le Dr Hernandez ? Hélas, cela lui paraissait très probable.

27

Les lundis étaient toujours difficiles pour Noah. Il avait passé la totalité du week-end à l'hôpital en multipliant les tâches pour éviter d'être obsédé par le silence obstiné d'Ava, et il était donc parfaitement à jour dans toutes ses responsabilités de superchef, mais son programme était quand même lourd car il devait donner satisfaction aux nombreux praticiens qui insistaient pour avoir des salles d'opération et des assistants le lundi. De manière générale, tout le monde préférait faire autant d'interventions que possible le lundi et le mardi, de telle sorte que les patients hospitalisés puissent être libérés à la fin de la semaine – c'était plus agréable pour eux comme pour les chirurgiens. Or, même si Noah préparait le planning du bloc à l'avance, il y avait forcément des changements de dernière minute et des petits soucis à régler. Aujourd'hui, il avait dû de nouveau jongler avec les disponibilités des salles et avec les emplois du temps des uns et des autres pour donner satisfaction à un maximum de gens. Sans compter que lui-même avait eu trois opérations à réaliser. Heureusement, celles-ci s'étaient bien passées, et il avait un moment de libre à présent pour boucler un projet qu'il avait entamé pendant le week-end.

Après avoir quitté son pyjama de bloc et remis sa tenue blanche aux vestiaires, il prit la direction du bureau de l'internat de chirurgie. Comme toujours le lundi, l'étage de l'administration était très animé, en particulier aux abords de l'immense bureau d'angle de la présidente de l'hôpital. Passant devant les locaux du service d'anesthésie, Noah frissonna en repensant à sa désagréable entrevue de vendredi après-midi avec le Dr Kumar. Pour le moment, elle ne semblait pas avoir eu de retombées négatives. Mais il avait un mauvais pressentiment.

Dans l'immédiat, il voulait récupérer certains documents auprès de la coordinatrice du programme de l'internat de chirurgie, Shirley Berenson, qui gérait le très complexe processus d'évaluation des internes dont dépendait l'accréditation du programme. Tous les mois, chaque interne était évalué sur de nombreux critères : les compétences chirurgicales en salle d'opération, l'attention aux patients, les connaissances théoriques, la présence, le respect des horaires, etc., ainsi que d'autres facteurs, plus subjectifs peut-être, comme le professionnalisme ou les capacités de communication. En tant que superchef, Noah devait obtenir des chefs internes les formulaires correspondants, dûment remplis, pour tous les internes dont ils avaient eu la charge pendant le mois. Ce qu'il avait fait samedi. Dimanche, il avait exploité les données de ces formulaires pour remplir les évaluations des cinquante-six internes de chirurgie – dont les chefs internes qu'il avait notés lui-même –, et il avait déposé tout ce bazar sur la table de Shirley. Comme c'était la première fois qu'il faisait cet exercice, il y avait consacré plus de temps qu'il ne l'avait envisagé.

Shirley lui avait fait savoir qu'elle réunirait toutes les données, remplirait les formulaires définitifs réglementaires et photocopierait en quatre exemplaires le rapport complet sur les cinquante-six internes – tout cela avant midi. En sa qualité de superchef, Noah devait ensuite porter un exemplaire du rapport au Dr Hernandez, un autre au Dr Cantor, un troisième au Dr Mason et le dernier au Dr Hiroshi. Pourquoi échoyait-il au superchef de livrer cette paperasse ? Noah ne pouvait que supposer qu'il s'agissait d'une survivance du passé – d'une époque où il fallait accepter certaines formes de bizutage pour devenir chirurgien. Puisque dans moins d'un an, selon la tradition du privilège du superchef, il serait nommé praticien au sein de l'équipe du BMH, il devait faire acte d'humilité, en quelque sorte, avant d'entrer dans cette auguste communauté.

La tradition ne dérangeait pas Noah. Il pouvait même dire qu'elle lui plaisait. Il y avait quelque chose de rassurant, là-dedans, qui le mettait en prise directe avec le passé prestigieux du BMH. Livrer les photocopies des rapports d'évaluation des internes aux Dr Hernandez et Cantor était facile : leurs bureaux se trouvaient ici même, à l'administration. Noah n'avait qu'à remettre les documents à leurs secrétaires, à deux pas du bureau de l'internat de chirurgie. Pour les deux autres mandarins, par contre, il devait faire un certain effort car leurs bureaux se trouvaient dans le luxueux bâtiment Franklin.

Noah regarda sa montre pendant qu'il traversait la passerelle piétonne. Quinze heures et quelques. Le Dr Mason se trouvait sans doute encore au bloc, car il avait trois grosses interventions à son programme. Bien sûr, Wild Bill était un chirurgien extraordinairement rapide – et il déléguait presque systématiquement à son assistant l'incision et la suture –, mais Noah était à peu près certain de ne pas tomber sur lui à son bureau.

Quand il entra dans le bâtiment Franklin, ses pensées le ramenèrent à Ava. Il ne l'avait pas vue ce matin et son nom n'était pas au planning du bloc. Elle ne travaillait probablement pas aujourd'hui. Samedi soir, quand il avait quitté l'hôpital après vingt et une heures, il avait de nouveau fait un détour par Louisburg Square – après avoir tenté de s'en dissuader. Il s'était aussi demandé s'il aurait le courage de sonner à la porte s'il voyait de la lumière aux fenêtres. Mais la maison était plongée dans le noir. Ava était de nouveau absente – peut-être repartie à Washington. Le cœur lourd, mais convaincu en même temps que c'était mieux ainsi, il avait poursuivi son chemin jusqu'à son immeuble. Sans avoir l'impression d'être suivi, ce qui était plutôt bon signe : sa paranoïa était sous contrôle.

Le bureau du Dr Mason se trouvait au septième étage, celui du Dr Hiroshi au cinquième. Pour accélérer les choses et se débarrasser au plus tôt de la livraison chez Mason, il prit l'ascenseur jusqu'au septième ; il redescendrait ensuite par les escaliers. Quand il entra dans le domaine lambrissé et ultrachic de Mason, il alla droit vers sa secrétaire, Mlle Lancaster, une femme d'une cinquantaine d'années qui avait un impressionnant chignon blond cendré sur le dessus du crâne. Elle s'adressait sur le même ton impérieux à tous ses interlocuteurs et elle traitait les internes en chirurgie comme des domestiques. Noah avait déjà eu affaire à elle ; chacun de leurs échanges avait été assez désagréable.

Lorsqu'il s'immobilisa devant sa table, Mlle Lancaster était au téléphone. Elle parlait d'un ton irrité avec une personne qui souhaitait apparemment rencontrer le chirurgien au plus vite.

– Je regrette, le Dr Mason est très occupé, dit-elle sèchement. Non, il ne vous rappellera pas.

Noah lui tendit le rapport d'évaluation des internes. Mlle Lancaster devait forcément le reconnaître, puisqu'il avait chaque mois, selon la tradition, la même couverture rouge. Elle regarda l'objet, puis toisa Noah par-dessus les montures de ses lunettes de lecture sans que son expression maussade ne s'adoucisse d'un iota. Désignant du menton la porte ouverte du bureau du Dr Mason, elle agita sa main libre dans la même direction, comme si elle chassait un insecte, tout en continuant de parler avec son interlocuteur – un patient très anxieux, de toute évidence, à qui l'on venait apparemment de diagnostiquer un cancer du pancréas.

– Dites à votre médecin traitant de me contacter, ordonna la secrétaire dans le combiné. Mais avant cela, assurez-vous que les films du scanner ont été envoyés au Dr Mason pour qu'il puisse les examiner.

Éprouvant de la peine pour cet homme, Noah résista à la tentation de remettre Mlle Lancaster à sa place comme elle l'aurait bien mérité. Son comportement était inadmissible. Lui qui venait de remplir les rapports d'évaluation des internes de chirurgie, il regrettait qu'il n'existe pas un système du même genre pour les secrétaires des praticiens hospitaliers.

Le bureau d'angle du Dr Mason ressemblait à celui d'un président-directeur général de multinationale. Il reflétait en tout cas assez bien ce que ce chirurgien rapportait en espèces sonnantes et trébuchantes à l'hôpital. La pièce lambrissée d'acajou était ridiculement vaste. Ses fenêtres offraient une vue spectaculaire sur le port de Boston. Le mobilier de la partie salon était garni de cuir haut de gamme. Sur les murs, le visiteur pouvait découvrir un large éventail de diplômes encadrés – certains honorifiques bien sûr. La taille de la table de travail, enfin, était proportionnelle à l'ego de Mason.

Noah se demanda quelques instants où déposer le rapport d'évaluation car, sur la table basse du coin salon, il apercevait un stylo et un parapheur contenant des lettres qui attendaient de toute évidence la signature de Mason. Il décida de placer quand même le document sur la grande table de travail. Alors qu'il s'en approchait, un objet posé presque à l'extrémité du plateau, du côté droit, attira son regard. Il écarquilla les yeux. C'était une thèse de doctorat qui ressemblait étonnamment à la sienne !

Après avoir posé le rapport sur le sous-main de Mason, puis jeté un coup d'œil par-dessus son épaule pour s'assurer que Mlle Lancaster était encore occupée au téléphone, il tendit le bras pour saisir le volume relié. Ses soupçons furent aussitôt confirmés : il s'agissait bien de sa thèse sur le contrôle génétique de la fission binaire chez la bactérie intestinale Escherichia coli. Avec son nom sur la couverture : Noah Rothauser. Et quelqu'un – sans doute le Dr Mason – y avait inséré un certain nombre de Post-it.

Après avoir regardé une nouvelle fois en direction de la secrétaire, Noah posa la thèse sur la table pour voir quelles pages marquaient ces Post-it. Il s'agissait surtout de pages contenant des tableaux de données. La vue de l'un d'eux, en particulier, lui procura un frisson désagréable. Il songea brièvement à emporter la thèse pour la soustraire au Dr Mason, puis rejeta cette idée. L'œil de rapace de Mlle Lancaster ne manquerait pas le volumineux ouvrage entre ses mains quand il passerait devant elle. Pouvait-il le glisser sous sa blouse… ? Non, la bosse serait trop visible. Et de toute façon, même s'il réussissait à tromper la secrétaire, celle-ci se souviendrait que l'objet s'était trouvé sur la table du chirurgien avant qu'il n'entre dans le bureau.

Bien conscient que sa disparition attirerait forcément l'attention sur lui et ne pourrait qu'aggraver la situation, Noah remit à contre-cœur la thèse à sa place.

28

— Docteur Rothauser ? lança une voix féminine dans l'interphone. Ici Janet Spaulding. Je viens de recevoir un appel du Dr Hernandez. Il veut savoir combien de temps vous risquez encore d'être retenu. Il aimerait vous voir le plus tôt possible.

Noah se redressa comme si une décharge électrique lui parcourait la colonne vertébrale. Son cœur se mit à battre la chamade. Une fois de plus, il était convoqué comme un écolier au bureau du directeur. Deux semaines plus tôt exactement, un message arrivé sur sa tablette l'avait informé que le Dr Hernandez souhaitait le voir. Ce rendez-vous-là s'était bien passé, mais que lui voulait aujourd'hui le patron du service de chirurgie ? Noah avait soudain un très mauvais pressentiment. Il était tout à fait inhabituel que ce genre de convocation soit communiquée par l'interphone.

— Dites-lui que j'ai presque terminé, répondit-il. Je serai disponible d'ici une demi-heure. Où veut-il me voir ?

— À son bureau principal, dit Janet.

— Entendu.

Noah s'efforça de se calmer, mais c'était difficile. Il observait Lynn Pierce, une interne de première année, recoudre le patient sous l'œil attentif du Dr Arnold Wells, un troisième année. Le Dr Pierce faisait un boulot épatant alors qu'elle n'avait jamais réalisé de suture de ce genre auparavant. Après avoir passé son premier mois d'internat à l'unité de soins intensifs de chirurgie, où elle s'était fait remarquer par sa très grande compétence, elle était ce mois-ci en stage en chirurgie digestive.

Ils venaient de réaliser une pancréatectomie, la spécialité du Dr Mason, et Noah était très satisfait. Respectant la technique du célèbre praticien à la lettre, il avait effectué cette intervention complexe presque aussi vite que lui – ce qui en disait autant sur la valeur de ladite technique que sur sa propre dextérité. Noah était l'un des internes les plus rapides du bloc opératoire, mais ce n'était pas parce qu'il se dépêchait. Il avait juste une parfaite connaissance de l'anatomie humaine et une excellente coordination œil-main. Aucun de ses gestes n'était superflu.

– Ça vous ennuie si je vous laisse, les amis ? demanda-t-il.

Sa nervosité était trop grande. Il ne supportait pas de ne pas savoir pourquoi le patron du service voulait le voir. En l'ayant fait appeler par l'interphone en pleine opération, par-dessus le marché !

– Pas du tout, répondit Arnold.

Concentrée sur la suture, Lynn ne répondit pas.

Après avoir échangé quelques mots avec l'anesthésiste pour les consignes postopératoires, Noah gagna les vestiaires au pas de charge. Pendant qu'il remettait son pantalon et sa veste, il songea que le Dr Hernandez le convoquait sans doute, comme il avait redouté que cela arrive, parce que le Dr Kumar s'était plaint de sa stupide démarche de vendredi dernier. Il se creusa la tête pour trouver une justification au fait d'avoir pris directement contact avec le chef de l'anesthésie sans passer par son propre patron. Hélas, aucune idée satisfaisante ne lui vint. Il était trop fatigué et trop nerveux.

La nuit précédente, il avait très peu dormi. La découverte de sa thèse de doctorat dans le bureau du Dr Mason l'obsédait. Il ne comprenait pas comment ce document avait pu aboutir entre les mains du chirurgien. Il comprenait encore moins pourquoi certains de ses tableaux portaient des Post-it. Sachant que Mason avait promis de faire tout son possible pour qu'il soit mis à la porte du BMH, il ne voyait qu'une explication possible. Le Dr Mason avait-il trouvé une solution pour se débarrasser de lui ? Devait-il donc craindre le pire ? Il avait passé une nuit affreuse à retourner ces questions dans sa tête.

Finalement, incapable de retrouver le sommeil tellement il ruminait ses soucis, il s'était levé à trois heures du matin, s'était préparé et avait pris le chemin de l'hôpital. N'ayant rien de mieux à faire, il avait commencé à bosser la présentation des cas du prochain M&M. Cela l'avait obligé à penser à Ava, mais tant pis. Quand il avait revu le planning du bloc de ce mardi pour les internes de chirurgie, il avait remarqué qu'elle avait des opérations programmées. Par conséquent, elle devait être revenue de... de là où elle était partie. Il s'était demandé comment il réagirait s'il la rencontrait par hasard. Mais pour l'instant, cela ne s'était pas produit.

Pendant qu'il descendait au deuxième étage par les escaliers, l'anxiété de Noah grimpa en flèche. Une fois de plus, il allait se trouver face à un homme qui avait le pouvoir de faire dérailler sa carrière. Une fois de plus, il flippait. Sans doute ne réussirait-il jamais à surmonter sa peur des figures d'autorité.

Quand il se présenta devant la délicieuse secrétaire du Dr Hernandez, Mme Kimble, qui était l'antithèse de Mlle Lancaster, elle lui demanda de prendre un siège dans l'espace qui servait de salle d'attente pour toute l'administration. Elle précisa avec un sourire qu'elle viendrait le chercher dès que le Dr Hernandez serait disponible. Voulant prendre son amabilité pour un signe positif, Noah s'assit vaguement rassuré. Une autre idée lui vint à l'esprit : peut-être le Dr Hernandez voulait-il en fait le féliciter pour son premier rapport d'évaluation des internes, qu'il avait remis la veille. D'une part, Noah était à peu près certain d'avoir travaillé ce rapport avec toute la rigueur voulue, d'autre part, les évaluations étaient toutes entièrement positives – ce qui était exceptionnel. Contrairement à la plupart des années, aucun des internes débutants n'avait de réelles difficultés à s'adapter aux exigences du programme de formation du BMH.

Ces pensées à l'esprit, Noah demeura à peu près confiant pendant quelques minutes. Jusqu'à ce qu'il voie un petit défilé de figures d'autorité passer devant lui dans le couloir : le Dr Cantor et le Dr Mason, puis le Dr Hiroshi et, étrangement, Gloria Hutchinson – la présidente de l'hôpital ! Bavardant les uns avec les autres, ils disparurent dans le bureau du Dr Hernandez dont la porte se referma aussitôt sur eux.

Les minutes s'égrenant, l'anxiété de Noah se raviva irrésistiblement. Ces pontes devaient-ils participer à l'entrevue, ou bien avaient-ils juste leur propre réunion, sans rapport avec lui, chez le Dr Hernandez ? Dans le premier cas de figure, il devait se tramer quelque chose d'assez extraordinaire – d'autant que le Dr Mason était là, lui aussi. Sinon, bon, il n'avait rien à craindre. Noah prit son pouls, qui tournait normalement autour de soixante pulsations par minute : il avait grimpé à cent dix. Il avait même l'impression de le sentir battre à ses tempes.

Posant le vieux *Time* qu'il avait distraitement feuilleté pendant un petit moment, il se concentra sur Mme Kimble. Elle était à présent au téléphone. L'attitude de cette femme à son égard serait sans doute décisive. Quelques instants plus tard, elle raccrocha le combiné et se leva, le visage fermé, pour venir dans sa direction. Terrifié, il déglutit péniblement.

– Le Dr Hernandez est prêt à vous recevoir, dit Mme Kimble avec un sourire qui se voulait sans doute encourageant.

Mais Noah n'était pas dupe. Ainsi, la rencontre devait avoir lieu avec le groupe qu'il avait vu entrer dans le bureau du patron de la chirurgie.

Quand il en ouvrit la porte, ses pires craintes semblèrent se confirmer. Le Dr Hernandez ne se leva pas comme il l'avait fait lors des précédentes visites de Noah. Son visage était sombre. Gloria Hutchinson était assise sur le canapé du coin salon, l'air grave. À côté d'elle se trouvait le Dr Mason qui affichait quant à lui un petit sourire satisfait. Le pire, pour Noah, fut peut-être d'apercevoir sa thèse voyageuse sur la table du Dr Hernandez. Apparemment, donc, cette convocation impromptue ne devait pas porter sur le rapport d'évaluation des internes, ni sur son entrevue regrettable avec le Dr Kumar, mais sur un autre sujet – plus personnel encore.

Ne voyant pas de siège pour lui et n'étant pas invité à s'asseoir, Noah s'immobilisa au centre de la pièce. Il se sentait plus vulnérable que jamais, car il n'avait pas devant lui une seule figure d'autorité, mais quatre ! Son cœur battait à tout rompre dans sa poitrine. Comme personne ne faisait le moindre geste ou ne disait mot, il se sentit obligé de rompre le silence :

– Vous vouliez me voir, monsieur ? demanda-t-il d'une voix trop haut perchée à son goût.

– En effet, répondit le Dr Hernandez.

Avec le style grandiloquent qui le caractérisait, il se lança dans un long monologue sur la nécessité, pour le service de chirurgie, de prendre très au sérieux les entorses à la déontologie, et sur le fait que le BMH, l'un des tout meilleurs hôpitaux et centres universitaires du pays, avait l'obligation de placer très haut la barre de l'intégrité professionnelle et de l'honnêteté...

Pendant que le Dr Hernandez bavassait, Noah laissa son regard glisser sur les autres personnes présentes dans la pièce. La plupart avaient l'air de dormir debout en attendant la fin du supplice, sauf le Dr Mason qui savourait clairement chaque seconde qui passait. Un claquement sonore obligea tout à coup Noah à fixer son regard sur le Dr Hernandez : celui-ci venait d'abattre la main droite sur la couverture de sa thèse de doctorat.

— Ces critères d'excellence étant posés, dit-il, nous sommes aujourd'hui confrontés à un grave problème.

Il saisit l'ouvrage, qui était relativement mince pour une thèse, et le posa sur sa paume comme un prêtre soupesant une bible.

— Il a été porté à notre connaissance que cette thèse contient des données falsifiées. Or, d'après ce que nous comprenons, ce travail a beaucoup compté dans votre acceptation à la faculté de médecine d'Harvard. Est-ce bien ainsi que les choses se sont passées, docteur Rothauser ?

Noah regarda Hernandez avec stupeur. Il n'arrivait pas à croire ce qui se passait. Il avait l'impression de vaciller au bord d'un précipice.

— En effet, admit-il au bout de quelques secondes. Je pense que ma thèse a contribué, disons, à ce que le conseil d'admission d'Harvard considère ma candidature avec davantage de bienveillance...

— En ce cas, peut-être votre entrée dans cette université, et donc parmi nous au BMH, est-elle fondée sur un mensonge, l'interrompit le Dr Hernandez. Nous sommes donc face à un grave dilemme et je dois vous poser la question sans tourner autour du pot. Votre thèse contient-elle des données falsifiées ?

— Plus ou moins, marmonna Noah, pas très sûr de ce qu'il devait répondre.

– Plus ou moins ? C'est beaucoup trop flou, répliqua le Dr Hernandez avec agacement. Je crois que la question exige une réponse sans ambiguïté. Oui ou non !

– La réponse est oui, convint Noah à contrecœur. Mais laissez-moi vous expliquer. J'ai réussi à boucler ce doctorat en deux ans en travaillant jour et nuit. Mais pour que ma thèse puisse être officiellement intégrée à ma candidature à Harvard, il fallait que je la soumette à une date bien précise. Afin de tenir le délai, j'ai été obligé de faire de très modestes prédictions de résultats, ou estimations, pour la toute dernière expérience de validation que j'avais en cours. Des résultats, en outre, qui avaient déjà été prouvés par des travaux antérieurs. Ces estimations sont apparues dans les exemplaires imprimés que j'ai soumis avec mon dossier de candidature. Dont celui que vous avez ici. Dès que les données finales ont été prêtes, quelques jours plus tard – et elles étaient un peu supérieures à mes estimations prudentes –, j'ai modifié les chiffres sur la version numérique de mon travail. C'est-à-dire la version qui est accessible en ligne et référencée dans la littérature médicale.

– En d'autres termes, dit le Dr Hernandez qui tenait toujours la thèse reliée sur sa paume, il y a indubitablement des données falsifiées dans ce travail.

– Certes. Mais...

– Je suis désolé, coupa le Dr Hernandez d'un ton qui indiquait qu'il était tout sauf désolé. L'heure n'est pas aux justifications de vos trucages. Le simple fait que votre thèse de doctorat contienne des données falsifiées nous oblige à prendre certaines mesures. À partir de cet instant, docteur Rothauser, vous êtes suspendu de vos fonctions de superchef des internes de chirurgie. Votre situation sera examinée prochainement, à l'occasion d'une réunion spéciale du Comité consultatif de l'internat. Le comité se prononcera sur votre comportement et décidera si cette suspension doit être annulée, ou bien définitivement confirmée. Il jugera aussi si la Société médicale du Massachusetts doit être informée de ce que vous avez fait. Ce sera tout, docteur Rothauser. Inutile de vous dire à quel point nous sommes tous choqués et déçus.

Noah était sûrement plus choqué qu'aucun d'eux. Il n'arrivait pas à croire qu'il était sommairement congédié et, pire que tout, suspendu de ses fonctions. Pendant quelques instants, il fut incapable de faire le moindre geste. Il avait craint que cette rencontre ne soit désagréable, oui, mais... mais pas à ce point !

— Ce sera tout, docteur Rothauser, répéta le Dr Hernandez, et il jeta la thèse sur la table d'un air scandalisé.

— Et mes patients ? demanda Noah quand il retrouva la voix.

Il avait en ce moment six patients opérés dans l'hôpital, dont deux en SSPI, et il avait des interventions programmées pour toute la semaine.

— Vos patients, d'autres que vous s'en occuperont, rétorqua le Dr Hernandez comme s'il s'agissait d'un simple détail. Vous devez quitter l'établissement et ne pas y revenir jusqu'à la résolution de cette affaire. Le Dr Cantor prendra contact avec vous au moment opportun.

Noah sortit du bureau les jambes en coton. Il était sonné. Dans une sorte de transe. Pendant qu'il se dirigeait vers les ascenseurs, une idée lui tourna en boucle dans la tête : il n'en revenait pas que le Dr Mason ait réussi à mettre sa menace à exécution. Lui, Noah, il jouissait pourtant d'une réputation en or dans l'hôpital ! Internes, praticiens et patients, tout le monde l'appréciait. Cette situation était un véritable cauchemar.

Et la perspective d'être définitivement exclu du programme de l'internat, peut-être même de se voir interdire d'exercer son métier par la Société médicale du Massachusetts... c'était insensé ! Il ne pouvait rien lui arriver de pire. C'était comme s'il venait d'apprendre qu'il était atteint d'un cancer incurable. Subitement, tout ce pour quoi il avait travaillé depuis qu'il avait décidé de devenir médecin était menacé. Sa vie se brisait en mille morceaux devant ses yeux.

LIVRE III

29

La chaleur oppressa Noah dès qu'il franchit la porte de son
immeuble dans Revere Street inondée de soleil. Comme toujours
à Boston au milieu de l'été, le taux d'humidité avait grimpé avec
la température tout au long de la matinée. Il ne portait qu'un léger
tee-shirt, un short et des tongs, mais il avait à peine fait quelques
pas que des gouttes de sueur commencèrent à lui rouler dans le dos.
La fournaise irradiant du trottoir en brique semblait aussi intense
que celle venue du ciel.

Au carrefour de Grove Street, il fit tout à coup volte-face pour
regarder derrière lui. Comme il s'y attendait, un homme gravissait
Revere Street dans sa direction. C'était un Noir mince et baraqué,
aux cheveux coupés en brosse. Il était vêtu d'une chemise, d'une
cravate et d'une veste de costume en tissu léger qu'il retenait de
la main sur son épaule droite.

Noah avait déjà vu cet individu. Enfin, il en était à peu près
sûr. C'était deux jours plus tôt, jeudi après-midi, quand il était
sorti de chez lui avec la même destination qu'en ce moment : le
supermarché Whole Foods de Cambridge Street. Depuis la réunion

cataclysmique de mardi dans le bureau du Dr Hernandez, il était resté terré dans son petit appartement, paralysé par l'anxiété, tellement déprimé qu'il se demandait s'il avait encore envie de vivre. À partir de mercredi, seule la nécessité de s'alimenter, en dépit du fait qu'il n'avait pas faim, avait pu le contraindre à mettre le nez dehors. Chaque jour, il faisait le trajet jusque chez Whole Foods où il attrapait de quoi se sustenter le midi et le soir au rayon des plats préparés. Il se sentait absolument incapable de cuisiner quoi que ce soit, et l'idée d'aller au restaurant pour se retrouver attablé au milieu de gens normaux, heureux, lui donnait la nausée. Quant au petit-déjeuner, il le sautait sans même y penser.

Mercredi, peu après être sorti de l'immeuble pour prendre la direction de Cambridge Street, il avait eu le sentiment d'être suivi. Par un Blanc qui semblait être celui qui l'avait déjà filé jusque chez lui, en fin de journée, à deux reprises. Il ne pouvait être certain qu'il s'agissait du même homme, car il n'avait jamais bien vu son visage, mais celui-là avait le même genre de complet, les mêmes cheveux blonds coupés en brosse et la même carrure athlétique que le premier.

Il avait voulu croire qu'il faisait de nouveau une crise de paranoïa, mais il avait quand même pris la peine de suivre un trajet compliqué, avec des détours superflus – et même un tour complet de pâté de maisons –, juste pour voir ce qui se passait. L'homme avait été là, sans faute, chaque fois qu'il avait regardé derrière lui. Noah avait donc dû se résoudre à admettre qu'il ne délirait pas : il était bel et bien suivi ! Chose étrange cependant, le type ne semblait pas vraiment gêné de faire tache dans le décor. Ni que Noah le remarque. Ce qui était quelque peu insensé. Quand on prenait quelqu'un en filature, on essayait en général d'être discret – non ? Autre question, plus troublante encore : qui pouvait bien avoir la moindre raison de le suivre ? La seule explication qu'il avait trouvée, c'était que le Dr Hernandez et les autres pontes qui l'avaient suspendu voulaient avoir la certitude qu'il ne remettait pas les pieds, comme il en avait reçu l'ordre, à l'hôpital. Il ne pouvait nier qu'il avait déjà été salement tenté, plusieurs fois, de faire une petite incursion là-bas pour voir où en étaient ses patients.

Jeudi, il avait bien cru apercevoir derrière lui le Noir qui le suivait à présent dans Revere Street. Vendredi, cela avait été l'autre gars – le Blanc. À croire qu'ils faisaient équipe et se relayaient désormais pour le filer un jour sur deux.

Noah prit tout à coup la décision, par curiosité, de rester à sa place. Il supposait que l'homme noir s'immobiliserait et ferait mine d'observer un truc ou un autre dans la rue. L'autre gars, son collègue, avait réagi de cette façon plusieurs fois. Mais non : le Noir continua de marcher, sans précipitation mais sans aucune hésitation non plus, comme si voir Noah planté au milieu du trottoir lui était tout à fait indifférent.

Quand il parvint à sa hauteur et fit un pas de côté vers le caniveau pour le contourner, Noah tendit la main et l'obligea à s'arrêter en l'agrippant doucement par le bras. Ils se dévisagèrent. Le gars, qui était bel homme, rasé de près et de toute évidence en excellente forme physique, devait avoir dans les trente-cinq ans. Il ne fit pas un geste, mais ses yeux glissèrent tout à coup de façon inquiétante vers la main de Noah qui tenait son avant-bras. Il semblait tendu comme un ressort, prêt à réagir si nécessaire. Un peu mal à l'aise, Noah le lâcha et laissa retomber sa main contre sa hanche.

– Pourquoi vous me suivez ? demanda-t-il d'une voix qu'il espérait ferme.

– Je ne vous suis pas, monsieur, répondit calmement le Noir. Je fais juste une promenade dans Boston. Et si vous voulez bien m'excuser, je vais continuer...

Noah fit un pas en arrière. L'homme le salua du menton et se remit à marcher. Noah le regarda s'éloigner dans Revere Street, jusqu'à ce qu'il ait atteint le prochain carrefour, puis tourna lui-même dans Grove Street. Plus perplexe que jamais, il avança d'un bon pas en jetant de temps en temps un coup d'œil par-dessus son épaule. Il était persuadé de voir le type réapparaître.

Les trois derniers jours avaient été très difficiles. Se retrouver enfermé dans son appartement déprimant, tout seul, sans avoir rien à faire, c'était un véritable supplice. Habitué comme il l'était à travailler quinze heures par jour, sept jours par semaine, en ayant toujours une tâche ou une autre à accomplir, le changement de régime lui était insupportable. Jamais il n'avait connu une telle situation. Jamais il n'avait été tout à la fois désœuvré, désemparé et rongé par l'inquiétude. Histoire d'aggraver les choses, il avait appris dès mercredi que le calvaire de ces longues journées d'ennui devait durer un bon moment. Dans l'après-midi, en effet, il avait reçu un coup de fil de la secrétaire du Dr Edward Cantor – humiliation suprême, le directeur du programme de l'internat de chirurgie ne l'avait même pas appelé lui-même. Elle l'avait informé d'une voix monocorde que la réunion extraordinaire du Comité consultatif de l'internat de chirurgie qui déciderait de son sort était programmée pour le mercredi 23 août à seize heures. Elle lui avait aussi donné les coordonnées d'un avocat que l'hôpital avait engagé, pour l'aider à se défendre, comme l'y obligeait la législation sur le travail.

À la fin de cette brève conservation téléphonique, il était terrorisé. L'idée qu'il puisse avoir besoin d'un avocat ne lui avait jusqu'alors même pas effleuré l'esprit. Si la justice devait être mêlée à cette affaire déjà bien inquiétante en soi, n'était-ce pas que la situation était absolument dramatique ? Il avait espéré que le problème se résoudrait lorsque les responsables de l'hôpital auraient vérifié qu'il n'avait pas inventé des données pour sa thèse, mais simplement fait quelques estimations prudentes, afin de tenir ses délais, qu'il avait remplacées par les véritables résultats de ses expériences dès que ceux-ci avaient été disponibles. Et voilà qu'on lui envoyait un avocat !

Autre source de souffrance, cet appel téléphonique lui avait appris qu'il allait devoir attendre très longtemps pour être fixé sur son sort. En sortant du bureau du Dr Hernandez, il avait supposé que la réunion du comité consultatif serait programmée un ou deux jours plus tard. Jamais il n'aurait imaginé devoir patienter deux pleines semaines ! Pour lui, c'était une autre forme de torture.

Parvenant à Cambridge Street, une large artère très passante, Noah jeta un coup d'œil derrière lui. Le Noir restait invisible. Il avait cependant la conviction étrange que ce type n'allait pas tarder à réapparaître. Comme le faisait son partenaire blond. Il ne comprenait vraiment pas pourquoi l'hôpital le faisait ainsi surveiller, c'était parfaitement absurde, mais... Bah ! Au fond, cela ne le dérangeait pas tellement.

Quand il entra dans le supermarché, il se dirigea droit vers le rayon des plats préparés. Comme il n'avait absolument pas faim, hélas, il mit un bon moment à choisir quelques articles dans le large éventail de produits qui s'offrait à lui. Le magasin étant climatisé, il y faisait bon – c'était déjà ça. Après avoir payé ses achats, il reprit la direction de Beacon Hill. Le Noir demeurait invisible. Son pote n'était pas là non plus. Noah haussa les épaules. Puisqu'il avait décidé de considérer ces deux hommes comme de simples espions de l'hôpital, il se fichait bien, en définitive, de les trouver sur ses talons ou non.

Il grimpait Grove Street, lorsqu'il eut tout à coup l'impression d'avoir les jambes très lourdes. La pente lui paraissait plus raide que d'habitude. Il avait chaud. Il était malheureux. Il avait peur de retourner à son appartement qui le déprimait tellement. Mercredi en fin d'après-midi, il avait ravalé sa fierté pour essayer, une fois de plus, de prendre contact avec Ava. Il espérait qu'elle lui témoignerait de la sympathie. De fait, il était étonné de n'avoir pas eu de ses nouvelles depuis la réunion de mardi après-midi chez le Dr Hernandez, car la nouvelle de sa suspension devait s'être répandue comme une traînée de poudre à travers l'hôpital. Il s'était vraiment attendu à ce qu'elle l'appelle, ou lui envoie au moins un message de soutien. La gravité de la situation justifiait tout de même qu'elle sorte de son silence ! Mercredi à seize heures, enfin, comme il ne voyait toujours rien venir, il avait d'abord essayé de la joindre chez elle sur la ligne fixe. N'obtenant pas de réponse, il avait appelé son portable. Ensuite il lui avait envoyé un SMS. Une demi-heure plus tard, pour finir, il lui avait envoyé un mail et un message sur Facebook. Mais elle n'avait pas réagi.

Toute la journée de jeudi, puis celle de vendredi, il avait espéré qu'elle le contacterait. Et il avait encore davantage sombré dans la déprime. L'attitude d'Ava lui paraissait incompréhensible. Connaissant son amour pour la chirurgie, elle devait bien se douter qu'il était très mal. Après les moments tellement délicieux qu'ils avaient connus ensemble, avec tout ce qu'ils avaient déjà partagé, comment pouvait-elle ne pas éprouver le besoin irrépressible de lui parler, ne serait-ce que pour s'assurer qu'il tenait le coup ? Noah avait la certitude que si les rôles avaient été inversés – et même s'il avait été en rogne contre elle pour une raison ou une autre –, il aurait été le premier à prendre de ses nouvelles.

Vendredi soir, il était au fond du gouffre. Ava était-elle encore à ce point bouleversée et furax de l'avoir surpris sur son ordinateur ? Apparemment oui. Mais il trouvait sa réaction exagérée. Surtout après les excuses sincères qu'il lui avait présentées. Une fois de plus, son immense désir de se réconcilier avec Ava s'était mué en colère contre le manque total d'empathie dont elle semblait faire preuve.

Puis une autre idée lui était venue à l'esprit. Il se souvenait que lorsqu'ils avaient parlé ensemble de sa thèse de doctorat, près de trois semaines plus tôt, il avait admis avoir un petit peu « truqué » celle-ci. Or, Ava était la seule personne au monde devant qui il avait évoqué sa thèse depuis plusieurs années. Par conséquent... avait-elle joué le moindre rôle pour intéresser le service de chirurgie du BMH au problème de la falsification temporaire de certaines données de ce travail ?

Il y avait une chose dont Noah était certain : le Dr Mason était mêlé à l'affaire. Son sourire satisfait, lors de la rencontre dans le bureau du Dr Hernandez, le prouvait. Mason s'était procuré l'exemplaire imprimé de sa thèse – normalement conservé au MIT – que Noah avait vu dans son bureau, il l'avait étudié avec attention – comme le prouvaient les Post-it disséminés dans les pages – et il avait découvert que certaines données de cette version papier étaient différentes de celles de la version numérique définitive. Puis il avait dénoncé Noah. Cependant, avait-il réellement fait tout cela lui-même ? Ou plutôt : Ava avait-elle été assez minable pour inciter le Dr Mason à chercher des bizarreries dans sa thèse ?

Lorsque Noah s'était posé cette question pour la première fois, vendredi soir, il l'avait aussitôt rejetée comme il l'avait fait pour les autres interrogations gênantes qui avaient pu le tarabuster depuis qu'il avait appris à connaître cette femme. Il était absolument certain qu'Ava détestait le Dr Mason. Par conséquent, l'idée qu'elle l'ait aidé avait quelque chose d'absurde. Mais tout de même : comment le praticien avait-il pu entendre parler de ce problème ? Noah n'en avait pas la moindre idée.

Parvenu au carrefour de Grove Street et de Revere Street, il s'apprêtait à tourner à droite lorsqu'il jeta machinalement un regard par-dessus son épaule vers le pied de la colline. Il s'immobilisa en écarquillant les yeux. Le Noir se trouvait au carrefour précédent.

Comme un moment plus tôt, il venait dans sa direction d'un pas nonchalant, la veste sur l'épaule.

– Une promenade dans Boston, mon cul ! marmonna Noah en se remettant à marcher.

Même s'il s'était résigné à être suivi, cet homme offrait une cible facile à la colère qu'il éprouvait contre Ava. Il descendit très vite Revere Street, entra dans son immeuble et se précipita dans l'escalier. Un instant plus tard, il était chez lui, à la fenêtre du living, certain de voir l'homme approcher sur le trottoir. Il envisageait de l'apostropher bruyamment au moment où il passerait devant le bâtiment, juste pour lui faire honte. Ou bien devait-il appeler la police pour se plaindre de harcèlement ? Il ne savait pas très bien.

Plusieurs minutes s'écoulèrent sans que l'homme apparaisse. Noah emporta en soupirant ses achats à la cuisine. Il mit les plats préparés au réfrigérateur sans en ouvrir aucun. Quinze heures et quelques à sa montre, mais tant pis. Même s'il n'avait rien avalé depuis la veille au soir, il avait encore moins faim maintenant que lorsqu'il était sorti.

Il retourna dans le living et se posta de nouveau à la fenêtre pour scruter la rue. Des piétons allaient et venaient sur les trottoirs, mais il n'y avait parmi eux aucun Noir beau gosse et baraqué, en chemise blanche et cravate, la veste de costard d'été sur l'épaule. Tout comme mercredi, jeudi et vendredi, le type qui le suivait – peut-être – s'était volatilisé. Et Noah devait une fois de plus se demander s'il ne perdait pas la tête.

Il s'assit sur le canapé et contempla un moment le mur devant lui. Il se sentait paumé. Douloureusement seul. Il avait l'impression que tout le poids du monde pesait sur ses épaules. Il avait besoin de contacts humains, d'un peu de chaleur – et malheureusement Ava gardait ses distances. La seule autre personne vers laquelle il pouvait se tourner était Leslie Brooks. Il regarda sa montre pour la

énième fois de la journée. Bientôt quatre heures. Leslie était-elle
disponible ? Depuis plus de deux ans qu'ils étaient séparés, c'était
toujours elle qui l'avait appelé. Et toujours le samedi après-midi. Or,
on était justement samedi après-midi. Aurait-elle quelques minutes
à lui consacrer... ?

Dans l'état dépressif où il se trouvait, Noah peinait à prendre
des décisions. Il se força à inspirer profondément. Devait-il appeler
Leslie, oui ou non ? Et si oui, utiliser FaceTime ou juste le téléphone ? À l'hôpital, en tant que médecin, il n'était jamais perdu,
irrésolu comme maintenant. Il avait à chaque instant une trajectoire
bien claire devant lui. Mais dans le privé et dans le domaine des
relations sociales, il était nul. En particulier en ce moment, dans
les circonstances extraordinaires où il se trouvait. Après plusieurs
minutes d'hésitation, il se leva et traîna les pieds jusqu'à la salle
de bains pour se regarder dans le miroir de l'armoire à pharmacie.
L'image qu'il découvrit le consterna. Depuis mardi, il ne s'était
pas rasé et il avait trop peu dormi. Il avait une tête de déterré.
Aucun risque qu'il utilise FaceTime s'il appelait Leslie. Même s'il
avait grand besoin qu'elle lui remonte le moral, il ne voulait pas
l'effrayer en lui montrant sa sale gueule.

Après avoir passé encore cinq bonnes minutes à hésiter, il prit
tout à coup son téléphone et cliqua sur le numéro de son ex avant
d'avoir pu changer d'avis. Il éprouva un franc soulagement en enten-
dant sa voix après la première sonnerie :

– Eh bien ! C'est un petit miracle ! lança-t-elle d'une voix
quelque peu essoufflée. Je ne sais pas à quand remonte la dernière
fois que tu m'as appelée. Quoi de neuf ?

– Tu peux parler ou je tombe à un mauvais moment ?

– En fait, je suis dans la rue, mais je rentre à la maison. Je suis
chez moi dans cinq minutes. Je peux te rappeler ?

– Je suppose que oui, marmonna Noah.

Maintenant qu'il avait Leslie au bout du fil, il n'avait pas envie de la perdre.

— Houlà. Ça ne va pas ? Qu'est-ce qui se passe ?

— Rappelle-moi, d'accord. Mais pas avec FaceTime. Je ne veux pas te faire peur, dit-il, et il coupa aussitôt la communication.

Pendant qu'il patientait en rongeant son frein, il se surprit à se demander à quoi ressemblait l'appartement new-yorkais de Leslie. Bien sûr, il devait être aux antipodes du sien – posséder toutes sortes de meubles sympas et d'éléments décoratifs de bon goût, comme des rideaux colorés et des tapis moelleux. À l'époque où il avait vécu dans ce genre d'environnement, il n'avait pas su l'apprécier à sa juste valeur. Aujourd'hui, il mesurait ce qu'il avait perdu.

Leslie rappela un petit peu plus tard qu'elle l'avait annoncé, mais cela n'avait pas d'importance : Noah était vraiment content d'entendre sa voix.

— Bon, dit-elle d'un ton grave. Qu'est-ce qui ne va pas ? Tu as rompu avec ta copine ?

— Pire que ça. J'ai été suspendu de mon poste de superchef. Et de l'internat. Dans une semaine et demie, je dois passer devant le Comité consultatif de l'internat de chirurgie pour qu'ils décident s'ils me mettent pour de bon à la porte du BMH. Le truc assez ironique, là-dedans, c'est que je fais partie de ce comité. Il va falloir que je me récuse moi-même.

— Mon Dieu ! Comment est-ce possible ? s'exclama Leslie. Pourquoi ? Il doit s'agir d'un malentendu !

Noah lui raconta toute l'histoire. Il était content de vider son sac, surtout avec quelqu'un qui le connaissait bien et en qui il avait confiance. Leslie savait qui était le Dr Mason, car ils étaient encore ensemble au moment du drame Meg Green ; elle savait les conséquences que cette histoire avait eues sur la relation de Noah avec le praticien. Il précisa qu'Ava – cette fois, il ne cacha pas son prénom à Leslie – ne lui avait pas envoyé le plus petit SMS depuis sa suspension alors qu'elle en avait forcément entendu parler. Il reconnut qu'elle avait de bonnes raisons d'être en colère contre lui et expliqua pourquoi. Enfin, il précisa qu'Ava était la seule personne à qui il avait jamais parlé de sa thèse de doctorat depuis plusieurs années.

— D'abord, dit Leslie quand il eut terminé, je veux que tu saches que je suis vraiment, vraiment désolée de ce qui t'arrive. Te connaissant, j'imagine comme tu dois être déboussolé. Je suis sûre que le comité consultatif reviendra sur cette suspension. Clairement, vu ce que tu m'as toujours raconté, aucun interne de chirurgie n'a jamais autant donné de lui-même que tu le fais. Ils le savent. Donc ils vont te réintégrer, c'est obligé !

— J'aimerais pouvoir en être aussi sûr que toi, dit Noah d'une voix fêlée.

— Avec le travail que tu fournis, avec le dévouement dont tu fais preuve, ils ne peuvent pas te renvoyer. Ce serait inexcusable. J'en suis certaine. Ils vont revenir sur leur décision. Je pense qu'ils ont agi comme cela pour donner satisfaction au Dr Mason, d'abord, et puis pour marquer un petit peu le coup sur le plan déontologique.

— J'espère. Il est possible, c'est vrai, qu'ils aient voulu faire plaisir à Mason. Le Dr Hernandez m'a dit tout net, il y a une semaine, que le Dr Mason était incontournable au BMH. Enfin ! Nous verrons. En tout cas, ça me fait beaucoup de bien d'avoir ton point de vue et ton soutien.

— Maintenant, pour le reste... Je suppose que tu veux en parler aussi, n'est-ce pas ? Mais jusqu'à quel point veux-tu que je sois franche ? La dernière fois qu'on a discuté, j'ai bien vu que tu n'appréciais pas ce que je te disais.

– J'ai besoin que tu sois honnête, admit Noah. Ça ne me plaira peut-être pas, c'est vrai, mais je veux t'écouter.

– Eh bien, je pense qu'il y a de très bonnes chances pour que Mlle Ava soit à l'origine de ce problème avec ta thèse. Ça colle bien avec ce que tu m'as dit à son sujet. Et avec sa colère après qu'elle t'a surpris sur son ordinateur.

– Je me suis pourtant abondamment excusé. Même si elle a eu l'impression que je trahissais sa confiance, ce serait insensé qu'elle ait voulu faire une chose pareille pour se venger. La punition, si c'en est une, dépasse toute mesure. Il y a aussi le fait qu'elle déteste le Dr Mason. Et puis je crois qu'elle tient à moi. En plus, elle sait que j'adore mon métier…

– Une fois de plus, Noah, tu m'as demandé mon opinion et je te la donne, dit gentiment Leslie. Dans l'histoire que tu racontes au sujet de cette femme, il y a quelque chose qui cloche. Voilà. Tu t'es toi-même demandé si elle était manipulatrice, et le coup du grand silence, elle te l'avait déjà fait une fois. Dans mon esprit, il n'y a guère de doute possible. Autre chose, peut-être plus important encore : t'es-tu demandé pourquoi elle était tellement furieuse que tu aies regardé dans son ordinateur ? Je veux dire, d'une part tu t'es excusé, de l'autre, ce que tu as fait n'était quand même pas si dramatique !

– C'est une bonne remarque, convint Noah. Je me suis aussi posé la question. Je pense que c'est lié au fait qu'elle défend les intérêts de l'industrie des suppléments nutritionnels. Et que c'est grâce à cette industrie qu'elle vit très, très confortablement. Quand elle m'a surpris, j'étais en train de lire un mail qu'elle venait d'écrire à son patron. Le texte était là, sur l'écran. Et je dois dire que les propos qu'elle y tenait étaient graves. Elle parlait tout net de la nécessité de lancer des campagnes de diffamation contre les parlementaires opposés à la loi qui évite à son industrie d'être contrôlée par la

FDA. Comme tu peux imaginer, ces charlatans ont tout le pognon nécessaire pour attaquer qui ils veulent.

Noah hésita un instant, puis ajouta :

– Il y a une autre raison pour laquelle elle peut avoir mal pris que je regarde dans son ordinateur. Aussi incroyable que cela paraisse, toute sa vie sociale, ou presque, se passe sur les réseaux sociaux. C'est une... une activité, disons, qui constitue une part significative de la personne qu'elle est aujourd'hui.

– Tu plaisantes, dit Leslie.

– Heu... non. Jour après jour, elle s'active sur tous les réseaux sociaux imaginables, de Facebook à Twitter en passant par Snapchat et je ne sais quels sites de rencontre. Elle tient même une page Facebook, avec des rubriques Diététique, Gym et Beauté, qui est suivie par plus de cent mille personnes.

Il préféra ne pas préciser qu'Ava se cachait sur ces réseaux – sauf sur LinkedIn – derrière de fausses identités.

– Noah ! s'écria Leslie. Ce que tu me décris, c'est une pré-ado accro aux médias électroniques dans un corps de femme adulte. Es-tu sûr que c'est sain pour toi, cette relation ?

– Sa passion pour les réseaux sociaux a des circonstances atténuantes.

Noah n'avait pas envie d'entendre Leslie mettre davantage le doigt sur les réserves qu'il avait lui-même au sujet d'Ava. Et qu'il s'efforçait d'ignorer.

– Ava préfère ne pas avoir de relations amicales ou autre avec ses collègues de l'hôpital, ajouta-t-il. Ce qui est aussi un peu mon cas, il faut le dire. Et son boulot de lobbyiste l'oblige à partir en déplacement presque chaque week-end. Donc les réseaux sociaux remplissent un vide. Elle vit à Boston, mais j'ai l'impression qu'elle ne connaît à peu près personne ici.

– Je ne sais pas, dit Leslie avec résignation. J'aimerais pouvoir être plus positive à son sujet. Parce que manifestement tu tiens à elle. Mais je crois que tu devrais faire très attention.

– Elle a aussi subi de vraies blessures dans le passé. Peu après s'être mariée, elle a été abandonnée par son mari. C'était un Serbe, interne de chirurgie, qui avait juste besoin d'un permis de séjour permanent. Je n'ai jamais été marié, mais je comprends ce qu'elle a pu ressentir.

Ils gardèrent le silence pendant quelques secondes. Noah n'avait pas eu l'intention de blesser Leslie, mais la question de l'abandon restait un sujet délicat entre eux.

– Que peux-tu faire pour te préparer pour ton audition devant le comité consultatif ? demanda-t-elle finalement.

– L'hôpital me paie un avocat. Je ne l'ai pas encore appelé. Je ferai ça lundi. Ce sera intéressant d'avoir son opinion, je suppose. Enfin, je ne sais pas. L'idée que j'aie besoin d'un avocat me terrifie un peu. C'est le signe que le problème est grave, non ? Sais-tu que l'hôpital me fait même surveiller ?

– Comment ça ?

– Chaque fois que je sors dans la rue, il y a un type en costard qui me suit. Deux types, en fait. Ils se relaient.

– Tu es sûr qu'ils te suivent ?

– Ouais. À quatre-vingt-dix-neuf pour cent.

– Et tu penses que c'est l'hôpital ?

– Ben oui ! D'où ces mecs pourraient-ils venir, sinon ? Le truc qui me tracasse, par contre, c'est qu'ils ont commencé à me suivre *avant* ma suspension. C'est assez bizarre.

– Ça n'a aucun sens, tu veux dire !

– Ouais. Bien d'accord.

– Pourquoi l'hôpital te ferait-il surveiller ? insista Leslie, incrédule.

— Je me pose la question comme toi. Je suppose que c'est pour avoir la certitude que je ne reviens pas en douce dans le service. J'avoue y penser assez souvent. Je ne peux même pas imaginer ce que mes patients doivent se dire. Je ne sais pas ce qu'on leur a raconté. Ou bien peut-être y a-t-il des questions juridiques en jeu que je ne saisis pas.

— Noah, je suis vraiment, vraiment désolée pour ce qui t'arrive, dit Leslie. Tu ne mérites pas ça. Je crois encore que tout va se résoudre pour le mieux, en tout cas en ce qui concerne l'hôpital. Pour ta copine, j'ai peur que ce soit une autre histoire.

— Je te remercie beaucoup de m'avoir écouté.

— Rappelle-moi quand tu veux. D'accord ? Et bonne chance. J'espère que tout s'arrangera pour le mieux.

Après qu'ils se furent dit au revoir, Noah posa le téléphone à côté de lui sur le canapé et resta sans bouger un long moment, les yeux dans le vague. Sur le plan émotionnel, le bilan de cette conversation était mitigé. D'un côté, il appréciait le franc témoignage de sympathie et le soutien de Leslie. De l'autre, elle avait aggravé l'inquiétude qui le minait à l'idée qu'Ava puisse être mêlée à sa suspension.

Une idée qui le titillait depuis deux ou trois jours au sujet de sa thèse lui revint tout à coup à l'esprit et lui donna la force de s'arracher au canapé. Il se rendit dans le dressing, une pièce étonnamment spacieuse par rapport à la taille modeste de l'appartement, où il avait remisé plusieurs gros cartons remplis de bric-à-brac. Il y farfouilla jusqu'à ce qu'il trouve l'épais dossier à élastique où il avait enfermé tous les documents préparatoires de sa thèse — ses notes, ses brouillons, etc. Il l'emporta au living. Déjà plus de dix ans qu'il n'avait pas ouvert ce dossier. Il était temps qu'il se rafraîchisse la mémoire.

30

L'avocat engagé par l'hôpital n'était pas le professionnel affable et rassurant que Noah avait espéré rencontrer. John Cavendish était un homme filiforme, aux traits émaciés et aux cheveux blond filasse, qui n'avait sans doute pas encore trente ans. Et il n'était pas excessivement aimable. Il travaillait pour un gros cabinet d'avocats installé au cinquantième étage d'un joli gratte-ciel de State Street, mais en tant que simple collaborateur. Son bureau, qui n'avait pas de fenêtre, était encore plus petit que le living de Noah.

Le rendez-vous avait été fixé à quinze heures. Anxieux et impatient comme il l'était, Noah était arrivé une demi-heure en avance. Et avait fini par attendre quarante-cinq bonnes minutes. L'avocat était venu le chercher dans la salle d'attente, en se présentant sans un sourire, quand il avait été prêt à le recevoir. L'air morose, il feuilletait à présent un petit dossier contenant les pages problématiques de la thèse de Noah.

Noah se laissa aller contre le dossier de sa chaise en inspirant profondément. C'était la première fois qu'il s'aventurait hors de chez lui depuis son excursion chez Whole Foods, samedi après-midi. Il était encore déprimé, rongé par l'inquiétude, et il espérait que cette entrevue avec l'avocat le requinquerait. Pour le moment cela n'en prenait pas le chemin.

La météo était aussi chaude et humide que samedi mais Noah en souffrait beaucoup plus, car il avait enfilé l'unique veste et l'unique cravate qu'il possédait. Comme il s'y était plus ou moins attendu, il avait constaté être suivi peu après être sorti de son immeuble – par le Blanc, cette fois, qui était un chouia plus subtil dans sa méthode de filature que son collègue.

– Merci de m'avoir apporté ces pages, dit enfin John d'un ton monocorde. Le souci, heu, c'est que je n'y vois rien qui puisse réellement nous être très utile.

Il ferma le dossier, le poussa vers Noah en travers de la table, puis cligna des yeux, l'air un peu intrigué, avant de reprendre :

– Permettez que je vous repose la question par précaution. Vous avez déclaré devant plusieurs témoins que la version reliée de votre thèse contenait des informations falsifiées, c'est bien cela ?

– En effet, répondit Noah.

Pour la seconde fois en quelques minutes, il livra à l'avocat une explication détaillée du problème auquel il était confronté. Il voulait être certain que son interlocuteur en saisissait tous les aspects. Mais face à son expression butée, il avait l'impression d'essayer de prendre un escalator à contresens.

– Je comprends vos arguments, dit ensuite John. Néanmoins, vous avez bel et bien admis avoir falsifié des données. Il aurait mieux valu éviter cela. Une question, maintenant, pour que je n'aie pas de mauvaise surprise plus tard : y a-t-il d'autres fautes déontologiques de même nature, dans votre cursus universitaire, qui pourraient peser négativement sur la situation actuelle si elles étaient dévoilées ?

– Une seule, dit Noah. Un jour, quand j'étais en première année de fac préparatoire à l'université Columbia, j'ai acheté un devoir sur Internet et je l'ai rendu comme si c'était mon propre travail.

– Cette tricherie a-t-elle eu des retombées, à l'époque ?

– Non.

– Combien de personnes en ont été informées, à l'époque et depuis lors ?

– Je ne crois pas en avoir jamais parlé à quiconque. Non, j'en suis sûr, vous êtes le premier à l'apprendre.

– Très bien. Pendant votre audition devant le comité consultatif, si quelqu'un vous demande si vous avez commis d'autres faux pas pendant vos études, je veux que vous ne répondiez pas. C'est moi qui parlerai à votre place. Vous comprenez ?

– D'accord.

Noah réprima un soupir. Cette discussion ne le rassurait pas beaucoup.

– Très bien, répéta John en se levant. Je ferai le maximum. Merci d'être venu. Prévenez-moi si vous pensez à quoi que ce soit d'important. Sinon, je vous verrai sans doute le 23 août.

Quelques minutes plus tard, Noah était dans State Street sous l'écrasant soleil d'août. Il se sentait tellement à plat qu'il marcha quelques minutes sur le trottoir comme un zombie. Au carrefour de Court Street, il regarda derrière lui et fut étonné de ne pas voir le Blanc baraqué en costard qui l'avait suivi à l'aller. Scrutant plus attentivement les environs, il éprouva une étrange déception à ne l'apercevoir nulle part. Apparemment, sa vie partait tellement en capilotade que même ses mystérieux poursuivants renonçaient à s'intéresser à lui.

Songeant que l'homme se montrait peut-être encore plus discret que d'habitude, il reprit sa route d'un pas tranquille, en direction du coin nord-est du Boston Common. Son trajet le fit tourner plusieurs fois à droite ou à gauche, et emprunter un certain nombre de rues étroites – Boston était une ville bâtie à l'époque du cheval. À chaque carrefour, il regardait derrière lui. Mais le type blond restait invisible.

Noah haussa les épaules. Au lieu de se sentir abandonné, ne devait-il pas plutôt se réjouir de n'être plus suivi ? Il avait soudain envie de tirer parti de sa liberté. Certes, son attitude avait quelque chose d'absurde, ou d'insensé, puisqu'il ignorait la raison pour laquelle il était suivi – s'il était bel et bien suivi ! Il venait d'avoir l'idée de retourner à Louisburg Square... et peut-être même de sonner à la porte d'Ava. Qu'avait-il à perdre ? Depuis sa conversation de samedi avec Leslie, les questions qu'il se posait au sujet d'Ava lui tournaient continuellement dans la tête. Il avait souvent songé à essayer de la recontacter, bien sûr, mais il ne l'avait pas fait. À présent, il lui paraissait justifié d'essayer de la revoir. Peut-être refuserait-elle de lui parler, mais le jeu en valait la chandelle.

Quand il arriva devant la maison un petit moment plus tard, il grimpa sans hésiter les six marches du perron et entra dans le vestibule. Une caméra de surveillance se trouvait là, au plafond, filmant l'espace situé juste devant la porte d'entrée. Il se déporta sur le côté pour échapper à son œil, appuya sur la sonnette et s'immobilisa en tendant l'oreille. La mélodie d'un téléphone s'éleva quelque part à l'intérieur de la maison. Pas de réponse. Il sonna de nouveau. Quelques instants plus tard, Ava demanda qui était là par le petit haut-parleur de l'interphone.

– FedEx ! répondit-il d'une voix de fausset.

– Laissez le paquet devant la porte, s'il vous plaît.

– Il me faut une signature ! objecta-t-il sur le même ton.

Sa conduite lui faisait un peu honte mais il était en même temps amusé par les machinations dont il se découvrait capable. Il se retint de pouffer de rire.

Une minute plus tard, la porte s'ouvrit sur Ava. Elle était vêtue d'un legging noir et d'un débardeur, sans doute en prévision de sa séance de gym en fin d'après-midi. Quand elle aperçut Noah dans le vestibule, la colère envahit en un éclair son visage. Elle voulut aussitôt refermer la porte, mais il glissa le pied dans l'embrasure comme un représentant de commerce d'antan.

— Il faut que je te parle, dit-il.

— Non. Je suis encore furieuse contre toi.

Elle essaya de nouveau de pousser la porte, mais avec moins de vigueur que la première fois. Et Noah ne retira pas son pied.

— Je vois ça, dit-il. Mais je voudrais savoir si tu es au courant que j'ai été suspendu.

— Évidemment ! Tout le BMH est au courant et se demande pourquoi il t'est arrivé une chose pareille. Tu es très apprécié, ça, il faut le reconnaître.

— Est-ce que je peux entrer un petit moment ?

Ava sembla hésiter, puis tira la porte d'un air contrarié. Les deux chats firent leur apparition. Ils reniflèrent les jambes de Noah quand il s'avança dans le hall.

Ava et Noah se dévisagèrent quelques secondes, avant qu'il se lance :

— Tu sais à quel point j'aime l'hôpital. La chirurgie. Je pensais que tu chercherais à me joindre. Un peu de soutien m'aurait fait du bien. Je suis bouleversé et j'ai beaucoup de mal à vivre ce truc.

— Je te répète que je suis vraiment en colère contre toi.

— Mais je me suis excusé ! Je suis affreusement, horriblement désolé d'avoir trompé ta confiance. J'ai fait une grave erreur en allant sur ton ordinateur. Mais je pensais quand même que tu pourrais me pardonner et m'apporter ton soutien dans cette histoire. Nous avons partagé beaucoup de choses, nous deux. Si les rôles étaient inversés, tu peux être sûre que je serais là pour toi.

— Ah non, répliqua Ava. Je n'en suis pas si sûre.

— Hein ? fit Noah, incrédule. Tu crois que je te raconte des histoires ? Mais pas du tout !

— Tu m'as trahie. Non seulement tu as fouiné dans mon ordinateur parce que tu avais des doutes sur ma formation en anesthésie, mais tu es aussi allé voir mon chef, le Dr Kumar, pour lui dire que j'avais mal fait mon boulot dans les trois cas où les patients sont décédés. Tu as fait ça derrière mon dos ! Sais-tu comment je le sais ? Il me l'a dit. Parce que lui, il ne doute pas de mes compétences et il a entièrement confiance en moi. Comment as-tu pu oser faire une chose pareille ?!

Noah avait tout à coup la bouche sèche. Il se rendait compte qu'Ava avait en partie raison. Il l'avait trahie, en effet, d'une certaine façon, cette fois-là comme lorsqu'il avait consulté son ordinateur.

— Il m'a semblé qu'il était de mon devoir, en tant que superchef des internes de chirurgie, de faire part de mes inquiétudes à quelqu'un. Tu refusais de parler de ces choses-là avec moi. Je ne suis pas anesthésiste. Avec le recul, je sais bien que c'était une erreur d'aller voir ton chef de service. J'aurais dû m'adresser à *mon* chef de service et le laisser voir ça avec le Dr Kumar. Je suis désolé.

— J'ai l'impression que ton sens de l'éthique est à géométrie variable, répliqua Ava. La rumeur court que tu as été suspendu de tes fonctions pour avoir falsifié des données dans la thèse qui t'a permis d'entrer à Harvard.

— Comment tu sais ça ?

— Le Dr Mason l'a dit à Janet Spaulding. C'est le meilleur moyen de faire circuler une information au bloc opératoire.

Noah soupira. Il était impossible que le Dr Mason ait raconté cette histoire objectivement — sans noircir les faits. Il devait donc redouter les conséquences que les rumeurs suscitées par le praticien pourraient avoir sur certains membres du comité consultatif.

– Le Dr Kumar m'a conseillé de rompre avec toi, dit Ava. Il a même suggéré de cesser d'avoir la moindre relation avec toi.

Ils se dévisagèrent de nouveau un long moment. Ce fut encore Noah qui rompit le silence :

– Alors, c'est la fin de notre aventure ?

– Je ne sais pas. J'essaie d'abord de digérer tout ça.

– Si c'est terminé entre nous, enchaîna-t-il avec irritation, il y a une chose que j'aimerais savoir. Est-ce toi qui as parlé de ma thèse de doctorat au Dr Mason ? Et qui l'a récupérée au MIT ?

Ava rejeta la tête en arrière en poussant un rire narquois.

– Mais non, bon sang ! Je ne supporte pas ce type. En aucun cas je n'irais l'aider en quoi que ce soit. Qu'est-ce qui a bien pu te mettre ce genre d'idée dans la tête ?

– Tu es la seule personne à qui j'aie jamais parlé de ma thèse depuis je ne sais pas combien d'années. Et tu es à coup sûr la seule personne devant qui j'aie jamais admis avoir un peu « truqué » ce travail, comme je te l'ai dit. Le Dr Mason n'a pas pu découvrir ça tout seul.

– Ce n'est pas moi, affirma Ava. As-tu pensé à ton ancienne copine ? Celle que tu ignorais si bien qu'elle a fini par se débiner. Peut-être qu'elle a voulu se venger, non ?

– Non, ce n'est pas Leslie, rétorqua Noah.

– Alors tant pis ! Je ne vois pas qui ça peut être, et maintenant je veux faire ma gym. Il est temps que tu t'en ailles. S'il te plaît.

Noah sortit de la maison les nerfs à vif. Quand il était arrivé ici, il se sentait déprimé, anxieux et perplexe. Maintenant il était perplexe, déprimé et en colère. Ava avait beau affirmer le contraire, ce devait être elle qui avait révélé au Dr Mason, par un biais ou un autre, cette stupide histoire de données temporairement falsifiées dans sa thèse. En même temps, l'accusation qu'elle avait portée contre Leslie le tracassait – même s'il était certain de son innocence. Au moment de leur séparation, et depuis lors, Leslie n'avait jamais été furieuse contre lui. Elle avait juste refait sa vie, voilà. Lui, par contre, il avait été furax. Mais jamais contre Leslie : contre lui-même !

Alors qu'il quittait Louisburg Square et prenait la direction de Revere Street, il sortit son portable de sa poche pour appeler Leslie. Il ignorait si elle pourrait lui répondre, mais comme il était plus de dix-sept heures, il était à peu près sûr de ne pas la déranger au travail.

Elle décrocha après la deuxième sonnerie et demanda sans préambule, d'un ton soucieux :

– Quoi de neuf ? Tu vas bien ?

Noah répondit qu'il allait à peu près bien, puis expliqua qu'il voulait lui demander si, par hasard, elle avait jamais parlé à quiconque de sa thèse de doctorat, en particulier ces derniers temps.

– Absolument pas. Pour te dire la vérité, j'avais complètement oublié l'histoire de ta thèse jusqu'à ce que tu m'en parles samedi. De toute façon, je n'avais jamais pensé que ta soi-disant falsification puisse avoir la moindre importance, puisque tu avais toujours prévu de remplacer tes estimations par les bons chiffres dès que tu les aurais. En plus, je ne risque pas de parler à quiconque de ta thèse, parce que, pour être franche, je ne me souviens même plus sur quoi elle porte.

– OK, super. Je voulais juste confirmer ça.

– Depuis samedi, tu sais, j'ai réfléchi à ta situation. Veux-tu entendre ce que je me suis dit ?

– Sans doute.

– Plus j'y pense, en fait, plus je suis certaine que cette femme, ta copine, doit avoir joué un rôle dans l'histoire de ta thèse qui ressurgit tout à coup du néant.

— C'est ce que j'ai pensé, moi aussi, puisque toi et elle, vous êtes les deux seules personnes au monde à qui j'en aie jamais parlé. Il y a cinq minutes, je lui ai demandé tout net si elle m'avait trahi d'une façon ou d'une autre. Elle affirme que non.

— Elle a fini par te contacter, alors ?

— Non. Je suis allé chez elle et j'ai sonné à la porte.

Noah préféra ne pas évoquer son embarrassant stratagème du livreur FedEx.

— Elle a été sympa, au moins ?

— Pas vraiment. Elle dit qu'elle est encore très en colère contre moi.

— Et tu la crois, quand elle affirme ne pas être mêlée à l'histoire de ta thèse ?

— Jusqu'à un certain point. Elle n'a pas eu l'air d'hésiter ou de mentir. Elle s'est même fichue de moi.

— En tout cas, ce n'est pas moi ! dit Leslie d'un ton enjoué. Si elle est la seule autre personne à avoir été au courant de ta petite falsification, c'est forcément elle qui a vendu la mèche, non ? En même temps, c'est vrai que ça ne paraît pas coller avec ce que tu racontes au sujet de votre relation. De plus, ce serait archi-disproportionné par rapport au fait que tu as jeté un œil en douce sur son ordinateur.

— Il y a une autre chose que j'ai faite et dont je ne t'ai pas parlé, dit Noah.

Il raconta à Leslie comment il était allé voir le Dr Kumar pour évoquer les petites interrogations ennuyeuses qu'il avait dans la tête au sujet du comportement d'Ava, en salle d'opération, dans deux ou trois situations délicates.

— Aïe ! fit Leslie. Telles que je vois les choses, ta copine pourrait avoir pris ça pour une trahison encore plus grande que le truc de l'ordinateur. Surtout si elle est aussi dévouée à son métier que tu le dis. Comment sait-elle que tu as parlé à son chef ?

– Il le lui a dit.

– Double aïe ! Là, ça devient encore plus logique. Si c'est bien elle qui a cafté au sujet de ta thèse, c'est une sorte de vengeance malsaine pour obliger le service de chirurgie à douter de tes propres compétences. Ou du moins de ton sens de la déontologie.

– Ouais, convint Noah. Cette idée m'a traversé l'esprit.

– Mais toi, tu te poses des questions sur ses compétences en tant qu'anesthésiste, c'est ça ?

– Non. Pas vraiment. C'est une grande pro, bien formée, qui s'efforce religieusement de suivre toutes les évolutions de sa spécialité. Depuis cinq ans qu'elle travaille au BMH, elle a réalisé des milliers d'opérations sans le moindre souci. Auparavant, elle avait réussi haut la main tous ses examens de certification – les écrits comme les oraux –, ce qui n'est pas une mince affaire. Et pour être engagée par le BMH, elle a dû présenter un dossier en béton qui a été examiné à la loupe. Globalement, ses compétences sont indiscutables.

Noah arrivait à la porte de son immeuble. Craignant que la communication ne soit coupée dans le hall, il resta sur le trottoir.

– As-tu vu ton avocat, aujourd'hui ? demanda Leslie.

– Ouais. Pour le bien que ça m'a fait. Le mec doit être tout juste sorti de la fac. Il récolte tous les dossiers sans intérêt de sa boîte. Je ne vois pas comment il pourra m'aider.

– Je suis désolée.

– Merci.

Ils se dirent au revoir, puis Noah raccrocha en poussant la porte de l'immeuble. Il monta lentement l'escalier. Ses jambes lui paraissaient lourdes, de nouveau, comme si elles n'avaient pas plus envie que lui de retrouver son sinistre logement.

31

Une fois chez lui, Noah retira sa cravate et sa chemise humide de sueur, alluma le climatiseur à la fenêtre de la chambre, puis s'effondra sur le canapé. La journée avait été décourageante. Même sa conversation téléphonique avec Leslie ne l'avait pas requinqué. Au contraire, elle avait accru l'anxiété et l'irritation qu'il éprouvait vis-à-vis d'Ava. Sa façon d'être sur la défensive chaque fois qu'il évoquait ses trois décès en salle d'opération ne faisait que renforcer les questions qu'il se posait à son sujet – au sujet, plus précisément, de sa formation d'anesthésiste et de son expérience dans certaines situations. Elle aurait pourtant pu le rassurer facilement ! Si elle lui avait répondu franco d'entrée de jeu, jamais il n'aurait eu cette idée peu judicieuse, et qui avait encore aggravé la situation entre eux, de s'adresser au Dr Kumar. Au bout du compte, il estimait encore que la très grande sensibilité d'Ava face aux problèmes qu'il soulevait justifiait qu'il continue de chercher des réponses à son propos. Par ailleurs cela lui évitait de ressasser constamment ses propres soucis. Et puis c'était aussi une forme de thérapie, ou de compensation, pour le ressentiment qu'il éprouvait envers Ava à cause de son attitude glaçante.

La question était de savoir comment s'y prendre. Le Dr Mason était la seule autre personne, à sa connaissance, qui remettait en cause les compétences d'Ava. Devait-il l'approcher pour voir s'il fondait son opinion sur autre chose que son désir de lui faire porter le chapeau de l'incident Bruce Vincent ? Noah ne put que sourire à l'idée d'avoir une telle conversation avec Mason. C'était tout simplement absurde. Il doutait que le prétentieux et détestable chirurgien accepte même de lui parler, sinon pour se vanter d'avoir réussi à le faire suspendre. Et il ne voyait pas comment la conversation pourrait rester polie, à ce moment-là, car il serait incapable de ne pas exiger de savoir comment Mason avait entendu parler du petit bidouillage de sa thèse.

D'ailleurs, comment diable cet exemplaire relié de son travail avait-il pu atterrir dans le bureau de cet homme ? Il était peut-être temps qu'il essaie de trouver une réponse à cette question. La principale bibliothèque du MIT, où étaient stockées les versions imprimées des thèses, n'autorisait plus leur circulation depuis que tous les travaux universitaires étaient disponibles en ligne. Les personnes qui voulaient travailler sur les imprimés devaient se rendre sur place pour les consulter.

Noah regarda l'heure. Il était dix-neuf heures quinze. La bibliothèque du MIT était située en bordure de Memorial Drive, à Cambridge. Les horaires d'été lui étaient sortis de la tête, mais sans doute restait-elle ouverte jusqu'à au moins vingt heures, et peut-être même jusqu'à minuit. Il pouvait donc s'y rendre sur-le-champ. À défaut d'autre chose, c'était une bonne raison de ne pas rester enfermé dans son appartement. Il connaissait bien cette bibliothèque, car il y avait passé pas mal de temps quand il travaillait sur sa thèse. Son but, ce soir, était de découvrir qui avait réclamé l'exemplaire détenu par Mason, et comment son emprunt avait pu être autorisé.

Comme la soirée était chaude et poisseuse, il jugea qu'un jean, un tee-shirt et des tennis sans chaussettes suffiraient. Quelques minutes plus tard, il parvenait au pied de Revere Street et tournait à droite. Le quartier était très animé. Dans Charles Street en particulier, il y avait énormément de promeneurs et de gens qui faisaient du shopping. Lui qui menait une vie tellement monotone, limitée à l'hôpital et à son appartement, était toujours un peu ébahi de constater qu'il habitait en fait une grande ville cosmopolite et très vivante.

La station de métro de Charles Street était une station aérienne située à l'entrée du pont Longfellow qui reliait Boston à Cambridge par-dessus le fleuve Charles. Pour y monter, Noah emprunta l'escalier au lieu de l'escalator – un peu d'exercice était toujours bon à prendre. En dehors de sa visite au bureau de l'avocat, John Cavendish, et de quelques allers-retours chez Whole Foods, il végétait plus ou moins chez lui depuis six jours.

Il y avait pas mal de monde sur le quai, surtout à l'extrémité proche des escaliers. L'autre bout semblait moins peuplé, mais Noah resta quand même au milieu de la foule car il valait mieux qu'il embarque à l'arrière de la rame pour être au plus près de la sortie à la station de Kendall Square, juste après le pont, où il descendrait. Il jetait distraitement un regard derrière lui, en direction des escaliers que gravissaient un certain nombre de personnes, lorsqu'il eut une énorme surprise : le Noir se trouvait là, lui aussi, dans l'escalator parallèle aux marches. Quand Noah était sorti de son immeuble, il avait scruté la rue en se demandant si ce gars, ou le Blanc, était de nouveau dans les parages, mais il ne les avait pas vus. Il s'en fichait de toute façon, car il était désormais habitué à leur présence. S'ils avaient eu l'intention de l'agresser, ils l'auraient déjà fait.

Il observa l'homme approcher. L'espace d'un instant, leurs regards se croisèrent. Le Noir demeura impassible, comme s'il ne le reconnaissait absolument pas. Noah faillit l'applaudir. Ce mec était de toute évidence un pro – même si sa technique de filature était moins subtile que celle de son compère. Quand il parvint sur le quai, Noah envisagea un instant de lui demander s'il travaillait pour l'hôpital. Mais c'était inutile, bien sûr. Le gars ferait l'innocent comme la première fois qu'il l'avait abordé en l'agrippant par le bras. Il se contenta donc de le suivre des yeux tandis qu'il se frayait un passage entre les gens et s'immobilisait un peu plus loin.

Lorsqu'il descendit à Kendall Square, Noah chercha le Noir des yeux et ne le vit pas. Du moins, pas immédiatement. Il l'aperçut aux abords de la bibliothèque, au bout de quelques minutes de marche, lorsqu'il jeta un regard par-dessus son épaule. Le type était assez loin derrière, mais il venait indiscutablement dans sa direction. Il marchait d'un pas tranquille, sans doute parce que son but était simplement de ne pas le perdre de vue. Noah haussa les épaules, étonné une fois encore de constater que la présence de cet homme ne l'inquiétait guère. La situation était pourtant assez étrange. Si le BMH le faisait suivre, ce devait être pour s'assurer qu'il ne remettait pas les pieds là-bas – pas pour chercher à savoir ce qu'il faisait ici ou là en ville !

À la porte de la bibliothèque, Noah découvrit que celle-ci restait ouverte jusqu'à vingt-trois heures. Il avait donc tout le temps. Les nombreuses institutions académiques de la région de Boston partageant leurs installations de recherche, il put entrer avec son badge de l'hôpital. Il s'immobilisa peu après devant le bureau d'accueil des bibliothécaires. Une seule personne se trouvait là : une femme qui s'appelait Gertrude Hessen.

– Vous avez raison, dit-elle en réponse à la question de Noah. Les exemplaires reliés des thèses de doctorat ne sortent plus de la bibliothèque. C'est la règle depuis que les thèses sont numérisées.

Il expliqua qu'il était interne en chirurgie au BMH et avait eu la surprise de voir un exemplaire de sa thèse du MIT dans le bureau d'un professeur de la faculté.

– Du coup, ajouta-t-il, je me demande s'il y a une exception à la règle pour les profs... ?

– Pas à ma connaissance. Vous êtes sûr que c'était un original de votre thèse ?

– Absolument certain. Vous paraît-il possible que j'aille jeter un œil dans la réserve ?

– Sans problème, dit Gertrude d'un ton aimable. Attendez, je vous donne la clé.

Cinq minutes plus tard, après avoir parcouru deux longs couloirs dans le magasin souterrain de la bibliothèque, Noah parvint à la vaste cage grillagée où étaient conservées toutes les thèses publiées au MIT depuis le XIXe siècle. La clé que lui avait confiée Gertrude était attachée par une courte chaîne à une petite pagaie en bois. Quand il entra dans la cage, la lourde porte d'acier se rabattit d'elle-même derrière son dos et le déclic du mécanisme de fermeture résonna lugubrement dans le silence de mausolée du sous-sol. Noah éprouva une sensation désagréable en remarquant qu'il aurait aussi besoin de la clé pour ressortir. Aujourd'hui, tant de documents étaient numérisés et disponibles en ligne, que les visiteurs étaient bien rares dans le magasin de la bibliothèque. Il ne put s'empêcher de se demander combien de temps il devrait attendre pour être secouru si un pépin l'empêchait de sortir de la cage – surtout si Gertrude rentrait chez elle en oubliant qu'elle lui en avait donné la clé.

Mal à l'aise à l'idée d'être pris au piège dans la réserve des thèses, il se dépêcha de chercher la sienne. L'exploration des étagères n'était pas difficile, car les travaux étaient classés non par sujets, mais par auteur. Il trouva sans tarder les R, puis tomba peu après sur les dos de deux exemplaires reliés de son travail. Il y avait à côté un espace vide pour un troisième exemplaire. Que quelqu'un avait donc réussi à sortir de la bibliothèque malgré le règlement en vigueur.

Il quitta rapidement et sans problème la cage grillagée, remonta au rez-de-chaussée et rendit la clé à Gertrude en lui expliquant qu'un volume de sa propre thèse manquait bel et bien à l'appel.

– Je ne sais pas quoi dire, admit-elle, l'air perplexe, en battant des paupières. Ce que je peux faire, c'est laisser un mot à l'équipe de jour pour voir si elle a une explication à ce sujet. Voulez-vous me laisser votre numéro de portable ? Je demanderai que quelqu'un vous rappelle.

Quand Noah sortit sur le perron de la bibliothèque, le soleil était couché mais il faisait encore jour. Il s'immobilisa quelques instants en haut des marches pour admirer le reflet de Boston sur le fleuve Charles. Le spectacle était splendide. Il en profita aussi pour scruter les alentours à la recherche du grand baraqué noir. Ne le voyant pas, il fut quelque peu surpris de se sentir délaissé – comme lorsqu'il était sorti du bureau de l'avocat. C'était bizarre et un peu pitoyable. Mais bon : depuis près d'une semaine, ces deux hommes qui le filaient dans la rue étaient son seul lien avec le monde extérieur.

Pendant qu'il regagnait la station de Kendall Square, il regarda plusieurs fois par-dessus son épaule. Le type avait bien disparu. Tant mieux, décida-t-il en descendant dans les profondeurs du métro. À l'aller, l'idée lui était venue qu'il serait sans doute assez vulnérable au moment de retourner chez lui : un quai de métro plus ou moins désert en fin de journée, c'était l'endroit idéal pour attaquer quelqu'un – si telle était l'intention de ces deux types. En ce moment, par exemple, il n'y avait qu'une seule autre personne en vue, à l'autre extrémité du quai.

Noah éprouva un certain soulagement lorsque le grondement du métro emplit la station silencieuse. Il apprécia aussi, en entrant dans la première voiture de la rame, d'y trouver un certain nombre de passagers. Dix minutes plus tard, il marchait dans Charles Street où il y avait encore beaucoup d'animation. Il était très heureux de retrouver son quartier. Arrivant en vue du restaurant thaï où il était venu chercher les plats de tant de dîners agréables avec Ava, il ralentit le pas. Pour la première fois, peut-être, depuis qu'il avait été convoqué dans le bureau du Dr Hernandez, il avait faim. Après quelques instants d'hésitation, il entra dans le restaurant, demanda à s'asseoir et commanda ce qu'il avait mangé bien des fois avec Ava.

Lorsqu'il s'aperçut qu'il était le seul client solitaire de tout le restaurant, il eut l'impression de faire tache et regretta de ne pas avoir choisi d'emporter sa commande. Il dîna très vite, pour bientôt retrouver la rue. La nuit était tombée et les anciens réverbères à gaz typiques de Beacon Hill assuraient l'essentiel de l'éclairage. Pendant qu'il grimpait Revere Street, il marqua plusieurs pauses pour regarder derrière lui avec l'étrange espoir de revoir le Noir. Des tas de gens allaient et venaient sur les trottoirs. Une voisine qu'il reconnut pour l'avoir souvent croisée au fil des ans, mais à qui il n'avait jamais parlé, le salua gentiment.

Presque arrivé à son immeuble, il éprouva tout à coup une profonde amertume à l'idée de se retrouver enfermé entre ses quatre murs. L'idée lui traversa l'esprit de poursuivre jusque chez Ava pour voir si elle était mieux disposée envers lui – peut-être même prête à ce qu'ils aplanissent leurs difficultés ensemble. Mais le souvenir de son comportement dans l'après-midi l'obligea à conclure qu'elle n'avait sûrement pas envie de le voir. Il risquait même d'aggraver la situation s'il débarquait de nouveau à la maison à l'improviste.

Il entra dans l'immeuble, referma derrière lui et monta l'escalier son trousseau de clés à la main. Hélas, il ne devait plus en avoir besoin ce soir. En arrivant sur le palier, il découvrit que sa porte avait été forcée, une fois de plus. Et ce coup-ci le visiteur n'avait pas juste trafiqué la serrure : il avait utilisé un pied-de-biche, ou un outil quelconque, car le montant était tordu et abîmé.

La colère envahit Noah. Ça, c'était une agression inutile qui dépassait carrément les bornes ! Il poussa lentement le battant du pied, puis glissa les doigts le long du mur pour allumer la lumière. L'appartement paraissait en ordre. Et vide. Immobile sur le seuil, il tendit l'oreille au cas où l'intrus serait encore là, quelque part, mais il n'entendit que les *boum boum* sourds de la musique que quelqu'un écoutait à l'étage supérieur.

32

Quand il s'avança dans le living, Noah fut soulagé de constater que son ordinateur n'avait pas été déplacé. Il était positionné exactement comme dans l'après-midi par rapport aux bords de la table pliante. Il en souleva l'écran et l'alluma. Quelques instants plus tard, il put vérifier son historique de navigation. Celui-ci n'avait pas été vidé comme lors de la dernière effraction ; tous les sites Web qu'il avait visités récemment étaient listés. A priori, donc, aujourd'hui personne n'avait utilisé sa machine.

Dans la cuisine, il eut la satisfaction de constater qu'aucun de ses appareils ne manquait à l'appel – un cambrioleur, un an plus tôt, avait cru bon d'emporter le grille-pain. Quand il entra dans la chambre, par contre, il remarqua immédiatement qu'une petite pile de pièces de monnaie et quelques billets d'un dollar qui se trouvaient sur la table de chevet avaient disparu. À part cela, la pièce n'avait pas bougé. Même les draps et les oreillers en désordre, sur le lit qu'il n'avait pas fait depuis au moins une semaine, étaient comme il les avait laissés le matin.

Dans la salle de bains, la porte de l'armoire à pharmacie était entrouverte. Il était certain qu'elle était fermée auparavant. Dès qu'il la tira, il remarqua que quelque chose manquait sur l'étagère du haut : le flacon de Percocet, un antalgique opioïde très puissant, qui lui avait été prescrit au printemps dernier, après qu'il s'était cassé le nez pendant un match de softball à l'hôpital, mais qu'il n'avait jamais utilisé et pas même ouvert.

Saisi par l'impression que sa vie se désagrégeait de toutes parts, Noah eut besoin d'une longue douche, très chaude, pour surmonter le traumatisme de cette nouvelle violation de son espace privé. Il était particulièrement fâché que le cambrioleur ait détérioré de façon gratuite la porte de l'appartement et son chambranle. Dans le grand ordre de l'univers, perdre un peu de monnaie et un flacon inutile de Percocet n'avait aucune importance. En revanche, il était très ennuyé d'être obligé de perdre du temps à convaincre son propriétaire de réparer convenablement la porte – et de faire cela très vite, puisqu'elle ne fermait plus. Pendant qu'il aurait cet homme au bout du fil, tiens, il lui recommanderait d'encourager la fille de l'étage au-dessus à cesser de donner la clé de la porte de l'immeuble à ses nombreux petits copains. Côté positif des choses, Noah était reconnaissant à son visiteur de ne pas avoir dévasté l'appartement pour se venger d'y trouver si peu d'objets de valeur.

Après la douche, quand il se sentit assez frais et délassé pour se remettre à réfléchir, Noah enfila un simple boxer et alla s'asseoir devant l'ordinateur. Il avait en tête d'explorer une nouvelle fois l'université Brazos et son centre hospitalier.

Fasciné, comme lors de sa précédente visite, par la masse d'informations disponibles sur le site Web de Brazos, il apprit que l'université avait connu une croissance spectaculaire, tout au long des années quatre-vingt-dix, grâce à la générosité d'un certain groupe de magnats du pétrole de l'ouest du Texas. Dont Sam Weston, l'homme qui avait donné son nom au centre de simulation médicale WestonSim. La fac de médecine avait ouvert au milieu de cette décennie, lors de l'achèvement de la construction de l'hôpital de neuf cents lits qui allait avec, tandis que la faculté dentaire avait dû attendre le début des années deux mille. La fac de médecine ne comptait à son ouverture que trente-cinq étudiants. Des jeunes issus de lycées de la région, pour la plupart, plus quelques individus recrutés dans la petite population des Américains contraints de partir étudier dans les Caraïbes ou en Europe.

La faculté de médecine de l'université Brazos s'était rapidement développée, lut ensuite Noah, et elle comptait désormais cent quarante-cinq étudiants. Des programmes d'internat avaient été créés dès l'année où l'hôpital avait ouvert ses portes – mais uniquement, dans un premier temps, en médecine générale, en chirurgie, en anesthésie et en médecine interne. Au cours des années suivantes, l'éventail complet des diverses spécialités susceptibles d'être enseignées dans un grand centre universitaire hospitalier avait été déployé, l'objectif affiché par la direction de Brazos étant de produire tous les types de médecins nécessaires dans l'ouest du Texas.

Fixant son attention sur le service d'anesthésie du centre médical de Brazos, Noah apprit que celui-ci avait recruté des professeurs, pour son programme d'internat, dans un grand nombre d'institutions de première classe des États-Unis. Il fut notamment très impressionné de lire que le chef de service avait été débauché de Johns-Hopkins, l'un des centres hospitaliers les plus réputés du pays. Le site livrant des informations extrêmement complètes, il put déterminer que toutes les facettes de l'anesthésie en tant que spécialité avaient été rapidement intégrées au programme de son internat, notamment pour répondre aux besoins de certaines spécialités ultrasophistiquées comme la cardiologie, la neurochirurgie et la greffe d'organes. Il apprit aussi que vingt nouveaux internes étaient admis chaque année dans le service, et que tous les internes de Brazos devaient avoir un minimum de vingt mille cas à leur actif à la fin de leur formation.

Noah se redressa contre le dossier de sa chaise, s'étira un moment et leva les yeux vers le plafond. Voilà – maintenant il n'avait plus le moindre doute : Ava avait été formée dans un centre médical pleinement accrédité, et sous la supervision de gens très compétents. Il était d'autant plus rassuré qu'il avait aussi lu que le centre médical de Brazos réalisait plus de vingt mille grandes opérations de chirurgie par an, soit à peu près autant que le BMH. L'université Brazos n'appartenait peut-être pas à l'Ivy League, mais elle donnait l'impression d'un établissement d'enseignement supérieur plus que respectable.

Noah n'était pas totalement satisfait de son exploration néanmoins, car il ne suffisait pas d'avoir confirmé qu'Ava avait fait ses études dans une fac correcte. Il voulait davantage d'infos au sujet d'Ava elle-même : combien d'opérations, par exemple, avait-elle personnellement assurées pendant son internat ? en utilisant quels types d'anesthésies ? et combien d'événements indésirables s'étaient produits, s'il y en avait eu, parmi toutes ces opérations ? Après tout, c'était pour consulter son journal d'internat qu'il avait fait l'erreur de fouiner dans son ordinateur. Bien sûr, il n'oubliait pas que pour avoir été recrutée par le BMH, elle devait avoir largement fait ses preuves en tant qu'interne. Le Dr Kumar s'était vanté des résultats stratosphériques de sa protégée aux examens de certification de la société des anesthésistes. Mais Noah avait tout de même envie de creuser la question, et pour trois raisons. Primo, il s'ennuyait à mourir depuis qu'il avait été chassé de l'hôpital. Secundo, Ava lui plaisait beaucoup, peut-être même était-il amoureux d'elle, et il voulait en savoir le maximum à son sujet. Tertio, il se sentait très seul, très malheureux et, plus important encore, il était terriblement agacé par l'attitude d'Ava à son égard malgré les plates excuses qu'il lui avait présentées à plusieurs reprises – sans compter qu'il s'était aussi humilié en sonnant à sa porte. Quant à la question de savoir si c'était elle qui avait fait en sorte que sa thèse aboutisse sur le bureau du Dr Mason... Bon, il préférait ne pas y songer davantage tout de suite.

Noah remit subitement les mains sur le clavier. Il venait d'avoir l'idée de regarder quel genre de firewall l'université Brazos possédait, et si celui-ci était à jour. Il savait que les institutions jeunes et en croissance rapide négligeaient souvent la sécurité de leurs systèmes informatiques, car elles préféraient allouer leurs ressources financières à quantité d'autres facteurs de développement très nombreux qui leur paraissaient tout simplement plus importants. Noah supposait que l'hôpital avait sans doute un système de protection efficace pour les données personnelles de ses patients, en accord avec la législation en vigueur, mais il s'attendait à ce que l'université ait bien des failles, comparativement parlant, dans d'autres pans de son intranet.

Naturellement doué en informatique, Noah avait appris un certain nombre d'astuces de hackers quand il était ado, pour réaliser diverses petites opérations de piratage sans gravité. À l'époque, il avait fait cela par jeu, par goût de l'aventure. Il avait maintenant l'occasion d'utiliser ses connaissances pour un objectif sérieux. Il voulait trouver les dossiers d'Ava à l'université Brazos : ceux de la fac de médecine et ceux du programme de l'internat d'anesthésie, qu'il supposait tous bourrés de résultats excellents et d'observations rien moins qu'élogieuses de ses professeurs. Ayant lui-même récemment bouclé sa première évaluation mensuelle des internes de chirurgie du BMH, il savait quel genre d'infos il était susceptible de découvrir.

Il commença par retourner sur les sites Web de la fac de médecine de l'université Brazos et du service d'anesthésie de son hôpital pour demander à chacun d'eux de lui transmettre un banal
formulaire d'inscription par courrier électronique. Cette première
démarche accomplie, il pourrait utiliser les en-têtes de leurs mails
pour tenter de s'introduire dans le système de Brazos. Mais tout à
coup, alors que le premier site s'affichait sur son écran, un signal
d'alarme retentit dans son cerveau. La manip qu'il s'apprêtait à faire
était illégale. Et assurément contraire à toute déontologie. Or, si le
système de sécurité de Brazos était un tant soit peu performant, il
réussirait peut-être à remonter jusqu'à lui. Considérant que Noah
devait bientôt se présenter devant le Comité consultatif de l'internat de chirurgie, il n'était sans doute guère souhaitable qu'il risque
d'être surpris à commettre un délit informatique. En fait, son projet
était complètement idiot.

Alors, une autre idée lui vint. S'il devait éviter de pirater *lui-même*
le système informatique de l'université Brazos, cela ne voulait pas
dire que quelqu'un ne pouvait pas tenter d'obtenir les renseignements qu'il recherchait par un autre biais. Et en toute légalité !
C'était la première fois de sa vie qu'il songeait à engager un détective privé. Il n'en avait jamais rencontré ; il ne connaissait cette
profession que par les films policiers – où elle avait souvent, à son
sens, un rôle démesuré. Pourtant, il était dans la situation où un
enquêteur indépendant, basé dans la région de Lubbock, pourrait
sans doute dénicher bien des informations de façon complètement
réglo. Vu les circonstances, cette idée était séduisante à de multiples niveaux.

Noah tapa « détective privé Lubbock Texas » dans la fenêtre
de recherche Google. Il ne savait pas trop à quoi s'attendre. Une
fraction de seconde plus tard, il fut sidéré par le nombre d'agences
de détectives privés – il y avait des indépendants et des firmes –

qui proposaient leurs services. Il explora les sites Web de quelques firmes, plus ou moins grosses par leurs nombres d'employés, et décida qu'elles étaient toutes trop impressionnantes pour lui. Sans doute pas assez discrètes, non plus, pour qu'il se sente à l'aise. S'il devait engager quelqu'un, ce qu'il n'avait pas complètement décidé de faire, il voulait une personne indépendante, de préférence un détective qui bossait de chez lui, en solo, sans même avoir de secrétaire. Ce qu'il avait en tête était légal, il le savait, mais il ne voulait pas qu'Ava l'apprenne. Furieuse comme elle l'était parce qu'il avait parlé avec le Dr Kumar, il imaginait sans peine dans quel état elle se mettrait si elle découvrait qu'il avait engagé un détective privé pour se renseigner sur sa formation ! Néanmoins, son idée le séduisait de plus en plus. Il ne voyait pas d'autre solution pour obtenir des réponses sans se mettre lui-même en danger.

Après avoir exploré les sites d'une dizaine d'indépendants, Noah en trouva un qui lui parut parfait pour ses besoins. La détective, car c'était une femme, s'appelait Roberta Hinkle. Elle l'intéressait, tout d'abord, parce qu'elle précisait avoir fait ses études à l'université Brazos et en être sortie diplômée en droit criminel. Dans la liste de ses spécialités, autre point positif, elle indiquait effectuer des « vérifications de curriculum vitae » : c'était exactement ce qu'il recherchait. Il appréciait aussi qu'elle indique son tarif horaire, chose que ne faisaient pas la plupart des indépendants dont il avait consulté les sites. Le chiffre de soixante dollars de l'heure lui paraissait a priori assez élevé, mais il restait inférieur à ceux de la plupart de ses confrères. Très satisfait par ces premiers éléments d'information, il décida de passer à l'étape suivante.

Roberta Hinkle invitait ses futurs clients à prendre directement contact avec elle par téléphone ou par mail. Comme il était vingt-trois heures, Noah opta pour le mail. Afin de faciliter cette démarche, le site proposait un formulaire à remplir. Dans le champ du nom, Noah fit précéder le sien du titre « Dr ». Après avoir rempli le champ suivant avec son adresse électronique, il plaça le curseur dans la fenêtre réservée à la description du type d'enquête souhaitée. Il choisit d'écrire à la première personne du pluriel pour donner l'impression qu'il agissait au nom d'un collectif : « Nous souhaiterions obtenir une vérification complète, mais strictement confidentielle, du parcours universitaire et des diplômes obtenus par une anesthésiste de notre équipe, la Dr Ava London. Nous avons besoin de tous les détails possibles sur sa formation. Tout autre renseignement sera le bienvenu, notamment sur son profil psychologique et social. La Dr London a grandi à Lubbock, a fait ses études à la faculté de médecine de l'université Brazos, puis son internat au même centre hospitalier universitaire, mais elle travaille aujourd'hui à Boston, Massachusetts. »

Dans la section du formulaire intitulée « Préférences de règlement », Noah cliqua dans la case PayPal pour faire simple. Dans le champ de la date souhaitée pour le démarrage de l'enquête, il écrivit : « Le plus tôt possible, si nous donnons suite. »

Après avoir cliqué sur Envoyer, il fut saisi pendant quelques secondes par une angoisse sourde. Il flippait, à vrai dire, comme lorsqu'il s'était rendu compte que son projet de piratage du système informatique de Brazos était insensé. Avec cette détective privée, n'était-il pas allé un peu trop vite en besogne ? Maintenant, il ne pouvait plus que croiser les bras et attendre. Quand aurait-il une réponse de Roberta Hinkle ? Tout dépendait de son emploi du temps. Si elle était très occupée, peut-être pas avant plusieurs jours. Sinon, peut-être dans les prochaines vingt-quatre heures. Quelle somme de travail avaient donc les détectives privés de Lubbock en plein milieu de l'été ? Hélas, il n'avait aucun moyen de répondre à ces questions. La seule autre chose qu'il pourrait faire pour avancer, éventuellement, ce serait d'appeler Roberta Hinkle au téléphone le lendemain matin.

Ne sachant plus trop comment s'occuper l'esprit, Noah décida d'aller sur Facebook pour voir si Gail Shafter ou Melanie Howard, c'est-à-dire Ava, étaient en ligne. Mais pas en utilisant son vrai profil, au nom de Noah Rothauser. Pour se distraire – pour voir aussi l'effet que cela faisait –, il avait envie de se créer lui aussi un pseudo, un « faux-nez ». En clin d'œil à l'un de ses vieux films préférés, il songea tout d'abord à Butch Cassidy. Puis il comprit qu'il faisait fausse route. Ava était futée. Elle risquait de tiquer sur ce nom, de savoir qui se cachait derrière, car ils avaient parlé de cinéma plusieurs fois. Il opta finalement pour Harvey Longfellow, un nom qui venait de lui passer par la tête et qui avait un petit côté « vieille Nouvelle-Angleterre » assez sympathique.

Il s'amusait à créer le profil d'un vieux garçon de trente ans en manque d'amour, représentant en assurances de profession, qui détestait les snobs des universités de l'Ivy League (un détail qu'Ava apprécierait peut-être), lorsqu'une icône, au bas de son écran, lui signala l'arrivée d'un mail. Pour garder la page de « Harvey » devant les yeux à l'ordinateur, il attrapa son téléphone en espérant que ce mail venait de Roberta Hinkle.

C'était bien le cas.

Cher docteur Rothauser : Merci d'avoir pris contact et envisagé d'utiliser mes services pour entreprendre une enquête confidentielle sur le parcours de la Dr Ava London. Je peux commencer dès ce soir, à partir de mes sources accessibles sur Internet, si vous décidez de donner suite. Si vous connaissez certaines dates clés de son parcours scolaire et le nom de son lycée, cela m'aidera à vérifier que j'ai trouvé la bonne personne. Toute autre information pertinente dont vous disposerez sera également utile, pour la même raison.
Sentiments respectueux, Roberta Hinkle

Stupéfait par la réactivité de la détective, Noah réduisit la fenêtre du profil de Harvey Longfellow pour se lancer dans la rédaction d'un long mail :

Chère madame Hinkle, je vous remercie de votre réponse très rapide. Voici ce que je sais, avec cette réserve toutefois que les dates peuvent ne pas être justes. La Dr London est née en 1982. J'ignore où elle a fait sa scolarité primaire, mais il paraît qu'elle a été ensuite au lycée Coronado, où elle a été pom-pom girl et a suivi des cours de préparation avancée au cursus universitaire. Je crois qu'elle en est sortie en l'an 2000. Entre 2000 et 2002, elle a travaillé pour un dentiste, Winston Herbert, qui est devenu doyen de la fac dentaire de l'université Brazos lorsque celle-ci a ouvert ses portes. Elle a alors étudié à l'université Brazos pendant six ans (2002 à 2008), en décrochant une licence de diététique à la fin de ses deux années de prépa accélérée à la fac de médecine. Diplômée en médecine, elle a fait l'internat d'anesthésie au centre médical de l'université Brazos (2008 à 2012). Ensuite, elle s'est vu offrir un poste de praticienne au BMH (Boston Memorial Hospital) à partir de 2012. Certaines de ces dates sont à vérifier, mais sans doute assez proches de la réalité. Autres informations importantes : son père, un cadre dirigeant de l'industrie pétrolière, s'est suicidé quand elle était adolescente (année exacte ?). Elle a été brièvement mariée, vers l'an 2000, à un médecin d'origine serbe. Toutes les informations que vous pourrez trouver nous intéresseront, mais notre priorité absolue est d'en apprendre le maximum sur la période de son internat d'anesthésie. Et plus les renseignements disponibles seront détaillés, mieux cela vaudra. Nous aimerions beaucoup savoir quels souvenirs ont gardé d'elle certains membres du corps enseignant de Brazos – sachant que leurs jugements doivent être a priori très positifs, puisqu'ils ont contribué à la faire engager par le BMH. Si quelqu'un vous demande la raison de cette enquête, vous pouvez dire que le chef du service d'anesthésie du BMH la couvre de louanges. Dernière information sans doute pertinente, la Dr Ava London utilise énormément Facebook, mais derrière deux pseudonymes : Gail Shafter et Melanie Howard. Sa photographie est disponible sur sa page LinkedIn qui, elle, est à son nom. Ce travail d'enquête vous intéresserait-il ? Si vous acceptez, je dois souligner que le facteur confidentialité est primordial.
Cordialement, Dr Noah Rothauser

Après avoir relu le mail et y avoir apporté quelques petites modifications, Noah cliqua sur Envoyer. Il se remit ensuite au faux profil Facebook qu'il était en train de créer. À peine y avait-il ajouté quelques précisions sur Harvey Longfellow, cependant, qu'un second mail de Roberta Hinkle tomba dans sa boîte de réception.

> Cher docteur Rothauser : Merci pour toutes ces précisions. Je suis tout à fait disposée à accepter votre proposition et je peux vous promettre de mener cette enquête dans la plus stricte confidentialité, comme c'est le cas pour tous mes travaux. Merci de me confirmer si vous voulez que je commence.
> Roberta Hinkle

Noah leva une fois encore les yeux vers le plafond. Quelle décision prendre ? Roberta Hinkle lui faisait bon effet. Il appréciait son enthousiasme et sa disponibilité. Aussi impulsivement qu'il avait commencé à remplir le formulaire sur le site de la détective, il résolut de conclure illico l'affaire. Il savait que s'il commençait à ruminer et à avoir des doutes d'ici le lendemain matin, il renoncerait peut-être à cette enquête. Il cliqua sur Répondre pour écrire à Roberta qu'il était d'accord et qu'elle pouvait commencer l'enquête.

La réponse de la détective arriva une minute plus tard :

> Cher docteur Rothauser : Je me penche immédiatement sur ce projet très intéressant. Je vous enverrai demain par mail les premiers résultats de mes recherches. Cette enquête ne devrait pas être difficile. J'ai moi-même fait mes études à l'université Brazos, où j'ai par ailleurs de bons contacts car j'y donne un cours d'introduction à la justice pénale.
> Cordialement, Roberta Hinkle

Impressionné par la vivacité et le professionnalisme de Roberta, Noah lui écrivit qu'il attendait avec impatience les premiers résultats promis. Il précisa aussi, une dernière fois, qu'elle devait absolument se montrer très discrète. Elle répondit qu'elle comprenait tout à fait cette exigence et que la confidentialité était la pierre angulaire de son métier : il ne devait avoir aucune inquiétude de ce côté-là.

Noah essaya de se remettre à son faux profil. Mais il ne parvint pas à se concentrer. Il ne pouvait pas s'empêcher de se demander ce que Roberta Hinkle découvrirait – en plus, bien sûr, de tous les machins flatteurs et admiratifs auxquels il s'attendait, puisque Ava avait sans doute eu de brillants résultats tout au long de ses études. Malgré les assurances de la détective, en outre, il craignait que les questions qu'elle s'apprêtait à poser à Brazos ne reviennent tout de même d'une façon ou d'une autre aux oreilles d'Ava. Quelles conséquences cela pourrait-il avoir ? Ava le soupçonnerait-elle d'être derrière cette investigation ? Probablement pas, mais comment savoir ? Pendant deux ou trois minutes, l'idée de réécrire à Roberta pour tout annuler le titilla. Il décida finalement de ne rien faire. D'attendre simplement le mail promis pour le lendemain matin. Cette nuit, de toute façon, elle ne dénicherait rien de plus que ce qui serait disponible sur Internet.

Noah regarda sa montre en soupirant. Il était minuit passé. Plus important, à présent qu'il avait le sentiment d'avoir fait quelque chose de bon pour dissiper une fois pour toutes ses interrogations au sujet d'Ava, il lui semblait aussi qu'il allait enfin réussir à dormir. Après avoir éteint son ordinateur, il poussa le canapé contre la porte d'entrée détériorée afin de sécuriser un minimum son logis, éteignit les lumières et passa dans la chambre.

33

Pour la première fois depuis une semaine, Noah avait passé une assez bonne nuit et s'était réveillé requinqué. Il attribuait ce relatif bien-être au fait d'avoir engagé la détective privée de Lubbock. Cette décision lui avait donné le sentiment d'agir de façon positive pour avoir certaines réponses au sujet d'Ava, et il ne la regrettait pas. Il aurait largement préféré, bien sûr, qu'Ava accepte de discuter des petites questions enquiquinantes qu'il se posait au sujet de son attitude lors des trois incidents fatals survenus au bloc, mais cela n'était manifestement pas possible. À moins de pirater le système informatique de l'université Brazos, donc, il n'avait pas d'autre solution que cette détective privée pour obtenir ce qu'il voulait. L'enquête se justifiait aussi, lui semblait-il, parce qu'elle était dans l'intérêt d'Ava, au bout du compte, et de leur relation. Tout comme il espérait retrouver son poste de superchef au terme de la réunion du comité consultatif, il espérait qu'Ava finirait par accepter ses excuses sincères et passerait l'éponge. Ils étaient trop bien ensemble, ils avaient partagé trop de choses, aussi bien sur le plan intellectuel que physique, pour se perdre maintenant. Si jamais elle devait revenir sur l'idée de renoncer à son métier d'anesthésiste, il voulait être sûr de connaître son parcours et ses compétences réelles.

Il s'était surpris à sortir de chez lui à huit heures, pour aller petit-déjeuner dans un troquet du quartier. Il avait même lu le *New York Times* comme une personne normale. Ensuite, il avait acheté du pain et un peu de charcuterie, en prévision du déjeuner, avant de regagner son appartement. Il voulait terminer le profil de Harvey Longfellow, puis essayer de devenir l'ami de Gail Shafter et de Melanie Howard sur Facebook, avec l'espoir de commencer bientôt à échanger des messages avec Ava – sans qu'elle ne sache, bien sûr, qui se cachait derrière « Harvey ».

Il était quatorze heures cinquante-deux lorsque cette journée assez agréable commença à prendre une tournure sinistre. La sonnerie de son smartphone le fit sursauter. Il l'attrapa et regarda l'écran en espérant, comme toujours, y lire le nom d'Ava. Mais c'était la bibliothèque du MIT.

– Docteur Rothauser ?

– C'est bien moi.

– Je m'appelle Telah Smith, je suis bibliothécaire adjointe et j'ai trouvé un mot de Gertrude Hessen me disant que vous cherchiez à savoir pourquoi un exemplaire de votre thèse était sorti de la salle des thèses. Souhaitez-vous toujours connaître la réponse à cette question ? C'est moi qui ai autorisé sa sortie.

– Oui, j'aimerais le savoir, dit Noah, ébahi que cette femme le rappelle si vite.

– Ce sont des agents du FBI qui nous ont demandé un exemplaire de votre thèse. Ils sont venus ici, à la bibliothèque, nous expliquer qu'ils en avaient besoin quelque temps pour une enquête.

Noah écarquilla les yeux. Il avait du mal à croire ce qu'il venait d'entendre.

— Le FBI ? dit-il d'une voix rauque.

— Nous avons de temps en temps ce genre de requête, voyez-vous, expliqua Tela. Moins fréquemment depuis que tous ces travaux sont disponibles en ligne, mais cela arrive tout de même.

— Mais, heu... avaient-ils un mandat ?

Noah était sidéré que le Dr Mason soit allé jusqu'à impliquer le FBI dans cette histoire. Et plus sidéré encore que le FBI ait décidé de s'en mêler.

— Non, ils n'avaient pas de mandat. Ils ont eux-mêmes précisé qu'ils pouvaient s'en procurer un si nécessaire, mais ils préféraient que les choses restent simples dans la mesure où il ne s'agissait pas d'une enquête criminelle. Ils ont aussi dit qu'en dépit du fait que votre thèse était disponible en ligne, ils travailleraient plus vite avec un exemplaire relié. Dont ils ont promis de prendre grand soin, n'ayez crainte. Et ils ne devraient le garder que quelques jours. Quand j'ai demandé son avis à ma supérieure, elle m'a dit que nous pouvions autoriser la sortie de votre thèse pendant une quinzaine, car nous avons depuis longtemps de bonnes relations avec le FBI. En plus, ces deux agents étaient particulièrement sympathiques. Jeunes, agréables, et... très séduisants, je dois avouer, précisa Telah avec un petit rire. Je sais que ce n'est pas très professionnel de ma part, mais leur visite nous a changés un peu du train-train à la bibliothèque.

— Merci beaucoup de m'avoir appelé pour m'expliquer tout cela, dit Noah qui ne savait plus quoi penser.

Après avoir coupé la communication, il regarda dehors par la fenêtre pendant de longues secondes. Il n'en revenait pas que le FBI puisse avoir mis le nez dans cette histoire. Cette nouvelle le rendait très nerveux et lui interdisait d'envisager avec optimisme son audition devant le comité consultatif. D'accord, il avait falsifié quelques données, mais la participation du FBI donnait au reproche qui lui était fait une gravité qu'il ne méritait pas.

Dans les affres de ce nouveau coup dur, il entendit tout à coup le carillon de son téléphone annoncer l'arrivée d'un mail. Il prit une profonde inspiration pour retrouver son calme, activa l'écran de l'appareil et vit que l'expéditeur du courrier était Roberta Hinkle. Espérant lire des nouvelles réconfortantes, il alla se rasseoir devant l'ordinateur pour découvrir la prose de la détective. Mais une autre déception l'attendait.

Cher docteur Rothauser : Les choses ne se sont pas passées aussi bien que prévu. D'abord, je n'ai trouvé aucune Ava London au lycée Coronado autour des années 2000. Aucune jeune fille portant ce nom n'a fréquenté cet établissement entre 1955 et 2005. J'ai ensuite exploré tous les autres établissements secondaires de Lubbock, pour constater qu'aucun d'eux n'a compté d'Ava London parmi ses élèves pendant cette même période d'un demi-siècle. J'ai alors élargi mes recherches à toute la région et à toutes les villes avoisinant Lubbock. Au prix de très gros efforts, j'ai fini par retrouver une Ava London qui était scolarisée en l'an 2000 au lycée de Brownfield, une petite ville qui se trouve à environ une heure de route de Lubbock. Elle y était une pom-pom girl très populaire, elle a suivi un certain nombre de cours de préparation avancée au cursus universitaire, elle était régulièrement citée au tableau d'honneur de l'établissement, et enfin elle était membre du conseil des élèves. Son père, qui était cadre dirigeant dans l'industrie pétrolière, s'est suicidé. Donc, il s'agit apparemment bien de l'Ava London à propos de laquelle vous m'avez confié cette enquête. En ce moment même, je suis à la bibliothèque Kendrick de Brownfield et je découvre l'annuaire du lycée pour l'année 2000. Il contient un certain nombre de photos d'Ava London qui correspondent à la photo de la page LinkedIn de la Dr Ava London. Cependant, il se présente un gros problème, inattendu, dont vous devriez être informé, je pense, surtout si vous voulez que je poursuive ce travail.
Sentiments respectueux, Roberta Hinkle

Noah poussa un grognement de frustration. Pourquoi Roberta ne lui avait-elle pas exposé simplement dans ce mail le problème en question ? Pendant qu'il tapait au clavier qu'il souhaitait savoir de quoi il s'agissait, il essaya d'imaginer ce que la détective avait pu

découvrir. Une info vraiment étonnante, sans doute. Et peu ragoû-
tante ? Roberta lui répondit aussitôt :

> Docteur Rothauser, je suis tombée sur un très gros problème dans
> l'histoire d'Ava London. Peut-être vaudrait-il mieux que nous en
> parlions de vive voix. C'est tout à fait étrange.

Il saisit aussitôt son téléphone pour l'appeler sur son portable
et trépigna d'impatience pendant que les sonneries s'égrenaient,
agacé malgré lui que la détective fasse tant de mystères. Quand elle
décrocha, par-dessus le marché, elle ne s'expliqua pas tout de suite
mais lui demanda d'attendre qu'elle soit sortie de la bibliothèque.
Il pianota nerveusement des doigts sur la table.

— Bien, reprit-elle moins d'une minute plus tard. Je suis à vous.

Elle avait une voix agréable, teintée d'un léger accent texan qui
rappela à Noah celui d'Ava.

— Excusez-moi, je vous donne sans doute l'impression de faire
bien des mystères, enchaîna-t-elle. Voilà le problème. Tout ce que
vous m'aviez dit sur le passé de lycéenne d'Ava London se vérifie, si
ce n'est qu'elle était à Brownfield et non au lycée Coronado. Mais
ce qui est beaucoup plus important que ce détail géographique, c'est
qu'elle n'a jamais terminé sa scolarité.

— Pardon ? fit Noah — il n'était pas sûr d'avoir bien entendu.

— Ava London s'est suicidée quand elle était en terminale. Douze
mois exactement après son père. Avec la même arme, de la même
façon, dans la même pièce de leur maison. Après avoir fait cette
découverte très inattendue dans une rubrique nécrologique de l'annuaire du lycée, j'ai exploré les archives du journal local pour tous
les jours de la semaine qui ont suivi l'événement. Ce canard a parlé
de la tragédie de nombreuses fois, car cela a été un événement
important, et même bouleversant, pour toute la ville. La police a

mené l'enquête. Le père et la fille London étaient des piliers de la communauté. Bien que personne n'ait été formellement accusé de quoi que ce soit, beaucoup de gens ont jugé que le suicide d'Ava était la conséquence d'un cas précoce de cyberharcèlement. Bien sûr, on ne parlait pas encore de cyberharcèlement à l'époque, mais c'est ce qui est décrit dans les articles que j'ai consultés. Au moins trois filles de la classe d'Ava sont citées, et il semble que d'autres élèves, des garçons et des filles, aient été mêlés à l'histoire. Les noms de ces trois camarades étaient Connie Dugan, Cynthia Sanchez et Gail Shafter.

Le silence s'éternisa entre Noah et Roberta pendant près d'une minute. Noah était sidéré, de nouveau – et plus encore que lorsqu'il avait appris que le FBI s'était chargé de récupérer sa thèse au MIT pour le Dr Mason. La détective reprit la parole après lui avoir laissé le temps d'absorber ce qu'il venait d'entendre :

– Souhaitez-vous que je continue mon travail d'enquête, docteur Rothauser ?

– Heu… attendez un moment, s'il vous plaît. Laissez-moi assimiler cette révélation très bizarre. Je vous rappelle.

Noah raccrocha et se leva pour faire les cent pas à travers la pièce en essayant de donner un sens à ce qu'il venait d'entendre. Étant donné la taille très modeste de son living, il était obligé de faire demi-tour tous les trois ou quatre pas. Mais il ne pouvait pas rester immobile. Pendant quelques instants, il fantasma sur l'idée d'affronter Ava tout de suite – dès cet après-midi, à son retour de l'hôpital –, pour lui lancer au visage qu'il avait découvert que le pseudo, le faux profil, c'était Ava London, pas Gail Shafter ! Puis il prit conscience que s'il faisait cela, il assouvirait juste un désir puéril de se venger d'elle – parce qu'elle cachait un secret, elle aussi, et un secret beaucoup plus étrange que la falsification temporaire de quelques estimations de résultats dans une thèse de doctorat. En outre, il ne savait pas si Ava avait effectivement le moindre rapport avec cette histoire calamiteuse pour lui.

Il récupéra son téléphone sur la table pour rappeler Roberta Hinkle. Mais cela ne devait pas être possible dans l'immédiat. La détective venait de lui envoyer un SMS :

> Je retourne à Lubbock et la connexion est mauvaise sur la route. Laissez-moi un message ou un mail et je vous recontacte au plus vite.

Il se rassit à l'ordinateur pour lui répondre.

> Madame Hinkle : Malgré cette révélation très surprenante, j'aimerais que vous continuiez d'enquêter sur la formation de la Dr Ava London à l'université Brazos. Dans le droit fil de votre découverte, j'aimerais aussi que vous cherchiez, dans les tribunaux de Brownfield et des environs, si une personne a pris officiellement le nom d'Ava London aux alentours de l'an 2000. Enfin, dernière requête, pourriez-vous m'envoyer les photos d'Ava London et de Gail Shafter de l'annuaire 2000 du lycée de Brownfield ?
> Avec toute ma reconnaissance, Dr Rothauser.

Après avoir cliqué sur Envoyer, Noah regarda fixement l'écran de son ordinateur en se demandant s'il réussirait à dénicher des infos intéressantes au sujet d'Ava, au BMH, en utilisant ses identifiants sur le serveur du centre hospitalier. Malgré sa suspension, il était encore membre de l'équipe de chirurgie. Or, son statut de super-chef lui permettait d'accéder à un très large éventail de banques de données – peut-être même celle des dossiers du personnel du BMH. Il songea alors qu'il serait assez ironique qu'après avoir envisagé de pirater le serveur de l'université Brazos, il puisse avoir accès de façon parfaitement légale au dossier personnel d'Ava, et peut-être même découvrir les lettres de recommandation du service d'anesthésie de Brazos qui lui avaient permis d'être engagée au BMH.

Il se connecta au site du BMH. Après avoir entré ses identifiants, il accéda à l'intranet. Quelques instants plus tard, alors qu'il n'était plus qu'à un clic de l'accès aux dossiers du personnel, il hésita de nouveau. Il s'y connaissait suffisamment en informatique pour savoir que le serveur du BMH enregistrait ses moindres actions – toutes les pages qu'il consultait – pendant sa visite. C'était la procédure habituelle. Ce qui l'inquiétait tout à coup, c'était qu'un employé du BMH, sachant qu'il était suspendu, ait demandé au serveur de signaler sa présence si jamais il s'y connectait. En ce cas, cette visite et son incursion dans le dossier d'Ava pourraient faire mauvais effet lors de son passage devant le comité consultatif. Ce ne serait pas aussi grave qu'un piratage en règle du serveur de l'université Brazos, mais... grave quand même.

– Merde ! dit-il à voix haute. Mais... tant pis !

Il était dépité de ne pas pouvoir aller au bout de son idée, mais il ne devait pas oublier que Roberta enquêtait pour lui. Alors qu'il se déconnectait du serveur du BMH, il entendit le carillon de son téléphone indiquant l'arrivée d'un mail. Basculant vers sa boîte de réception à l'écran de l'ordinateur, il vit sur la ligne de l'intitulé que ce nouveau courrier était de Roberta Hinkle. Il allait cliquer dessus pour l'ouvrir, lorsque le petit point bleu clair signifiant « courrier non lu », en tête de l'intitulé, passa au gris – comme si le courrier avait déjà été lu. Perplexe, il regarda l'heure d'arrivée du mail : pas de doute, celui-ci venait tout juste de tomber dans sa boîte de réception. Il était certain de ne pas l'avoir lu. C'est alors que le point bleu se ralluma en tête de la ligne.

Un frisson désagréable saisit Noah et lui donna la chair de poule. Il détacha ses mains du clavier, les yeux rivés sur le point bleu, puis pencha la tête vers la gauche et vers la droite pour examiner les connecteurs latéraux de l'ordinateur – USB, HDMI et autres. Il ne vit rien d'anormal, mais cela n'apaisa pas son angoisse. Ce va-et-vient du point bleu attestait que sa machine était piratée – sans doute par un logiciel espion et un enregistreur de frappe. Quelqu'un lisait les mails qui tombaient dans sa boîte de réception. Ainsi que les mails qu'il envoyait, bien sûr. Quelqu'un, quelque part, le surveillait.

Y avait-il un rapport entre le piratage de son ordinateur et les deux types qui le filaient à travers Boston à tour de rôle ? Le visage du Noir baraqué qu'il avait intercepté dans la rue lui revint en mémoire. L'autre était blond et également bâti comme un athlète. Il se souvenait de la bibliothécaire du MIT lui disant au téléphone que les agents du FBI venus réclamer sa thèse étaient « séduisants ». S'agissait-il des mêmes hommes ? Et si oui, pourquoi le FBI le suivait-il ainsi à la trace ?

Ces deux types étaient-ils seulement des agents du FBI ?

Noah soupira profondément. Si quelqu'un surveillait son ordinateur en temps réel, il pouvait se féliciter d'avoir renoncé à essayer de lire le dossier d'Ava au BMH. La veille, comprenait-il tout à coup, il n'avait pas été cambriolé. Les gens qui avaient bousillé sa porte n'avaient pas eu pour but de lui piquer sa monnaie et un flacon de Percocet, mais de placer un mouchard dans son ordinateur. Nom de Dieu ! Il appuya sur le bouton on/off de la machine pour l'éteindre, puis se leva et se tourna vers la fenêtre. Ces gens étaient-ils là, tout près, pour le guetter constamment en plus d'observer ses activités sur Internet ? Il scruta Revere Street. Il y avait trois camionnettes stationnées le long du trottoir du côté autorisé, et deux autres arrêtées du mauvais côté, à cheval sur le trottoir, avec leurs warnings allumés. Les rues étroites du quartier de Beacon Hill manquaient de places de parking. Les électriciens, plombiers et autres prestataires qui venaient y travailler avaient du mal à garer leurs véhicules utilitaires. Noah ne pouvait donc guère soupçonner ces quelques camionnettes d'être là pour de mauvaises raisons. Mais ce n'était pas impossible.

Une angoisse terrible l'envahissait. Il se sentait affreusement vulnérable. Qui pouvait avoir intérêt à le surveiller de cette façon ? L'hôpital – *vraiment* ? Le Dr Mason, le Dr Hernandez et d'autres étaient-ils derrière toutes ces machinations dans le but de bétonner son dossier contre lui ? Il secoua la tête. C'était une hypothèse complètement irréaliste. Absurde. La petite entorse qu'il avait faite dix ans plus tôt à l'éthique universitaire ne justifiait en aucun cas de le placer – illégalement, sans doute – sous surveillance. Il chercha une autre explication, plus grave, plus terrible… Rien ne lui vint à l'esprit, sinon qu'en remettant en cause les compétences d'Ava, il avait peut-être énervé ses employeurs de l'industrie des compléments alimentaires. Mais cela aussi, c'était tout à fait tiré par les cheveux ! Quoi ? Le Conseil des suppléments nutritionnels se serait hérissé de le voir s'interroger sur la dextérité d'Ava avec les laryngoscopes de dernière génération ? Il pouffa de rire. C'était ridicule.

Il y avait cependant une chose dont il était certain : il ne voulait pas rester planté ici, tout seul, sans défense, dans son appartement à la porte défoncée que n'importe qui pouvait ouvrir à tout moment d'un bon coup d'épaule. En outre, si son ordinateur était piégé, ce dont il était sûr à quatre-vingt-dix-neuf pour cent, il y avait peut-être aussi un mouchard, ou plusieurs, dans son logement. Il embrassa la pièce du regard. Les minuscules caméras vidéo sans fil de la technologie moderne se dissimulaient facilement. En ce moment même, il était peut-être filmé…

Noah prit tout à coup la décision de décamper. Il se précipita dans la chambre, sortit un petit sac à dos de la penderie, y fourra quelques vêtements et ses affaires de toilette. Il enfila ensuite sa tenue blanche d'hôpital – pantalon, chemise et veste. Son projet, dans l'immédiat, était d'aller à l'hôpital et de se planquer dans une chambre de garde. Cela lui poserait sans doute des problèmes, il ne savait même pas combien de temps il pourrait rester là-bas sans se faire remarquer, voire mettre à la porte – peut-être pas plus d'une nuit, car les commérages circulaient vite dans l'hôpital –, mais il s'y sentirait bien plus en sécurité que dans son appartement.

Il attrapa son téléphone portable. Sa tablette d'hôpital était déjà dans la poche de sa veste. Il laissa l'ordinateur à sa place, mais prit le temps de l'aligner avec les bords de la table pliante comme il en avait l'habitude. Il souleva aussi le couvercle de quelques centimètres. À son retour, il saurait si quelqu'un y avait touché.

Après avoir regardé autour de lui en se demandant s'il devait emporter autre chose, il sortit sur le palier. Il pensa brièvement à bidouiller un truc sur la porte pour déterminer plus tard si elle aurait été ouverte en son absence, mais il secoua la tête. C'était trop de cinéma. Ce qu'il avait fait avec l'ordinateur suffisait. Le piratage de sa bécane le chiffonnait beaucoup, car il signifiait que les gens qui le surveillaient avaient des moyens importants.

Il ferma la porte avec précaution. À moins d'y regarder de près, la détérioration de l'encadrement au niveau de la serrure n'était pas trop visible – le gros des dégâts était du côté intérieur. Son sac à dos à l'épaule, il descendit l'escalier et marqua une pause sur l'avant-dernière marche pour regarder dehors par la vitre du haut de la porte de l'immeuble. De Revere Street, il ne voyait guère que la voiture stationnée directement en face de son immeuble. Le trottoir semblait désert, ce qui était un peu inquiétant. À cette heure, les après-midi d'été, il y avait en général des gens en balade un peu partout à travers Beacon Hill.

Il traversa le hall et ouvrit la porte. Une jeune femme vêtue d'un jean coupé en short et d'un débardeur arrivait sur sa gauche sur le trottoir. En passant devant lui, elle le regarda d'un œil vaguement intrigué, comme si elle se demandait ce qu'il faisait là, planté sur le seuil de l'immeuble, et continua de descendre la colline vers Charles Street.

La présence de cette fille avait quelque chose de rassurant, mais Noah restait très inquiet. Laissant la porte entrouverte, il descendit les deux marches du perron pour scruter la rue. Comme la circulation y était à sens unique depuis Charles Street, il regarda d'abord dans cette direction. Ce qu'il vit alors ne l'enthousiasma pas. Trois immeubles plus bas, il y avait une camionnette Ford arrêtée à cheval sur le trottoir du côté interdit au stationnement. Avec deux hommes assis à l'avant. Elle paraissait trop neuve, trop propre, pour être la camionnette d'un entrepreneur.

Tout à coup, alors que Noah l'observait, elle se déporta vers la chaussée et accéléra. Terrorisé, il réagit par pur réflexe. Il fit volte-face pour rentrer dans l'immeuble, claqua la porte sur lui et tourna le verrou, puis grimpa l'escalier quatre à quatre. Dans la rue, la camionnette Ford pila dans un crissement de pneus. Il ne se donna pas la peine d'utiliser sa clé pour entrer chez lui : il enfonça la porte d'un coup d'épaule. Dès qu'il fut dans le living, il referma derrière lui et poussa le canapé contre le battant pour le bloquer. Ce meuble n'empêcherait pas ses poursuivants d'entrer, mais il les retarderait au moins un peu.

Noah savait déjà ce qu'il devait faire. Dans la chambre, il souleva le battant de la fenêtre qui n'était pas encombrée par le climatiseur. Un instant plus tard, il dévalait les marches de métal branlantes de l'escalier de secours, puis sautait dans la minuscule cour intérieure de l'immeuble. Après avoir balancé son sac à dos par-dessus la palissade mal en point qui la ceinturait, il escalada celle-ci pour passer dans la cour voisine. Il répéta ensuite cette manœuvre avec toute une succession de murs et de barrières plus ou moins délabrés qui dessinaient un labyrinthe de cours et de passages entre les immeubles d'un quadrilatère délimité par Revere Street, sa parallèle,

Phillips Street, et leurs perpendiculaires, Grove Street et Cedar Street. Si Noah n'avait jusqu'alors jamais mis les pieds dans la cour de son immeuble, et encore moins dans ses voisines, il avait pu les observer tout son saoul par la fenêtre de sa chambre, depuis qu'il habitait le quartier, et il savait qu'il pouvait sans doute passer de l'une à l'autre pour atteindre Phillips Street.

Sa progression ne fut pas facile. La plupart des clôtures étaient en mauvais état, ce qui lui compliquait la tâche pour les escalader. Certaines cours étaient remplies de toutes sortes de rebuts et d'ordures – landaus, matelas, pneus de voitures, cuvettes de W.-C., etc. À un moment, il dut aussi dévaler une petite falaise rocheuse assez raide, car Phillips Street se trouvait à une altitude bien inférieure à celle de Revere Street. Il réussit néanmoins à atteindre son objectif en passant pour finir par une minuscule ruelle qui longeait une maison du Black Heritage Tour, la visite des lieux de mémoire afro-américains de Beacon Hill.

Quand il déboula sur Phillips Street, quelques piétons le regardèrent d'un air bizarre, mais aucun ne parut s'effaroucher. Il supposa que sa tenue d'hôpital les rassurait – leur confirmait en tout cas qu'il n'était pas un vil cambrioleur en cavale. Après son périple ardu à travers les cours d'immeubles, son pantalon et sa veste blancs étaient pourtant mal en point. Il avait aussi perdu les quelques stylos qui dépassaient d'ordinaire de sa poche de poitrine.

Ne voyant aucune camionnette Ford surgir dans sa direction, Noah rejoignit Grove Street pour descendre au pas de charge vers Cambridge Street. Là, il tourna à droite, direction le port de Boston et le BMH, mais il ralentit l'allure et essaya d'avoir l'air calme en dépit du fait qu'il avait les nerfs en pelote. Il poursuivit son chemin en jetant de temps en temps des regards autour de lui à la recherche de ses poursuivants.

Au bout de quelques minutes, il fit une pause et posa son sac à dos par terre le temps d'épousseter ses vêtements et de remettre sa cravate en place pour se rendre un peu plus présentable. Un quart d'heure plus tard, il parvenait à l'allée circulaire de l'entrée principale de la tour Stanhope. Il sentit son cœur s'accélérer quand il aperçut les agents en uniforme qui surveillaient la porte. Il connaissait de vue bon nombre des employés du service de sécurité de l'hôpital – et eux le connaissaient très probablement. Il craignait à présent qu'ils ne l'interceptent s'ils avaient été prévenus de sa suspension. Ils risquaient d'autant plus de le remarquer et de devenir méfiants, en outre, qu'il avait l'air quelque peu débraillé.

Brandissant son badge de l'hôpital comme il avait l'habitude de le faire, mais en gardant les yeux baissés, il passa devant le bureau de la sécurité avec la démarche d'un homme pressé. Pendant plusieurs secondes, il s'attendit à entendre quelqu'un l'apostropher, mais cela ne se produisit pas. Poussant un ouf de soulagement, il se précipita dans la première cage d'escalier qu'il rencontra. L'ascenseur était bien sûr exclu pour éviter les mauvaises rencontres.

Quand il entra dans le vaste complexe des chambres de garde – toujours vide à cette heure de la journée –, Noah se rendit d'abord à la blanchisserie pour prendre un pantalon et une veste propres. Il inscrivit ensuite son nom sur la liste de présence pour s'attribuer une des dix ou douze chambres actuellement libres – et en attrapa la clé correspondante. Avant de s'y rendre, il passa à son casier personnel. Chaque interne du BMH en possédait un, pour ranger manteaux et parkas en hiver, ainsi que d'autres bricoles.

Les chambres du « Ritz BMH », comme disaient pour plaisanter les internes, étaient spartiates et dénuées de fenêtre, mais parfaites pour se reposer quelques heures au milieu d'une nuit de garde bien chargée. Leur mobilier se composait d'un lit simple, d'une commode et d'une table surmontée d'un écran d'ordinateur connecté au serveur de l'hôpital. Chaque chambre possédait aussi une petite salle de bains avec une cabine de douche. Draps et serviettes étaient changés tous les jours.

Noah se sentait ici chez lui. Depuis cinq ans qu'il était interne, il avait utilisé ces chambres beaucoup plus souvent qu'à son tour, pour la simple raison qu'il passait beaucoup plus de temps à l'hôpital que n'importe qui. Les chambres n'étaient jamais toutes utilisées à la fois, et c'était pour cette raison qu'il pensait passer relativement inaperçu. Combien de temps ? Cela, il n'en savait rien. Mais il n'envisageait pas de retourner à son appartement tant qu'il n'aurait pas éclairci la situation.

Après avoir enfilé sa tenue propre, il regarda sur son téléphone si Roberta Hinkle lui avait envoyé un mail. C'était le cas :

Cher docteur Rothauser, j'ai reçu votre dernier mail et je ne demande pas mieux que de continuer à enquêter sur la Dr Ava London. J'irai à l'université Brazos demain. Je ne vois pas quel problème pourrait se poser, désormais, et je ne pense pas qu'il me faudra très long-temps pour faire mon travail car je connais du monde à l'adminis-tration. Je regarderai aussi les archives des tribunaux comme vous me le demandez. Au sujet des photos : les voulez-vous d'urgence, ou pouvez-vous attendre que j'aie plus de temps pour retourner à Brownfield ? Dites-moi. En tout cas, je reviens vers vous très bientôt. Sentiments respectueux, Roberta Hinkle

Noah répondit aussitôt :

Chère madame Hinkle : Merci pour tout ce que vous faites. Rien ne presse pour les photos, mais nous souhaiterions les voir, en effet, dès que vous aurez la possibilité de retourner à Brownfield. Rien ne presse non plus pour les archives des tribunaux. Nous sommes beaucoup plus intéressés par vos découvertes au centre médical de Brazos. Une fois de plus, j'aimerais vous rappeler qu'il est essentiel que cette enquête ne s'ébruite pas. Nous attendons avec impatience vos résultats. Si vous nous donniez une idée au moins de vos résultats demain après-midi, ce serait parfait. Bien à vous, Dr Noah Rothauser

Noah posa son téléphone et soupira. Il avait le cœur serré, tout à coup, car ses pensées le ramenaient à Ava. Même s'il était encore en rogne à cause de son attitude déplaisante, elle lui manquait énormément. Si seulement il avait résisté à la tentation de regarder son ordinateur ce soir-là… à l'heure qu'il était, il aurait pu prendre du bon temps avec elle dans sa superbe baraque au lieu de tourner en rond dans cette chambre tristounette.

34

L'élégant Citation X traversa le tarmac de l'aéroport Preston Smith de Lubbock, Texas, en direction de la zone réservée à l'aviation générale. Affrété par ABC Security, l'avion avait décollé de Bedford, Massachusetts, peu après vingt et une heures mardi soir. Les passagers, Keyon Dexter et George Marlowe, avaient profité du voyage pour faire toutes les recherches nécessaires sur la détective privée, Roberta Hinkle. Leur supérieur ayant précisé qu'il fallait la considérer comme une menace très grave – d'où le vol de nuit en urgence –, ils devaient arriver à destination bien renseignés.

Roberta Hinkle habitait une petite maison de style ranch dans la banlieue ouest de Lubbock, juste avant la vaste rocade qui ceinturait l'agglomération. Sa principale spécialité étant les conflits matrimoniaux et les adultères, Keyon et George supposaient que ses enquêtes lui avaient créé pas mal d'ennemis au fil du temps – tant mieux pour ce qu'ils avaient en tête. Elle était divorcée, ce qui augmentait les chances de la trouver seule à son domicile. Seul souci, elle avait une fille âgée de onze ans. Keyon et George pouvaient craindre des embêtements si la môme était sur place et se réveillait. Certes, ils étaient tous deux blindés – la violence ne les effrayait pas –, mais il y avait tout de même certaines choses qu'ils répugnaient encore à faire.

Le copilote ouvrit la porte de l'appareil et baissa les marches. Keyon et George prirent place peu après dans un SUV Chevrolet Suburban qui les attendait devant la porte de l'aéroport. ABC Security faisait toujours bien les choses. Moins d'un quart d'heure après avoir atterri, ils descendaient déjà vers le sud, et la ville de Lubbock, sur l'I-27.

George, qui conduisait, n'en croyait pas ses yeux. À peine monté dans la bagnole, son partenaire avait reculé son siège, basculé le dossier – et il piquait déjà du nez ! Agacé, il donna un petit coup de volant pour faire une embardée sur l'autoroute déserte. Keyon se réveilla en sursaut.

– Putain ! marmonna-t-il, la main crispée sur l'accoudoir de sa portière.

– C'était un tatou, je crois, dit George en faisant mine de scruter le rétroviseur intérieur. Mais j'sais pas si je l'ai touché ou pas.

Keyon se tourna pour jeter un coup d'œil derrière la voiture. Il ne vit ni animal, ni quoi que ce soit d'autre sur la chaussée.

– Tu te fous de moi, c'est ça ? protesta-t-il.

George pouffa de rire.

– Bah, peut-être que c'était pas un tatou. Plutôt un coyote ou je ne sais quel animal ils ont dans ce trou paumé.

La campagne, plate comme une crêpe, paraissait désertique. La verdure était rare. Le paysage leur rappelait certaines zones de l'Irak et ce n'était pas un souvenir agréable.

– Je voudrais quand même faire remarquer que cette mission, nous sommes deux à la remplir, dit George.

– C'est bon, arrête ton char, grogna Keyon.

Mais il avait capté le message. Il redressa son dossier, avança le siège et respira profondément plusieurs fois de suite. Il pioncerait plus tard.

— Tu sais, reprit George, je suis vraiment vénère que nous n'ayons pas eu le feu vert pour nous débarrasser de Rothauser juste après sa suspension. Je pensais que c'était ça, l'objectif ! Pas juste de nous faire chier à le surveiller. Vu le comportement de ce mec, on n'aurait pas eu de mal à faire passer le truc pour un suicide. D'entrée de jeu, tu vois, j'ai su qu'il allait nous embrouiller.

— Ouais, fit Keyon. C'est carrément gonflant qu'il nous ait filé sous le nez. Je me demande ce qui l'a fait flipper.

— Ça, pas moyen de savoir.

— Et pis j'aurais jamais cru qu'on pouvait se tirer à travers ce labyrinthe de cours qu'il y a derrière son immeuble. Sans être obligé de revenir vers Revere Street, en plus !

— C'est sûr qu'on aurait dû mieux vérifier cet aspect des choses, dit George. Mais bon, on ne pouvait pas imaginer qu'il prendrait la fuite de cette façon. Et puis finalement, c'est pas dramatique. Nous savons au moins où il est, vu qu'on a un mouchard sur son téléphone.

— Ouais, mais on ne peut pas faire grand-chose s'il reste dans l'hôpital. On est obligé d'attendre qu'il ressorte dans le vaste monde.

— Je suis choqué qu'il soit retourné là-bas. Sachant qu'il est suspendu, je veux dire. À mon avis, ça ne pourra pas durer plus d'une nuit ou deux. L'administration du BMH ne tolérera pas un truc pareil. Je pensais qu'il irait à l'hôtel ou chez un pote.

— Moi aussi, dit Keyon. Il a son caractère, ce connard. Sais-tu qu'il a eu les couilles de me parler, l'autre jour, quand j'ai été obligé de passer à côté de lui dans la rue ? Il m'a même agrippé le bras.

— Je me demande bien ce qui l'a poussé à engager cette détective privée. La plaie, putain.

– Aucune idée. Ce mec est imprévisible. Et plus on attend, plus il risque de causer de vrais problèmes. C'est sûr, faut le neutraliser sans perdre de temps.

– Je crois que nous devrions en parler aux chefs. Peut-être qu'ils ne se rendent pas compte de ce qui se passe. C'est un peu insensé de nous avoir laissés glander pendant toute une semaine comme on a fait.

– Ce coup-ci, je crois quand même qu'ils ont pigé, dit Keyon. Sinon, ils n'auraient pas décidé de nous payer un petit voyage en Citation, tu crois pas ? Ils veulent qu'on rentre à Boston dès ce soir. Autrement on aurait pris un avion de ligne demain matin.

– Il va nous falloir combien de temps, pour ce job, tu crois ?

– À moins qu'il y ait un pépin, ça devrait être rapide. Genre, heu... une heure ?

– Regarde, on arrive à la rocade, dit George, et il désigna un panneau annonçant une bifurcation vers l'autoroute 289. On va vers l'ouest, c'est ça ?

– Ouaip, répondit Keyon qui regardait Google Maps sur son téléphone. Ensuite, à droite sur la Route 62, et nous y serons presque.

35

Dans le cocon de sa chambre de garde où il se sentait vraiment en sécurité, Noah avait dormi comme un bébé. Il avait préféré ne pas en sortir de toute la soirée. Il avait même évité la salle commune de peur de tomber sur des internes de chirurgie qui n'auraient pas manqué de lui demander ce qu'il fichait là. Ils lui auraient témoigné de la sympathie, bien sûr, et ils ne l'auraient pas dénoncé, mais sa présence aurait tout de même suscité des commérages qui auraient fait le tour de l'hôpital comme une épidémie de grippe, alertant bientôt les responsables du service de chirurgie. La faim, pour finir, l'avait obligé à faire une rapide virée à la cafétéria. Comme il était vingt-trois heures passées, il pensait trouver l'endroit désert. Manque de pot, le Dr Bert Shriver, le chef interne de garde pour la nuit, s'y trouvait aussi pour un dîner tardif, après avoir été retenu au bloc la plus grande partie de la soirée.

Bert lui avait tout de suite dit qu'il espérait le voir réintégré dans ses fonctions de superchef par le Comité consultatif de l'internat de chirurgie. Noah en avait profité pour clarifier la situation en expliquant l'affaire en détail à son collègue. Il avait

bien fait, car Bert – qui siégeait lui aussi au comité consultatif –
ignorait la raison exacte de sa suspension : ne connaissant que
les rumeurs que le Dr Mason avait fait courir dans le service, il
avait cru qu'il était prouvé que Noah avait carrément inventé
l'ensemble des données de sa thèse. Après avoir entendu la vérité,
il avait promis à Noah d'informer les autres internes membres
du comité.

Quand Bert l'avait interrogé sur sa présence à la cafète de l'hôpital, Noah avait dû admettre qu'il passait la nuit dans une chambre
de garde parce que son appartement avait été cambriolé. Bert habitait lui aussi à Beacon Hill. Et dans un immeuble, comme celui
de Noah, occupé par plusieurs étudiants qui recevaient beaucoup
d'inconnus. Il avait donc bien compris que Noah se soit senti vulnérable chez lui.

Noah lui avait demandé de ne révéler à personne qu'il dormait
dans une chambre de garde, mais il savait qu'il ne faudrait pas longtemps pour que la nouvelle se répande. En conséquence, la première
chose qu'il fit en se réveillant fut de téléphoner à son propriétaire
pour exiger le remplacement de la porte de son appartement. Et
puis aussi, qu'il dise à la locataire du dessus de cesser une fois pour
toutes de distribuer la clé de l'immeuble à ses potes !

À neuf heures et demie, il était prêt à retenter sa chance à
la cafétéria. Comme elle était quasiment déserte à ce moment de
la matinée, il pourrait sans doute passer à peu près inaperçu. Il
allait sortir de la chambre lorsque son téléphone sonna. Un numéro
inconnu s'affichait à l'écran, mais il reconnut le code régional, 806,
comme étant celui de Roberta Hinkle. Il prit l'appel, à peu près
persuadé d'entendre la détective au bout du fil.

– Docteur Noah Rothauser ? demanda une voix masculine.

– C'est moi. Vous désirez ?

Noah eut tout à coup un mauvais pressentiment.

– Inspecteur Jonathan Moore, dit l'homme. Brigade criminelle de la police de Lubbock, au Texas. J'ai quelques questions à vous poser. C'est pour une enquête. Pouvons-nous parler maintenant ?

– Je suppose que oui, marmonna Noah, certain que le flic ne pouvait pas avoir de bonnes nouvelles à lui annoncer.

– En premier lieu, je voudrais avoir la confirmation que vous avez engagé Roberta Hinkle pour une enquête. Est-ce bien le cas ?

– Heu... pourquoi cette question ?

Noah était étonné, car Roberta lui avait affirmé qu'elle travaillait dans la plus stricte confidentialité.

– Nous avons trouvé votre numéro de téléphone dans l'historique des appels récents de Mme Hinkle, expliqua Moore. Nous prenons contact avec tous ses clients. Et vous êtes le seul qui ne se trouve pas en ville ou dans la région de Lubbock.

– En effet, j'ai engagé Mme Hinkle pour une enquête, convint Noah à contrecœur.

Il redoutait que cet appel ait un rapport avec l'hôpital. Avec sa suspension. Avec le piratage de son ordinateur, aussi, car les gens qui avaient placé un mouchard dans sa machine devaient avoir suivi son échange de mails avec la détective privée.

– Puis-je savoir si vous avez eu besoin des services de Roberta Hinkle pour un problème matrimonial quelconque ? demanda l'inspecteur Moore.

– Absolument pas ! répondit Noah, très surpris. Qu'est-ce qui se passe ? Elle va bien ?

– En général, c'est moi qui pose les questions, répliqua le flic. Vous serait-il possible, en ce cas, de me dire dans quel domaine Roberta Hinkle travaillait pour vous ? Quel était l'objet de son enquête ? Avant que vous ne répondiez, permettez-moi de vous rappeler qu'un juge pourrait vous convoquer pour le faire. C'est-à-dire que tout le monde perdra moins de temps et d'énergie si vous coopérez. Autrement, vous serez peut-être obligé de venir ici, à Lubbock.

— OK, fit Noah qui commençait à se dire que ce coup de fil n'avait en fait aucun rapport avec le BMH. J'ai demandé à Roberta Hinkle d'effectuer une vérification de curriculum vitae et de formation. Concernant une certaine personne.

— Saviez-vous qu'elle était surtout spécialisée dans les problèmes conjugaux et familiaux ?

— Non, je l'ignorais. Sur son site Web, elle dit qu'elle fait des vérifications de curriculum. C'était ce que je recherchais. J'ai aussi vu sur sa page qu'elle est diplômée de l'université Brazos, et cela m'a plu parce que la personne sur laquelle porte son enquête a fréquenté la même université.

— Vous voulez dire… Vous avez trouvé Roberta Hinkle sur Internet ? demanda le flic, étonné.

— Oui. Nous avons communiqué par mails, d'abord, puis au téléphone plusieurs fois.

— L'avez-vous rencontrée ?

— Jamais.

— Dans quel hôpital travaillez-vous ? Vous êtes bien à l'hôpital, n'est-ce pas ?

— Oui. Au Boston Memorial. Je suis chef interne de chirurgie.

Noah jugea inutile de préciser qu'il était actuellement suspendu de ses fonctions.

— Je vois, fit l'inspecteur Moore d'un ton las. Merci d'avoir pris le temps de me parler. Et de votre coopération. Si je peux vous donner un conseil, cherchez un autre détective privé de la région pour votre enquête.

— Pourquoi ?

– Roberta Hinkle a été assassinée la nuit dernière. Nous pensons qu'elle a été tuée par le mari d'une cliente qui l'avait engagée pour un problème conjugal. Nous savons qu'elle avait obtenu des ordonnances restrictives, au tribunal, pour plusieurs individus impliqués dans ce genre d'affaire.

36

Noah posa lentement son téléphone sur la table en formica et le fixa comme s'il le tenait pour responsable de la nouvelle choquante qu'il venait d'apprendre. Il avait perdu l'appétit. La détective privée qu'il avait engagée seulement la veille venait d'être assassinée. S'il s'agissait d'une coïncidence, elle paraissait énorme. En même temps, il n'oubliait pas que les événements qu'il vivait en ce moment le mettaient sur les nerfs et le rendaient paranoïaque. Par conséquent, il supposait d'emblée que cette nouvelle insensée avait un rapport avec sa propre histoire. Mais qu'en était-il réellement ? Que croire ? Il ne savait plus. Il était déboussolé.

Après avoir inspiré très profondément, plusieurs fois de suite, pour reprendre ses marques, il se rendit à la salle de bains les jambes flageolantes et s'aspergea le visage à l'eau froide. Puis il s'appuya des deux mains au bord du lavabo et se regarda dans le miroir. Une idée terrifiante tournoyait dans son esprit : les gens qui avaient forcé la porte de son appartement et placé un mouchard sur son ordinateur savaient qu'il avait engagé Roberta Hinkle. Avaient-ils quelque chose à voir avec le décès de la détective ? Si oui, il était responsable – au moins indirectement – de ce drame.

Il frissonna et détourna les yeux de son reflet. Cette idée était atroce. Insoutenable. Mais il savait qu'il devait se ressaisir. Il imaginait des choses qui n'étaient peut-être – sans doute ! – que des conjectures insensées à mettre sur le compte de sa paranoïa. Il ne devait pas oublier que, depuis ce terrible jour où il avait été convoqué dans le bureau du Dr Hernandez, il n'avait pas toujours les idées bien claires. Son cerveau s'emballait comme une machine incontrôlable.

Il s'obligea à affronter son regard dans le miroir, se coiffa avec la main, remit le nœud de sa cravate en place pour s'aider à réorganiser ses pensées. Retournant dans la chambre, il s'assit sur la chaise devant la petite table. Il saisit tout à coup son téléphone avec l'intention de rappeler l'inspecteur Moore et de lui révéler qu'il craignait d'être lié à l'assassinat de la détective – puis se ressaisit et lâcha l'appareil comme s'il lui brûlait les doigts. S'il prononçait des paroles aussi compromettantes pour lui, il se verrait emporté dans le tourbillon d'une enquête pour meurtre qui aurait forcément de graves conséquences sur sa propre vie. Or, il avait déjà bien assez de problèmes. Sa priorité, en ce moment, c'était la prochaine réunion du comité consultatif qui devait décider si son manquement à l'éthique du thésard était pardonnable et si sa suspension du BMH pouvait être annulée. Il n'avait vraiment pas besoin d'être mêlé à une enquête pour meurtre. Même comme simple témoin.

Il soupira. De façon un peu étrange, prendre conscience qu'il avait failli se causer un tort immense l'aidait à se calmer et lui permettait de réfléchir plus posément. Il était tout à fait possible, et même très probable, que Roberta Hinkle ait été tuée par le mari cinglé d'une cliente pour laquelle elle avait mené une enquête. L'inspecteur Moore se disait persuadé que c'était la piste à privilégier ; il

avait même précisé que Roberta avait obtenu des ordonnances restrictives pour plusieurs individus. D'ici peu, la police démasquerait
le meurtrier.

Rassuré de constater qu'il maîtrisait de nouveau le cours de ses
réflexions, Noah repensa au pseudo-cambriolage de son appartement
qui avait servi à poser un mouchard sur son ordinateur. Qui pouvait avoir voulu faire cela, et pour quelle raison ? L'hôpital ? Cela
paraissait vraiment tiré par les cheveux. Et puis pourquoi était-il
suivi ? Et pourquoi le FBI était-il impliqué dans cette histoire ?!

La seule explication susceptible de relier tous ces éléments dispa-
rates, surtout si l'on ajoutait le meurtre de Roberta Hinkle dans la
marmite, c'était que le crime organisé était impliqué dans l'histoire.
Une idée parfaitement ridicule à première vue, bien sûr, mais qui
avait une certaine logique tordue si l'on songeait qu'Ava travaillait
comme lobbyiste pour le Conseil des suppléments nutritionnels.
Avec ses collègues de l'hôpital, Noah avait souvent bien ri en
comparant le crime organisé et l'industrie des suppléments nutritionnels : ces deux univers avaient en commun d'agir plus ou moins
au nez et à la barbe du grand public, et de détrousser les gens en
se fichant ouvertement des autorités. Leur grosse différence, c'était
que le crime organisé volait les gens au sens propre, tandis que
l'industrie des suppléments alimentaires faisait cela au figuré.

Comme souvent quand il réfléchissait, Noah se leva pour aller
et venir à travers la petite chambre. Il songeait à présent à une
chose qu'il s'était déjà dite, à savoir que l'industrie des suppléments
nutritionnels considérait sans doute la Dr Ava London, praticienne
au BMH, comme un cadeau du ciel. C'était évident. Avec les réfé-
rences professionnelles, l'intelligence et la beauté qu'elle possédait,
sans parler de son charisme et de son talent pour obtenir ce qu'elle
voulait de ses interlocuteurs, elle devait avoir une crédibilité et un

impact considérables. Peut-être même insurpassables. Il ne fallait pas s'étonner qu'elle fût payée des fortunes par ses employeurs.

Il s'immobilisa tout à coup. Une révélation s'imposait à lui. Le corollaire de l'immense valeur d'Ava, bien sûr, c'était que le CSN devait être prêt à protéger à tout prix le bien-être et la réputation de sa lobbyiste de choc. Et qu'il faisait peut-être même cela *sans qu'elle le sache.* Les questions que Noah avait posées sur sa formation et ses compétences pouvaient-elles avoir déclenché tout ce qui lui arrivait en ce moment ? Si oui, la réaction du CSN était carrément démesurée. En toute sincérité, Noah considérait Ava comme une anesthésiste géniale. Il avait juste ces petits doutes sur certaines choses...

Il reprit ses allées et venues dans la longueur de la pièce. Mais le CSN surréagissait-il vraiment ? Si Noah avait raison de supposer qu'Ava était protégée à son insu, peut-être y avait-il une anomalie dans sa formation que le CSN tenait à cacher. Il ne voyait pas de quoi il pouvait s'agir. Avant d'engager la Dr London, le BMH avait épluché ses diplômes, examiné son parcours à la loupe pour tout savoir à son sujet. En même temps, l'hypothèse qu'il venait de formuler avait quelque chose de logique...

Noah se figea une fois de plus. Il se demandait tout à coup s'il devait engager un autre détective privé à Lubbock. *Pourquoi pas ?* pensa-t-il. Cette démarche aurait peut-être le mérite d'écarter certaines questions qui inquiétaient le CSN alors qu'elles n'avaient au fond pas beaucoup d'importance. Jusqu'aux trois malheureux incidents récents, après tout, Ava avait plus que prouvé sa valeur en assurant quantité d'opérations sans avoir le moindre problème.

Il récupéra son téléphone sur la table et l'activa avec l'intention de googler une fois encore « détective privé à Lubbock ». Puis il hésita. Il savait qu'il était sous surveillance. Et peut-être par des agents du FBI très compétents dans le cyberespace – pas juste par des amateurs qui avaient bidouillé pour mettre un logiciel espion dans sa bécane. Il devait donc se montrer très prudent, désormais, dans toutes ses communications électroniques. Y compris avec son téléphone. Et puis il y avait un autre problème. À supposer, ne serait-ce que de façon purement théorique, qu'il était en partie responsable de la mort de Roberta Hinkle, il n'avait aucune envie qu'une telle horreur se reproduise. Conscient qu'il était très facile, avec du bon matériel, de suivre un téléphone à la trace et de connaître sa position exacte, en temps réel, par triangulation des antennes relais, il décida de retirer la batterie de son appareil. Il savait qu'il ne suffisait pas de l'éteindre.

Une nouvelle idée venait de lui surgir à l'esprit. Au lieu d'engager un second détective, il irait secrètement à Lubbock par ses propres moyens. C'était une excellente solution qui résoudrait des tas de problèmes. D'abord, il ignorait combien de temps il pouvait rester dans cette chambre de garde : un voyage au Texas mettrait temporairement de côté la question du logement. Ensuite, s'il était toujours suivi, et peut-être menacé, l'idée de quitter la ville n'était pas mauvaise du tout. Enfin et surtout, il savait qu'il était beaucoup mieux équipé que n'importe quel détective privé pour examiner la formation d'Ava. Il lui suffirait de se rendre au centre médical de l'université Brazos et de bavarder avec quelques confrères – quitte à laisser entendre, pour mettre de l'huile dans les rouages, qu'il cherchait un poste d'assistant chirurgien à la fin de son internat. En commençant par prendre contact avec des internes de Brazos, en outre, il réussirait sans doute à rencontrer un membre relativement jeune du corps enseignant. Dans tout programme d'internat, il y avait toujours quelques internes qui devenaient praticiens et profs dans leur établissement de formation – comme il était prévu que Noah le fasse lui-même au BMH après son année au poste de superchef. Brazos étant une université de formation récente, il aurait même de très bonnes chances de parler à quelqu'un qui aurait fait ses études en même temps qu'Ava. Quant au programme de son voyage, il savait déjà qu'en arrivant au Texas il commencerait par se rendre à Brownfield, pour jeter un œil sur l'annuaire du lycée de l'an 2000...

Satisfait d'avoir un nouveau but, Noah fourra ses quelques affaires dans son sac à dos, libéra la chambre, enferma sa veste blanche et sa tablette de l'hôpital dans son casier individuel, puis se rendit au distributeur automatique du rez-de-chaussée de la tour Stanhope pour y retirer deux mille dollars. Sa liasse de billets à la main, il prit la direction de la sortie. Comme il ne pouvait plus utiliser son téléphone qu'il avait rendu invisible en le privant de sa batterie, il devait oublier Uber ou Lyft pour avoir une voiture. Mais il ne voulait pas pour autant faire la queue à la station de taxis – c'est-à-dire attendre son tour au bord du trottoir, bien visible des types qui l'avaient suivi dans Boston et le surveillaient peut-être encore d'une façon ou d'une autre. Il décida de rester dans le hall et de guetter le prochain taxi qui s'arrêterait devant la porte pour déposer un passager. À ce moment-là, il se précipiterait dehors et embarquerait d'office dans la voiture. Les chauffeurs rangés à la queue leu leu pour prendre des clients ne seraient pas contents – ni les portiers, ni les autres gens qui attendaient un taxi –, mais il s'en fichait. Il voulait être certain de ne pas être suivi. Moins il se montrerait en public, mieux cela vaudrait. Même s'il n'avait pas revu les deux athlètes en costard depuis lundi, il préférait ne prendre aucun risque.

37

— Hé ! Réveille-toi ! s'exclama Keyon en donnant une tape sur l'épaule de George.

Ils avaient joué à pile ou face le premier tour de garde, et Keyon avait perdu. La camionnette Ford était arrêtée sur un espace interdit au stationnement, moteur allumé, en face de l'entrée principale du BMH. Après s'être posés à l'aéroport Bedford à huit heures, les deux hommes étaient passés en coup de vent à leur bureau de l'ancien immeuble de la mairie de Boston, puis ils avaient rappliqué ici. Quelques instants à peine après avoir lancé la pièce, George s'était endormi sur le siège passager. Ils avaient roupillé une poignée d'heures dans l'avion, mais ils étaient tous les deux crevés.

— Hein ? fit George en se redressant en sursaut. Tu le vois ?

Les rayons du soleil dardaient à travers le pare-brise. Il cligna des yeux et scruta l'entrée de l'hôpital, qui grouillait de véhicules et de gens.

— J'en suis pas certain, admit Keyon qui commençait à faire demi-tour en regardant dans le rétroviseur. Mais je crois bien. Je l'ai aperçu juste une seconde. Il a jailli par la porte de l'hôpital comme s'il venait de braquer une banque et il a sauté dans ce taxi blanc qui se barre, là, derrière !

— Tu penses que l'un de nous devrait rester ici, au cas où ce ne serait pas lui ? demanda George en se tournant sur le siège pour suivre la voiture des yeux.

— Nan ! répondit Keyon sans hésitation. C'est forcément lui. Qui s'amuserait à décaniller de l'hôpital comme ça ?

— Ouais, t'as raison. Et bien sûr, ça veut dire qu'il se méfie de nous.

— Ça, on le savait déjà.

Ayant manœuvré, Keyon écrasa l'accélérateur pour se lancer à la poursuite du taxi qui était déjà assez loin. Il espérait ne pas le perdre de vue.

— Il a utilisé son portable ? demanda George en relevant le dossier de son siège.

— Il a reçu un appel. Mais il n'a appelé personne. Et ensuite, j'ai perdu le mouchard de son GPS. Il doit en savoir assez sur la triangulation pour avoir retiré la batterie de son portable.

— C'est mauvais signe, dit George. Si nous le perdons, nous aurons du mal à le localiser sans la trace de son téléphone.

— Tu m'en diras tant, grogna Keyon.

— Ne rate pas ce feu !

Au carrefour dont ils approchaient, le feu venait de passer à l'orange.

— Tu me prends pour qui, un débutant ? répliqua Keyon en ricanant.

Il écrasa à nouveau l'accélérateur et traversa le croisement alors que le feu était déjà rouge. Sa conduite agressive lui permit ensuite de réduire l'écart avec le taxi blanc. D'après le trajet qu'il suivait, cependant, les deux hommes devinèrent bientôt qu'il se dirigeait vers le tunnel Callahan pour passer de l'autre côté du port de Boston.

— Pas cool, dit George. Tu crois qu'il va à l'aéroport Logan ? Si c'est ça, bonjour l'ironie. Il quitte la ville pile au moment où nous avons l'ordre de nous occuper sérieusement de lui.

— Je crains qu'à East Boston, il n'y ait pas grand-chose d'autre que l'aéroport, dit son collègue, fataliste.

Quand ils ressortirent du tunnel, Keyon avait réussi à se positionner à quatre voitures d'écart du taxi. Lequel vira peu après vers la bretelle d'accès à l'aéroport Logan.

— Merde ! s'exclama George. Là, c'est la cata. Il est impératif qu'on découvre où il part, ce con, parce que nous ne pourrons pas le coincer dans l'aéroport. Il y a trop de sécurité.

— À toi de jouer, mec, dit Keyon.

Il se retenait de sourire. Tout à l'heure, il avait râlé de perdre à pile ou face et d'être obligé de prendre le premier quart. Maintenant il était content. George devrait se taper la filature dans l'aéroport.

Le taxi blanc se dirigea vers le terminal A et s'arrêta sur l'aire de dépose-minute des passagers. La Ford se trouvait alors juste derrière, mais elle s'arrêta un peu plus loin sur l'espace réservé aux limousines. George en descendit dès qu'ils virent le passager du taxi ouvrir sa portière. C'était bien Noah Rothauser.

— On reste en contact radio ! lança-t-il.

— Ça roule, dit Keyon. Éclate-toi bien !

George lui fit un doigt d'honneur avant de claquer la portière et de s'éloigner.

38

Noah s'assit au volant de sa Ford Fusion de location, lança le moteur puis tapota l'écran du GPS pour y entrer l'université Brazos comme destination. Dans l'avion, il avait envisagé d'entamer sa petite enquête le lendemain matin seulement. Et de se rendre d'abord à Brownfield. Mais comme il était assez tôt – le soleil n'était pas encore couché –, il venait de décider de faire tout de suite une petite visite au centre hospitalier de Brazos. Juste pour repérer les lieux, prendre ses marques.

Le voyage jusqu'à Lubbock avait été beaucoup plus long qu'il n'aurait pu l'imaginer, principalement parce qu'il n'existait pas de vol direct entre Boston et cette ville. À l'aéroport Logan, il était d'abord allé au comptoir de Delta Airlines : il pensait passer par Atlanta, en Géorgie, où cette compagnie avait son pôle principal. Mais il avait alors appris que, pour réduire autant que possible la durée de son périple, il avait plutôt intérêt à s'adresser à la compagnie American Airlines dont le pôle se trouvait à Dallas, au Texas.

Ayant une grosse heure d'escale à Dallas, il en avait profité pour manger et pour se renseigner sur les hôtels de Lubbock. Il avait fixé son choix sur un établissement Embassy Suites du groupe Hilton dont le site Web précisait qu'il avait un centre d'affaires équipé d'ordinateurs à la disposition de la clientèle. Noah savait depuis longtemps qu'il était devenu très dépendant des médias électroniques, comme tant de gens, mais il n'avait jamais mesuré à quel point c'était vrai. Il avait *impérativement* besoin d'une connexion Internet pour son enquête et pour toute la logistique de son voyage.

Pendant les deux vols, il avait eu amplement le temps de réfléchir à l'impétuosité avec laquelle il avait décidé d'entreprendre ce voyage. Et il s'était persuadé d'avoir fait le bon choix pour toutes sortes de raisons, la plus importante étant qu'il saurait mieux que quiconque chercher ce qu'il cherchait. Un détective privé aurait sans doute été capable de dénicher des tas de choses sur la formation d'Ava, mais pas les infos très précises qu'il avait en tête.

Sa première impression de la région de Lubbock correspondit assez bien à ce qu'il avait imaginé. Il faisait chaud, mais l'air était sec et l'atmosphère moins oppressante qu'à Boston. Observant l'immense plaine désertique qui s'offrait à son regard tout autour de lui, il se demanda s'il pourrait jamais vivre dans un tel environnement. Il était sans doute trop habitué à voir des collines et beaucoup de verdure.

La conduite au Texas était facile, en tout cas comparée à l'expérience limitée qu'il en avait à Boston. Non seulement la circulation était moins dense, mais les automobilistes semblaient aussi plus courtois que dans le nord-est des États-Unis – et cela faisait une énorme différence. Suivant les instructions du GPS, Noah parvint bientôt au campus de l'université, puis repéra sans problème le centre médical. Contrairement à ce que l'on pouvait observer dans le complexe du BMH, tous les bâtiments étaient modernes, relativement récents, et semblaient avoir été dessinés par les mêmes architectes. On y trouvait pour l'essentiel de la brique rouge et du verre teinté bronze. Autre différence avec le BMH, alors que la tour Stanhope comptait vingt et un étages, l'immeuble le plus haut de l'hôpital Brazos n'en avait que cinq.

Sur un coup de tête, Noah décida de suivre les panneaux indiquant l'entrée des urgences. L'endroit paraissait très tranquille. Il vit quelques ambulances stationnées en marche arrière contre une plate-forme de débarquement, mais aucun employé. Après avoir rangé sa voiture sur une place visiteur du parking des urgences, il se demanda s'il devait vraiment tenter une visite de l'hôpital tout de suite, ou plutôt attendre le lendemain matin – et l'heure d'affluence des personnels soignants – comme il l'avait initialement envisagé. N'écoutant une fois encore que son instinct, il ouvrit la portière. Si l'hôpital était aussi calme qu'il en donnait l'air, le moment était peut-être très bien choisi pour avoir une première conversation avec quelqu'un. L'interne de chirurgie de garde aux urgences, par exemple. Et cette prise de contact pourrait grandement lui faciliter la tâche, le lendemain, lorsqu'il y aurait beaucoup d'activité dans l'hôpital.

Le service des urgences était effectivement bien calme. Il n'y avait que cinq personnes dans la salle d'attente, toutes absorbées soit par leur smartphone, soit par un magazine. L'essentiel de l'animation se passait derrière le bureau d'accueil où plusieurs infirmières, aides-soignants et internes bavardaient et plaisantaient entre eux. Comme il marchait dans leur direction, Noah se demanda s'il avait jamais vu les urgences du BMH aussi paisibles.

– Excusez-moi, dit-il à une employée du comptoir qui sourit en le voyant approcher. Je suis interne de chirurgie à Boston et j'aimerais avoir des renseignements sur les postes d'assistants qui pourraient être disponibles dans cet hôpital. Y a-t-il un interne qui accepterait de me parler ?

– Heu, je ne sais pas, dit la femme, l'air perplexe. Ce n'est pas courant, comme question. Attendez, je vais demander...

Cinq minutes plus tard, Noah faisait connaissance dans le café de l'hôpital avec un interne de chirurgie de troisième année originaire d'Argentine, le Dr Ricardo Labat, qui semblait très impressionné de recevoir un interne du BMH. C'était un homme agréable et à l'accent espagnol tout à fait charmant. Quand Noah fit observer que les urgences lui avaient paru très calmes, Ricardo expliqua que la ville de Lubbock ne manquait pas de lits d'hôpital. Entre autres établissements dotés de services d'urgences et de grandes capacités d'accueil, il cita le centre médical de l'université Texas Tech, l'hôpital méthodiste et le centre médical Covenant.

– Et le service d'anesthésie, ici à Brazos ? demanda Noah d'un air détaché. Comment est-il ?

– Épatant, à mon avis. Nous avons de la chance.

– J'aimerais bien discuter, éventuellement, avec quelques internes d'anesthésie...

– Je peux monter au bloc voir si des internes de garde sont disponibles, proposa Ricardo. Mais ça m'étonnerait. En fait, je sais qu'il y a plusieurs opérations en cours. Des urgences.

– Aucun souci. J'ai l'intention de revenir demain de toute façon. J'ai une autre question, si vous voulez bien. Au BMH, nous avons une anesthésiste qui a été formée ici et qui a bouclé son internat il y a environ cinq ans. La Dr Ava London. Ce nom vous dit quelque chose ? J'imagine qu'elle doit être connue, pour avoir été engagée au BMH après avoir terminé ici...

– Je n'ai jamais entendu parler d'elle, dit Ricardo. Mais ça ne m'étonne pas. Cette université et le centre médical se sont beaucoup développés ces dernières années. Et nous avons des internes qui viennent du monde entier. À mon avis, la formation est excellente. C'est pour ça que je reste. L'année dernière, une interne de chirurgie a été engagée comme assistante à Johns-Hopkins, et l'année d'avant un interne de réa est parti à Stanford, en Californie, et une autre d'anesthésie à l'hôpital presbytérien de New York.

– Impressionnant, dit Noah, épaté.

– Je peux appeler l'anesthésie, si vous voulez, pour voir si la praticienne de garde connaît la Dr Ava London ?

– Pas la peine. Je verrai ça demain. Merci.

Dix minutes plus tard, Noah était de nouveau dans sa voiture de location et entrait l'adresse de son hôtel dans le GPS. Sa petite conversation avec le Dr Labat avait été encourageante. Si plusieurs internes, ces dernières années, avaient été engagés dès la fin de leurs études par certains des plus grands hôpitaux du pays, cela donnait à penser que le bond en avant d'Ava – de Brazos au BMH – n'était pas si exceptionnel. Il avait sans doute raison de supposer qu'elle avait reçu une formation totalement satisfaisante.

Sa chambre d'hôtel se révéla aussi banale qu'il l'avait imaginé, quoique beaucoup trop spacieuse et luxueuse pour lui. Après avoir pris une douche, il descendit au centre d'affaires pour utiliser l'un des ordinateurs. Il voulait retourner sur le site du service d'anesthésie de Brazos pour noter les noms des principaux praticiens qui y travaillaient depuis plus de cinq ans. Il voulait aussi le nom de ses internes. Mieux il serait préparé, mieux les choses se passeraient le lendemain matin.

Noah allait se déconnecter, lorsqu'il eut tout à coup l'idée de regarder si le site comportait une photographie de groupe des internes actuellement en formation. C'était le cas, et les visages qu'il découvrit lui confirmèrent que le centre médical accueillait des étudiants du monde entier. Il remarqua alors un détail très intéressant : le site archivait ces photographies de groupe depuis le lancement du programme. Noah cliqua sur celle de 2012, l'année où Ava avait terminé son internat, et chercha son visage sur l'image. Il mit quelques secondes à la repérer. Elle était au dernier rang, entre deux collègues masculins taillés en armoires à glace, et regardait droit vers l'objectif. Sa première impression fut qu'elle n'avait pas changé : elle ressemblait tout à fait à celle qu'elle était aujourd'hui, sauf que ses cheveux étaient plus blonds.

Noah quitta le centre d'affaires avec l'intention de remonter à sa chambre. Puis il changea d'avis. Excité par ses aventures comme il l'était, il savait qu'il aurait du mal à trouver le sommeil – surtout dans l'environnement peu familier de cet hôtel. Il était le premier à reconnaître qu'il aimait ses habitudes. Même à l'hôpital, il dormait presque toujours dans la même chambre de garde. Pas très emballé à l'idée de rester au lit les yeux ouverts – avec le risque de se remettre à cogiter et à flipper pour une raison ou une autre –, il bifurqua donc vers le bar de l'hôtel. Il allait se payer une bière. C'était assez extraordinaire pour lui, mais après tout il était dans une période assez extraordinaire de sa vie. Cette virée au bar et l'alcool réussiraient peut-être à l'apaiser.

39

— Il y a un peu plus de vingt-quatre heures, je ne savais même pas qu'il existait une ville qui s'appelait Lubbock, grogna Keyon. Depuis, c'est la deuxième fois que j'y viens !

— On n'aurait jamais imaginé ça, acquiesça George.

L'employeur des deux hommes, ABC Security, avait de nouveau loué le Citation X avec lequel ils avaient fait l'aller-retour, mardi soir et mercredi matin, entre Boston et Lubbock. Il venait de se poser à l'aéroport Preston Smith. Ce nouveau voyage était considéré comme aussi urgent et essentiel que le premier. Le Dr Noah Rothauser devait être mis hors d'état de nuire sans délai.

La veille, à l'aéroport de Boston, quand George avait découvert que Noah devait s'envoler pour Dallas, il avait aussitôt compris que sa destination finale devait être Lubbock. Il était retourné au pas de course à la camionnette où l'attendait Keyon, puis ils avaient appelé leur chef au siège de la boîte pour lui apprendre cette nouvelle aussi étonnante que désagréable. Non sans une certaine satisfaction, ils avaient souligné qu'ils avaient eu raison de râler, depuis une semaine, de ne pas avoir eu le feu vert pour régler vite et bien son compte au toubib. Et puis patatras, la chienlit : on leur avait ordonné de retourner à Lubbock pour faire le nécessaire ! Problème, les pilotes du Citation approuvés par ABC Security pour ces vols un peu spéciaux étaient obligés de prendre le repos que leur imposait la réglementation de l'agence fédérale de l'aviation civile. Et histoire de les retarder encore plus, l'appareil avait un petit souci technique qu'il fallait régler. Conséquence, ils n'avaient décollé de Bedford qu'un peu après deux heures du matin ce jeudi.

Ils avaient cependant su tirer parti de cette attente. Pour prendre eux-mêmes un repos mérité, d'abord, puis pour effectuer une recherche, à leur bureau de Boston, qui avait permis de localiser le Dr Noah Rothauser dans la chambre 504 de l'hôtel Embassy Suites de Lubbock. Ils avaient aussi utilisé certains de leurs appareils spéciaux pour fabriquer un faux permis de conduire, délivré par l'État du Massachusetts, portant la photo de George.

Une fois de plus, un SUV Chevrolet Suburban les attendait devant la porte du petit terminal de l'aviation générale. Moins de vingt minutes après avoir atterri, ils roulaient en direction de Lubbock.

— Ce coin, c'est à peu près la même chose de jour comme de nuit, observa Keyon qui conduisait.

Il désigna de la main la campagne à demi désertique, aussi loin que portait le regard.

— Ouais. C'est plat comme certains coins en Irak, marmonna George.

— M'en parle pas.

Il n'était pas encore sept heures lorsqu'ils arrivèrent à l'hôtel de Noah Rothauser. Le parking était presque plein, mais paisible. Keyon se gara aussi près de l'entrée du bâtiment que possible et laissa la clé sous le pare-soleil au cas où l'un d'eux devrait se tirer sans l'autre. Avant de descendre du véhicule, ils vérifièrent leurs armes : Smith & Wesson pour George, Beretta pour Keyon.

— Paré ? demanda ce dernier.

— On y va !

Ils marchèrent d'un bon pas, mais pas trop vite non plus pour ne pas se faire remarquer. Quatre taxis étaient rangés à la queue leu leu près de la porte, les chauffeurs occupés à siroter un café derrière leurs volants. Dans le hall, la réception était quasi déserte. L'employé, au comptoir, discutait avec un type en complet qui se tenait devant lui. Sur le côté, il y avait un bagagiste en uniforme. Keyon et George s'approchèrent du comptoir et patientèrent. Comme le client qui les précédait, ils étaient de simples hommes d'affaires en déplacement professionnel.

— Que puis-je pour vous ? demanda le réceptionniste quand vint leur tour.

— J'ai bêtement laissé ma clé magnétique dans ma chambre, dit George avec un sourire penaud. Mon nom est Noah Rothauser. Je suis dans la chambre 504.

— Cela arrive, dit plaisamment le réceptionniste. Pourriez-vous me montrer une pièce d'identité, s'il vous plaît ?

— Bien sûr.

George tira son portefeuille de sa poche et posa le faux permis de conduire sur le comptoir. L'employé y jeta à peine un coup d'œil. Il glissa une carte magnétique vierge dans un appareil, pianota sur le clavier de son ordinateur et récupéra bientôt la carte pour la tendre avec le sourire à « Noah Rothauser ».

— Merci infiniment, dit George.

Keyon et ce dernier se dirigèrent vers l'ascenseur en se mettant à parler comme s'ils reprenaient une discussion passionnante, interrompue juste le temps de passer à la réception. Dans la cabine, Keyon appuya sur le bouton du cinquième étage.

– Ça se présente bien, dit-il. Je crois qu'on va être peinards.

George hocha la tête mais ne répondit pas. Dans les minutes qui précédaient l'action, il n'était jamais aussi serein que son collègue. Il n'avait guère eu de difficulté à avoir l'air cool à la réception mais, maintenant qu'ils étaient seuls, il voulait canaliser son anxiété et se concentrer sur la mission et en envisager toutes les éventualités.

Les portes de l'ascenseur s'ouvrirent. Ils s'engagèrent dans un couloir qui traversait le bâtiment dans le sens de la longueur. Des escaliers de secours se trouvaient aux deux extrémités, remarquèrent-ils, ce qui pouvait être utile en cas de pépin. Et il n'y avait personne en vue.

Devant la chambre 504, ils échangèrent un regard et se positionnèrent de part et d'autre de la porte, chacun portant la main à son arme dans son holster d'épaule. Keyon colla l'oreille contre le battant, patienta quelques secondes puis leva le pouce.

Après avoir jeté un dernier coup d'œil des deux côtés du couloir, George glissa la carte magnétique dans la serrure. Une diode verte clignota au-dessus de la poignée et un léger déclic se fit entendre. Sur un hochement de tête de Keyon, George ouvrit la porte. Les deux hommes firent irruption dans la chambre en dégainant leurs armes.

Ils avaient cru trouver la cible au lit, mais celui-ci était vide. D'un geste, Keyon désigna la porte fermée de la salle de bains. George opina. Ils répétèrent la manœuvre qu'ils avaient utilisée à la porte du couloir. Trois secondes plus tard, ils eurent la désagréable surprise de trouver la salle de bains plongée dans le noir.

– Merde ! s'exclama Keyon. Il est où, ce connard ?!

– Je me disais, aussi, ça se passait trop bien, grommela George. Il doit être en bas pour petit-déjeuner.

Les deux hommes regagnèrent la chambre en rengainant leurs armes. George s'assura que la porte du couloir s'était correctement

refermée, puis s'assit dans le fauteuil près de la fenêtre. Keyon s'al-
longea sur le lit double après avoir tiré le dessus-de-lit sur les oreillers. Il glissa les mains sous sa nuque. Ils savaient qu'ils n'avaient
plus qu'à attendre tranquillement le retour de Noah. Descendre le
chercher dans la salle de restaurant était tout à fait inutile.

— On reste ici combien de temps, à ton avis ? demanda George
au bout de quelques minutes. Ça ne me plaît pas, quand même,
qu'il ne soit pas là. Si ça se trouve, il est déjà en train de foutre
le bazar quelque part.

— Donnons-lui une demi-heure. S'il n'est pas remonté à ce
moment-là, on ira en bas voir ce qui se passe.

— Il faudrait peut-être prévenir le bureau que nous avons un
contretemps, dit George. L'avion qui nous attend à l'aéroport coûte
une blinde.

— T'en fais pas, répondit Keyon. On attend juste une petite demi-
heure. S'il ne se pointe pas, on passe au plan B.

— Et c'est quoi, mec, le plan B ?

Keyon pouffa de rire.

— J'sais pas, et toi ? J'imagine qu'il faudra aller explorer le centre
médical de l'université Brazos, où nous savons qu'il a l'intention
d'aller. À moins qu'il n'y soit déjà, ce dont je doute. Et bien sûr,
nous pouvons aussi espérer qu'il rallumera son téléphone pour nous
donner sa position.

40

Ayant payé son addition, Noah sortit du café sous le soleil déjà haut de Brownfield, Texas. La température avait beaucoup grimpé pendant qu'il prenait son petit-déjeuner.

Il avait passé une très mauvaise nuit. Les deux bières qu'il avait descendues au bar ne l'avaient pas du tout aidé à se détendre. Dès qu'il s'était couché, il s'était remis à cogiter. À se demander ce qu'il apprendrait ce jeudi, d'abord à Brownfield puis au centre médical Brazos. Son intuition lui murmurait qu'il ferait des découvertes assez importantes, et il espérait qu'elles seraient positives – bonnes pour Ava –, mais il redoutait en même temps que ce ne soit pas le cas.

À cinq heures et demie du matin, il avait renoncé à retrouver le sommeil et s'était levé. Quelque chose l'avait réveillé un petit moment plus tôt. Après s'être douché sans hâte, il avait quitté l'hôtel vers six heures et demie et pris le volant de sa voiture de location pour se rendre à Brownfield. Il avait entré les coordonnées de la bibliothèque Kendrick dans le GPS, mais il aurait pu s'en passer parce que le trajet était simplissime : depuis la rocade de Lubbock qui se trouvait tout près de son hôtel, il suffisait de bifurquer

vers le sud sur la route 62 en suivant les panneaux « Brownfield »
– et puis d'aller tout droit.

Noah ne se souvenait pas d'avoir jamais roulé sur une route
aussi rectiligne. Le paysage alentour était plat, aride, d'un rouge
presque irisé sous le soleil levant. Il avait traversé plusieurs petites
localités au fil du trajet, et la ville de Brownfield elle-même s'était
révélée plus modeste qu'il ne l'aurait cru. La Route 62, qui devenait « Lubbock Road » puis « South First Street » en entrant dans
la commune, passait par son centre. La bibliothèque Kendrick se
trouvait dans une rue transversale.

En s'arrêtant devant le bâtiment, il avait constaté qu'il n'y avait
pas d'autre voiture que la sienne le long du trottoir. Bien sûr, il
arrivait trop tôt. Fasciné par l'aspect de la bibliothèque, une vaste
construction de plain-pied en briques rouges, hérissée de plusieurs
toits pentus eux-mêmes ornés de lucarnes en saillie décoratives, il
était descendu de la voiture pour en faire le tour à pied et l'observer.
Arrivant devant la porte principale, il avait appris qu'elle n'ouvrait
qu'à neuf heures.

Qu'à cela ne tienne. Il avait repris le volant pour se balader
un moment à travers la ville – et passer devant le lycée où Ava
avait été élève quand elle s'appelait encore, selon toute vraisem-
blance, Gail Shafter. Peu après, il avait aperçu un café-restaurant
à l'air sympathique qui annonçait servir le petit-déjeuner. Comme
il avait une heure et demie à tuer, il avait décidé d'y faire halte. Il
avait bu un grand café et dégusté de savoureux pancakes. Il en avait
aussi profité pour découvrir le journal local, *The Brownfield Gazette*.

Il était maintenant de retour à la bibliothèque. Lorsqu'il y entra
et s'avança vers le comptoir d'accueil, il écarquilla les yeux. La
femme d'une quarantaine d'années qui se trouvait là était le sosie
de l'employée à la mise impeccable, mais quelque peu terrifiante,
qui occupait le même poste dans la bibliothèque de sa ville quand

il était gosse. Malgré cette ressemblance physique, toutefois, la bibliothécaire de Brownfield se révéla accueillante et très gentille. Quand il eut expliqué la raison de sa visite, elle l'invita à se rendre dans une certaine zone de la « grande salle de lecture » où étaient rangés les annuaires du lycée. Elle proposa même de l'accompagner pour l'aider.

– Ce n'est pas la peine, dit-il. Merci beaucoup. Avec vos renseignements, je pense que je trouverai.

Dans l'angle de la salle indiqué par la femme, il tomba sur un petit îlot d'étagères basses qui contenaient les annuaires du lycée de Brownfield. Il en tira le volume de l'année 2000 et s'assit à une épaisse table en chêne, tout près de là, pour le compulser.

Regardant tout d'abord la photo d'Ava London, il fut surpris, car la jeune femme visible sur cette image noir et blanc ressemblait bel et bien à l'Ava qu'il connaissait : elle avait ses cheveux blonds aux mèches claires, ses dents remarquablement blanches, son petit nez sculpté et son menton bien dessiné. Elle avait aussi son regard droit et plein d'assurance. Sous la photo se déroulait une impressionnante liste d'activités qu'elle avait à son actif, dont capitaine des pom-pom girls, déléguée de classe, membre du club théâtre et ainsi de suite. Pour finir, une courte notice nécrologique rappelait qu'elle était décédée le 14 avril 2000.

Noah scruta plus attentivement la photographie. Certes, la lycéenne ressemblait de façon frappante à l'Ava qu'il connaissait. Mais il se rendait aussi compte, à bien la regarder, qu'il ne se serait peut-être pas arrêté sur ce portrait s'il n'avait pas été accompagné du nom d'Ava London. En même temps, cela n'avait rien de très étonnant dans la mesure où les gens ressemblaient rarement à leurs photos de lycée.

Il passa ensuite à Gail Shafter. Globalement, les traits de cette adolescente n'étaient pas très différents, eux non plus, de ceux d'Ava. Le nez de cette jeune Gail était toutefois plus épais, et semblait légèrement plus courbé, que celui qu'il connaissait à Ava, tandis que ses cheveux étaient beaucoup plus foncés – châtains, à vrai dire, avec seulement quelques mèches claires. La similitude la plus frappante entre les deux photos tenait peut-être à la façon qu'avaient les deux filles d'affronter l'objectif le regard droit, avec aplomb – un aplomb qui frisait même l'impudence chez Gail. Par ailleurs, une différence sautait aux yeux entre les deux profils : Gail n'avait aucune activité scolaire ou extrascolaire mentionnée sous sa photo.

Noah sortit son téléphone portable de son sac à dos. Il y replaça la batterie juste le temps de photographier les clichés de chacune des deux filles. Ayant connu une fin tragique, Roberta Hinkle n'avait pu les lui envoyer comme il l'avait souhaité. Maintenant il les avait. Pendant qu'il rangeait l'annuaire du lycée sur son étagère, il se demanda ce que l'inspecteur Moore aurait pensé de le savoir aujourd'hui dans la région. Ce n'étaient pas des pensées agréables et il s'efforça de les chasser de son esprit. Il ne voulait ni songer à la mort de Roberta Hinkle, ni attirer l'attention du flic qui enquêtait là-dessus.

Il retourna au comptoir pour demander à la charmante bibliothécaire où étaient rangées les archives de la *Brownfield Gazette*. Elle l'orienta vers les étagères murales d'une autre zone de la salle de lecture où il trouverait, assura-t-elle, de nombreux volumes reliés contenant tous les numéros du journal depuis sa création.

Noah ne mit pas longtemps à repérer le volume couvrant la période du 17 au 24 avril 2000. Il l'emporta à la place qu'il avait occupée auparavant. Autant qu'il pût en juger, il était encore le seul visiteur de la bibliothèque.

Comme l'avait indiqué Roberta Hinkle dans son mail, le journal avait publié plusieurs articles sur le suicide d'Ava London. Et certains d'entre eux rappelaient que la jeune fille s'était tuée près d'un an après que son père s'était lui-même donné la mort. Noah saisit vite que tous deux avaient été très connus dans la petite ville et ses environs, le père pour ses actions philanthropiques, l'adolescente parce qu'elle était pom-pom girl et reine du bal de fin d'année de son lycée. Un papier précisait aussi que M. London et Ava avaient été très proches depuis le décès de leur épouse et mère, emportée par un cancer du sein deux ans auparavant.

Une information particulièrement intéressante revenait plusieurs fois dans les articles. D'après les journalistes de la *Gazette*, Ava avait été poussée à suivre les pas de son père à cause du harcèlement qu'elle avait subi sur les réseaux sociaux. Pendant plusieurs mois, elle avait reçu d'innombrables mails et messages, soit privés soit sur des forums de discussion, qui la faisaient culpabiliser pour le suicide de son père et affirmaient qu'elle méritait de mourir elle aussi. Les auteurs les plus réguliers de cette campagne de harcèlement se nommaient apparemment Connie Dugan, Cynthia Sanchez et Gail Shafter – comme Roberta Hinkle l'avait précisé dans son mail –, mais d'autres adolescents y avaient participé, notamment sur les forums. Selon un journaliste, ce déluge de remarques blessantes et d'insultes avait tellement déprimé Ava London qu'elle n'avait pas pu venir au lycée pendant toute la semaine précédant son suicide. Les « réseaux sociaux » concernés – on utilisait encore peu cette expression en 2000 – étaient des structures aujourd'hui disparues : SixDegrees.com et AOL Instant Messenger.

Noah pouvait à peine imaginer le traumatisme qu'avait dû constituer pour cette petite ville la perte de deux membres estimés de sa communauté en moins d'un an. Par ailleurs, il n'oubliait pas que les réseaux sociaux étaient aujourd'hui le terrain de jeux préféré d'Ava. Il paraissait évident que lorsque le calme serait revenu dans leurs vies, Ava et lui devraient si possible reparler de tout cela. Il la considérait comme une personne généreuse et bien intentionnée : avant d'émettre le moindre jugement, il devait donc lui accorder le bénéfice du doute et attendre d'avoir entendu son récit au sujet de cette époque. Mais la situation était décidément bizarre.

Ayant remarqué que le volume qu'il avait entre les mains possédait un index dans ses dernières pages, Noah retourna aux étagères murales des archives de la *Brownfield Gazette* pour y attraper le volume de l'année 2002. Dans son index, il trouva un certain nombre d'articles sur le Dr Winston Herbert, le dentiste pour lequel Ava disait avoir travaillé après le lycée. Examinant rapidement plusieurs d'entre eux, il put confirmer que cet homme avait été engagé par l'université Brazos pour créer sa faculté dentaire. Ava n'avait rien inventé de ce côté-là. C'était une information encourageante. Malgré son étrange changement de nom, il voulait croire qu'elle était sincère.

Après avoir remis les deux volumes reliés à leurs places, puis remercié la bibliothécaire, Noah retrouva la chaleur cuisante de l'été texan. Il avait encore une visite à faire à Brownfield avant de prendre la route du centre médical Brazos : le tribunal du comté de Terry.

— Son téléphone est resté allumé assez longtemps pour nous permettre d'avoir sa position approximative, dit Keyon, levant les yeux de l'ordinateur portable pour regarder George. C'est la bonne nouvelle. La mauvaise, c'est qu'il a déjà disparu. Mais bon, on sait au moins qu'il est à Brownfield ! À ton avis ? Il n'y a qu'une seule bonne route entre Brownfield et Lubbock, et il conduit une Ford Fusion grise.

— Combien de temps pour aller à Brownfield, selon Google Maps ?

– Une heure, à peu près, depuis notre position actuelle, répondit Keyon en abaissant l'écran du portable pour le poser ensuite sur la banquette derrière lui.

– Je crois qu'on ferait mieux de ne pas bouger d'ici. Brownfield… Ouais, ce serait sans doute un coin plus tranquille pour ce que nous devons faire. Mais si nous prenons la route, nous risquons tout de même de le rater.

Forcés de constater que Noah Rothauser ne revenait pas dans sa chambre d'hôtel comme ils l'avaient escompté, les deux hommes avaient décidé que la solution la plus sûre, pour le retrouver, était de se rendre au centre médical de l'université Brazos. Plutôt soulagés de ne trouver aucune Ford Fusion grise à leur arrivée là-bas, ils avaient garé le Suburban sur une place d'où ils pouvaient à la fois surveiller l'entrée du parking et l'entrée de l'hôpital. Maintenant ils attendaient. Ils avaient laissé le moteur allumé pour garder la clim.

– Je pense que t'as raison, approuva Keyon.

Il renversa le dossier de son siège et remit les pieds sur le tableau de bord pour retrouver la confortable position dans laquelle il était installé au moment où ils avaient reçu un signal les informant que le téléphone du toubib venait d'être rallumé. Sur sa droite, il regardait voitures et piétons aller et venir à l'entrée de l'hôpital.

Du siège conducteur, George guettait plutôt l'entrée du parking et la rue au-delà. Si le parking était désormais bien plein, l'activité y était plus réduite qu'à leur arrivée juste avant huit heures. Visiblement, les gens qui travaillaient de jour à l'hôpital étaient tous arrivés, tandis que l'équipe de nuit était partie. À présent, c'était le grand calme du milieu de matinée.

– À ton avis, on prévient Hank de ce qui se passe ? demanda Keyon.

Hank Anderson était leur chef. Il travaillait sous les ordres directs de Morton Coleman, le directeur général d'ABC Security.

– Nan, dit George. On lui a déjà laissé entendre qu'on avait un souci pour prendre contact avec la cible. Il appellera lui-même s'il veut en savoir plus.

Le tribunal du comté de Terry rappelait à Noah son lycée. C'était un bâtiment à trois niveaux, en briques jaunes, avec des colonnes en saillie de part et d'autre de l'entrée. Par rapport aux souvenirs qu'il avait conservés des quelques fois où il avait eu affaire aux administrations publiques de Boston, il trouva le personnel de ce tribunal avenant et serviable. Il était venu là pour découvrir la trace, si elle existait dans les archives, du changement de nom de Gail Shafter. Sa visite fut brève. Le tribunal ne conservait pas ce genre de document.

De retour dans sa voiture de location, Noah prit la direction du centre médical Brazos par la Route 62. Il avait l'impression d'avoir déjà fait de réels progrès, mais il n'oubliait pas qu'il avait devant lui la partie la plus difficile de son enquête. À l'hôpital, pour commencer, il demanderait à voir le Dr Labat. Si l'Argentin était disponible, il accepterait sans doute de mettre Noah en contact avec quelques internes du service d'anesthésie.

41

Pénétrant à vitesse réduite dans le complexe hospitalier, Noah passa la bretelle qui partait vers les urgences, à droite, pour continuer en direction de l'avant-toit de l'entrée principale de l'hôpital. Le vaste parking principal semblait presque plein. Il ralentit encore l'allure, cherchant du regard une place libre. Quelques personnes circulaient dans les allées. Une vingtaine de mètres devant lui, Noah vit tout à coup une femme accompagnée d'un très jeune enfant se glisser entre deux véhicules. Il freina. Comme il l'espérait, la femme s'apprêtait à s'en aller : il la vit ouvrir la portière arrière de la voiture sur sa droite et commencer à installer le bambin dans un siège-auto. Une minute plus tard, elle contourna la berline pour prendre place au volant.

Noah mit le clignotant pour indiquer qu'il avait l'intention de s'engager sur la place bientôt libérée. Dans son rétroviseur intérieur, il venait d'apercevoir un gros SUV noir qui se rapprochait lentement derrière lui. Sans doute cherchait-il lui aussi à se garer. Noah ne voulait pas perdre la place qu'il convoitait.

La femme recula en braquant. Dès qu'elle passa en marche avant et s'éloigna, Noah glissa la Ford Fusion dans la place de stationnement vacante.

Il coupait le moteur, lorsqu'il remarqua une chose un peu bizarre dans le rétroviseur. Le SUV noir s'était immobilisé juste derrière lui. Pivotant sur son siège pour regarder par la lunette arrière, il se demanda avec perplexité pourquoi cette grosse bagnole restait plantée là. Elle l'aurait empêché de reculer si telle avait été son intention. Une pointe d'inquiétude se mêla à son étonnement : le conducteur du SUV s'était-il vexé de ne pas avoir pu prendre cette place ? À Boston, on entendait parler de vilains épisodes de castagne entre automobilistes enragés – mais ce genre de chose arrivait-il ici, à Lubbock ? Noah cessa tout à coup de s'interroger ; un frisson glacial lui parcourut le corps. Un homme venait de descendre du siège passager du véhicule. Il le reconnaissait. C'était le Noir qui l'avait suivi à travers Boston. Aussitôt après, un type à la peau blanche quitta le siège conducteur pour contourner le SUV. Il avait les cheveux blonds. Son autre poursuivant de Boston, bien sûr.

Quand les deux hommes s'engagèrent de part et d'autre de la Ford Fusion, Noah n'écouta que son instinct. Il appuya précipitamment sur le bouton de verrouillage des portières, puis plongea la main dans son sac à dos pour en tirer son téléphone et sa batterie. Il fallait qu'il appelle la police. C'était la seule solution.

– FBI ! Ouvrez la portière de votre véhicule ! cria l'un des hommes, puis il frappa du plat de la main sur le toit de la voiture.

Levant les yeux, Noah vit d'abord le Noir qui brandissait un insigne du FBI contre la vitre de la portière passager. Il tourna la tête : le Blanc en faisait autant à la vitre de sa portière. Se résignant à obtempérer, puisqu'il s'agissait des autorités, il tendit la main vers le bouton de déverrouillage des portières. Au même instant, un carillon lui indiqua que son téléphone avait redémarré.

Noah hésita et leva de nouveau les yeux vers le Noir. Le gars avait une expression mécontente, presque furieuse, qui paraissait étonnante pour un agent du FBI. Au lieu de déverrouiller les portières, il composa précipitamment les trois chiffres des secours – 911 – sur le clavier.

Il appuyait sur le bouton d'appel lorsqu'il entendit la vitre de la portière passager se briser. De petits éclats de verre jaillirent vers son visage. Il releva les yeux : le Noir utilisait la crosse d'un pistolet automatique pour tenter de briser la vitre. Elle résistait – il n'avait réussi à y percer qu'un petit trou –, mais ce répit serait de courte durée. Noah jeta un coup d'œil vers le Blanc, sur sa gauche, et prit une décision impulsive. Il appuya sur le bouton de déverrouillage et ouvrit en même temps sa portière en y donnant un violent coup d'épaule. Surpris et déstabilisé, l'homme fut projeté en arrière contre la voiture voisine.

Noah en profita pour jaillir de la Ford. À présent, il n'avait plus qu'un seul espoir. Il devait essayer d'atteindre l'hôpital et alerter la sécurité pour qu'elle se charge de ces deux types. On verrait plus tard s'ils étaient réellement des agents du FBI. Hélas, il était loin du compte. Le Blanc avait été brièvement désarçonné par le coup de la portière, mais il s'était vite repris et agrippait déjà Noah par sa chemise. Il réussit à le retenir le temps que son collègue fasse le tour de la voiture et se joigne à la mêlée. Alors que Noah essayait de se dégager de l'étreinte du Blanc, le Noir l'attrapa par-derrière, du bras gauche, au niveau de la gorge. Il avait une force stupéfiante. Noah essaya vainement de se débattre. Il sentit l'homme l'entraîner vers l'arrière de la Ford, puis il se retrouva tout à coup étalé à plat ventre sur l'asphalte chaud et poussiéreux du parking.

Quand il voulut crier, une main se plaqua fermement sur sa bouche, l'empêchant d'émettre le moindre son. Un instant plus tard, ses bras furent douloureusement repliés derrière son dos et il comprit qu'on lui attachait les poignets. Puis il eut une sensation de piqûre, dans la fesse, aussitôt suivie par une sorte de douleur chaude. Il était médecin. Il sut que ses agresseurs lui injectaient une substance avec une seringue. Pendant quelques secondes, il eut l'impression de tomber, tomber... et puis il ne ressentit plus rien.

— Merde ! grogna George. Quel chieur, ce mec !

Keyon l'aida à relever Noah Rothauser en le prenant sous les aisselles. Quand ils parvinrent à le maintenir à la verticale, ils se déportèrent vers l'arrière du Suburban. George avançait avec précaution, les jambes bien écartées, car la ruse de Noah avec la portière de la Ford lui avait valu un vilain coup dans les parties. Avec le tranquillisant qu'ils lui avaient injecté, le type était complètement sonné ; il se serait effondré par terre s'ils ne l'avaient pas retenu. Quelques personnes présentes sur le parking s'étaient arrêtées pour observer le spectacle avec inquiétude et perplexité. La scène avait été si brève qu'elles peinaient à lui donner un sens.

— FBI ! cria George en brandissant son faux badge. Tout va bien ! La situation est sous contrôle. Désolé pour la peur que nous vous avons causée. Cet homme est recherché dans une demi-douzaine d'États.

Keyon et George installèrent prestement Noah sur la banquette arrière et lui passèrent la ceinture de sécurité. Sa tête bascula en avant.

— Tu crois qu'il faut faire en sorte qu'il se tienne droit ? demanda George.

— Comment je pourrais savoir ça, putain ?!

— On lui a donné une énorme dose. Ça pourrait avoir un effet sur sa pression artérielle, ou je sais pas quoi...

– Ouais, sans doute, admit Keyon avec résignation.

Il souleva la sangle oblique de la ceinture de sécurité pour la passer par-dessus la tête de Noah. Celui-ci bascula alors lentement sur le côté.

– Ça te convient ?! râla Keyon.

– Hé, t'en prends pas à moi. Tu sais bien que si nous livrons cet enfoiré en mauvais état, c'est sur nous que ça retombera.

42

Noah revint à lui beaucoup plus lentement qu'il n'avait perdu connaissance le matin – douze heures auparavant, mais il n'apprendrait ce détail que plus tard. La première chose dont il prit conscience fut qu'il se trouvait sur une surface bien plus accueillante que l'asphalte avec lequel il était en contact au moment où il avait sombré dans le grand noir. Remuant les doigts de la main gauche, il devina qu'il se trouvait sur un lit. Sa main droite était par contre attachée au-dessus de sa tête, et quelque chose mordit la chair de son poignet lorsqu'il essaya de la bouger. Il voulut ouvrir les yeux, mais ses paupières ne lui obéirent pas. Il haussa les sourcils sans obtenir plus de résultat.

Sentant la panique le gagner, il se força à respirer profondément, plusieurs fois de suite, pour retrouver son calme. C'était un bon truc. Quelques instants plus tard ses yeux s'ouvrirent d'eux-mêmes et il vit un plafond au-dessus de lui. Tournant la tête, il constata qu'il se trouvait dans une chambre étroite, mais joliment décorée d'un papier peint fleuri et de rideaux de chintz. Puis il se rendit compte qu'il n'était pas seul. Un homme habillé d'un complet noir était assis dans un fauteuil à côté du lit. Il lisait un journal qui dissimulait son visage. Redressant le menton pour regarder au-dessus de sa tête, Noah vit que son poignet droit était passé dans une menotte dont la jumelle était attachée au montant horizontal de la tête de lit à barreaux de cuivre. Ses pensées continuaient de s'éclaircir peu à peu. Il se rendit compte qu'il portait encore les vêtements qu'il avait enfilés le matin... à l'hôtel... au Texas. *Mince*, songea-t-il. *Je suis au Texas !* Tout à coup, dans une avalanche d'images angoissantes, il se revit coincé dans sa voiture par le SUV noir, puis cerné par les deux types qui brandissaient des insignes du FBI, l'un d'eux tentant de faire exploser la vitre de la portière passager... Il avait tâché de prendre la fuite, manifestement cela n'avait pas marché – et il avait maintenant l'impression de revivre un mauvais rêve.

Non sans effort, Noah essaya de changer de position sur le lit. Comme il remuait le bras droit, les menottes grincèrent sur la tête de lit. L'homme assis dans le fauteuil baissa son journal. C'était l'un des deux types qui l'avaient agressé. Le Noir. Il posa subitement le journal et se leva.

– Hé ! cria Noah. Revenez ici ! Où est-ce que je suis ? Êtes-vous vraiment du FBI ?

L'homme ouvrit la porte et disparut sans répondre. Noah poussa un grognement de frustration. Si ce mec appartenait au FBI, qu'est-ce qu'il fichait, lui, attaché à ce lit dans cette chambre coquette ?

Il déporta les jambes vers la droite du lit pour essayer de s'asseoir, mais un violent vertige le saisit dès qu'il se redressa. Il fut obligé de se rallonger en ramenant précipitamment ses pieds sur le matelas. Il fermait les yeux avec l'espoir que cet étourdissement passerait vite, lorsqu'une voix qu'il connaissait bien s'éleva près de lui, pleine de sollicitude :

— Enfin, te revoilà parmi nous. Ça me fait tellement plaisir. Tu as reçu une dose de tranquillisant vraiment trop forte.

Stupéfait, Noah hésita quelques instants avant de rouvrir les yeux. Il craignait d'avoir eu une hallucination auditive, mais non, c'était bien Ava qui se tenait là, à côté du lit, les mains sur les hanches. Il la contempla avec stupeur, s'attendant à moitié à la voir disparaître comme un fantôme, mais la scène ne changea pas. Puis il eut la certitude qu'il ne délirait pas lorsqu'il vit le Noir rentrer dans la chambre.

— Qu'est-ce que tu fais ici ? bafouilla Noah.

— Ici ? répéta Ava en souriant. Et où penses-tu que ça se trouve, « ici » ?

— Quelque part à Lubbock, au Texas… ?

Elle rit de son rire cristallin si particulier.

— Désolée, tu vas être sans doute surpris, mais… nous ne sommes pas à Lubbock. Nous sommes à Boston. Chez moi, à la maison. C'est une chambre d'amis que tu ne connaissais pas. Tu y as dormi le temps d'évacuer ce tranquillisant de ton système.

Noah regarda le Noir qui s'était posté près de la porte comme s'il montait la garde.

— C'est qui, lui ?

Ava jeta un coup d'œil par-dessus son épaule, puis sourit encore.

— Lui, il s'appelle Keyon Dexter.

— Il travaille pour toi ?

— Oh non ! Pas du tout.

— Pour le FBI ?

— Humm, je ne crois pas, dit Ava, et elle s'adressa au dénommé Keyon pour demander : Vous n'êtes pas du FBI, n'est-ce pas ?

— Non, madame, répondit l'homme poliment.

— C'est quoi cette histoire, nom de Dieu ? grogna Noah.

– Ne t'inquiète pas, je vais tout t'expliquer, dit Ava, et elle agita un index vers lui, avec une moue faussement sévère, comme si elle s'adressait à un vilain garnement. Tu nous as donné bien du tracas, tu sais. À moi et à quelques autres personnes, je veux dire. Tu nous as même causé des insomnies. Heureusement, tout ça est maintenant derrière nous.

Elle se pencha vers Noah et sourit de nouveau pour ajouter un ton plus bas :

– Nous avons beaucoup à parler, toi et moi, pour mettre les choses au clair.

Il eut envie de répondre par un sarcasme, mais il tint sa langue car les événements des jours passés lui revenaient tout à coup en mémoire – à commencer par le meurtre de Roberta Hinkle.

Il secoua son poignet droit.

– Pourquoi je suis attaché ?

– Pour être franche, je ne sais pas, dit Ava, et elle tourna la tête. Pourquoi est-il attaché ?

– À Lubbock, il n'a pas été du tout coopératif, répondit Keyon.

– Eh bien, vous n'êtes plus à Lubbock. Détachez-le !

– Vous êtes sûre, madame ? Avec George, nous pensons qu'il pourrait chercher à s'échapper. Il est bagarreur, en plus...

– Détachez-le !

Keyon obtempéra. Il reprit ensuite sa place près de la porte, les bras croisés sur la poitrine.

Un peu rassuré de constater que ce type obéissait sans broncher à Ava, Noah frotta son poignet endolori puis se redressa lentement pour s'asseoir au bord du lit. Le vertige le reprit, mais moins fort que la première fois. Il passa au bout de quelques instants.

– Comment te sens-tu ? demanda-t-elle d'un air compatissant. Ils t'ont donné bien plus de midazolam que je ne l'avais suggéré. En plus, ils ont remis ça au bout de quelques heures.

– Que tu ne l'avais *suggéré* ?! s'exclama-t-il avec colère. Alors, c'est bien toi qui es derrière tout ça !

– Écoute, mon ami ! répliqua-t-elle, soudain plus sérieuse. Sans mon intervention, je ne sais pas dans quel état tu serais en ce moment, mais tu ne serais sûrement pas ici, dans ma chambre d'amis. Ne juge pas avant d'avoir entendu tout ce que j'ai à t'expliquer. Je te répète que nous avons beaucoup de choses à nous dire.

– Et il faut vraiment qu'il soit là, lui ?

Noah désigna Keyon du menton. Même si cet homme répondait aux ordres d'Ava, sa seule présence dans la pièce l'irritait.

– Non, ce n'est pas nécessaire, dit Ava avec un haussement d'épaules, et elle tourna la tête pour ajouter : Vous pourriez peut-être attendre sur le palier ?

– Bien, madame, dit Keyon – et un instant plus tard il avait disparu.

– Content ? demanda Ava avec une petite moue amusée.

– Arrête l'ironie, tu veux ! Pour commencer, comment je suis arrivé ici ?

– Après votre rencontre à Lubbock, Keyon et George t'ont invité dans l'avion privé qu'ils avaient à leur disposition.

– Invité ? Ne déconne pas, Ava. Ils m'ont sorti de ma voiture de location en cassant la vitre d'une portière. Et que va devenir cette voiture, d'ailleurs ? Nom de Dieu !

– Tu es invraisemblable. Sérieux, tu t'inquiètes vraiment pour une voiture de location ?

– C'est moi qui l'ai louée ! La compagnie a mes coordonnées.

– Mon Dieu ! s'exclama Ava en levant les yeux au ciel. Alors toi, dans le genre obsessionnel…

Elle appela Keyon. Il fit aussitôt irruption dans la chambre, l'air prêt à mordre.

– Keyon, s'il vous plaît, dit Ava d'un ton agacé. Qu'est devenue la voiture de location du Dr Rothauser ?

– Hank Anderson s'en est occupé. Il a envoyé un agent la récupérer et la ramener à l'aéroport. La franchise a été payée pour la vitre cassée. Tout est en ordre.

– Merci. Ce sera tout.

– Très bien, madame, dit Keyon, et il ressortit après avoir porté la main droite à son front en une sorte de salut militaire.

– Rassuré ? demanda Ava à Noah.

– Ouais. C'est qui, Hank Anderson ?

– Le chef de Keyon et de George.

Noah soupira.

– On tourne en rond. Keyon Dexter et George je ne sais quoi, ils sont *qui*, au juste ?

– George Marlowe, précisa Ava. Tu l'as déjà vu ici. Je présente parfois George comme mon coach personnel. En réalité, c'est un pro de la sécurité. Mais comme il aime autant la salle de gym que moi et comme il s'y connaît vraiment, il me conseille et nous travaillons souvent ensemble.

Noah écarquilla les yeux. Tout à coup, son cerveau venait d'associer l'entraîneur d'Ava, qu'il avait rencontré un soir en arrivant à la maison, et l'homme blond qui l'avait suivi à travers Boston – puis attaqué à Lubbock. Une ou deux fois, dans les rues de la ville, quand il avait à peu près distingué le visage de ce type, il avait eu le vague sentiment de le reconnaître.

– Keyon et George sont employés par une société de sécurité qui s'appelle ABC Security, expliqua Ava. Dès que j'ai commencé à travailler pour le Conseil des suppléments nutritionnels, l'une des conditions qui m'ont été posées a été d'accepter Keyon et George comme mes...

Ava dodelina de la tête, cherchant le mot juste.

— ... mes protecteurs. Ou mes gardes du corps. Ou bien si tu veux vraiment être péjoratif, mes baby-sitters. Pendant longtemps, je les ai vus très rarement, mais la situation a changé il y a environ un an, quand mes activités sur les réseaux sociaux ont commencé à me valoir certains problèmes.

— Hein ? Quels problèmes ? Quel rapport peut-il y avoir entre tes activités sur les réseaux sociaux et ces deux mecs ?

S'il avait maintenant les idées à peu près claires, Noah avait tout de même encore l'impression de rêver tout éveillé. Les propos d'Ava lui paraissaient invraisemblables.

— Nous avons été confrontés à quelques épisodes de cyberharcèlement assez sérieux à l'encontre de mes faux profils. En particulier vis-à-vis de la jeune fille que j'ai baptisée Teresa Puksar. Keyon et George ont dû intervenir avant que cela risque de me causer de vrais ennuis. Franchement, je ne sais pas ce qu'ils ont fait, mais l'important est qu'ils ont résolu le problème. Et puis surtout, ils ont pris des mesures pour que toutes mes données et mes différents profils soient hypersécurisés, de telle sorte que ce genre de chose ne se reproduise pas. Maintenant que la question du Dr Mason est derrière nous et que tu es dans l'équipe, je suppose que je les verrai de nouveau beaucoup moins.

— Dans l'équipe ? Ça veut dire quoi, ça ?

— C'est justement ce dont nous devons parler. Mais avant, dis-moi comment tu te sens ? Physiquement, je veux dire ?

Noah prit une grande inspiration. Sur le plan physique, il se sentait assez bien. Niveau mental, c'était une autre histoire.

— Ça va à peu près, je suppose. J'ai eu le vertige quand je me suis assis la première fois, mais c'est passé. Le truc bizarre, c'est que j'ai l'impression d'être complètement déphasé. À côté de la plaque, tu vois ?

— Laisse-moi t'examiner. Tu as tout de même encaissé une sacrée dose de midazolam. Je suis étonnée que tu ne souffres pas davantage d'amnésie antérograde.

Après lui avoir pris le pouls à son poignet droit, Ava utilisa un tensiomètre qui se trouvait sur la table de chevet. Noah se laissa faire. Il l'observa lui poser le brassard, le gonfler, puis regarder l'aiguille indiquant sa pression artérielle. Elle prit ensuite un stéthoscope pour écouter sa poitrine.

— Bon, ça a l'air d'aller, dit-elle finalement. Essaie de te mettre debout, pour voir comment tu te sens ?

Elle lui offrit sa main. Il la saisit et se leva doucement.

— Alors ?

— Heu... Je tremblote un peu sur mes jambes, mais je n'ai pas le vertige. Ça va.

— À la bonne heure ! Veux-tu aller aux toilettes ? Tu dois avoir la vessie prête à exploser.

— Ah oui ! Je n'y pensais pas, mais maintenant que tu en parles... Je crois même que ça urge.

Une petite salle de bains jouxtait la chambre. Ava l'accompagna jusqu'à la porte. Pendant les deux minutes de solitude qu'il eut devant la cuvette des W.-C., Noah essaya de remettre de l'ordre dans ses idées. Il n'avait qu'un trou noir dans la mémoire entre le moment où il se souvenait d'avoir perdu connaissance sur le parking du centre médical et celui où il s'était réveillé dans cette chambre, chez Ava. C'était extrêmement troublant et désagréable. Comme si le voyage depuis Lubbock n'avait été qu'un rêve – dont il ne se rappelait pas. Par contre, il était certain d'une chose : il avait eu raison de supposer que le CSN devait se montrer férocement protecteur envers Ava. Il n'osait même pas imaginer le prix de la location d'un jet privé pour envoyer les deux sbires le cueillir au Texas et le ramener à Boston.

– Je t'ai fait installer dans cette chambre parce qu'elle est au même étage que le bureau, dit Ava quand il ressortit de la salle de bains. Si tu te sens d'attaque, je te propose de nous y installer pour parler. C'est un endroit qui t'est familier, tu y seras sans doute mieux qu'ailleurs. J'ai aussi monté à manger et à boire de la cuisine, au cas où tu aurais faim. Qu'est-ce que tu en penses ?

Noah se contenta de hocher la tête. Il se sentait encore trop déboussolé pour la contredire. Il ne savait même pas quelle heure il était ! Il avait juste remarqué par la fenêtre que la nuit était tombée. Ava lui donna le bras pour sortir de la chambre. Keyon et George se trouvaient sur le palier. Quand ils s'écartèrent sur leur passage, Noah fut impressionné par leur impassibilité. Clairement, ces types étaient des pros. Et maintenant, il reconnaissait bien en George le coach perso d'Ava.

Dans le bureau, après avoir aidé Noah à s'asseoir dans son fauteuil habituel, Ava posa devant lui, sur le pouf, un plateau contenant une assiette de mini-sandwiches variés, une petite bouteille d'eau, un Coca Light. Il y avait aussi un bol de chips. Et des glaçons dans un verre.

– Je peux aller te chercher du vin, si tu veux ? proposa-t-elle.

– Pas la peine, dit-il, et il saisit un des sandwiches pour l'engloutir en une seule bouchée.

Il s'aperçut tout à coup qu'il mourait de faim. Après avoir mangé deux autres sandwiches, il se servit du Coca Light avec des glaçons. Il avait la gorge sèche, et puis la caféine l'aiderait peut-être à réfléchir. Par contre, l'alcool ne le tentait absolument pas.

Keyon et George les avaient suivis en silence et avaient pris position de part et d'autre de la porte, bras croisés sur la poitrine. Ils affichaient tous deux le même détachement paisible, mais étrangement menaçant, que Noah leur avait vu sur le palier.

– Faut-il vraiment que les molosses restent ici ? demanda-t-il en élevant la voix pour être sûr qu'ils l'entendent.

– Sans doute pas, répondit Ava. Mais ils connaissent cette affaire dans ses moindres détails, car ce sont eux qui ont mené l'enquête pour nous. Si cela peut t'aider à te détendre, ils vont attendre en bas.

– Ouais. Je me sentirai mieux.

– S'il vous plaît ? lança Ava à Keyon et George. Comme vous avez peur qu'il ne prenne la fuite, vous pouvez peut-être rester près de la porte d'entrée ?

– Bien, madame, dit Keyon.

Sans un mot de plus, George et lui sortirent du bureau. Noah entendit leurs pas lourds dans l'escalier.

– Parfait, dit Ava en s'asseyant en face de lui. Maintenant, parlons.

– Bonne idée ! Qu'est-ce que c'est que cette histoire de dingue ?

– Calme-toi. N'oublie pas que cette mauvaise comédie, c'est toi et personne d'autre qui en es à l'origine.

Il s'esclaffa. Assis, nourri, désaltéré, il avait désormais les idées tout à fait claires. Mais il éprouvait aussi de la colère à propos de tout ce qui s'était passé ces derniers jours. De la colère et de l'angoisse.

– Ça, je ne crois pas, répliqua-t-il. Avant de parler de quoi que ce soit d'autre, je veux savoir si tes copains du CSN sont mêlés au meurtre de Lubbock. C'est une question qui m'obsède.

– Quel meurtre de Lubbock ? Je n'ai jamais entendu parler de ça. Qui a été tué ?

– J'ai engagé une détective privée que j'ai trouvée sur Internet. Elle s'appelait Roberta Hinkle. La nuit suivante, elle a été tuée chez elle. Soi-disant par l'amant ou le conjoint mécontent d'une de ses clientes. Parce qu'elle était spécialisée dans les enquêtes conjugales. Mais j'ai du mal à y croire.

– Et pourquoi, au juste, as-tu engagé une détective privée spécialisée dans les enquêtes conjugales ? demanda Ava, l'air perplexe.

– Peu importe sa spécialité ! répondit Noah avec irritation. Ce n'est pas pour ça que j'avais besoin d'elle. Je l'ai engagée pour une vérification de curriculum.

– Me concernant ?

– Oui.

Ils se dévisagèrent. Noah s'attendait à ce qu'Ava s'emporte contre lui – et il s'en fichait. Il était temps qu'ils jouent cartes sur table. Mais elle l'étonna en déclarant d'un ton posé :

– Pour le meurtre de cette femme, je ne sais absolument rien. Mais je peux te promettre ceci : une détective privée qui fouinerait dans mes affaires, surtout en ce moment, cela rendrait forcément mes employeurs du CSN très nerveux et très mécontents.

– Donc tu penses que le CSN est impliqué ?!

Noah était horrifié. Cette hypothèse signifiait, comme il le redoutait, qu'il était indirectement responsable de la mort de cette femme.

– Pas du tout ! En tout cas pas comme tu sembles l'imaginer. Le CSN ne ferait jamais quoi que ce soit d'illégal. Par contre... le comportement d'ABC Security, c'est une autre question. Te souviens-tu de Blackwater, la compagnie militaire privée qui travaillait en Irak pendant la guerre ?

– Je crois, oui, marmonna-t-il. Où veux-tu en venir ?

– Je pense qu'ABC Security, même si elle se présente comme une société de sécurité, est en réalité une organisation paramilitaire du même genre que Blackwater. Mais je n'en suis pas certaine. Ce que je sais, en revanche, c'est que nous sommes dans une période très délicate pour le CSN, et qu'il est hors de question pour mes employeurs que ma crédibilité soit remise en question. De quelque façon que ce soit. Aujourd'hui, je suis une lobbyiste essentielle pour les intérêts du CSN. Parce que je suis la seule capable de contrôler un nombre non négligeable de sénateurs et de représentants qui hésitent à faire amender ou à abroger la loi sur les compléments alimentaires de 1994. Te souviens-tu de cet article des *Annals of Internal Medicine* qui devait présenter une étude dont les conclusions étaient très critiques envers l'industrie des suppléments nutritionnels ? Nous en avons parlé dans ma cuisine.

— Ouais. Eh bien ?

— Il a eu plus d'impact que nous ne le pensions. Des tas de législateurs ont commencé à exprimer leurs réserves sur la loi en question. C'est moi qui suis chargée de les convaincre de changer de cap. Bref, nous sommes dans une période critique. Le CSN veut absolument que la FDA continue d'être tenue à l'écart et que l'industrie des suppléments continue d'échapper à toute régulation enquiquinante. C'est pour cette raison que j'ai passé pas mal de temps à Washington récemment. Il n'y a que moi, en gros, pour empêcher une catastrophe.

Noah scruta le visage d'Ava tandis que son cerveau, à peine sorti des brumes du midazolam, s'efforçait d'assimiler ce qu'elle venait de dire et mettait bout à bout les différentes informations qu'il possédait. Ses pires craintes semblaient se confirmer. Peut-être était-il légitime de s'interroger sur l'étendue et la qualité de la formation d'Ava en tant qu'anesthésiste. C'était pour cela qu'il avait voulu engager Roberta Hinkle. Mais le CSN ne voulait pas que l'on fouille dans le passé de sa protégée...

Comme si elle avait lu dans son esprit, Ava quitta son fauteuil et approcha le pouf du siège de Noah. Sans doute pour ne pas risquer d'être entendue par les hommes descendus au rez-de-chaussée, elle se pencha en avant et reprit à mi-voix :

– Avant de t'en dire plus, je dois te demander une chose : qu'a-t-elle trouvé, ta détective privée, pour te donner tout à coup envie de prendre l'avion pour Lubbock ?

Noah crispa machinalement les mains sur les accoudoirs du fauteuil. Ava et lui étaient à un carrefour. À l'instant de vérité. Il se demandait ce que l'avenir leur réservait et savoir Keyon et George dans la maison le rendait nerveux – avec ces deux types, Ava était assurément en position de force. Mais il pensait aussi qu'il était grand temps qu'ils se disent tout.

Et tant pis pour les conséquences.

43

Noah se demanda par où commencer. Le plus simple, probablement, était d'aller droit à l'essentiel.

– J'avais dit à cette détective, Roberta Hinkle, que tu avais terminé ta scolarité secondaire en l'an 2000 au lycée Coronado de Lubbock. Donc c'est là qu'elle a démarré. Mais surprise ! elle a découvert qu'il n'y avait pas d'Ava London dans ce lycée. Ni en 2000, ni de tout le demi-siècle précédent.

Il marqua une pause, observant Ava. Maintenant qu'il était établi qu'elle lui avait menti, il s'attendait à la voir réagir avec colère et se mettre sur la défensive. Mais elle se contenta de hocher la tête, l'air tranquille, comme si elle n'avait rien à opposer à cette révélation. Il poursuivit :

– La détective a alors décidé de chercher Ava London dans tous les lycées de Lubbock et des villes alentour. Et après d'importantes recherches, elle a réussi à trouver Ava London dans le lycée d'une petite ville, Brownfield, située à une soixantaine de kilomètres au sud de Lubbock.

Ava demeurait impassible. Cesserait-elle jamais de le surprendre ? De nouveau, il avait l'impression de peler une couche supplémentaire de l'oignon.

— C'est tout ? demanda-t-elle.

— Non. Il y avait bien une Ava London au lycée de Brownfield en l'an 2000, donc, mais elle n'a pas terminé l'année scolaire parce qu'elle s'est suicidée. Un vendredi soir, le 14 avril. Quasiment un an après que son père s'était lui aussi donné la mort, avec la même arme, dans la même pièce de leur domicile. À la suite du suicide d'Ava, il a été découvert qu'elle avait été persécutée, sur les réseaux sociaux de l'époque, pendant plusieurs mois. Persécutée et encouragée à imiter le geste de son père. C'est un cas précoce de ce qu'on appelle aujourd'hui le cyberharcèlement.

— Cette détective était très compétente, observa Ava.

— Roberta Hinkle ne m'a pas donné elle-même tous ces détails, précisa Noah. J'ai lu plusieurs numéros de la *Brownfield Gazette* postérieurs aux suicides d'Ava London et de son père. Ces deux événements ont beaucoup ému la petite ville de Brownfield.

— Humm, fit Ava d'un ton ironique. Je suis sûre que ta détective a tout de même découvert d'autres vilains secrets.

— En effet. Dans la classe d'Ava London, il y avait une élève qui s'appelait Gail Shafter. J'avais dit à Mme Hinkle que c'était un de tes pseudos sur Facebook.

— Très intéressant, commenta Ava avec un léger sourire. Quoi d'autre ?

— C'est tout. Elle prévoyait de poursuivre son enquête, hier, à l'hôpital universitaire Brazos. Malheureusement, elle a été assassinée à son domicile dans la nuit précédente. Ce qui me terrifie, c'est qu'il ne s'agit peut-être pas d'une coïncidence.

— J'avoue que j'ai peur de partager ton inquiétude, dit Ava, soudain plus sérieuse. La coïncidence paraît un peu énorme.

Saisi par un frisson désagréable, Noah la dévisagea. Encore une surprise. Et un coup terrible pour lui : il avait sans doute raison de craindre avoir joué un rôle dans la mort de Roberta Hinkle.

— Mais tu es qui, toi ? demanda-t-il d'une voix blanche.

— Je suis Ava London, affirma Ava sans aucune hésitation. Je suis tellement bien devenue Ava London que j'en oublie parfois que je n'ai pas toujours porté ce nom. Sais-tu, par exemple, qu'il m'arrive même d'être persuadée que mon père s'est suicidé ? C'est un peu comme ce que tu disais, un soir, quand nous parlions des réseaux sociaux. Les gens peuvent en arriver à ne plus très bien faire la différence entre ce qui est vrai et ce qu'ils inventent pour embellir leur vie et leur propre personne.

— Et le suicide d'Ava London ? Comment ça s'intègre dans ton histoire, ça ?

Noah avait du mal à comprendre comment Ava, la femme qu'il connaissait et dont il était tombé amoureux, pouvait se montrer aussi insouciante, sinon désinvolte, vis-à-vis des souvenirs qu'ils évoquaient. Surtout si elle avait joué un rôle dans le harcèlement d'Ava London.

— De ce côté-là, de toute évidence, j'ai revisité l'histoire, répondit-elle. J'imagine que tu trouves cela très choquant. Mais comprends bien que j'ai toujours été jalouse d'Ava London, quand nous étions au lycée, et que j'ai toujours voulu être à sa place. Sa disparition m'a donné la possibilité de le faire. Et le déclencheur de ma métamorphose, c'est que j'éprouvais le besoin d'avoir une nouvelle identité. En plus, ça n'a pas été difficile. Nous nous ressemblions beaucoup, même si elle était encore plus jolie que moi. Il a suffi d'une petite rhinoplastie, dont j'avais envie de toute façon parce que je n'aimais pas mon nez, d'une teinture pour mes cheveux et de quelques formulaires à remplir au tribunal du comté de Lubbock. Abracadabra, je suis devenue Ava London.

— À Lubbock ? Pourquoi tu n'as pas fait les démarches adminis-tratives à Brownfield ? demanda Noah — il s'apercevait qu'il n'avait même pas songé à se rendre au tribunal de Lubbock.

— À Brownfield, je ne suis pas sûre qu'on m'aurait laissée faire. Quand tu veux changer de nom légalement, l'administration décourage, voire interdit l'utilisation des noms célèbres. Et Ava était une célébrité locale.

— Tu disais que tu éprouvais le besoin d'avoir une nouvelle identité. Je ne comprends pas. Pourquoi ?

— J'avais le sentiment que mon nom et mon identité d'alors m'empêchaient de progresser. Quand je suis partie pour Lubbock avec mon patron, le dentiste, et quand j'ai découvert comment les études supérieures pouvaient transformer une vie, j'ai eu besoin de prendre un nouveau départ. Alors, je suis devenue Ava London. Sa façon d'envisager la vie et son parcours scolaire étaient sans comparaison avec les miens. Si elle n'était pas morte, elle serait bien entendu allée à la fac — et pas pour devenir assistante dentaire. Elle serait devenue dentiste au grand minimum.

— Dans les articles de la *Brownfield Gazette*, il est écrit que Gail Shafter, c'est-à-dire toi, et deux autres filles du lycée, vous aviez harcelé et martyrisé Ava London après que son père s'était suicidé. En l'encourageant même à suivre son exemple. Vous faisiez cela sur la messagerie d'AOL et d'autres forums. C'est vrai ?

— Il y a peut-être une part de vérité là-dedans, admit Ava. Mais des tas de filles étaient jalouses d'Ava London et avaient envie de lui rabattre le caquet. Elle était magnifique, elle était brillante, mais elle était aussi très snob et abominablement prétentieuse. Ce qui m'exaspérait peut-être le plus, comme pas mal d'autres filles de la classe à ce moment-là, c'était qu'elle s'était mise à exploiter le suicide de son père pour être toujours plus admirée et choyée. Parce qu'elle était censée tellement souffrir, la pauvre petite chose, tu comprends ? Ça nous horripilait. Et je n'hésitais pas à le lui dire. Mais jamais je ne l'ai encouragée à se tuer.

Ava marqua une pause, pensive, comme si elle se revoyait à cette époque, puis ajouta d'une voix quelque peu mélancolique :

– Ava et moi étions copines. En tout cas aussi copines que peuvent l'être deux filles dont l'une est la coqueluche de la classe tout en donnant l'impression de n'être jamais satisfaite de son sort. Mais à partir du moment où je lui ai donné mon opinion en toute franchise – sur le fait, je veux dire, qu'elle avait tort de jouer sur la mort de son père –, elle m'a rejetée et elle s'est mise à me dépeindre comme une allumeuse. Ça m'a valu beaucoup d'ennuis au lycée. À ce propos, je dois aussi te dire autre chose. Un an et demi à deux ans plus tôt, j'avais moi-même été tellement harcelée sur les forums Internet, pendant une période, que j'avais dû cesser de venir en classe plusieurs jours. Et les coupables, vois-tu, c'étaient Ava et deux autres filles.

– C'est moche, commenta Noah.

– Oui, fit Ava en soupirant. La vie des ados n'est pas facile. Surtout avec les réseaux sociaux, même embryonnaires à l'époque, qui permettent à tout le monde de communiquer, et donc de colporter des ragots – de façon instantanée. Je crois aussi que c'est encore plus dur pour les filles que pour les garçons, parce que pour nous la sexualité est un peu à double tranchant. Si tu te refuses, tu es une petite coincée. Si tu dis oui, tu es une salope. Je n'étais pas une salope. Pendant tout le lycée, je n'ai eu qu'un seul petit copain. Et ça n'a même pas duré !

– Et donc... tu n'as pas harcelé Ava en l'incitant à suivre l'exemple de son père ?

– Jamais de la vie. Mais j'ai sans doute été dure avec elle. Parce que, comme je te le disais, je lui reprochais tout net d'essayer de tirer parti de la tragédie du suicide de son paternel.

– Pourquoi tu ne m'as pas raconté toi-même que tu avais changé de nom ? Toi et moi, nous avons commencé à avoir une histoire. Nous étions proches...

– Je ne sais pas, Noah. Cela peut peut-être t'étonner, mais en fait je ne pense pas souvent à tout ça. Je te le répète, aujourd'hui, je suis Ava London. Pas une autre. Je me suis faite à cette réalité. Et je la préfère largement à celle de l'ado que j'étais autrefois. Je t'en aurais peut-être parlé, un jour ou l'autre, mais... peut-être pas. Parce que pour moi, ce n'est pas important. Et puisque nous en sommes aux trucs importants, il y a une autre question, plus grave, que je veux aborder avec toi.

Ava se pencha de nouveau vers Noah, sourit et ajouta à mi-voix :

– Mais d'abord, monsieur Rothauser, je veux que tu saches que tu me plais beaucoup. J'aime ta compagnie, j'apprécie l'homme que tu es et je crois que nous nous entendons plutôt bien. J'espère que notre histoire pourra continuer et s'épanouir. Il y a des jours, je crois même que nous sommes faits l'un pour l'autre. Mais maintenant, tout dépend de toi. De ton envie de coopérer ou pas.

– Coopérer ? répéta Noah. De quoi tu parles ?

– Il faut que tu entres dans l'équipe, dit tranquillement Ava. Mon équipe ! Outre que j'y ai un intérêt personnel, je crois que tu pourrais apporter beaucoup au CSN. Toi et moi, ensemble, nous ferions de grandes choses. Comprends bien ceci : j'ai fait énormément de lobbying en ta faveur. C'est assez ironique, non ? Faire du lobbying auprès d'une organisation de lobbying ! Mais c'est parce que j'ai réussi que tu es ici, avec moi, plutôt que... Dieu sait où. Ta disparition n'aurait pas été difficile à mettre en œuvre, puisque personne ne savait que tu étais parti à Lubbock.

Un frisson glacial saisit Noah. Ava enchaîna :

– J'ai dû présenter des arguments très convaincants pour que tu sois ramené à Boston et pour que nous puissions avoir cette conversation. J'ai même menacé de ne pas faire certains déplacements à Washington. Noah, je voudrais te rappeler l'image que tu as toi-même utilisée le premier soir où tu es venu ici pour parler du M&M. Tu as dit que nous nous ressemblions comme deux gouttes d'eau. Tu te souviens ?

– Mais oui. J'ai dit ça quand j'ai compris que nous étions tous deux totalement dévoués à la médecine et à nos spécialités respectives.

– Malheureusement, je me demande si c'est vraiment le cas, dit Ava en se redressant.

– Quoi ? Comment ça ?

Ava se mordit la lèvre inférieure. Noah devina qu'il allait entendre quelque chose qui ne lui plairait pas.

– Croyant que tu étais dévoué à la chirurgie comme je le suis à l'anesthésie, j'étais certaine que si tu étais suspendu de ton poste de superchef des internes, tu serais tellement absorbé par le désir de regagner ta place que tu n'aurais plus ni le temps, ni l'énergie de causer des problèmes à d'autres gens. Moi, en l'occurrence.

Noah écarquilla les yeux.

– Tu... tu veux dire que c'est à cause de toi que j'ai été suspendu ? demanda-t-il d'une voix blanche.

– De façon indirecte. J'ai juste révélé à mes baby-sitters, Keyon et George, que tu avais « truqué » ta thèse. C'est le mot que tu avais toi-même employé. Je les ai aussi informés que le Dr Mason cherchait à se débarrasser de toi. Avec ces quelques infos et les ressources considérables qui sont les leurs, ils ont réussi à te faire mettre temporairement sur la touche.

Noah était maintenant rouge de colère et plein de rancœur. Il n'arrivait pas à croire que cette femme dont il s'était senti si proche, en qui il avait placé sa confiance, ait pu faire une telle chose.

– Je vois bien que tu es choqué, poursuivit-elle d'une voix paisible. Mais avant de te laisser aller à une explosion d'indignation et de jouer le type bien droit dans tes bottes, sache que je n'étais pas complètement certaine, même après ta suspension, que tu cesserais de risquer de me causer des problèmes avec les doutes que tu avais sur mes compétences. En conséquence, pour être mieux armée, j'ai demandé à Keyon et à George d'exploiter toutes les capacités d'investigation d'ABC Security pour plonger dans ton passé. Et ce qu'ils ont trouvé est fascinant ! Il semble bien que toi aussi, docteur Rothauser, tu aies quelques petits secrets, comme bien des gens. Des secrets qui tranchent avec le personnage lisse, tellement parfait, que tu présentes aujourd'hui au monde. Des secrets qui tiennent davantage du faux profil Facebook que tu ne voudrais nous le faire croire. Du coup, on peut se demander qui est le véritable Noah Rothauser ?

Le sang refluait des joues de Noah. Il mit de longues secondes à organiser ses pensées.

– J'ai une question à te poser, bafouilla-t-il.

– Je t'en prie.

– Pourquoi le CSN et toi êtes-vous tellement opposés à ce que je me renseigne sur ta formation ? À l'origine, je voulais juste savoir combien de cas tu avais traités et quel genre d'opérations tu avais faites pendant ton internat. Je ne cherchais pas à en savoir davantage le jour où je suis allé sur ton ordinateur.

– Le CSN ne veut pas que l'on se renseigne sur mon parcours parce que je lui ai dit de façon très claire que je ne voulais pas que ça arrive, répondit Ava. Il ne faut pas chercher plus loin.

– D'accord. Et le CSN sait-il pourquoi tu t'opposes à ce que des gens se renseignent à ton sujet ?

– Non. Il l'ignore. À moi de te poser une question. Pourquoi te préoccupes-tu de ma formation alors que j'ai réussi les examens de certification haut la main, avec les félicitations du jury, et alors que j'ai mené trois mille opérations au BMH, comme tu me l'as toi-même rappelé bien des fois, sans le moindre problème ?

— C'est essentiellement à cause de ces petites questions qui me tracassaient au sujet des trois derniers décès. Je me sentais moralement obligé d'y regarder d'un peu plus près. Je t'en ai parlé.

— Et moi, je t'ai expliqué en long, en large et en travers pourquoi tu n'avais aucune raison de te poser ces questions. Quoi d'autre ? Vide ton sac, Noah.

— D'accord. Je me suis aussi interrogé sur la formulation de tes comptes rendus d'anesthésie, dit-il, un peu embarrassé d'évoquer un détail aussi insignifiant en apparence, mais qui l'intriguait néanmoins. Tu utilises moins d'acronymes et de raccourcis, et plus de superlatifs que les autres médecins.

— C'est une observation absurde ! Ou plutôt, c'est du snobisme médical. Je rédige mes comptes rendus comme ils sont rédigés à l'hôpital universitaire de Lubbock, Texas. Tant pis si ça ne te plaît pas. Quoi d'autre ?

— Je suis étonné que tu n'aies pas le moindre ami à l'hôpital. Tu tiens tout le monde à distance et, apparemment, tu préfères les réseaux sociaux et Internet aux véritables relations. Avec des gens en chair et en os. Pourquoi ? Ça me paraît vraiment étrange, parce que je sais que tu es une personne chaleureuse. Cela n'a pas de sens. En plus, tu dis toi-même que tu es douée pour les relations sociales et que tu sais ce que tes interlocuteurs ont dans la tête.

— Tu ne trouves pas que c'est un peu l'histoire de la paille et de la poutre ? Quand on y regarde bien, Noah, tu es exactement pareil. Souviens-toi, nous nous ressemblons « comme deux gouttes d'eau ». C'est ton expression. Peut-être te donnes-tu un peu plus de mal que je ne le fais pour paraître superficiellement plus sympa, plus liant avec les uns et les autres, mais tu n'as pour ainsi dire aucun ami.

À part une soi-disant ex que personne ne connaît et qui a préféré se débiner parce qu'elle avait besoin d'une relation plus enrichissante que celle qu'un mec comme toi, obsédé par la médecine et sa propre réussite, pouvait lui offrir. Quant aux réseaux sociaux, je crois que tu n'y as pas plongé parce que tu n'as pas le temps, tout simplement. Attendons que tu aies terminé l'internat. Quand tu auras davantage de temps libre, le gamer en toi va ressurgir. Et à l'heure actuelle, il n'y a pas mieux, pour jouer en réseau, que les réseaux sociaux.

– Ça, je ne...

– La réalité, poursuivit Ava, c'est que toi et moi, on est des produits de l'ère numérique, où la vérité et l'intimité sont devenus secondaires. L'ubiquité des réseaux sociaux, sous ses multiples formes, nous a tous rendus narcissiques. Peut-être pas aussi gravement que notre ami le Dr Mason, mais nous adorons nous nourrir de la réaffirmation continuelle de ce que nous sommes. C'est d'ailleurs la raison pour laquelle tu travailles si dur, et pour laquelle j'adore l'anesthésie. C'est comme si chacun devenait une fusion complexe entre le réel et le virtuel. Toi et moi ne faisons pas exception à la règle.

Noah soutint le regard d'Ava. Un moment plus tôt, il avait eu un pressentiment négatif sur la direction que leur étrange conversation devait prendre. À présent, il savait qu'il ne s'était pas trompé et une peur intense, viscérale, le tenaillait. Il était troublé de devoir reconnaître qu'Ava contrôlait la situation – pas lui. Elle se connaissait à fond, elle avait fait le tour de tous ses propres secrets. Et apparemment, elle avait aussi découvert certains de ceux qu'il entretenait lui-même.

– La popularité croissante de Facebook et des autres réseaux sociaux annonce l'avenir, reprit-elle après avoir attendu que Noah réponde s'il le souhaitait. En maîtrisant la technologie, les gens pourront être ce qu'ils veulent. Et ceux qui feront cela le mieux, comme toi et moi, prospéreront en dépit de leur passé.

Elle marqua de nouveau une pause, décidée cette fois à attendre qu'il réagisse. Elle avait sur les lèvres un léger sourire qui contrastait avec la mine anxieuse de Noah.

Il détourna la tête quelques instants. L'assurance d'Ava et le plaisir qu'elle semblait tirer de cette conversation l'irritaient, car il se sentait blessé. Il n'appréciait pas qu'elle joue avec lui comme un chat avec une souris. Quand il la regarda de nouveau, il décida une fois de plus qu'il devait jouer son va-tout. Il ne s'attendait pas à avoir une nouvelle surprise, plus choquante encore que tout ce qu'il venait d'entendre.

44

— Arrêtons de tourner autour du pot, dit Noah avec irritation. Je veux que tu m'expliques pourquoi tu fais tant de mystère sur ta formation de médecin et d'anesthésiste.

— C'est simple, dit Ava avec un large sourire. Je ne veux pas qu'on s'intéresse à ma formation... parce que je n'ai pas eu de formation.

Bouche bée, Noah la regarda avec incrédulité, puis marmonna :

— Tu... Tu devrais peut-être développer...

— Je suis ce que l'on pourrait appeler un charlatan des temps modernes. Ce qui n'a rien à voir, note bien, avec le charlatan d'autrefois. Et je ne te parle pas non plus du type de charlatan que tout le monde devient aujourd'hui en débitant des tas de petits mensonges plus ou moins importants sur les réseaux sociaux. Je te parle d'être un vrai charlatan, un charlatan assumé, mais d'un moule entièrement nouveau. Parce que je suis un charlatan parfaitement compétent.

— Je ne comprends toujours pas. Ça veut dire quoi ? Quand tu dis que tu n'as pas eu de formation... De quelle partie de ta formation parles-tu, au juste ?

— Je n'ai pas fait d'études universitaires !

— Mais... c'est impossible ! Non, vraiment, je ne pige pas. C'est une blague ?

— Laisse-moi t'expliquer. Tu te souviens que je t'ai raconté que lorsque j'étais l'assistante du dentiste, il me laissait m'occuper des anesthésies des patients, n'est-ce pas ? J'étais sous sa supervision, en théorie, mais très vite il n'a plus rien supervisé du tout. En jouant ce rôle, je me suis découvert un véritable intérêt pour la pharmacologie et la science des gaz anesthésiants. Alors quand nous sommes partis à l'université Brazos, lui et moi, j'ai commencé à assister à diverses conférences et j'ai suivi un cours magistral sur l'anesthésie, en auditeur libre, organisé par la fac dentaire. Mon boss — le dentiste — m'a beaucoup encouragée. Puis, j'ai poursuivi mes efforts en me mettant à lire des quantités de choses sur Internet. Et j'ai découvert que cette façon d'apprendre fonctionnait encore mieux, pour moi, que les conférences. Parce que je retenais beaucoup plus d'informations, dans un même laps de temps, que n'en livraient les profs en amphithéâtre. J'étais absolument fascinée par tout ce que je lisais. Bon, j'avoue que les salaires des anesthésistes m'impressionnaient aussi. Sans parler du respect dont jouissaient les membres de cette profession. Bref, j'ai eu envie d'avoir tout ça pour moi. Je veux dire... Je faisais déjà un peu la même chose, mais comme simple assistante dentaire au lieu d'être dans une salle d'op, et sans tout le fabuleux matériel et le soutien des infirmières et des internes que l'on a au bloc.

— Attends, permets-moi de comprendre, dit Noah qui avait encore de la peine à en croire ses oreilles. Tu es en train de me dire que tu n'as jamais fait l'internat d'anesthésie ?

— Non. Je n'en ai pas eu besoin.

— Mais la certification ?! Tu as passé les examens, oui ou non ?

– Ah oui ! Bien sûr. J'ai passé les examens de certification et je les ai réussis sans le moindre problème, comme je te l'ai déjà dit. J'ai même eu beaucoup de plaisir à m'y coller, parce qu'ils ont justifié tous les efforts que j'avais fournis pour m'y préparer.

– Mais c'est impossible ! Pour avoir le droit de passer les épreuves de certification, il faut avoir fait l'internat quelque part...

– C'est la règle en général, en effet. Mais pour moi... ça s'est passé autrement. J'ai décidé de sauter l'internat, car c'est une phase de la formation des spécialistes qui me paraît inutile. Que je considère en fait comme une forme d'exploitation. L'internat est un excellent moyen, pour les hôpitaux, de disposer d'anesthésistes qui font un vrai travail, en tout cas pendant les trois ou quatre années où ils sont déjà aptes à tout faire eux-mêmes ou presque, mais qui sont payés un salaire de misère. Et la supervision des internes d'anesthésie ne me paraît vraiment pas formidable.

– Mais en ce cas, comment as-tu fait pour être autorisée à passer les examens de certification ? Ava, j'aimerais bien comprendre ça !

Noah était sidéré ; il se demandait encore si elle ne se fichait pas de lui.

– Cela n'a pas été très difficile, répondit-elle. Ce qui a tout déclenché, c'est le déménagement de Brownfield à Lubbock quand mon patron est devenu doyen de la nouvelle fac dentaire. En tant que membre fondateur, il avait des droits d'administrateur sur le serveur du centre hospitalier universitaire. Comme j'avais ses identifiants de connexion, tu peux imaginer que j'ai pu faire ce que je voulais à l'intérieur du système. Et comme j'étais douée en informatique, je n'ai eu aucun mal à me créer de toutes pièces un dossier – au nom d'Ava London – équivalent à celui de n'importe quel interne d'anesthésie. Avec la totale : résultats d'examens, évaluations des professeurs, lettres de recommandation, etc. J'y ai mis absolument tout, fignolé jusqu'aux moindres détails. J'ai été beaucoup aidée par le fait que l'université tout entière et l'hôpital se développaient à une vitesse phénoménale. Ça voulait dire qu'une véritable cascade de noms de nouveaux employés, de curriculum vitae, de dossiers de toutes sortes tombait jour après jour sur les disques durs du serveur. Mes manips passaient d'autant plus inaperçues. Autre chose qui m'a été bien utile, le pare-feu du système était à peu près inexistant. J'aurais presque pu me débrouiller sans les identifiants de mon patron. Alors avec eux, tout a été tellement facile ! J'ai même pu ajouter ma photo au trombinoscope des internes, pour les années où je suis censée avoir fait l'internat, sur les albums qui sont en ligne.

Noah hocha machinalement la tête. Il se souvenait d'avoir vu Ava sur une photographie de groupe des internes de 2012. Ces révélations étaient proprement stupéfiantes, mais il commençait à penser qu'Ava ne mentait pas.

— Et ton changement de nom ? Tu as fait ça quand ?

— Je ne m'en suis vraiment occupée que lorsque j'ai dû passer l'examen national de certification à l'exercice de la médecine. Puis la certification en anesthésie. Là, il me fallait une nouvelle identité.

— Ça veut dire que des gens pensent que Gail Shafter existe encore ?

— Bien sûr ! C'est un élément essentiel de la réussite de mon projet. Il y a par exemple mon ancien patron, le Dr Winston Herbert, qui est toujours doyen de la fac dentaire de l'université Brazos. C'est pour cela que je fais vivre un profil Facebook à son nom. Aujourd'hui, Gail travaille pour un dentiste – virtuel lui aussi – de Davenport dans l'Iowa. Au point où j'en suis, je suppose que je pourrais la faire disparaître. Mais pourquoi ? Je m'amuse bien, je dois dire, à opposer de cette façon mon ancienne vie à celle que j'ai aujourd'hui. Cela m'aide à ne jamais cesser d'apprécier mon succès.

– Mon Dieu. Tu me donnes le tournis. Laquelle de vous deux est devenue médecin, alors ? Et qui a la licence de diététique ? Gail ou Ava ?

Ava rit. Il était clair qu'elle prenait plaisir à lui révéler son grand secret.

– Ava, bien entendu.

Noah cligna des yeux, perplexe, puis se rendit compte que cette réponse était logique.

– Et donc... tu n'as pas davantage fait d'études de médecine ? C'est ça ?

– Sûrement pas ! Et pas davantage de prépa, d'ailleurs. J'aurais encore plus perdu mon temps qu'avec l'internat d'anesthésie. Mon but, tu comprends, c'était de devenir anesthésiste. Je ne voulais pas me taper plusieurs années en prépa pour étudier je ne sais quelle matière généraliste. Surtout pas dans un de ces domaines des arts libéraux qui vous donnent l'impression d'être tellement supérieurs à tout le monde, vous les fortiches de l'Ivy League...

– Alors ça veut dire que tu n'es même pas médecin, répliqua sèchement Noah.

– C'est une question de définition. Je te le répète, j'ai passé, et réussi avec des notes époustouflantes, l'examen de certification à l'exercice de la médecine. Tout simplement parce que j'ai étudié comme une dingue pour réussir ! Aux yeux de l'État du Massachusetts, donc, je suis bel et bien médecin. J'ai la licence qui le prouve. On me dit que je suis médecin. Je me sens médecin. Je vis et j'agis comme un médecin. J'ai les connaissances d'un médecin. Je suis médecin !

– Et ta licence de diététique ?

– Bidon elle aussi, répondit Ava comme si elle énonçait une évidence. Un jour, simplement, je me suis rendu compte que c'était un truc qui pouvait m'être utile. J'ai lu des tas de choses en ligne sur le sujet, et voilà.

Noah ferma les yeux et se passa lentement une main dans les cheveux. Ces révélations étaient tellement stupéfiantes qu'il avait du mal à les assimiler.

— Je ne suis pas sûr de te croire, murmura-t-il.

— Réveille-moi, mon ami ! s'exclama Ava d'un ton enjoué. Et rejoins-moi dans l'ère numérique du xxiᵉ siècle. La source du savoir a changé de nature. Elle n'appartient plus à des sociétés de professionnels plus ou moins cachottières qui abusent de leur position dominante. Les connaissances, dans à peu près tous les domaines, sont aujourd'hui disponibles sur Internet pour tout le monde. Pas seulement pour la minorité qui a la chance, pour une raison x ou y, d'entrer dans les écoles qu'il faut. En médecine, même l'expérience et l'expertise des pros peuvent s'acquérir dans les centres de simulation, sur des mannequins pilotés par des ordinateurs qui sont plus réels, par certains aspects, que de vrais patients. Avec les mannequins, tu peux apprendre à faire face à un problème en répétant l'exercice jusqu'à ce que la solution à adopter devienne une sorte de réflexe. Prenons l'hyperthermie maligne, par exemple. La plupart des anesthésistes n'ont jamais eu à affronter cette maladie. Moi, j'en ai traité sept cas. Six au simulateur et une pour de vrai.

— Donc tu as réellement utilisé le centre de simulation ? dit Noah. N'est-ce pas ?

— Absolument. Comme si ma propre vie en dépendait ! Quelques mois après avoir commencé à bosser à l'hôpital Brazos, j'ai entamé cette espèce de quête personnelle pour devenir anesthésiste en utilisant les simulateurs presque chaque soir, ou chaque nuit, après que les étudiants en médecine et les internes étaient partis se coucher. C'est devenu une sorte de sacerdoce. J'ai même commencé à écrire des bouts de code et à résoudre certaines pannes dans le logiciel de simulation. Au début, il faut dire, il y avait pas mal de bugs. Mais c'était quand même un moyen d'apprentissage fabuleux. Tellement supérieur à la formation classique ! C'est presque criminel, bon sang, que l'enseignement de la médecine n'ait pas changé d'un iota depuis cent ans et qu'elle reste coincée dans le paradigme instauré aux alentours de 1910 ! Ça paraît même incroyable, parce que dans toutes les autres disciplines, qu'elles soient culturelles ou technologiques, tout a changé. Absolument tout. Et de façon radicale. Tu ne trouves pas embarrassant que la formation médicale soit devenue la plus rétrograde des pédagogies ?

— Je crois que je n'y ai jamais beaucoup réfléchi sous cet angle, admit Noah.

— Eh ben moi, je l'ai fait. Avons-nous réellement besoin de faire quatre années de fac préparatoire, avant les études de médecine, pour devenir des médecins formidables ? Carrément pas ! C'était peut-être valable en 1910, mais plus aujourd'hui. D'accord, certains individus estiment sans doute avoir une vie plus riche en consacrant ces années à étudier quelque chose qui n'a rien à voir avec la médecine *avant* de faire de la médecine. Mais sérieusement, je pense que c'est très discutable. Ensuite, avons-nous besoin de quatre pleines années d'études de médecine pour devenir de bons toubibs ? Je ne crois pas. En 1910, oui, peut-être, quand la plupart des facs de médecine n'étaient que des machines à fric qui retenaient les étudiants pour mieux les taxer. Franchement, avons-nous réellement besoin de passer deux ou trois ans à faire de la recherche pour une thèse ? Encore une fois, non, putain ! Non, en tout cas, pour tous ceux d'entre nous qui n'avons pas l'intention de faire carrière dans la recherche. Sinon, ça revient à faire du surplace pendant ces deux ou trois années. La preuve de tout ce que j'avance, c'est que je suis une excellente anesthésiste, meilleure que certains collègues du BMH que j'observe tous les jours, et j'ai déjà plus de trois mille opérations à mon actif dans cet hôpital. Sans parler de ce que j'apporte aux internes et aux infirmières anesthésistes que je supervise.

Ils s'observèrent quelques instants. Ava reprit d'une voix plus calme :

– Je sais que tu t'es posé des questions sur mon compte à cause des trois décès que j'ai eus récemment. Crois-moi, ils m'ont troublée plus que n'importe qui, parce que ce sont mes premiers décès. Et mes derniers, j'espère. Mais essayons de te rassurer, pour que tu comprennes bien que ce n'est pas mon parcours atypique qui est en cause. Pour Bruce Vincent, nous savons que c'est cet entêté de Dr Mason, son assistant et le patient lui-même qui sont fautifs. Pour le cas Gibson, le problème vient pour une part de ce que le BMH juge acceptable que je supervise trois internes d'anesthésie en même temps dans trois salles d'opération, et il est aussi dû au fait que l'interne n'a pas attendu mon arrivée pour démarrer l'induction puisque j'étais occupée ailleurs. En plus, la situation a été aggravée par le bug informatique qui a généré deux DME pour la même patiente, avec un dossier où il était question de son traumatisme cervical, et un dossier sans cette précision. Et malheureusement, c'est celui-ci que l'interne d'anesthésie a consulté. Quant au cas d'hyperthermie maligne, il n'aurait pas pu être mieux traité qu'il ne l'a été même si l'affaire s'est mal terminée. Plusieurs de mes collègues, qui ont examiné tout ce que j'ai fait, ont confirmé mon jugement. Et puis, je te le répète, la majorité des anesthésistes du BMH n'ont jamais été confrontés au moindre cas d'hyperthermie maligne, ni dans la réalité ni en simulation. Je ne doute pas qu'ils sont capables de le faire, mais si j'étais sur la table d'opération, je préférerais m'avoir moi, plutôt qu'eux, comme anesthésistes, parce que j'ai l'expérience de ce problème. Voilà. Et au sujet de l'infirmière instrumentiste qui t'a dit que je n'avais pas coupé l'isoflurane assez vite, j'ignore pourquoi elle t'a sorti ce truc, parce que pour moi, c'est un geste réflexe. Peut-être n'apprécie-t-elle pas que je sois anesthésiste alors qu'elle est infirmière, ou peut-être m'en veut-elle d'être plus jeune et plus jolie qu'elle. Je ne sais pas !

Ava leva les mains en l'air, l'air fataliste, puis quitta le pouf pour se rasseoir dans son fauteuil, avant d'ajouter :

— Voilà, tu connais toute mon histoire. Et tu es la seule personne au monde dans ce cas.

— Et pourquoi tu m'as tout raconté ? demanda Noah soutenant son regard. Pourquoi, au juste, tu m'as mis ça sur le dos ?

— Pour deux raisons principales. D'abord, pour sauver ta peau. Et aussi ta carrière. Le CSN te considère comme une menace – une menace contre moi. Il l'a dit à ABC Security. Sers-toi de ton imagination pour envisager les conséquences ! La seconde raison, c'est que... tu me plais, Noah, je te l'ai dit. Par bien des côtés, nous nous ressemblons effectivement comme deux gouttes d'eau. Là, je te fais un compliment. J'aime être en ta compagnie. Si tu veux toute la vérité, c'est vrai qu'au début, je pensais un peu me servir de toi pour affronter le Dr Mason sans impliquer ABC Security. Mais c'était avant que j'apprenne à te connaître.

— Moi aussi, j'aime être avec toi. Mais...

— Il ne peut pas y avoir de « mais » entre nous, Noah. Il faut que tu arrêtes ta dangereuse croisade. Et que tu te rendes compte que j'ai pris de gros risques pour toi. De ton point de vue, je sais bien, je suis arrivée où je suis aujourd'hui en suivant une voie très particulière, pour ne pas dire inacceptable. Mais comprends bien que le futur, c'est moi. La formation des médecins va changer de façon spectaculaire dans les cinq ou dix prochaines années. J'en suis convaincue. Elle doit impérativement évoluer. Il m'a fallu dix ans pour arriver où je suis, mais c'est parce que j'ai dû travailler pour gagner ma vie pendant que je traçais ma route. Sinon, j'aurais mis moitié moins de temps. C'est inévitable, la formation d'un spécialiste parfaitement qualifié comme l'anesthésiste ne prendra bientôt... pas plus de six années, disons, après le lycée. Au lieu des douze qu'il faut actuellement. Les coûts de la médecine doivent baisser, or l'un de ces coûts est celui de la formation des médecins. Au bout du compte, il s'agit beaucoup plus d'une histoire de gros sous que nous n'aimons le croire.

– Je ne pense pas pouvoir faire ce que tu me demandes. Je regrette mais en tant que véritable médecin, j'ai le devoir de te démasquer pour la faussaire – ou le charlatan, comme tu dis – que tu es. Je suis désolé. Peut-être as-tu raison au sujet de la formation des médecins. Peut-être le système est-il en retard sur les évolutions de notre époque, d'accord. Mais je ne pense pas pouvoir être juge et partie.

– Je regrette beaucoup de t'entendre dire cela. Et tu dois savoir que si tu me dénonces, je serai obligée d'en faire autant pour toi.

Le ton menaçant d'Ava raviva l'anxiété de Noah.

– Quoi ? Qu'est-ce que tu racontes ?

– Je t'ai dit tout à l'heure que Keyon et George, avec les moyens dont ils disposent chez ABC Security, ont découvert quelques petits secrets qui seraient sans doute plus préjudiciables à ta carrière que la falsification temporaire de certains chiffres dans ta thèse. Veux-tu savoir de quoi il s'agit ?

– Apparemment, je n'ai pas trop le choix, dit-il en soupirant. Je t'écoute.

– Tout d'abord, ils ont découvert que ton père n'est pas mort d'une crise cardiaque. Il est en prison, et il y restera encore longtemps, pour trafic de drogue, tentative de meurtre, blanchiment d'argent et quelques autres chefs d'accusation qui constituent un tableau criminel assez impressionnant. Il s'appelle Peter Forrester. Et toi, tu t'appelais Peter Forrester Jr jusqu'à ce que tu changes légalement de nom pour devenir Noah Rothauser. Rothauser étant le nom de jeune fille de ta mère. J'aime bien « Noah », personnel-lement, pour le côté biblique. Je continue ?

Pétrifié dans son fauteuil, Noah fut incapable de répondre.

– Je vais prendre ton silence pour un oui, reprit Ava. Il est aussi confirmé que tu as été arrêté en même temps que ton père, à l'âge de quatorze ans, pour avoir facilité certaines de ses activités. Tu as alors été envoyé en prison en Caroline du Sud en tant que délinquant juvénile, mais avec une peine relativement légère car l'enquête a montré que tu avais agi sous la contrainte de ton père. Quand tu as été libéré à l'âge de dix-huit ans, ta condamnation a été effa-cée de ton casier judiciaire. Avec l'informatique, malheureusement pour toi, rien ne disparaît plus tout à fait. Autrefois, on arrachait littéralement la page d'un registre du tribunal et on la fichait à la poubelle. Aujourd'hui, il n'est plus possible de liquider une fois pour toutes un casier judiciaire. Il en reste forcément une trace quelque part. Les enquêteurs d'ABC Security, c'est-à-dire Keyon et George pour l'essentiel, ont pu mettre la main sur le tien. Cela dit, il ne faut pas oublier les éléments louables de l'histoire de ta vie. Par exemple, le fait que tu as réussi à boucler tes études secondaires, et même à suivre un certain nombre de cours de préparation avancée à la fac, pendant que tu étais en prison. Ces efforts ont enchanté les responsables du centre de détention et ont contribué à ce que tu sois blanchi par la justice. Et puis, il est très impressionnant que le directeur de la prison, ayant appris ton souhait de devenir médecin, ait soutenu ta candidature à l'université Columbia.

– Comme tu l'as dit toi-même, mon casier judiciaire est effacé, observa Noah. Personne ne peut l'utiliser contre moi.

– C'est exact. Enfin… jusqu'à un certain point, précisa Ava avec un sourire entendu. Il reste toujours, tout de même, la question délicate de l'image que l'on donne de soi. Quand tu as rempli le formulaire de ta licence de médecin, par exemple, à la question de savoir si tu avais jamais été condamné par la justice, tu aurais dû cocher la case « oui ». Et puis au verso, dans la case prévue à cet effet, tu aurais dû expliquer que tu avais été enfermé dans une prison pour mineurs et que ton casier judiciaire avait été ensuite effacé. Il serait intéressant de parler de cette question avec la Société médicale du Massachusetts, pour voir sa réaction. D'autant que ta condamnation était liée à un trafic de drogue. Les avocats d'ABC Security pensent que tu perdrais ta licence et te retrouverais très certainement dans l'impossibilité d'exercer la médecine. Il serait aussi intéressant de se demander comment le Comité consultatif de l'internat de chirurgie, qui doit bientôt statuer sur ta suspension, réagirait en apprenant que tu as menti sur ta demande de licence. C'est beaucoup plus grave que de bidouiller temporairement un tableau de données dans une thèse de doctorat.

— Le comité ne peut pas utiliser ce casier contre moi, objecta Noah d'une voix mal assurée.

— Allons ! Le Comité consultatif de l'internat de chirurgie doit se réunir pour émettre un jugement sur ton sens moral. Mentir sur son passé, c'est une faute morale. Mais n'ergotons pas sur les détails tout de suite, parce que ton histoire ne s'arrête pas là. Keyon et George ont aussi confirmé que ta mère, qui souffrait de la maladie d'Alzheimer, se trouvait dans un institut spécialisé. Et tu as une sœur, atteinte d'une maladie congénitale, qui est elle aussi dans une institution. Tu as été obligé d'étaler tes quatre années de fac de médecine sur six ans à cause des difficultés financières que tu devais surmonter pour faire vivre ta mère, ta sœur et toi-même. Ce qui est admirable, bien sûr. Mais comme tu gagnais ta vie, à l'époque, en travaillant à l'administration de ta fac de médecine, nous nous sommes doutés que tu avais un accès privilégié à son serveur. Un peu comme moi j'avais accès à celui de l'université Brazos. Sachant que nous nous ressemblons « comme deux gouttes d'eau », n'est-ce pas, et que nous avons les mêmes facilités en informatique, j'ai recommandé à Keyon et à George de faire un peu d'archéologie numérique dans ton dossier personnel sur ce serveur. Ils n'y ont trouvé aucune preuve tangible, mais ils ont bel et bien détecté les traces de certaines modifications un peu étonnantes. Ce que je veux dire, c'est qu'au stade où nous en sommes, nous n'avons pas la certitude que tu as trafiqué ton dossier pour en améliorer certains aspects et booster ta candidature à l'internat de médecine au BMH. Il faudrait creuser la question. Mais... c'est incontestablement un autre point vulnérable de ton passé.

Ava scruta le visage de Noah. Elle avait espéré le faire sortir de ses gonds. Il se contentait de la fixer en respirant profondément, les mains crispées sur les accoudoirs de son fauteuil

– Je vois que tu es affligé, et c'est bien normal, reprit-elle. Alors trouvons une solution. Tu veux devenir l'un des meilleurs chirurgiens du monde et tu as fait un travail proprement stupéfiant pour atteindre ce but. Je veux être une anesthésiste brillante et j'ai moi aussi travaillé très dur, mais en suivant une trajectoire atypique. Si je t'ai fait amener ici et si je t'ai livré tous ces secrets que personne d'autre ne connaît, c'est parce que je vois davantage ce qui nous rapproche que nos différences. Et je te le répète, Noah, tu me plais beaucoup. Nous sommes bien ensemble. Je te parle, aujourd'hui, parce qu'il y a une solution à tous nos problèmes. D'accord, j'ai volontairement créé cette situation, cette espèce de règlement de comptes entre cow-boys à la fin du western, et maintenant c'est l'heure de vérité. Sauf que dans notre cas, en fait, il n'y a pas deux mais trois cow-boys : toi, moi et le CSN. Nous nous tenons les uns les autres en joue. La seule façon de bien résoudre cette histoire, pour que nous en sortions tous gagnants, c'est que nous tombions d'accord pour déposer les armes. Sinon, nous perdons tous.

– Je vais de surprise en surprise en t'écoutant. Qu'est-ce qui te fait penser, pour reprendre ton image, que le cow-boy CSN te tient en joue ? Le CSN t'adore, non ?!

– Si tu révèles que je suis un charlatan, crois-moi, il ne m'adorera plus du tout. Il me tournera le dos.

– Hein ? fit Noah, stupéfait une fois de plus. Tu veux dire... Le CSN ignore que tu es un charlatan ?

– Absolument !

– Bon, d'accord. Et toi, en quoi tu pointes un flingue sur le CSN ?

– Réfléchis. Je pourrais facilement détruire tout ce que j'ai construit pour éviter que la loi sur les compléments alimentaires de 1994 ne soit amendée. J'en ai assez appris sur l'industrie des suppléments nutritionnels, depuis plusieurs années, pour pouvoir sérieusement la discréditer.

Un nouveau silence tomba entre eux tandis que Noah s'efforçait d'assimiler tout ce qu'il avait appris depuis une demi-heure. Enfin, il demanda d'un ton monocorde :

– Que voudrais-tu que je fasse, alors ?

– Rien !

Ava sourit. Elle était contente. Ils allaient dans la bonne direction.

– Le truc, justement, enchaîna-t-elle, c'est que tu dois ne rien faire. Mais tu dois être convaincant dans ton... inactivité, si je puis dire. Le CSN doit avoir la certitude absolue que tu n'essaieras pas de nous attaquer de quelque façon que ce soit. Comme tu l'as deviné, mes employeurs m'adorent. C'est assez évident quand tu regardes cette maison, ma Mercedes, mon équipement informatique et tous mes autres gadgets. Cette vie que j'aime tant ! Ensuite, bien sûr, si tu veux être encore plus convaincant, l'idéal serait que tu acceptes d'aider notre cause.

– J'espère que tu ne veux pas dire que je devrais soutenir l'industrie des suppléments nutritionnels ?

Ava pouffa de rire.

– Mais si, c'est bien ce que je veux dire ! Descendez de vos grands chevaux, docteur Rothauser. Cette industrie n'est pas si diabolique. Toutes les compagnies qui la composent ne sont pas mauvaises, et elle fait de réels efforts pour progresser. C'est comme dans tous les domaines, y compris dans le milieu hospitalier ou chez les médecins : il y a du bon et du mauvais. Les mauvaises compagnies de suppléments nutritionnels sont vraiment terribles, je suis la première à le reconnaître. Celles qui s'approvisionnent en Chine et en Inde, surtout, mentent outrageusement sur les bienfaits de leurs produits et ne pensent qu'à traire les consommateurs. Mais toi, en travaillant avec nous, tu pourrais être très efficace pour obliger ces mauvaises compagnies à s'amender. À rabattre leurs prétentions absurdes et à se sentir responsables de certains poisons qu'elles lancent sur le marché. Je peux te dire que les bonnes compagnies, celles qui apportent le plus grand soin à leurs produits et ne vendent que des vitamines et des suppléments sains et légitimes, ont tout à fait conscience du problème que posent les mauvaises compagnies qui leur valent tant de soucis et de publicité négative. Le fond de l'affaire, c'est que tu pourrais faire beaucoup plus de bien de l'intérieur, avec nous, qu'en te battant dehors contre des moulins !

Ava marqua une pause, consciente qu'elle se laissait emporter par son enthousiasme.

– Alors ? demanda-t-elle d'une voix plus posée. Tu en penses quoi ?

– Je... Pour ce qui est de soutenir le CSN, il faut que je réfléchisse.

– Bien. Fais-le. Mais si tu es si remonté contre l'industrie des suppléments nutritionnels, pense à l'opportunité qui t'est offerte de faire quelque chose de positif. Ce milieu ne va pas changer tout seul. Le problème, comme pour tout ce qui touche à la santé, c'est qu'il y a trop d'argent en jeu. Et puis, le CSN a des tas de responsables politiques dans la poche. Pour finir, je suppose que la rémunération que tu serais susceptible de recevoir, vu le parcours prestigieux qui est le tien, pourrait facilement éponger la dette que tu as accumulée pour payer tes études et les établissements de soins de ta mère et ta sœur. Est-ce que ce serait si mal, ça ?

Épilogue

Vêtu de la seule veste de costume et de la seule cravate qu'il possédait, Noah franchit la porte tambour de la tour Stanhope. Enfin, après plusieurs semaines pénibles où il avait craint d'être exclu pour de bon du programme de l'internat, il pouvait espérer retrouver sa place au BMH. La veille, avait eu lieu l'audition qu'il redoutait tant devant le Comité consultatif de l'internat de chirurgie. Elle s'était aussi bien passée que possible. Huit membres du comité y avaient participé : le Dr Cantor, le Dr Mason et le Dr Hiroshi, respectivement directeur et directeurs adjoints du programme de l'internat, et cinq internes – un pour chaque année du programme. Le siège du superchef était resté vide, bien sûr, puisque le superchef était sur la sellette. Noah connaissait bien ce comité car il en avait fait partie tous les ans depuis son arrivée au BMH.

Il était arrivé à l'audition très nerveux. Mais d'après les questions qui lui étaient posées, il avait pu se rendre compte assez vite que son avocat, John Cavendish, entendu auparavant par le comité, avait bien fait comprendre à ses interlocuteurs qu'il n'avait absolument pas inventé les données de sa thèse. Il y avait juste noté, à titre provisoire, les estimations de résultats d'une ultime expérience qui était en cours de réalisation, puis il avait remplacé ces estimations par les résultats définitifs dès qu'ils avaient été disponibles – tout ceci dans le seul but de boucler sa thèse à temps pour l'inclure à sa candidature à la faculté d'Harvard. À la fin de l'audition, Noah s'était entendu dire que le comité devait délibérer et lui ferait connaître le résultat de son vote vingt-quatre heures plus tard.

De façon un peu étonnante, le Dr Mason n'avait pas décroché un mot. Certes, Keyon et George avaient expliqué à Noah qu'ils avaient trouvé des informations potentiellement très ennuyeuses pour le célèbre chirurgien, mais il n'avait pu s'empêcher de redouter que Wild Bill ne profite de sa position au comité pour sortir à nouveau les griffes. C'était seulement le soir, en rentrant chez Ava, qu'il avait appris pourquoi Mason était resté muet.

Elle lui avait tout raconté pendant qu'ils dînaient dans la cuisine face au jardin. Les deux agents d'ABC Security avaient découvert que le Dr Mason avait pris l'habitude, au fil des années, d'exiger des cadeaux toujours plus somptueux de la part des cheiks émiratis et saoudiens qui souhaitaient avoir le privilège d'être soignés par lui sans attendre – le facteur temps comptait beaucoup pour les personnes atteintes d'un cancer du pancréas. Au début, ces cadeaux avaient pris la forme, le plus souvent, de généreux dons à son labo de recherche ou à l'hôpital. Mais sept ans auparavant, ils étaient devenus plus personnels. En témoignait la magnifique Ferrari rouge dont le Dr Mason était si fier.

En consultant des avocats spécialisés en droit fiscal, Keyon et George avaient pu établir que ces cadeaux auraient dû être déclarés comme des revenus, aux yeux du fisc, dans la mesure où les patients étaient plus ou moins contraints de les faire pour obtenir un rendez-vous avec le chirurgien. Ils équivalaient donc à des honoraires. Or, les sommes concernées étant bien supérieures au quart du salaire annuel du Dr Mason dans l'hôpital universitaire qui l'employait, il risquait d'être inculpé pour fraude fiscale si la chose s'apprenait – avec peut-être même une peine de prison à la clé. Ces informations avaient été communiquées au chirurgien quérulent accompagnées d'un conseil d'ami : il était préférable qu'il renonce une fois pour toutes à chercher à nuire au Dr Noah Rothauser.

Sortant de l'ascenseur au deuxième étage, Noah s'engagea sur la somptueuse moquette du couloir de l'administration. Au fond se trouvait la double porte en bois de la salle de conférences où le comité consultatif s'était réuni la veille. Après s'être présenté à la secrétaire de la présidente de l'hôpital, il prit un siège dans la salle d'attente. L'horloge murale indiquait treize heures cinquante-huit. Il était content, car il avait voulu arriver ni trop tôt ni en retard – pile au bon moment. Son optimisme commençait tout à coup à faiblir, néanmoins, et il éprouvait à nouveau de l'anxiété. Cette bonne vieille anxiété qui le minait toujours quand il était en présence de figures d'autorité. Il n'était pas impossible, en définitive, que sa vie soit chamboulée une fois de plus dans quelques minutes. Pour se calmer, il tenta de se concentrer sur le magazine qu'il avait attrapé sur la table basse.

Après le dîner et les révélations sur l'enquête de Keyon et George au sujet du Dr Mason, Ava et Noah étaient montés passer un moment au bureau. Depuis leurs retrouvailles, il avait dormi toutes les nuits à la maison de Louisburg Square, et chaque soir ils avaient poursuivi leur conversation dans cette pièce. Ils avaient l'un comme l'autre le désir d'aller au fond des choses, pour que tout soit clair entre eux. Et la veille, finalement, juste avant qu'ils ne montent se coucher, Noah avait annoncé à Ava qu'il avait une condition à poser, pour que leur histoire puisse continuer, qui concernait ses « baby-sitters » d'ABC Security. Elle l'avait écouté expliquer ce qu'il avait en tête, puis répondu qu'elle devait y réfléchir... et finalement accepté, sans grand enthousiasme, une demi-heure plus tard.

La voix de la secrétaire interrompit ses réflexions :

— Docteur Rothauser ? Ils sont prêts à vous recevoir.

Noah se leva, ajusta le nœud de sa cravate, prit une grande inspiration et marcha vers l'imposante double porte de la salle de conférences. Après avoir de nouveau respiré très profondément, il tourna la clenche pour entrer et constata tout de suite avec étonnement que seuls le Dr Cantor, le Dr Mason et le Dr Hiroshi se trouvaient dans la salle. Aucun de ses collègues internes n'était présent. Était-ce mauvais signe ? Peut-être son optimisme, en effet, avait-il été prématuré. Après avoir refermé la porte derrière lui, il s'avança vers le bout de la longue table. Les trois praticiens représentant le comité consultatif étaient assis à son autre extrémité.

— Merci d'être venu, dit le Dr Cantor. Asseyez-vous si vous le souhaitez.

— Je pense que je vais rester debout. Merci.

Noah regarda les trois hommes l'un après l'autre. Le Dr Mason gardait les yeux baissés et avait l'air renfrogné.

— Par un vote unanime du comité consultatif, moins une voix qui s'est abstenue, déclara le Dr Cantor, vous êtes dorénavant rétabli, docteur Rothauser, dans vos fonctions de superchef des internes.

Noah éprouva tout à coup un tel soulagement qu'il dut prendre appui des deux mains au dossier du fauteuil qui se trouvait devant lui.

— Néanmoins, poursuivit le Dr Cantor, nous devons avoir la certitude que vous comprenez l'importance que le BMH et nous-mêmes, vos enseignants, attachons à l'éthique de notre profession. Nous devons être sûrs que vous ne considérez pas que la nécessité de travailler vite et bien justifie les entorses à la déontologie, et qui plus est...

Noah n'écoutait déjà plus le Dr Cantor. Il pensait à ce qu'il devrait faire en sortant de la salle. Il monterait au bloc, tout d'abord, pour voir le planning des opérations et s'assurer que la répartition des internes assistants était correctement établie. Ensuite, il irait aux soins intensifs pour voir quel genre de patients s'y trouvaient. Après quoi, il ferait le tour du service de chirurgie dans le même but. Il avait un énorme boulot devant lui rien que pour reprendre pied dans le système...

— Docteur Rothauser ? dit le Dr Cantor en élevant la voix. Nous aimerions que vous répondiez à notre question.

— Ex... excusez-moi, bafouilla Noah, embarrassé. Je suis tellement content de retrouver mon poste que je réfléchis déjà à tout ce que j'ai à faire pour me remettre à flot. Je n'ai pas entendu votre question. Pouvez-vous la répéter, s'il vous plaît ?

— La question était : dans votre parcours personnel, y a-t-il une autre entorse à la déontologie que vous souhaiteriez révéler à ce comité ? Le problème de la falsification des données de votre thèse nous a tous beaucoup surpris. Or, nous n'aimons pas ce genre de surprise. Surtout de la part de notre superchef, qui doit se voir offrir un poste de praticien hospitalier dans moins d'un an.

Noah regarda fixement le directeur du programme. Il était tout à coup face à un horrible dilemme. Il voulait dire certaines choses, oui, mais pouvait-il faire cela ? Il avait envie d'expliquer qu'il avait du mal à savoir comment se comporter face à un monde qu'il méprisait — celui des compléments alimentaires — et face à une femme dont il pensait bien être amoureux. En vérité, il avait l'impression d'être coincé entre passé et avenir, entre déontologie à l'ancienne et nouvelles règles d'un monde high-tech et hyperconnecté, en expansion constante, où le réel et le virtuel se confondaient...

— Eh bien ? relança le Dr Cantor.

— Je ne sais pas, marmonna Noah, et il soupira doucement.

— Docteur Rothauser ! Ce n'est guère la réponse que nous atten-
dions. Comment cela, *vous ne savez pas* ?

— Je... Je ferais peut-être mieux de m'asseoir.

Noah avait l'impression que ses jambes ne le portaient plus. Il tira
le fauteuil qui se trouvait devant lui, s'y assit lourdement, soupira
de nouveau, puis regarda les trois patrons de la chirurgie installés
à l'autre bout de la table. Le Dr Mason l'observait avec attention,
comme ses collègues, mais il avait aussi un léger sourire sur les
lèvres : il se réjouissait sans doute à l'avance d'entendre de nouveaux
aveux embarrassant pour le superchef. Noah chercha ses mots, douloureusement conscient que chaque seconde qui passait aggravait sa
situation. Quel idiot il était ! S'il avait répondu « non », d'une voix
ferme, à la question du Dr Cantor, tout aurait été terminé. Mais
il en avait été incapable. Il avait été pris au dépourvu, déstabilisé
une fois de plus alors qu'il ne s'était pas encore remis des épreuves
qu'il venait de vivre, et il peinait à se ressaisir.

— Docteur Rothauser ! s'exclama le Dr Cantor. Expliquez-vous !

Noah hocha la tête. Une idée émergeait peu à peu du brouillard
qui obscurcissait ses pensées.

— L'affaire de ma thèse m'a beaucoup surpris, moi aussi commença-
t-il d'une voix hésitante, et il se racla la gorge avant de poursuivre :
Elle a réveillé en moi une très vieille peur qui me poursuit depuis
longtemps. La peur qu'un événement inattendu m'empêche de devenir le chirurgien très compétent que j'ai envie d'être. Pour être tout
à fait honnête, je n'avais jamais pensé à ce que j'avais fait dans ma
thèse en termes de faute morale. Mais je comprends maintenant que
l'on me fasse ce reproche. Et je vous prie de m'excuser de n'avoir
pas éclairci de moi-même la situation. Cela dit, il y a peut-être une
autre chose, oui, qui pose problème sur le plan déontologique. Et
je pense qu'il faut que je vous en parle.

– Faites, je vous en prie, dit le Dr Cantor sans cacher son inquiétude – il n'avait jamais escompté recevoir une réponse positive à ce qui était pour lui une question de pure forme.

– Un jour, j'ai acheté un devoir sur Internet. J'y ai apporté quelques modifications et je l'ai rendu comme s'il s'agissait de mon propre travail. Je savais que c'était mal, mais... C'était au tout début de ma première année de fac préparatoire, le rythme de travail était nouveau pour moi et j'étais sous pression.

L'expression du Dr Cantor, qui s'était figée dans l'attente d'une révélation scandaleuse, se radoucit tout à coup. Il était visiblement soulagé.

– C'est tout ? Au début de votre première année de fac préparatoire, vous avez acheté un devoir en ligne ?

– Voilà. D'autres étudiants en faisaient autant, mais je sais bien que ce n'est pas une excuse.

Après avoir échangé un regard avec chacun de ses collègues, qu'il supposait aussi amusés que lui, le Dr Cantor retint un sourire et dit d'un ton paternaliste :

– Merci de votre franchise, docteur Rothauser. Si nous ne pouvons évidemment pas excuser le plagiat sous quelque forme que ce soit, je pense que nous comprenons tous, en même temps, les difficultés inhérentes aux programmes universitaires très exigeants qui sont ceux des futurs médecins.

Il regarda de nouveau ses collègues pour avoir leur assentiment. Le Dr Hiroshi hocha la tête avec vigueur.

– Avez-vous un autre problème à citer, outre ce devoir de première année, docteur Rothauser ?

– Non, c'est tout.

– OK, parfait ! s'exclama le Dr Cantor, l'air satisfait, en se renversant contre le dossier de son fauteuil et en posant les mains sur le bord de la table comme pour se préparer à se lever. Il est toujours bon de crever l'abcès, n'est-ce pas ? Merci et bon retour parmi nous ! Je sais que je peux dire au nom de tous nos collègues que vous avez cruellement manqué au service de chirurgie, et à l'hôpital, ces dernières semaines.

– Merci, docteur Cantor.

Lorsqu'il quitta son siège, Noah jeta un coup d'œil vers le Dr Mason. Il était clair, vu sa mine, que Wild Bill ne partageait pas la satisfaction de son collègue. Mais il restait bouche cousue, c'était l'essentiel.

Noah tourna les talons et se dirigea vers la porte d'une démarche mal assurée. Il avait l'impression d'avoir échappé à un tremblement de terre – celui qui avait failli l'éjecter du BMH –, et il était encore sous le coup de l'anxiété qu'avait éveillée en lui la question inattendue du Dr Cantor sur ses autres entorses à la déontologie. Heureusement, il connaissait l'antidote. Il allait monter au bloc dare-dare et plonger la tête la première dans le travail.

15 H 10

Le Lenco Bearcat noir, un intimidant véhicule blindé de transport de troupes, s'engagea dans School Street et pila peu après dans un crissement de pneus. Avec stupeur, les dizaines de touristes qui déambulaient aux alentours du petit parvis de l'ancienne mairie de Boston virent six hommes du SWAT, le groupe d'intervention de la police, jaillir du camion l'arme à la main – deux d'entre eux avaient une mitrailleuse Colt CAR-15 – et se déployer au pas de course, suivant une chorégraphie parfaitement établie, en direction de la façade ornementée de l'immeuble victorien. Malgré la chaleur de ce mois d'août, les six agents portaient une tenue de combat à manches longues, avec casque militaire et gilet pare-balles dont les poches étaient remplies de chargeurs pour leurs armes, de grenades assourdissantes et de pistolets à impulsions électriques, les fameux Taser. Chaque membre du commando sauf un, en outre, avait sur le visage une cagoule noire qui le faisait paraître encore plus menaçant.

Ils agissaient sans la moindre hésitation et sans avoir à échanger un seul mot. L'opération avait été planifiée dans ses moindres détails, chaque homme connaissait sa position, son rôle, le déroulement exact de l'action en cours. Le premier agent qui atteignit le bâtiment en ouvrit la porte afin que ses coéquipiers s'engouffrent les uns à la suite des autres dans le hall. Puis il les suivit.

Comme ils avaient bloqué les ascenseurs en piratant le système informatique du bâtiment, ils s'engagèrent dans l'escalier principal pour le gravir en file indienne, et en quelques instants, avec la légèreté de ballerines. Ils se déployèrent de nouveau les uns à côté des autres, sur le palier du troisième étage, devant l'entrée des bureaux de la société ABC Security. Le second agent de la rangée décrocha alors le bélier attaché sur le dos du premier, qui se déporta aussitôt sur le côté pour libérer le passage. Quand l'homme muni du bélier heurta de toutes ses forces la porte au niveau de la serrure, le battant céda dans un craquement de bois étonnamment sonore. Aussitôt, le porteur du bélier s'écarta et les deux hommes qui se trouvaient juste derrière lui s'engouffrèrent dans l'ouverture en brandissant leurs mitrailleuses.

— Police ! crièrent-ils. Vous êtes en état d'arrestation !

Le premier agent prit sous sa surveillance le côté droit de la pièce, son collègue le côté gauche ; c'était la manœuvre classique. Deux autres agents les rejoignirent un instant plus tard, pistolets automatiques Glock brandis à deux mains devant eux.

Trois personnes totalement sidérées se trouvaient dans la pièce. George Marlowe était assis sur un canapé, devant un ordinateur portable, à droite de l'entrée. Keyon Dexter se tenait près de la fenêtre, les mains dans les poches – il observait le cimetière de l'église King's Chapel, juste à côté de l'ancienne mairie, à l'instant où le SWAT avait fait irruption. Tous deux étaient en bras de chemise. Charlene Washington, une stagiaire, était assise à une table sur la gauche.

– À terre ! cria le premier agent entré dans la pièce.

Il tenait George en joue avec son arme, tandis que son collègue faisait de même avec Keyon.

– À terre tout de suite ! ordonna-t-il. Tous les trois ! Les bras tendus !

George et Keyon se remirent vite de leur surprise. Leurs cerveaux de militaires surentraînés appliquèrent automatiquement la boucle OODA consistant à « observer, s'orienter, décider et agir », mais contre six agents armés jusqu'aux dents, ils n'avaient d'autre solution que de se rendre. Levant les mains en l'air, ils obéirent aux ordres que leur répétait l'un des hommes en braillant : ils s'allongèrent à plat ventre par terre. Charlene ne put en faire autant. Tétanisée par la vue du Glock braqué sur son visage, elle n'arrivait plus à faire le moindre geste.

Les deux agents qui s'étaient occupés de forcer la porte, et qui étaient donc entrés les derniers dans la pièce, s'avancèrent pour passer les menottes aux prisonniers. Quand ceux-ci furent dûment maîtrisés, les mêmes hommes les délestèrent des armes qu'ils portaient dans leurs holsters, ainsi que de leurs smartphones et de leurs faux insignes du FBI. Ce nettoyage terminé, Keyon et George furent redressés sans douceur par quatre agents qui les attrapèrent sous les bras. Personne ne disait mot. Enfin, les deux hommes armés de mitrailleuses se mirent au repos.

Le commandant du groupe d'intervention, qui était le premier agent entré dans la pièce et le seul du groupe à ne pas porter de cagoule, se plaça devant Keyon et George. Après avoir tendu sa mitrailleuse à un collègue, il tira d'une poche de son pantalon une petite carte plastifiée sur laquelle étaient inscrits les droits Miranda qu'il devait lire aux individus appréhendés. S'adressant d'abord à Keyon Dexter en citant son nom, il l'informa qu'il était arrêté pour le meurtre de Roberta Hinkle commis à Lubbock, Texas, ainsi que pour enlèvement et pour usurpation de l'identité d'un agent fédéral. Regardant ensuite George Marlowe, il répéta la séquence. Puis il lut leurs droits aux deux prisonniers.

Le commandant recula d'un pas et observa quelques instants Dexter et Marlowe. Dans ce genre d'opération, il arrivait souvent que les personnes interpellées, sous le coup du stress, tiennent des propos compromettants pour elles-mêmes après avoir été informées de leur droit à garder le silence. Mais ces deux types étaient des pros. Ils gardaient leur calme ; ils savaient qu'ils devaient se taire.

De fait, Keyon et George se doutaient qu'ABC Security chargerait très vite de puissants avocats d'intervenir en leur faveur. Leur arrestation ne les intimidait même pas, puisqu'ils étaient certains d'être bientôt libérés sous caution.

NOTE DE L'AUTEUR

La profession médicale est confrontée depuis toujours au problème des charlatans. Dans un certain nombre d'histoires tristement célèbres, ces imposteurs sont allés jusqu'à commettre des meurtres en toute impunité après avoir pris l'identité de véritables médecins soit décédés, soit partis s'installer dans une autre ville ou un autre État. Aujourd'hui que le monde est irrémédiablement entré dans l'ère numérique, le charlatanisme médical ne peut que se développer, et toujours plus vite, parce que la vulnérabilité des bases de données permet d'étoffer n'importe quel curriculum vitæ, sinon d'en créer de toutes pièces. Avec le piratage des données informatiques, il n'est plus nécessaire d'usurper l'identité de quelqu'un comme autrefois. Le problème est aussi aggravé par la très grande accessibilité des savoirs et des compétences sur Internet, et par le fait qu'il est possible de se former à la pratique de la médecine avec des programmes de réalité virtuelle, couplés à des mannequins, qui reproduisent de façon extraordinairement réaliste les physiopathologies humaines et les réponses de l'organisme aux interventions et traitements. En conséquence, l'écart entre le médecin de formation traditionnelle et le charlatan motivé, en termes de connaissances et de savoir-faire visibles, est progressivement en train de se réduire. Il devient de plus en plus difficile de distinguer le vrai docteur du faux docteur.

Le mot « charlatan », apparu au XVIᵉ siècle et emprunté par l'anglais au français, a longtemps désigné le guérisseur, le vendeur de poudre de perlimpinpin, mais son sens s'est élargi pour englober tous les imposteurs. Et aujourd'hui, il semble prendre une signification nouvelle. Les réseaux sociaux connaissant une croissance spectaculaire partout sur la planète (on compte actuellement près de deux milliards d'utilisateurs de Facebook) et, d'après diverses estimations, plus des trois quarts des gens mentant sur ces réseaux pour « embellir la réalité », le nombre des charlatans – charlatans de tout poil et à des degrés divers – ne peut qu'augmenter. Très concrètement, il devient à peu près acceptable, sinon normal, de se comporter en imposteur sur les réseaux sociaux. Entre cinq et dix pour cent des deux milliards de profils Facebook, dit-on, sont en réalité des faux-nez, des faux profils : ils appartiennent à des charlatans numériques. D'aucuns affirment que le pourcentage est nettement plus élevé. Bien sûr, cette situation ne doit guère étonner vu l'attirance qu'exercent les réseaux sociaux sur les gens. D'après les psychologues, ils sont les terrains de jeux virtuels d'une culture qui valorise de plus en plus le narcissisme – qui devient une culture du narcissisme. Inhérente aux relations virtuelles, la disparition des restrictions et des contraintes qui vont de pair avec les interactions sociales réelles, de la vraie vie, engendre un « anonymat dissociatif » privé de représailles significatives et propice à l'affirmation et à l'assouvissement sans frein de tous les désirs égocentriques. Les utilisateurs des réseaux sociaux peuvent être qui ils veulent, et dire tout ce qu'ils veulent, pour quelque raison que ce soit, avec des conséquences à la fois bénignes et pas si bénignes que cela, y compris pour eux-mêmes. Et ce « meilleur des mondes » se développe à la vitesse grand V.

Les membres des professions médicales n'échappent pas aux réseaux sociaux. Eux aussi sont victimes du pouvoir d'attraction, et des pièges, de Facebook, de Twitter, d'Instagram, de Snapchat, des sites de rencontre, etc. Des études ont montré que plus de quatre-vingt-dix pour cent des médecins utilisent les réseaux sociaux à titre personnel. Le pourcentage de ceux qui s'en servent pour des raisons professionnelles est inférieur. Or, cet usage majoritairement privé n'est pas sans conséquences. Plus de quatre-vingt-dix pour cent des sociétés médicales et des organismes d'accréditation et de supervision des médecins, dans toutes les spécialités et dans tous les États américains, ont reçu des plaintes concernant des comportements inappropriés de médecins sur les réseaux sociaux. Des mesures disciplinaires ont dû être prises.

Comme l'ensemble de la société, la profession médicale est transformée par les technologies numériques. Elle n'est déjà plus la principale source d'informations médicales pour le grand public : c'est Internet qui remplit désormais ce rôle. D'ici quelques années, c'est tout le paradigme de la pratique médicale qui sera remis en cause. Nous quitterons le système des soins centré sur l'hôpital, tel qu'il a été établi au XIXe siècle, pour passer à un système de soins centré sur le patient, préventif et personnalisé, fondé sur des algorithmes de monitorage et de traitement en temps réel. Et tout se passera pour l'essentiel à domicile, sur le lieu de travail et dans des centres de soins ambulatoires – adieu les hôpitaux coûteux et dangereux que nous connaissons encore aujourd'hui. Afin de répondre à cette évolution radicale (due en partie à l'augmentation vertigineuse des coûts du système de santé), la formation des médecins devra être révisée de fond en comble si on veut qu'elle continue d'avoir un sens. Elle le devra même d'autant plus qu'elle est l'un des modèles d'éducation supérieure les plus conservateurs qui soient. L'interminable et très onéreuse séquence inventée au début du XXe siècle (et qui n'a guère changé depuis), avec quatre années de fac préparatoire (aux États-Unis) suivies de quatre années de fac de médecine elles-mêmes suivies de cinq à sept années d'internat et de spécialisation à l'hôpital, devra être revue en profondeur. Ce livre, *Charlatans*, annonce ce besoin de changement. Sur une note plus légère, le roman pose aussi une autre question : votre médecin a-t-il ou a-t-elle réellement reçu la formation que vantent les beaux diplômes – si faciles à reproduire – accrochés aux murs de son cabinet ?

REMERCIEMENTS

Je veux ici exprimer ma gratitude à tous les membres de ma famille et à tous les amis qui ont la gentillesse de lire mes manuscrits pour les critiquer et me donner leur opinion avec franchise. Merci pour votre aide et votre soutien inestimables.

DU MÊME AUTEUR

Aux Éditions Albin Michel

AVEC INTENTION DE NUIRE

NAISSANCE SUR ORDONNANCE

VENGEANCE AVEUGLE

PHASE TERMINALE

CURE FATALE

RISQUE MORTEL

CONTAGION

INVASION

TOXINE

CHROMOSOME 6

VECTOR

CHOC

RAPT

CRISES

FACTEUR RISQUE

ERREUR FATALE

ÉTAT CRITIQUE

MORTS ACCIDENTELLES

INTERVENTION

RÉMISSION

ASSURANCE VIE

NANO

PRESCRIPTION MORTELLE

COBAYES

Composition : Nord Compo
Impression : CPI Bussière en octobre 2018
Éditions Albin Michel
22, rue Huyghens, 75014 Paris
www.albin.michel.fr

ISBN : 978-2-226-40319-3
N° d'édition : 23012/01 – N° d'impression : 2038218
Dépôt légal : novembre 2018
Imprimé en France